哲学家

2006

PHILOSOPHER

■ 中国人民大学哲学院 编

■ 冯俊 主编

人民出版社

北京佳瑞环境保护有限公司特别赞助

序

冯　俊

　　哲学就是爱智慧，对智慧的追求和探索；哲学家就是爱智者，智慧的追求者和探索者。

　　哲学不仅要思考自然、大宇宙，它也关注人的心灵、小宇宙；哲学家既观天、考察灿烂的星空，也察地、关注市井和人生。哲学家要有把天地想得透彻的能力。哲学是一门自由的学问，为了知而求知，求知爱智不受任何功利的驱使，不被任何权威所左右。哲学家任思想自由驰骋，任智慧自由翱翔；同时哲学家又对真理异常执著，愿意为坚持真理而死，就像"夸父"去追赶太阳。

　　哲学是时代精神的体现，是一个时代的精神桂冠或精神旨归。哲学家既是一个时代的呼唤者，又是一个时代的批判者。哲学家是一个守夜者、一个敲钟人，哲学家又是一只牛虻、一只猫头鹰。一个时代不能没有哲学，不能没有哲学家，一个没有理论思维的时代和一个没有理论思维的民族是可悲的、是荒芜的；一种哲学和一个哲学家也不能离开他的时代、他的民族，离开了时代和民族的哲学和哲学家是空洞的、没有生命力的。一个时代能够产生哲学家是这个时代的幸运，一个哲学家能遇上一个好时代那是他的福气。

　　哲学家不像文学家、艺术家那样被大众所熟知和喜爱，哲学家是寂寞的、孤独的，甚至被大众视为异类；哲学家不能像企业家、政治家那样享受现世的荣华，哲学家成为贫穷、寒酸的代名词，他们常被金钱和政治所忽视；但是，哲学家是幸福的，因为他们在理智的沉思中得到了常人无法理解的快乐，哲学家的幸福是思辨之幸福。哲学家虽然不是预言家，但是他们更多地是为了未来而活着，为了整个人类而活着。

　　《哲学家》是哲学家们的家，中国人民大学哲学院创办《哲学家》是为哲学家们寻找一个精神家园，建设一个学术家园。中国人民大学哲学系创办五十年来，为马克思主义哲学的传播和教育、研究和发展，为中西哲学的继承和弘扬、挖掘和批判作出过巨大的贡献，在这里诞生过许多第一本教材，在这里曾经产生过不少新的学科，在这里出现了国内的第一批硕士点、博士点、博士后流动站、一级学科授权点，在这里走出了千百位哲学教授，这里培养出国内最多的博士生和硕士生，这里产生出数百部学术专著和数以万计的学术论文。它曾被人们誉为哲学教育的重镇、哲学探索的前沿、哲学家的摇篮。进入新世纪，我国哲学社会科学的研究和教学空前繁荣，许多院校哲学学科异军突起，哲学领域出现了诸侯割据、群雄并立之势。哲学家们驰骋疆场、逐鹿中原之日，定是中国哲学社会科学发展繁荣之时。中国人民大学哲学系组建成为了哲学院，哲学家们也找到了《哲学家》，《哲学家》既是哲学家们角逐的原野、比武的疆场，也是哲学家们以武会友的会馆、交流心得的茶坊。

《哲学家》既要展示人民大学哲学院的学术成果，又要展示国内外同行们的真知灼见。稿件不分领域，不论长短，重在有新意、合规范；作者不讲身份，不论出处，贵在求真理，有创见。欢迎国内外的学者、同行们踊跃支持，让我们共同建设好哲学家们的家园。

Contents
目　录

【目录】

Contents

目 录

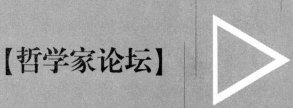

【哲学家论坛】

和合价值观

张立文

内容提要：和合作为中华民族文化的精髓和首要价值，在现代仍具有现实的精神价值。和合价值观集中体现在生生价值观、多元价值观、贵和价值观、日新价值观、笃行价值观五大方面。在当今时代，和合价值学有益于人类所共同面临的冲突和危机的协调和化解；有益于人类各民族文化哲学个性化的长久持续发展；有益于各民族、国家社会政治、经济、科技、文化的交流、学习和繁荣；有益于人类各民族、国家、文明的价值观、理论思维、伦理道德、终极关怀的建设和需求；有益于人类精神和共同理想的建设和发扬。我们应以此五个"有益于"为标准，建构一个天和人和、天乐人乐、天人共和乐的和合世界。

关键词：和合、价值观、和合世界

和合学打破沙锅璺到底的这个底，就是"和合起来"的和合体。它不重蹈柏拉图以来西方实体本体的覆辙，也不重演中国宋明理学本体论的故技。这个"和合起来"的和合体，它是永远"在途中"的超越之道。因其自身不断超越，与时偕行，所以和合生生道体不是固定的实体，而是"唯变所适"的生命智慧及其化育流行的智能创生的虚位，是为道屡迁的流体和自由澄明的和合体。

人类生活在"和合起来"的和合关系网络之中，一切实、有、色都是生生"和合起来"途中的一次呈现。和合作为中华民族文化的精髓和首要价值，在现代仍具有现实的精神价值。和合学是当代理论思维形态"自己讲"、"讲自己"的形式，也是应对人类所共同面临的五大冲突和危机的化解之道。20世纪是价值冲突、价值破碎的时代；是传统价值观、价值定式在大化流行、变动不居中，被不断抽掉的时代。21世纪人类所面临的日益严峻的五大冲突和危机，归根到底是价值的冲突和危机。这是因为价值观问题，是文化、政治、经济的核心问题，它是社会文明发展的动力和成果。换言之，它构成了人、国家、民族选择活动的依据和取向，以及人的行为方式的最基本动力和趋向。就此而言，一切价值问题，本质上是人的问题，并围绕人而展开。作为人类在实践交往活动中所建构的各种方式和成果总和的文化，其内核的灵魂是价值，体现为文化价值。这便是人——文化——价值三维的融突和合。从这个意义上说，价值创造的本质在于和合。和合价值观，是中华民族学术文化的核心价值。

一、生生价值观

"生生"从古汉语语法结构上看，是动—动结构，后一个"生"字是状态动词的名词化用法，特指生态系统的天然生机或天地万物的生长化育。即《周易·系辞传》所说的"天地之大德曰生"[①]里的"生"字。前一个"生"字是不及物动词的使动用法，即"使……生"，或"让……生"的意思。"生生"中的两个"生"字，在语词结构上位于不同的逻辑层次；单纯的"生"，是一种自然而然的生物学现象，也是中国古代思想家所描述的生理学现象。复合的"生生"却是一种蕴涵抉择的社会学现象，燮理阴阳变化以疏通万物生机，也是一种自然而然的文化学现象，参赞天地化育呵护众生命根。在这种双重的"生生"里，才有本真意义上的和合。因此，人类的道德觉醒是和合生生的动因，主体的价值创造是和合生生的"动力"，而人道从天道、地道中的意义分化出来，则是和合生生的起始。

"和合起来"的和合体是生生的呈现。如何生生？怎样才能生生？生生的形式是什么？"天地絪缊，万物化醇，男女媾精，万物化生"[②]。天地、男女在古人心目中被认为是乾、坤，是阴、阳，是差分的、对立的，就可能发生内在的矛盾或外在的冲突；"絪缊"是阴阳紧密地互相交感，"媾精"是阴阳男女相感媾合，絪缊、媾精都是融合的意思；"化醇"是指天地、阴阳凝聚气化而成新事物的和合体，"化生"是指男女阴阳媾合而诞生新生命的和合体。这就构成这样的生生形式：

$$\underset{\text{(天地、男女、乾坤、阴阳)}}{\text{冲突}} \xrightarrow{\text{絪缊、媾精}} \text{融合} \xrightarrow{\text{化醇、化生}} \underset{\text{(新事物、新生命)}}{\text{和合体。}}$$

"和合起来"的和合体之所以生生，是由于其变易性、流变性、开放性。"生生之谓易"[③]。阴生阳，阳生阴，阴阳转化变易无穷，而生生不绝。生生的变易，在中国古代也被看做"流"，"子在川上曰：逝者如斯夫！不舍昼夜"[④]。这种"流"是前后相继、永不止息的。孔子在这里所说的川（河流），不是指某一特定的川，如泗水等，而是一般川的概念，指河水在不断地流的川；这里的川不是绝对静止的，而是流动的。朱熹注释说："天地之化，往者过，来者

---

① 《系辞传下》，《周易正义》卷 8，《十三经注疏》，中华书局 1980 年版，第 86 页。

② 同上书，第 88 页。

③ 《系辞传上》，《周易正义》卷 7，《十三经注疏》，中华书局 1980 年版，第 78 页。

④ 《子罕》，《论语集注》卷 5。

续，无一息之停，乃道体之本然也。"① "道体"不是天地变化、川流不息的主宰，而是道体自然而然的本然状态，这便是生生变易的和合体的形而上的品格。

如果从状态描述的视阈来考察古希腊赫拉克利特（约公元前504—前444）的流变学说，其最通常的表述是"万物皆流"②。这与孔子的表述有相似之处，孔子虽以形象的比喻讲川的流，但已蕴涵了"万物皆流"的意思。所以程颐便理解为"天运而不已，日往则月来，寒往则暑来，水流而不息，物生而不穷"③。他们的思想基本相符。在这里《周易》、孔子和赫拉克利特的变易、流变学说，是一种天才的智慧洞见，而不是一种理论的论证。但作为对事物现象根本性质的一种探索和把握，揭示了存在世界处于永恒变易、流变之中，任何事物都即在即逝。

这种变易、流变学说，在东西方社会文化环境中的机遇截然有异。对赫拉克利特的流变学说，苏格拉底（Sokrates，公元前469—前399）、柏拉图、亚里士多德都采取批判、拒斥的态度。他们认为，若一切都在流变之中，就不可能说有知识的存在。知识本身应保持不变，知识的形式一旦改变，知识也不存在，真实的标准也将失效。这对于信仰真实不变的知识的苏格拉底、柏拉图、亚里士多德来说，无疑是不能接受的。

在东方中国，这种变易、流变学说不仅没有被排斥，而且被普遍运用和获得高度的评价。《周易》、孔子所讲变易、流变自身是一实实在在的，是永恒真实的，不需要在其外去寻找某一永恒的观念或东西以支撑关于真实世界的信念。变易、流变虽以其动态性、相对性、相关性而排斥、批判静态性、绝对性、独断性，但变易、流变本身却是常在的，在变易中也存在着某种确定不移的事物所共同认同的标准。就此而言，就蕴涵着对变易、流变的形而上学的肯定。由其变易性、流变性，人世间才会生生不息，不断创新和新生，使"和合起来"的和合体相继不绝。就此而言，生生的变易性、流变性是其动力和源泉。

为什么会变易、流变？赫拉克利特对此没有作出深入的探究，但在中华哲学中却对此作出了解释："易以道阴阳"④。一切事物都可看做是由互相对立、依赖、渗透、转化的阴与阳构成的，阴阳是每一事物本身所具有的性质。它包

① 《子罕》，《论语集注》卷5。
② 在现存的赫拉克利特残篇不见此表述，见于辛普里丘对亚里士多德《物理学》1313、11的注释中，但柏拉图、亚里士多德讲到赫拉克利特时都使用了流变及相似的表述。
③ 《子罕》，《论语集注》卷5，朱熹引程颐的话。
④ 《天下》，《庄子集释》卷10下，中华书局1985年版，第1067页。

含交易的对立，即阴阳的相互冲突，也蕴涵阴阳的互相渗透、包容，如《太极图》，白代表阳，黑表示阴，各各相对，而阳中有阴，阴中有阳。由于阴阳的互相作用、相感、絪缊，而产生阴阳两极的互补、协调和融合。阴阳所具有的这种动态功能，是由阴阳自身所具有既对立又依赖的本性决定的，这便是变易之动因。变易、流变着的和合体世界是多样性的世界。和合学消除了战国后期以来以阴阳二气解释和合的二分思维定式，而为多元融突和合，但可以接纳阴阳变易和阴阳开出的生生的三种原理：一是阴阳互根原理。当多元的存在物充分展示自身的相异性时，其发展的路向、结果及其总体，会显现其互根性。周敦颐说："太极动而生阳，动极而静，静而生阴。静极复动。一动一静，互为其根"①。其意可理解为阳极而阴，阴极复阳，一阴一阳，互为其根。这个互为其根的"根"，可称之为"道"，即"一阴一阳之谓道"的道，亦即和合生生道体。二是阴阳和谐原理。具有一定质的规定性和一定形式的存在，在一般情境中，可置于阴阳两极的协调、均衡、和谐之中，阴阳两极的冲突、紧张，往往是阴阳两极协调、均衡、和谐的打破。中华中医药理论认为，健康的身体就是阴阳的协调、平衡、和谐，一旦阴阳失调，如阳亢或阴虚，就会发生疾病。辩证施治就在于调理阴阳，使阴阳恢复协调、和谐。三是阴阳互渗原理。人世间的事物都不是完全单一的，纯粹又纯粹的绝对物，而是具有多种元素、多样性质之和合。这种和合，一般来说都是阴中有阳，阳中有阴，你中有我，我中有你。当称其为阳物时，阳占主要、主导因素，反之，便是阴占主要、主导因素。阴阳两极或多极的互相渗透、包容、吸收，是和合开放性的体现，避免了单极的独裁性、独断性。阴阳多极的互根、和谐、互渗等原理，体现了和合如何生生，怎样生生，以及生生形式是什么的生生价值观。

二、多元价值观

多元融突和合的智能创造，才能生生不息。多元、多样是"和"，单一、一元是"同"。和、和合一词，通常被误解为调和、折中、和稀泥等，而与矛盾、斗争、原则性等相对应，按非此即彼的二元对立的原理，和合便作为要批判的思想观念，而被排除了。其实，"和合"是中华文化传统的价值理念。在先秦元典中已成为重要的哲学语汇。最早使用"和合"一词的先秦典籍是《国

---

① 《太极图说》，《周敦颐集》卷1，中华书局1984年版，第3页。

语·郑语》。《国语》是记载西周中期到春秋末年的一部重要史书。① 两汉经学时，《国语》不在《五经》之列，这反倒有利于保存文本的原貌，避免了被章句支离的厄运，使我们能在当今也可理解古人围绕"天时人事"的对话，感受"礼崩乐坏"时代精神及其生命智慧的深沉忧患。

周幽王时，郑桓公与史伯在讨论国家兴衰的原因和死生的道理时，讲到"商契能和合五教，以保于百姓者也"②。"五教"是指父义、母慈、兄友、弟恭、子孝。商契作为商代的祖先，他能了解民情，因伦施教，百姓和睦、和合，皆得保养。周幽王之所以衰败的原因，就在于"去和而取同"。史伯接着讲了为什么"和合"使国家兴旺，"翦同"使国家灭亡的原因："夫和实生物，同则不继。以他平他谓之和，故能丰长而物归之，若以同裨同，尽乃弃矣。"③什么叫作和？什么称为同？和就是"以他平他"，在这里"他"与"他"之间是相互平等的互动者、互相尊重的对话者和互相谅解的交往者，他们和而不同，相异而融合，和合而成新事物、新生命。他与他之间不是你死我活、一方主宰一方、一方吃掉一方的关系，这便是"和"，这种和的观念与西方非此即彼的二元对立思维异趣。

如何"和实生物"？就是"故先王以土与金木水火杂，以成百物"④。韦昭注："杂，合也。"五行是人生天地之间日用的五种差异性的元素，具有多元性价值，多元价值之间又按照"以他平他"的原则，融突和合，就能化生、育成百物，这便是一种万物丰长、生机勃勃的景象。与此多元和合生物相反的便是"同"，"同"便是毁弃多样，以同裨同，不仅不能使人类继续生育，而且毒害生灵，导致危亡。"同"便是一元论、同一论，"声一无听，色一无文，味一无果，物一不讲。王将弃是类也，而与翦同，天夺之明，欲无弊，得乎？"⑤五声和谐，才是美声，一种声音就是杂音了；五色才有文采，一种颜色就显单调了；五味才有美味，一种味道就不是美食；一种事物就不能比较或融合了。幽王抛弃多元和合价值和法则，而搞一元的翦同、同一，上天夺去了他的聪明才智，要想不衰亡，也办不到了。

综观西方哲学史，可以惊奇地发现，凝聚着人类智慧的哲学，竟然是对

---

① 《国语》相传为春秋时鲁国史官左丘明所作，或说是左丘所作。各篇写作年代不一，周、鲁、晋、郑、楚五语为当时人所记，年代较早；齐、吴、越三语为后人追记。《国语》与《左氏春秋》（《左传》）内容多有相同或相关的记载，两相比较，《国语》多保存原文和原始思想，《左传》已经修整。（参见王树民：《国语集解》，中华书局 2002 年版，第 1、604 页。）

② 《郑语》，《国语集解》，中华书局 2002 年版，第 16、466 页。

③ 同上书，第 16、470 页。

④ 同上。

⑤ 同上书，第 16、472—473 页。

"一"的追求。从古代哲学寻求"万物的统一性"到"理念的统一",以至"原理的统一";从近代哲学寻求"意识的统一性"到"逻辑统一",以至"人性的统一";从现代哲学寻求"世界的统一性"到"科学的统一"、"语言的统一";等等。以所谓的"始基"、"基质"、"存在"、"理念"、"共相"、"上帝"、"本体"、"实体"、"物质"、"概念"、"逻辑"、"符号"等为其核心的、终极的形而上学观念,并以其形上智慧追求这个一元性的、剗同性的"一",而与中华古代史伯所批判的剗同的"一"有相似之处。由于寻求"一",而导致处处"去和而取同",或"同而不和",排斥多元而求一元的声一、色一、味一、物一的一。并以这个剗同的"一"为天地万物的创造者、真理的化身,与此"一"相异、相反的便是异端邪说,叛经离道,便属于消灭打倒之列。这就导致"同则不继",窒息了生命的延续、新事物的化生。《易传》说:"革,水火相息,二女同居,其志不相得。"① 以女禅女,这是同,同居不能生育新生儿,人类就不能延续下去。中华民族提倡多元和合价值观,就具有开通性、宽容性、包容性,而与闭塞性、独霸性、剗同性相反。正由于中华民族具有和合生生精神,富有多元和合价值观,所以能海纳百川,有容乃大,而没有在历史上发生宗教战争,在寺庙里儒、佛、道三教的教主可以平等地供奉,人们也不分彼此或厚此薄彼地礼拜。这是在其他国家、民族的宗教寺庙里所罕见的。

三、贵和价值观

如何生生?就需要有一个和谐的自然、社会、人际、国际的环境,才能生生不息。中华民族是一个贵和的民族,贵和也是中华民族的民族精神。和是民族的最高价值之一,也是指导人们身体力行的原则。和是心情愉悦的体验。《周易》说:"鸣鹤在阴,其子和之。我有好爵,吾与尔靡之。"② 鹤在树阴下欢快地鸣叫,小鹤应和着,我有一杯美酒,愿与你亲切地共饮。 "和兑,吉"③。和善而喜悦,则吉祥。

《尚书》讲和,是对如何处理社会、国家、人际间关系的众多冲突现象的体认。"协和万邦,黎民于变时雍"④。各邦族或诸侯国之间要协和无间,天下百姓在尧的教导下,和睦相处。西周初周公代表成王发布命令,告诉殷遗民和

---

① 《革·象传》,《周易正义》卷5,《十三经注疏》,中华书局1980年版,第60页。

② 《中孚·九二爻辞》,《周易正义》卷6,《十三经注疏》,中华书局1980年版,第69页。

③ 《兑·初九爻辞》,《周易正义》卷6,《十三经注疏》,中华书局1980年版,第69页。《帛书周易》作"休兑,吉",参见张立文:《帛书周易注译》,中州古籍出版社1992年版,第372页。

④ 《尧典》,《尚书正义》卷2,《十三经注疏》,中华书局1980年版,第119页。

四方诸侯，要他们"自作不和，尔惟和哉，尔室不睦，尔惟和哉"①。如果你们之间不和睦，那你们应该和好起来；如果你们的家庭不和睦，你们的家庭也应该和好起来。你们要为臣民作出表率，那你们的邦族或国家就能够和睦愉快地相处。周公指出，由于商纣王政治腐败，作恶多端，周代商来治理天下是上天的意志。"时惟尔初，不克敬于和，则无我怨"②。假如不尊重天的命令，不和睦相处，天就要惩罚你们。这样，和被作为天的意志而被赋予特殊重要的价值。成王死后遗令康王："率循大卞，燮和天下，用答扬文武之光训。"③ 遵循国家大法，治理天下，以报答发扬文王、武王的好传统。

《诗经》讲祭祀时要用和羹。"亦有和羹，既戒既平，鬷假无言，时靡有争"④。和羹就是烹饪鱼肉时五味调和得度，食之于人，心平性和。以一片诚心进献于神灵，人人肃敬，寂然无争。依据《春秋左传》的记载，昭公二十年（公元前 522 年）晏婴与齐景公在关于和与同的对话中，引了《诗经·烈祖》这段话，并阐发为："公曰：'和与同异乎？'对曰：'异。和如羹焉，水、火、醯、醢、盐、梅，以烹鱼肉，燀之以薪，宰夫和之，齐之以味，济其不及，以泄其过。君子食之，以平其心'。"⑤ 和犹如和羹，用水、火、醋、酱、盐、梅等调料，来烹鱼和肉，厨师在烹饪的过程中，要使酸咸适中，如不够，则加盐梅；若多了太酸太咸，则加水减酸咸。这样经过主体人的智慧地融突加工和合，而成鲜美的食品。晏婴认为，君子食了和羹，就会心平气和。

晏婴进一步发挥，和羹与和声一样，是不同的原料和声调相对相关，冲突融合而成，譬如和五味的辛、酸、咸、苦、甘，"和五声"的宫、商、角、徵、羽；发出的声音有清浊、小大、短长、疾徐、哀乐、刚柔、迟速、高下、出入、周疏等不同，而成和声。君子听了和声，"以平其心。心平，德和"⑥。

晏婴把和的思想运用到政治上，体现了他的政治智慧。他认为，一个君主提出的意见有合理的地方，也有不合理的地方，臣民应该指出其不合理的地方，帮其改正，而使其更完善；君主认为不可行意见，而其中有可取、可行的地方，臣民应指出其可取、可行的方面，而去掉其不可行的方面，而使其由不可行转为可行。这便是政和，可以说是当时的政治文明。"同"就是君讲可以的，你亦讲可以，君说不可行的，你也说不可行。唯君是从，做君的

① 《多方》，《尚书正义》卷 17，《十三经注疏》，中华书局 1980 年版，第 229 页。

② 同上书，第 230 页。

③ 《顾命》，《尚书正义》卷 18，《十三经注疏》，中华书局 1980 年版，第 240 页。

④ 《商颂·烈祖》，《毛诗正义》卷 20，《十三经注疏》，中华书局 1980 年版，第 621 页，《中庸》第 33 章，"鬷"作奏。

⑤ 《昭公》二十年，《春秋左传注》，中华书局 1981 年版，第 1419 页。

⑥ 同上书，第 1420 页。

驯服工具和传声筒，这便是同。"若以水济水，谁能食之？若琴瑟之专一，谁能听之？同之不可也如是"①。水加水，不成美食，琴瑟只有一声，不成音乐，这就是"同"。晏婴比较和与同，认为和可以得到心平性和，使人的精神获得愉悦的享受，使主体道德行为得到培养和协，并能取得政治平和，人民和谐相处。

和的思想被老子、孔子、管子所继承和发扬，并开出三条路向：

一是万物生成的形而上路向。老子说："道生一，一生二，二生三，三生万物。万物负阴而抱阳，冲气以为和。"② 由一到三，有次序的化生，三是多的意思，多元的要素化生万物。换言之，万物肩负着阴、怀抱着阳。阴阳的冲突融合而达到和的境界。和是万物本质以及万物化生的基础，这是老子思想的形而上学的探索。"知和曰常，知常曰明"③。知道和是经常的、永恒的，就可以明白道。和是老子形而上之道的永恒的常态。

二是人格理想的人世间的路向。孔子说："君子和而不同，小人同而不和"④。君子能够接受不同的意见，而获得和谐；小人只认同相同的意见，而不能接受不同意见，因此不和谐。换言之，君子没有乖戾的思想，他能包容不同意见，海纳百川，和谐相处；小人结党营私，党同伐异，同而不和。这就是说，和谐、和合是在不同、冲突中求得的，同是排斥和合、和谐的。体现了两种不同的处理人际、社会、政治关系的方法，也意蕴着两种不同的理想人格、道德情操和思维方法。显然，孔子是赞成君子和而不同的，所以《论语》记载他的学生有子的话："礼三用，和为贵。先王之道，斯为美；小大由之。有所不行，知和而和，不以礼节之，亦不可行也。"⑤ 礼仪的作用，以和为最宝贵的价值。过去圣君明主，治理国家，最可赞美的地方就在这里，无论大事小事都要做得恰到好处。知道和的价值而求和，还需要遵循一定礼仪制度的规矩，否则也是行不通的。说明以和治理国家的可贵，社会安定，人人安居乐业，但也不能违背社会秩序，且不以礼仪规矩约束自己的行为。

三是道德修养的伦理论的路向。管子说："畜之以道，养之以德。畜之以道，则民和；养之以德，则民合。和合故能习，习故能偕，偕习以悉，莫之能伤也。"⑥ 畜养道德，人民和合。道的涵义丰富，既指万物存有的根据、本体，也指人类社会生活根本的原理、原则，亦指人的精神境界和学说。德既指天地

---

① 《昭公》二十年，《春秋左传注》，中华书局1981年版，第1420页。

② 《老子》第42章。

③ 《老子》第55章。

④ 《子路》，《论语集注》卷7。

⑤ 《学而》，《论语集注》卷1。

⑥ 《幼官》，《管子校正》卷3，《诸子集成》，国学整理社1936年版，第42页。

万物的本性、属性；也指人的本性、品德。道与德可以通过人的积畜和修养而达到。"畜之以道，则民和；养之以德，则民合。和合故能偕，偕故能辑，谐辑以悉，莫之能伤。"① 道畜民和，德养民合，人民有了道德畜养，便和合，和合所以能和谐共事，和谐共事所以团聚，尽到和谐团聚，就不会受到伤害。在这里，和合是畜养道德的目标和对于这种目标的追求。畜养道德是因，人民和合是果，这种因果关系在管子看来是一种必然关系，但和合在这里还不是对人的终极关怀，而需要郊祀天地神祇。"请命于天地，知气和，则生物从"②。知道气可和，而德可合。生物便顺从。

墨子认为，和合是人与家庭、国家、社会伦理关系的根本原理、原则。"内者父子兄弟作怨恶，离散不能相和合。天下之百姓，皆以水火毒药相亏害"③。家庭内父子兄弟不和睦，互相怨恨、使坏，推及天下百姓，亦互相伤害，家庭、国家就会离散或灭亡。和合使家庭、社会群体凝聚在一起，形成不离散的社会整体结构。和合是社会和谐、安定的调节剂。"昔越王勾践，好士之勇，教驯其臣，和合之"④。君、臣、士之间要和合，国家才会富有强大，和合也是家庭、社会、国家不动乱、不分裂的聚合剂。

贵和的价值观是中华民族源远流长的、根深蒂固的根本价值之一。直至当前，仍然在人与自然、社会、人际、文明、国家、家庭的关系中体现出来，并奉为处理一切关系的指导原则之一。这就是说：要熟悉天地自然和社会冲突所在，依据对象的本性，加以协调，以达到和谐；要顺其自然，尊重天地自然和社会的运行规则，达到和谐；要掌握差分，差分而使其各得其所，各安其位。万物及各行各业并育而不相害，道并行而不相悖，而繁荣发展；要增强人类的生产能力，播种百谷，培育蔬菜，丰衣足食，人人和乐；要加强教育，提升人的道德水平、文明程度，百姓和睦，皆得保养，以建构和谐社会，以至和合世界或曰世界和合。

四、日新价值观

和合生生需要日新、创新，只有日新日日新，和合生生才有不竭的生命力和生命智慧。《易传》讲："日新之谓盛德"⑤。日新可以讲是最大的德性或本

---

① 《外言·兵法》，《管子校正》卷6，《诸子集成》国学整理社1936年版，第96页。
② 《幼官》，《管子校正》卷3，《诸子集成》，国学整理社1936年版，第42页。
③ 《尚同上》，《墨子校注》卷3，中华书局1993年版，第109页。
④ 《兼爱中》，《墨子校注》卷4，中华书局1993年版，第159页。
⑤ 《系辞传上》，《周易正义》卷7，《十三经注疏》，中华书局1980年版，第78页。

质。德的日日增新，便是德的极盛。这里德既可以作德性、道德性讲，也可以作得讲。得即"内得于己，外得于人"。内得就是要不断地提高自己的文化水平、教育素质，加强道德修养、人格培养，才能有更大的获得。"外得于人"，只有博施济民，给予他人，使别人有所获得，自己也才会有所得。

外得于人，应该像孔子讲的"己所不欲，勿施于人"。你自己不想要战争，也不要把战争强加给别人；你自己不想要贫穷，也不要把贫穷强加给别人，扼制不发达国家的发展；你自己要幸福，也希望别人得到幸福。这样别人就不会把战争、贫穷加给你，你便得到安宁、幸福。假如你不要恐怖活动，而把恐怖加给别人、别国，结果是越反恐，却越反越恐，这也是"外得"。因此，"外得"必须与"内得"的道德修养相融合，内外兼备，才是"盛德"。

"盛德"必须有日新的支撑，日新就是不断创新。人生在于奋进，生命就在于创新。人的生命价值是在日日新中实现的，只有真正做到日日新，才能使天地万物无限富有，而成就其千秋大业。既促使天地万物的日新月异，吐故纳新，而呈现其盛大的德行，也促使人类社会恒常变通，不断创新，而出现繁荣和发展。

和合生生必须日新、创新，日新、创新必须变通；不通就不能变，不变就不能日新、创新。"穷则变，变则通，通则久"①。事物发展到一定的极限，就会停滞而不能发展，必须随时而改变，"变通者，趣时者也"②。以适宜时代的变化。从社会发展的经验来看，也是这个道理，发展到一个极限，一定要变，变就会通，通才会长久，这里的变通就蕴涵着创新、日日新。譬如说《泰卦》，乾卦在下，《坤卦》在上。阳气向上，阴气向下，上下交通。《泰卦》的卦辞："泰，小往大来，吉，亨"。《彖传》解释说："则是天地交而万物通也，上下交而其志同也。"《象传》说："天地交，泰，后以财成天地之道，辅相天地之宜，以左右民。"③ 天地阴阳互相交感，万物亨通；上下交感，信息交通。便能亲近君子而外小人，君子的道理不断增长，小人的道法不断消亡。反过来，是《否卦》，《乾卦》在上，《坤卦》在下，阳气向上，阴气向下，阴阳、上下不能交感、交通。所以《释文》："否，闭也，塞也。"闭塞的意思。《象传》解释《否卦》卦辞说："则是天地不交而万物不通也，上下不交而天下无邦也。"④ 天地万物不通，阴阳上下不交，互相乖隔，国家灭亡。

"通"是变易、日新过程中能够开放地吸收各式各样的信息、经验、英才，

---

① 《系辞传下》，《周易正义》卷8，《十三经注疏》，中华书局1980年版，第86页。
② 同上书，第85页。
③ 《泰卦》，《周易正义》卷2，《十三经注疏》，中华书局1980年版，第28页。
④ 《否卦》，《周易正义》卷2，《十三经注疏》，中华书局1980年版，第29页。

而能保持长久发展机制的一种重要途径和方法，是日新的必要前提条件；变通日新的另一重要前提条件，是"与时偕行"，即变通趣时，现代表述为"与时俱进"。《乾文言》在解释《乾·九三爻辞》"君子终日乾乾"时说："与时偕行"，唐代孔颖达疏："偕，俱也"。在解释《乾·上九爻辞》"亢龙有悔"时说："与时偕极"，物极必反。这是说，君子终日勤勉不懈，就能与时俱进；假如不能与时变通、日新，到了极限就要走向衰亡。变通日新，才能"与时偕行"，而达和合境界。"与时偕极"，阳刚"不和而刚暴"①。这是说乾道的阳刚（硬实力、硬道理），若无坤道的阴柔（软实力、软道理）的和合，就会刚暴而亡。阴阳互补，刚柔相济，才能使万物生长繁荣，万国安定发达。

五、笃行价值观

和合生生讲求效用和实用，讲求实践和笃行。在实践笃行中获得日新、创新的资源，获得新事物、新生命化生的动力。《中庸》讲广泛地学习，详细地询问，慎重地思考，清楚地分辨，踏踏实实地实行。"有弗行，行之弗笃弗措也"②。除非不实行，实行了就要见成效，不见成效不罢休，这种笃行的精神，培育了中华民族坚韧不拔的意志。

如何笃行？分内圣与外王两个层面：内圣层面是"物格而后知至，知至而后意诚，意诚而后心正，心正而后身修"，即格物──→致知──→诚意──→正心──→修身。这是人的伦理道德、人格理想的培育过程，也是君子、圣贤修身养性的进程，这是实行外王的基础或根基。有了这个基础或根基便可以开出外王事功层面："身修而后家齐，家齐而后国治，国治而后天下平"③。修身──→齐家──→治国──→平天下。但无论是内圣层面，还是外王层面，都是一种整体的笃行活动。和合生生价值观、多元价值观、贵和价值观、日新价值观，都要落实、安顿在内圣外王的笃行活动中。只有笃行，和合价值观才是生气勃勃的、不断创新的、生生不息的，才能体现齐家、治国、平天下的效用价值。

笃行体现效用，效用彰显笃行。和合价值观塑造了中华民族的理论形态、思维方式、伦理道德、审美情趣、价值理想、行为方式等。它影响人与自然、社会、人际、心灵、文明的关系，它指导家庭、国家、民族关系的处理，以及经济、政治的关系等。在人与自然关系上，讲究"天人合一"，"和实生物"，

① 《乾》，《周易注》，《王弼集校释》，中华书局1980年版，第213页。
② 朱熹：《中庸章句》第二十章，《四书五经》本。
③ 朱熹：《大学章句》第一章，《四书五经》本。

与自然圆融无碍，和生共荣，万物并育而不相害，而不是片面地征服自然，"人定胜天"。在人与社会关系上，要讲"和而不同"，和处共富，尊重个性，鼓励创新，营造实现人生价值的良好环境，建构公平、公正、自由、平等的公共机制，使人与社会融为一体。在人与人关系上，要己欲立而立人，和谐相处，和衷共济，团结互助，和立互信，讲求恭、宽、信、敏、惠，与人为善，和以处众。在心灵上，要胸怀大度，海纳百川，清心寡欲，中和养心，宁静致远，和谐和乐。要像孔子弟子颜回那样"一箪食，一瓢饮，在陋巷，人不堪其忧，回也不改其乐，贤哉回也"①。颜回在贫穷的压力下，泰然处之，而不改其求道（学问）之乐。在文明之间的关系上，由其各文明对人类进步和发展都作出贡献，而没有多少之分，因此各文明间应互尊互重，互谅互解，互信互帮，互好和爱，"道并行而不相悖"②，各文明均有其不同的宗教信仰、价值观念、风俗习惯、生活方式，这便是"道"的不同，不同的"道"可并行不悖，共同进步。在国与国关系上，要"协和万邦"，以邻为伴，亲仁善邻，诚信修睦。国不分大小、贫富、强弱，平等交往，互助协商，友好合作，和达共富。在民族与民族关系上，要与人为善，友好往来。互相尊重，信仰自由。一旦出现矛盾，互谅互爱。团结互助，共同发达。在家庭、国家内部关系上，家和万事成，国和万事兴。家和便父义母慈，兄友弟恭，入孝出忠，明礼诚信。国和便安居乐业，上下团结。政清民和，公平公正。以人为本，内和外顺。

在当今经济全球化、科技一体化、网络普及化，以及民族文化的全球化、全球文化的民族化的情境下，和合价值学有益于人类所共同面临的冲突和危机的协调和化解；有益于人类各民族文化哲学个性化的长久持续发展；有益于各民族、国家社会政治、经济、科技、文化的交流、学习和繁荣；有益于人类各民族、国家、文明的价值观、理论思维、伦理道德、终极关怀的建设和需求；有益于人类精神和共同理想的建设和发扬。以此五个"有益于"为标准，超越种种中心主义、保守主义、狭隘民族主义、霸权主义、单边主义，解构种种政治的、经济的、宗教的、观念的、文化的隔阂、冲突和分歧，自己解放自己，自己拯救自己，在这个"地球村"上，营造一个不杀人、不偷盗、不说谎、不奸淫的现实世界，建构一个天和人和、天乐人乐、天人共和乐的和合世界。

这是因为"和合起来"的"在途中"的和合学，不追求设立价值中心，不承诺实体目标。否则，时过境迁，必为遗迹，被时间浪潮淘尽。正因其不设立、不承诺价值中心、不承诺实体目标，"和合起来"的和合体不可能成

---

① 《雍也》，《论语集注》卷3，《四书五经》本。
② 朱熹：《中庸章句》第三十章，《四书五经》本。

为权力的把柄（因其流变不定），不可能埋伏"以理杀人"的杀机（因其超越价值），不可能藏匿邪恶的私欲（因其自由澄明）。"和合起来"的和合生生道体，无可穷极，不可终结，无始无终，无限无极，而达天人共和乐的和合世界。

现代化进程中的人文关怀*

刘大椿

内容提要：本文强调现代化与人文关怀的关联，指出以人为本是人文关怀的思想本质；对当前人文关怀缺失的诸方面极为关注，认为其根源是现代化进程中工具理性的凸显；本文试图厘清价值理性与工具理性的关系，深入探寻当代人文关怀的培育之道。

关键词：现代化、人文关怀、以人为本、工具理性、价值理性

现代，代表着自启蒙运动以来新的时代精神；现代化，意味着逐渐展开的世界性历史进程。这个进程以科学技术迅猛发展为首要特征，秉承以实验和数学为支点的理论理性传统，建立了以现代工业为基础的现代经济方式和新的文明形式。现代化的社会应该是属人的社会，其中最重要的因素是人；人与人之间的关系，是属人社会的基本存在形式。然而，以人为本在复杂的现代化进程中并非确定无疑，甚至充满变数。不变的是，人与人的和谐，是真正的和谐，是和谐社会的根本，因而现代化，应当勿忘人文关怀。

一、当下人文关怀的凸显

（一）人文关怀的蕴涵

如果把"人文关怀"当作社会实践主体的一种意识、心理和精神活动，那么具有人文关怀意识、实施人文关怀心理和精神活动并由此产生一定行为后果的主体，不仅可以包括所有类别、所有方面、所有层次的人及其集合体，而且，与人类这一实践主体密切相关的生物物种与环境在特定时间、地点和条件下又成为"人文关怀"的对象或客体。在这种意义上，人文关怀既非局限于一般意义上的人文学科工作者的人文关怀意识、心理和精神活动，也不仅仅是人文学科和社会科学工作者集合体的这类意识、活动及其结果，甚至也不完全是自然科学、社会科学和人文学科工作者联盟这一整体的"专利"。例如，不能

---

* 我的博士生蒋美仕等对本文初稿写作和讨论贡献良多。

因为自然科学的对象是自然界的本质及其规律，就忽视从事自然科学研究的科学家既是人类认识活动主体，又是人类实践活动主体，既是"人文关怀"的对象，又是"人文关怀"的主体；同样，不能因为人类赖以生存、发展的环境，包括其他生物物种，它们没有人类的智慧，就可以肆无忌惮地对它们进行竭泽而渔式的滥采滥用，它们因为与人类的共存性而成为人文关怀当然的客体。

质言之，作为"自然存在物"的人，由其一开始的完全依赖和伴生到愈来愈独立和超越于自然，又复转变为深深依恋人与人所结成的社会、人与自然的统一体，其能够具有人文关怀意识、实施"人文关怀"活动并由此引发一定的行为后果，从本质上来看就是作为社会实践主体的人及其属类，对于作为自然客体的人及其属类、对于它们赖以生存与发展的环境和状况的忧虑，对人的情感、需求、动机、目的、权利、生命价值和人格尊严的呵护，对人的贡献、付出和自我实现价值的确认，对公平、平等、理想、自由和解放的追求，对生命的执著，等等。关注人、关心人、理解人、爱护人、尊重人，对生命予以终极关怀，使人达到"充分的存在"，使生命的超越成为生活的目的，这就是最一般意义上的人文关怀。

1. 人文关怀的现代含义

人文关怀是一个具有现代性、现实性的话语。与作为历史范畴和思想原则的以人为本相关，人文关怀是以人为本的主要内容，是以人为本的科学发展观的具体化。以人为本的理念深刻而与时俱进，在新的历史条件下，适应中国当代社会发展背景又产生了新的丰富内涵，人文关怀就是其中的内核。

文艺复兴时期的人文主义发生在中世纪人神关系僵化的背景下。其主旨是，针对神学和经院哲学的过时的权威性而提出高扬人的卓越本性。与神学和经院哲学不同，该时期人文主义传播的价值观念表明，人不再是神的被惩罚者而是上帝的杰作，是世间最可宝贵的生灵。人的崇高价值，人的尊严、才能和自由在众多的人文主义文学家、艺术家和思想家那里得到极高颂扬。由于该时期文化上新旧交替或并行的特征，该类文化体现为"人的发现和世界的发现"这两大主题①，即地理上和自然科学上的发现，以及对人的价值和完整性的发现。基于这样的背景，文艺复兴时期的人文主义的主流实际上包容着很强的理性精神和科学精神，在很大程度上体现了感性和理性、人文与科学的融合，以致文艺复兴不仅仅表现为文艺的复兴，而且也表现为科学的复兴；不仅仅是艺术的黄金时代，而且也是科学的黄金时代。②

----

① 参见布克哈特：《意大利文艺复兴时期的文化》，何新译，商务印书馆1979年版，第280—302页。

② 参见孟建伟：《科学与人文主义》，《自然辩证法通讯》2005年第3期。

现代西方人本主义的具体形态有意志主义、生命哲学、存在论等，它们关注"生存意志"、"强力意志"、"直觉"、"本能冲动"，而对人的"非理性"的一致强调，则是它们共同的特征。由于现代工业和科学的成功，现代西方人本主义实质上是针对严格的科学理性和工具理性而强调人的非理性特质。意志主义认为意志才是本体，生命哲学则坚持生命和精神的原则高于科学的原则，如尼采明确反对近代理性主义传统，反对机械的非人格化的工业化和现代主义文化。而在现象学那里，虽然科学理性得到海德格尔、胡塞尔、伽达默尔等人一致的支持，但又一致认为实证理性不健全，反对理性以权威自居，强调哲学家必须研究理性和自由问题。不过，与现象学思潮不同，也与文艺复兴时期人文主义不同，现代西方人本主义更多地表现为反理性、非理性及与科学精神的对立，其基本取向是，以人的自我意识为准则考察人的价值和全部的文化根源，从而把人提高到核心的地位。

在后现代主义背景下似乎并没有形成一致的人文主义主张。因为后现代主义的反基础、反本质、去中心的强硬态度，不仅全盘否定理性曾经的至高地位，而且甚至消解了人本身，并以"反人道主义"的名义抹杀个人价值和人的尊严①。但是，后现代主义对理性和人进行解构的深层出发点却是人性的，如注重人和文化的差异性、多元性和异质性，强调激情、强调自由创作的浪漫主义，反对绝对的理性控制，可以说，它既站在极端的人文主义立场上，但又"解构"了一切主义，结果最终导致了"人之死"。

传统人本思想或人文主义中丰富多彩的历史内容，可以为当代社会的人文关怀思想提供重要的启示。但也必须看到，人类在历史上不同阶段的精神需求是不同的，人本主义思想强调的内容、表现的形式也是不同的。现代化的今天，人文关怀是现实的而不是抽象的，它应当首先立足于现实的社会和文化，以具体的社会发展和人的现实需要为出发点，具备现代和现实的内涵和意义。

人文关怀应惠及社会最广大的人民。马克思早就指出："全部人类历史的第一个前提无疑是有生命的个人的存在。因此，第一个需要确认的事实就是这些个人的肉体组织以及由此产生的个人对其他自然的关系。"② 现实的社会是由广大的、个体的人形成的，个人是构成政治社会和国家公共生活的基础。长期以来，中国文化传统虽重视人，但并非尊重个人价值和个体的自由发展，而是强调个体对整体的单纯服从，强调个人的道德修养和公共伦常，强调个人对于宗族和国家的义务。实际上，这就忽视了作为个人应有的需要和价值，从而给个人能力和创造性的发挥造成了消极的或不利的障碍。现代意义上的人文关

---

① 参见赵敦华：《现代西方哲学新编》，北京大学出版社 2001 年版，第 293 页。
② 《马克思恩格斯选集》第 1 卷，人民出版社 1995 年版，第 67 页。

怀虽应重视社会整体利益，但着眼点却应是具体而不是抽象的个人，在强调国家的公共利益的同时，同样应当重视和关心个人的价值和利益、个人的苦难和困境，唯有如此，"以人为本"才不是抽象的和空洞的概念，人文关怀才可能落到实处。

2. "以人为本"是人文关怀的思想本质

现代化过程的核心要素是经济和科学技术，但其根本的目的，却是人的发展和幸福。在现时代的标志牌上应当大书：现代化，勿忘人文关怀。

随着改革开放的日益深入和物质生活水平的不断提高，人们对于精神文化生活的多元化、高质量和多层次的需求日益增强。一方面，人们的人文情怀、行使和维护自身权利的意识日渐增强，他们要求社会对自己和他人的存在状况给予更多的关注，对自己和他人所作出的贡献或价值给予应有的承认，对人们的自由、平等、权利给予更多的尊重。另一方面，无论是立法还是司法，国家对普通公民权利的保护和救济都得到了前所未有的关注，"依法行政、执政为民"不只是一句口号，政府在从管制型向管理服务型逐渐转变。以人为本，即破除物本主义、超越工具理性，真正以人为根本、以人为最终目的。

以人为本具有一定的层次性和时代性：最初，以人为本是作为一种经济观而提出的，就是说，既不能因为强调增长的极限和环境保护而放弃增长，也不能以牺牲人为代价盲目追求增长；然后，以人为本是着眼于政治方面，即关注以谁为本的问题，也就是国本问题；接着，以人为本着重强调社会普遍的文明程度，即人道主义问题；再下来，以人为本主要涉及社会心理问题；最后，归及历史主义，人民群众是历史的主体，当然也应是以人为本的主体。[①]

改革开放以来，坚持以人为本与坚持以经济建设为中心有着内在的紧密联系。两者在根本上是一致的。人的全面发展是一切发展的根本目的，而人的发展需要各种条件，其中物质条件是最基本的。改革开放以来始终强调坚持以经济建设为中心，但以经济建设为中心，并非为了经济本身，而是为了人的发展，为了实现好、维护好、发展好最广大人民的根本利益。各个方面、各种形式的经济建设都是促进人的全面发展的手段。坚持以经济建设为中心发展经济社会各项事业，都不能脱离人的发展这个根本目标，不能为了经济增长而损害和牺牲群众利益。

同时，坚持以人为本谋发展，应该处理好具体利益与根本利益、眼前利益与长远利益、局部利益与整体利益的关系，立足当前又不忘长远，坚持全面又

---

① 参见大话中油：《以人为本的层次和时代性》，http：//www．qglt．com/bbs/ReadFile？whichfile=1130963&typeid=17&openfile=0。

【哲学家论坛】 现代化进程中的人文关怀

19

抓住重点，使各方面的发展和谐、持久地进行。今后五年我国经济发展目标突出"人均"的概念，即表明我们将更加重视提高公民个人的生活水平。在经济增长、质量效益、自主创新、社会发展、改革开放、教育科学、资源环境、人民生活、民主法制等方面提出的发展目标，对教育、就业、社会保障、减少贫困以及居民收入、消费、生活环境等与人民生活质量息息相关的具体问题提出的发展要求，都突出体现了新阶段对落实以人为本理念的重视程度。[①]

（二）现代化与人文关怀之关联

追求现代化是人类整体进化的原动力，它与不断满足人的需求、不断提高人的素质、不断培育人的能力、不断实现人的理想在本质上是一致的。由此出发，在人类整体进化的长河中，物质文明与精神文明的创造与积累，国家富强与人民福祉的提高与巩固，先进文化与思想价值的发扬与延续，政治制度与人文规范的演进与创新，往往被视为现代化的内涵本质与外在特征的总反映。[②]

1. 地区发展不平衡凸显人文关怀

我国现代化目前正处于第一次现代化和第二次现代化[③]相互交织、并行不悖的特殊时期。一方面，绝大部分地区的第一次现代化还没有完成，其经济发展是第一位的，着重扩大物质生活空间，满足人类物质追求和经济安全。另一方面，受发达国家第二次现代化和经济全球化影响，部分地区的第一次现代化已臻成熟，进入过渡期并起步第二次现代化，逐渐呈现出知识化、分散化、网络化、全球化、创新化、个性化、生态化、信息化等特点。第二次现代化以生活质量为主要目标，着眼于用知识和信息生产来扩大精神生活空间，在物质生活质量趋同的同时，精神文化生活表现出高度多样化。[④]

毋庸置疑，地区之间自然地理、经济地理、人文底蕴、经济发展基础水平、地方政策等方面的差异，是导致地区发展不平衡的主要因素。当前我国的区域经济已经形成了东、中、西、东北"四大板块"。其中，东部沿海地区区位优势明显，经济实力雄厚，基础设施比较完善，对外开放水平高，科技教育发达，人才资源丰富，因此，它面临的任务是如何抓住机遇，促进经济腾飞；中部地区位置优越，资源丰富，是我国重要的农产品生产基地、能源基地和重

---

① 参见新华社评论员：《以人为本谋发展促和谐》，http://www.china.org.cn/chinese/zhuanti/gjhxsh/1003502.htm。

② 参见吴伶伶、吴寅泰、姚平录：《中国现代化进程战略构想》，科学出版社 2002 年版。

③ 参见何传启：《第二次现代化》，高等教育出版社 1999 年版。

④ 李斌：《新闻背景：我国学者构建的第二次现代化理论》，http://news.xinhuanet.com/newscenter/2003-02/13/content_728110.htm。

要的原材料基地，其经济崛起是我国经济起飞的关键因素；西部地区面积686.74万平方公里，占全国总面积的71.5％，人口37127万人，占全国总人口的28.6％，水能资源占全国的80％，天然气储量占全国的70％，煤炭占全国的60％，石油占全国的40％，有色金属等矿产资源比较丰富，是我国重要的能源基地和原材料基地，故西部开发事关改革开放的成败；东北是老工业基地，制造业基础雄厚，也是我国重要的商品粮基地，但是面临产业改造升级与结构调整的艰巨任务。

2. 两极分化不断加剧需要人文关怀

社会和劳动保障部于2005年8月发布的有关数据和资料显示，目前我国居民收入存在以下六个方面的差距：一是全社会收入方面基尼系数超过0.4；二是城乡居民收入方面，城镇居民收入年递增率达到8％—9％，而农村居民收入年增长率只有4％—5％；三是从各行业人均工资（年薪）来看，全国机关人员约为1.6万元、事业单位人员约为1.5万元、企业人员约为1.4万—1.5万元，而大行业人员则超过了6万元；四是从职业差异来看，企业的经营职位和一般职位之间的收入差距普遍在20倍以上；五是从城市财富分布来看，财富多的人（占城市居民的10％）占有全部城市财富的45％，财富少的人（占城市居民的10％）却只占有全部城市财富的1.4％；六是在财政分配和劳动分配方面，国家财政收入尽管由2000年的1.3万亿元上升到2004年的2.6万亿元，但工资占GDP的比例却由1989年的16％下降到2003年的12％。

有关统计数据显示，中国的"基尼系数"在1994年就翻过了"警戒水位"，达到了0.434，1998年达到了0.456，1999年达到了0.457，2000年达到了0.458，2001年达到了0.459。联合国开发计划署公布的一组数据也显示，中国目前的基尼系数为0.45，占总人口20％的最贫困人口在收入或消费中所占的份额只有4.7％，占总人口20％的最富裕人口占收入或消费的份额则高达50％。2005年3月中国社会科学院经济研究所收入分配课题组公布的调查报告显示：2002年全国的基尼系数达到0.454，城镇内部的基尼系数达到0.519。如果把非货币因素考虑进去，中国的城乡收入差距便非常高了。

总之，世界18个国家或地区现代化所揭示的事实均表明，地区现代化进程的不同步和不平衡、地区间差距的扩大和缩小、城乡差距的波动和缩小、收入差距的扩大和缩小等现象是普遍存在的。[①] 但发达国家的经验教训告诉我们，各方面、各层次、各类型的社会活动主体的齐心协力，对于尽可能地缩小

---

① 参见中国现代化战略研究课题组：《中国现代化报2004——地区现代化之路》，北京大学出版社2004年版。

或消除现代化进程中所出现的上述差距，将它们控制在合理的、适度的范围之内，是不可缺少的；也就是说，人文关怀不仅仅是各社会活动主体自身的内在精神需要和理想诉求，而且也是现代化及社会和谐发展的必然要求。

3. 环境污染与资源枯竭呼唤人文关怀

在人类现代化进程中，工业化是其重要动力之一，科学技术的突飞猛进则为工业化增添了双翼，这一切都是以对自然资源的开发和利用为基础的。现代化是一个充满悖论特征的过程。在享受工业文明所带来的物质财富的时候，人类在开发和利用自然资源的能力空前提高、范围日益拓展、层次不断递进的同时，却因对科学技术运用不当和控制失调而导致了极为严重的后果，最明显的表现是自然资源的枯竭、物种的濒危、环境的污染和破坏等全球性生态危机。

污染治理、环境保护和资源的循环利用，不论是与政府、企业等行为主体密切相关，还是由于"市场失灵"导致环境和资源经济价值的外部不经济性，其实从最根本意义上来看，都是因为传统发展观的狭隘性、局限性，因为片面倡导"人类中心"和"主客二分"，把与人类赖以生存和发展的环境和资源置于关注和保护的圈子之外，才最终导致这些严重的、难以恢复的环境问题和生态危机。因此，当下我国现代化进程中所凸显的环境问题和生态危机，必须呼唤人文关怀。

二、当前人文关怀的缺失

马斯洛在"需求层次理论"中提出，当人的低层次的需要基本得到满足以后，它的激励作用就会降低，其优势地位将不再保持下去，高层次的需要会取代它成为推动行为的主要原因。可以预期：当基本的物质的、生理的需求得到满足以后，更高层次的需求动机将推动人们的行为趋向于更高层次的目标——满足自己日益增长的精神文化需求。然而，在当前中国现代化步入第三步发展阶段之时，凸显出的人文关怀缺失是向更高需求转变的重大障碍。

（一）当前人文关怀缺失的诸方面

人文关怀涉及与人的存在和发展相关的物质生活、政治生活与精神生活各个方面，这其实也恰恰是经济现代化、政治现代化、文化现代化进程中所面临的难题。

1. 物质生产和生活方面人文关怀的缺失

从当前物质生产的各领域、各层次和各环节来看，人文关怀的缺失主要表现在城市与乡村，在生产、流通、分配和消费等环节上。

在物质生活方面，经济收入的分配和消费方面存在很大的矛盾。恩格尔系数是国际上通用的、用以衡量一个国家或地区人民生活水平的常用指标。其公式是：

恩格尔系数（％）＝食品支出总额/家庭或个人总收入

恩格尔系数揭示出：随着家庭和个人收入增加，收入中用于食品方面的支出比例将逐渐减小。因此，恩格尔系数越高就表示越贫穷，越低就表示越富裕。联合国粮农组织据此提出的标准是：恩格尔系数在60％及以上为贫困，50％—59％为温饱，40％—50％为小康，30％—40％为富裕，低于30％为最富裕。据此，可看出当前中国恩格尔系数大幅度下降。1991—2003年，城镇居民的恩格尔系数从53.8％下降到37.1％，下降了13.3个百分点；农村居民的恩格尔系数从57.6％下降到45.6％，下降了12个百分点。恩格尔系数大幅度下降，反映了城乡居民生活质量的提高，消费结构的明显升级，这为制造业和服务业的进一步发展提供了更大的需求空间，也为农业劳动力转移和农业现代化创造了条件。[①]

但在另一方面，2004年国家统计局根据对全国31个省（区、市）6.8万个农村住户的抽样调查，以及当年农村居民生活消费价格指数，测算出2004年年末全国农村绝对贫困人口为2610万人，比2003年减少290万人，贫困发生率为2.8％。世界银行则以人均每日消费1美元的标准估计中国的贫困人口为1.6亿。中国农业大学根据他们在全国100个贫困重点村、按2003年的绝对贫困人口贫困标准线进行的参与式贫富排序结果（不同于统计的抽样调查，而是由村民根据年人均637元的贫困标准来回答在被调查的村子中，低于这个标准的贫困农户和人数有多少），其贫困发生率在35％左右。

2. 政治与社会生活领域中人文关怀的缺失

在我国，政治现代化相对滞后于经济的现代化。于是，相对滞后的政治体制改革，不仅成为经济现代化中人文缺失的缘由之一，又在一定程度上导致了政治生活领域中人文关怀的缺失，例如，我国当前公共事业管理中出现的"人文缺失"倾向。

有学者研究，公共事业管理的主要问题是：第一，自动化过度，替代人际交流。一些公共管理部门片面追求高科技、自动化，出现了"科技万能"、"自动化蔓延"的唯科技倾向。第二，市场化越轨，替代行政管理。受市场经济的负面影响，部分管理部门和人员把追求利润最大化渗透到行政管理领域，把公

---

① 参见马晓河、蓝海涛、黄汉权：《中国进入以工哺农阶段：农业政策将"少取多予"》，http://www.chinanews.com.cn/news/2005/2005-08-31/8/618651.shtml。

共管理的职权转化为寻求自身利益的手段。公共管理的职能是保障社会经济正常运行,它一旦掺入过多的功利性因素,就会成为社会经济正常运行的障碍。第三,制度化僵硬,替代人文关怀。一些管理部门片面强调制度化,以统一制度为标尺,实行"一刀切"的管理方式,而忽视对具体人事的实地考察。例如,司机在同一地点招致"违章罚款"居然能够重复一百余次,这本身就是对这一禁行设置必要性和可行性的双重质疑,被处罚者依法拥有的陈述和申辩权利在这里不复存在。①

此外,目前我国医疗领域的制度失范、人文缺失、伦理滑坡已成众矢之的。在司法、教育、食品销售等领域也存在着明显的制度性人文关怀缺失,并且大多数情况还十分严重。

3. 精神生活领域中人文关怀的缺失

与工具理性相一致,现代商业追求利润最大化,导致了文化的大众化,促进了与此相适应的文化世俗化。世俗化最先是与神学和天启相对立的、体现人的现实生活的概念。脱离神学的控制,意味着人不必再受神或神化的观念支配,而是回到现实中来、过人的生活,因此,世俗化的价值取向是与人的现实性和功利性的本性相一致的,是与现代化过程中的重视物质功利性和工具理性的思维方式相一致的。这样,现代大众社会中个人的选择及其自由、实用趋向都是能够得以肯定的。当代中国社会和文化的世俗化主要是由于脱离了曾经被神化的高尚理念的束缚、消解了集政治意识和道德意识于一体的权威而形成的,但其在今天却明显地走向了另一个极端,其具体表现形形色色、多姿多彩。

极端世俗化首先体现为物本主义。"富裕即享乐"成为许多当代中国人的首要考虑;社会对人的评价标准就是以堂而皇之的"成就"作为代理的物质标准。原本物质文明不发达时人们追求基本生存,而今天,对于许多人来说,基本生存已经不再是主要问题,迈向现代化的过程似乎变成一个从追求基本生存到追求舒适和享乐的过程,不期然,人们对物质的贪欲被挖掘诱导出来,使这个时代显得物欲横流。

当前道德范畴也发生了巨大变化。审视一下当今的社会现实不难发现,理想信念、崇高道德、美好情操、高雅文化似已难得到普遍认同,审美情趣发生了显著变化,快乐原则取代了道德原则,健康、美好向上的文艺作品似乎不再有广大市场,不再能陶冶大多数人们的心灵、提升人们的精神境界。感性享

---

① 参见张圣兵:《公共管理的人文化 构建和谐社会的重要基础》,《光明日报》2005 年 9 月 21 日。

乐、低级趣味、声色犬马和标新立异的现象比比皆是，令人无可逃避。从世俗化到低俗化、甚至瘩俗化，倾向越来越明显、场面越来越大越来越公开。究其根源，是物本主义和商业机制渗入文化，结果是，一些文化媒体不顾廉耻地媚俗，千方百计地吸引眼球，以获取更多的利润。

文化的低俗化侧面反映了现代性的特征。感觉成为现代人的基点，昆德拉认为，人正在一个真正的缩减的旋涡之中：爱情缩减为性，友谊缩减为交际、公关，读书思考缩减为看电视，大自然缩减为豪华宾馆、室内风景，对土地的依恋缩减为旅游业，真正的冒险缩减为假冒险的游乐设施；一切精神价值都缩减成了官能感受，文化缩减成了大众传媒。因而，当前特别需要严厉地拷问功利主义的偏颇，重新阐释、强调人文关怀意识。

（二）当前人文关怀缺失的思想根源

虽然在历时态关系层面，工具理性的无限膨胀与人文关怀的缺失有着显著的承继关系，但从共时态层面考察，它们之间却又存在着逻辑联系。也就是说，当下人文关怀缺失的深层原因乃是工具理性无限扩张的结果。

1. 科学理性工具化及其后果

现代工业将科学理性借助于工具化的方式延伸到了社会的各个方面。科学理性的工具化结果，就是工具理性，也就是现代工业的思想方式。工具理性，彰显科学技术变革自然的力量，创造物质系统，满足人的功利性需要。正是凭借工具理性，一个工业、经济、文化全面发展的现代文明社会建立起来了。理性，人的本质力量，它曾被置于信仰的对立面，是一种启蒙和智慧的象征，依靠它，人类走出蒙昧和神权，发展科学和技术，建立人的现实社会。

任何一种思想或方法，当它发展到极端、成为支配一切的力量，它本身也就成为一种统治的、保守的力量。工具理性也是如此。现代被认为是一个工具理性过度昌盛的时代。法兰克福学派的霍克海默和阿多尔诺指出，理性曾作为解放力量把人从中世纪的神学统治下解放出来，但是由于社会的工业化，理性走到了反面，它成了达到实用主义目的的手段，成了统治人、奴役人的工具。马尔库塞认为，技术本身已结成了一种系统的、科学的和精心安排的对人与自然的统治。

人们看到，现代工业社会虽然建立起来，但理性极端物化和意识形态化的结果是，它不仅可以支配物，还可以支配人，并在人不自觉的状态下把人变成标准化和规范化的"机器"，变成工具；现代知识被看成是绝对的真理体系，在现代科学知识的真理话语体系下，社会被理解为可以量化、拆分和控制的巨大机器，在这个环境中，"根据拥有权力的特殊效力的真理话语，我们被判决，被罚，被归类，被迫去完成某些任务，把自己献给某种生活方式和某种死亡方式。"① 这种生活和死亡方式就是工具的方式或技术的方式。人努力地去创造技术，实现梦幻和智慧，但同时带来的结果却是，人被自己的工具所奴役。现代人崇尚秩序和整齐划一，在现代场景里，现代人无情地观察着这个社会，监视着每一个人，同时也被别人监视着，随时警惕着不符合秩序的个体，随时对异常个体进行处置。② 在这里，物的价值和功能超过了人的价值和功能，社会变成了一个由物质和金钱控制的异己的社会。

2. 制度理性化与工具化

制度理性化是现代化的具体内容之一。制度理性化，意味着社会组织的高度分化和职能的专门化，意味着各种机构的工作有标准和程序可循，意味着制度体系的建立以公平、客观、合理和效率为前提。制度理性化，便于国家建立民主、公平、合理的法制体系，使国家、社会和个人事务的处理得以避免感情用事，终至公平、民主和明智的解决。制度理性化是现代化的特征之一，它体现国家现代化的程度，是我国现代化过程中必须重视的内容建设。

然而，制度化或制度理性化，也意味着制度机械化和行政简单化，这种背景下，人和社会犹如可用程序控制的机器，可借助于各种操作程序、运行技术来管理，被"塑造成一种新形式，服从一套专门的模式"③。正如福柯所言，现代人是知识—权力对人的彻底奴役的产物，是普遍秩序和整齐划一的结果。实际上，制度理性就是制度工具化。虽然制度化和理性化是试图表征客观、公平和明智的举措，但其往往会忽视、泯灭人的差异性和个性，尤其在制度还不健全的时候，其排除感情意志的特点常常使得制度过程缺少人文精神，稍有疏忽，极易走向非人性化、行政化和官僚化，导致人文关怀的缺失，导致为制度而制度、而非以人为本的结果。人们精心设计制度的目的原本是为了公平、公正、有效地实现人自身更为高远的理想和目标，实现人自身的全面发展，而结果却是：作为目的的人反而变成了作为手段和工具的制度的奴隶和牺牲品。

3. 当前中国现代化进程中工具理性的凸显

中国真正意义上的现代化实际上是发生在近 20 多年之中。不论是概念的最初提出、还是到 20 世纪下半叶"四个现代化"的真正落实，强调的都是以工业化为核心的经济现代化，而利用现代科学技术则是根本的途径，因此，现代化进程的主要着眼点就是经济和科学技术。与此相适应、并伴随着西方文

---

① 福柯：《必须保卫社会》，钱翰译，世纪出版集团、上海人民出版社 1999 年版，第 24 页。

② 刘永谋：《福柯的主体解构之旅》，中国人民大学博士学位论文 2005 年，第 106 页。

③ 福柯：《超越解构主义与解释学》，光明日报出版社 1992 年版，第 279 页。

化、价值观念的渗入和经济全球化的出现，中国社会的观念和思想方法同样也发生了巨大变化，崇尚科学技术、重视物质文明的建设、强调区别于传统文化的科学理性和各种规范的建立、工作制度化和理性化等。理性和工具理性同样成为了人们主要的思维方式。无疑，理性的思维方式对中国现代化建设作出了巨大贡献；但另一方面，理性的工具化的片面应用，也带来了与西方发达国家同样的甚至更多的弊病。

工具理性的扩张、"物"的唯一标准，已经使得人的整体意义支离破碎，昔日维持人的完整而美好的要素，已无处可寻。因此，"没钱没意思，有钱也没意思；不恋爱没意思，恋爱也没意思；活着没意思，死了也没意思。""活着为什么?"成为当代人的最大困惑。物质功利和冷漠的工具理性消解了作为人的情感的高尚和神圣性，使人堕入迷茫之中。于是，追求感官刺激，堕入拜金主义，失去作为人应当具有的崇高情操或精神信念。其实，或许人们也正在找寻自己的目标和精神归宿，只是不能自觉到或漫无目的而已。人们承受巨大的各方面的压力，或许只好逃避崇高、从现实感性中找寻宣泄能量的途径，找寻心理上的放松与平衡，以填充精神失落后的心灵空隙!

实际上，在现代化的背景下，极端的工具理性的蔓延，是对人性多元性的无情扼杀。固然现代化的核心要素是工业化和经济现代化，但仅此是远远不够的。现代化的根本目标应是以人为本。在借助科学技术和工具理性的思维方式发展经济的同时，精神文明的建设不能成为空话。

三、当代人文关怀的培植

人文关怀的缺失，在价值观念、行为规范、社会制度、个人心理与情感等方面产生了严重后果。唯有从与上述相对应的诸方面着手，才能够创建和完善人文关怀的优良环境，培植和撒播人文关怀的优质种子，确定和拓展人文关怀的现实路径。

（一）在价值理性与工具理性之间保持必要的张力

价值理性与工具理性是人类理性系统中相反相成、不可或缺的两个部分，在不同历史时期它们之间的关系有着各不相同的具体表现。在目前创建先进文化和新的价值观念的现代化进程中，妥善处理价值理性与工具理性之间关系、在两者之间保持必要的张力是当务之急。

1. 工具理性与价值理性关系的历史演进

现代化肇始于欧洲宗教改革和启蒙运动以来的理性主义运动，是一种持续的历史变迁。作为伴随资本主义出现的新型文明，它是生产方式、社会结构和人类文化精神理性化的产物。近代西方的宗教改革、启蒙运动、科技革命和民主改革等，都是以理性化为核心的现代化运动的组成部分。在经历了启蒙运动早期的统一和谐、近代科技革命与产业革命以来的对立与分裂之后，价值理性与工具理性在当代呈现出一种在更高层面上辩证复归于统一、和谐的新趋势。

在启蒙学者那里，"理性"具有双重意义，它既是外在技术层面征服自然而实现人的自由的工具即工具理性，又是内在精神层面维系人的生命存在的目的也就是安身立命的根据即价值理性。在启蒙时代早期，工具理性与价值理性是统一和谐的，天赋人权和科学进步同被视为社会进步的理想目标。

然而，这种统一和谐很快被资本主义工业化的"经济起飞"进程打破了。工具理性逐渐取得了工业文明的主导地位，科技的飞速发展把人文关注远远抛在后面，从而造成了两者深刻的分裂和对立。这种功利化的泛科学主义文化，把效率逻辑作为评估和处理人类一切事物的唯一价值尺度，从而导致了社会文化的高度技术化、效率化、功利化。工具理性注重如何用手段达成目的，至于目的本身的价值是否为人类理想的终极价值则在所不论，一切只为追求功利目的所驱使，势必漠视精神价值与人类情感。而把功利目的视为绝对，把某种政治经济的效用性放在首位，对整个社会来说是有害的。如征服自然的"戡天役物"和科技的无限度滥用，造成了严重的生态危机和战争威胁；社会结构的高度技术化、组织化、科层化，导致了人的异化、物化和社会分裂；功利主义抛弃了宗教伦理情感走向享乐主义，导致人的道德沦丧、性灵戕害和精神枯萎。①

在度过了对自然资源进行竭泽而渔式的滥采滥用、悲壮地承受了伴随环境污染和破坏的恣意增长阶段之后，自20世纪80年代起，西方社会开始从人与自然、社会结构和文化观念等方面，开始重新思考他们自己的价值观、发展理念以及价值理性与工具理性的关系问题，并开始积极稳妥地调整自己的发展目标、发展计划、制度规范及具体的行为方式。1987年《我们共同的未来》报告提出的可持续发展观正是这样的一种新的尝试的最集中体现。

可持续发展的核心思想是：健康的经济发展应建立在生态可持续、社会公正和人民积极参与决策的基础之上；它所追求的目标是：既要使人类的各种需要得到满足，个人得到充分发展，又要保护资源和环境基础，不对后代人的生存和发展构成威胁；对资源环境有利的经济活动应给予鼓励，反之则予以摒弃；不以 GNP 或 GDP 作为衡量发展的唯一指标，而以社会、经济、文化、环

---

① 李善峰：《在价值理性与工具理性之间：文化保守主义思潮的历史评判》，《学术界》1996 年第 1 期。

境等多项指标来综合评价。

显然，这种新的发展理念既是试图通过和谐统一价值理性与工具理性之间的关系，从而在人与自然关系上达成一种新的和谐统一，同时又企图在社会结构纵向运行的资源和能力方面消除不同时代的人的代际差距。此外，当前社会微观组织对企业人本文化的建构、对新的包含内在精神与外在物质财富的双重价值目标的追求；宏观上政府在公共政策与管理方面对公平与效率、公正与无私的价值取向，以及在政府角色定位、职责履行、权力相互制衡等方面向管理和服务职能的拓展；在社会文化领域不同价值形态、不同理性形式的并存共处；等等。所有的这些都表明：价值理性与工具理性的关系正在更高层次上朝着一种新的统一、和谐趋势嬗变。

2. 妥善处理价值理性与工具理性的关系

西方现代化进程从一开始就存在着二律背反的文化悖论，并引起思想界的深刻反省。20世纪西方文化的一个基本特点，是西方思想家对西方文化的内在危机日益深刻的内省。他们普遍认为，现代化所伴随的是人类已经看到的巨大灾难，它所带来的问题与其所提供的机会一样大，它所带来的每一个利益都要求人类付出巨大的代价。

社会学家马克斯·韦伯认为，现代文明的全部成就和问题皆源于"工具理性"与"价值理性"的紧张对立。这种理性的二元对立，在社会生活领域中表现为"实质合理性"与"形式合理性"的矛盾冲突。以"功效"为取向的"工具理性"必然以损毁"价值理性"的人文理想为代价。韦伯认为，以"工具理性"为特征的资本主义已卷入以手段支配目的，以形式合理性支配实质合理性的过程。现代资本主义的发展用精密的技术和计算把一切都理性化，也把人变成了机器、金钱、官僚的奴隶。他把这种由追求效率而造成的对金钱、商品的崇拜，机器对人的精神灵性的泯灭，称为"形式的合理性和实质的非理性"、"理性化导致非理性化的生活方式"，并揭示现代性的矛盾和异化是追求合理性却导出了非理性。

类似地，对于妥善处理价值理性与工具理性之间的关系，国内学者也作出了不懈的努力。力推中国传统儒家文化能够在现代文明建设中重新焕发出崭新生命力的一批学者，在批评以功利主义为特征的现代化过程中，努力辨明现代化过程的真正本质，明确人类所付出的代价，并企图在中国现代化的初期，就避免现代化的负面影响，在现代化要求工具合理性的同时，容纳价值合理性，超越西方现代化工具理性与价值理性分裂的局面。他们自觉地扮演维护价值理性的角色，寻找一条科技与道德协调、效率与公平统一的健全的现代化道路。其核心论点不在要不要工具理性的发达，而在未来社会必须要有价值理性的参与，并用价值理性来支配工具理性。①

（二）精心设计与运作人性化制度

制度的力量不是天生的，而是后天设计并培育出来的。只有那些具有内在的说服力、外在的强制力以及自我强化的动力的制度，才会是有力量的、可靠的。所有的制度，大到国家法律，小到单位规章制度，在设计的时候都要考虑清楚它的力量在哪里。否则，制度不仅会失灵，而且在工具理性和工具化制度理性的相互作用下，将会引发出一系列人文关怀缺失的严重后果。

一项合理的制度必须具有内在的说服力。法律固然需要国家强制力的保障，但是仅仅依靠国家强制力，法律是难以持久地实行的。只有那些能够反映社会生活规律、符合道德规范并能促进社会价值目标实现的法律，才能够赢得社会的一致认同，动员社会各方面力量的支持，从而形成一种尊重和维护法律的氛围。对于这些具有内在说服力的法律，国家强制力只是一种辅助手段，一种排除作为个别例外的违法行为的工具。法治本质上是巩固道德的，但是用法治来改革道德是一件风险极大的事情。削弱制度的内在说服力的因素往往正是道德使命感或者是片面的道德要求。

一项合理的制度必须具有外在的强制力。亚里士多德说，法治首先要有良法，然后要使良法得到很好的实行。要使法律得到全面的实施，就要及时地排除那些违法行为，就要有一定的执法机关。执法机关能否恪尽职守，不能靠道德来说服，只能靠严密的责任机制。这样的责任机制有两个要素：一是执法者独立于立法者；二是法律效力所及的人有权监督执法者并决定执法者的任免。

一项合理的制度必须具有自我强化的动力机制。立法者为什么要制定良法？执法者为什么要严格执法？他们不都是圣人，对他们也要用"胡萝卜"加"鞭子"——这就是民主选举和公民的权利救济程序。出现个别的恶法或者执法不严现象，要有一个中立的裁判机关来纠正，恢复社会公平和正义，维护法律的权威。出现过多的恶法或者较多的执法不严，要有民主选举的程序来调整立法者或者执法者的构成，让那些能够制定良法和严格执法的人出来担当相应的责任。法律效力所及的人是真正的利益攸关者，只有他们深切地关心制度的制定和实行，把权利赋予他们，并设置有效的救济程序。这样的制度才有不竭的动力，才可能得到全面的实施。②

---

① 参见李善峰：《在价值理性与工具理性之间：文化保守主义思潮的历史评判》，《学术界》1996年第1期。

② 参见谢鹏程：《制度为什么失灵》，http://www.legaldaily.com.cn/misc/2005－05/30/content_145901.htm。

在我国当前的现代化进程中，市场与政府职能的关系已经凸显为实现制度效率与公正相统一、经济增长与人文关怀并重的首要问题，也是通过优秀制度的精心设计和良性运作以破解制度性人文关怀缺失难题的重要内容之一。

（三）建构新型的文化和环境

1. 新型文化理念的培植与创建

在文化建设中发扬光大人文关怀的使命，应当通过继承中华优秀传统之人文精神的精髓，同时积极吸收西方先进的科学精神与人文精神合璧的思想精华来解决。

首先，在中国传统文化中蕴涵着丰富的人文精神瑰宝，其中又特别体现在儒家文化的精髓之中。自孔子学说创立以来，"内圣外王"、"推己及人"等儒家思想，因深含人文关怀、教化万民而历经两千多年而不衰，不断在政治与伦理道德两方面得以推广应用和丰富发展。

其次，西方文化中科学精神与人文精神合璧的思想，在文化建设中同样值得我们借鉴。例如，1901 年设立的诺贝尔奖及其合理有效的运作虽说是一种科技制度的创新，但体现在诺贝尔奖设立理念及其运作、诺贝尔奖得主及其成果之中的诺贝尔奖精神，不仅是文化创新的一种典型形式，而且也是深受文化创新积极影响的教育创新的一种典范。[①]

最后，具体在对文化受众的培养和训练要求上，要防止功利性观念统领一切、人文关怀缺位、科学与人文素养双重缺失、伦理道德大幅滑坡等严重问题，创建超越中国传统文化和资本主义文化的新文化。文化创新是一个厚重而紧迫的实践课题，也是科技创新必需的土壤。要不断超越经典社会主义所理解的文化框架及其文化理念，超越改革开放和现代化建设实践中感性和经验的制约，建设具有前瞻性、指导性、稳定性的文化价值系统，为不同层级的人们提供安身立命之道，为国家长治久安提供精神系统的保证。[②]

2. 新型的人与环境关系的构建

由于既受制于人与自然关系的自然历史演进，又受制于人自身逐渐增强与提高的实践和认识能力，所以人类在其实践活动中往往是按照主体与客体对立的理念来处理人与自然的复杂关系的。这一带有极大局限性的"主客二分"思想，不仅孕育了西方扩张性的政治、经济、军事理论和行为，导致了国家与国

---

① 参见蒋美仕、夏德计：《文化创新与教育创新的整合：诺贝尔奖精神及其对创新我国研究生教育的启示》，《现代大学教育》2003 年第 3 期。

② 参见李宗桂：《文化创新与民族精神的培育》，http://www.southcn.com/news/gdnews/hotspot/lwzt/lunwen/200211051253.htm。

家、民族与民族、种族与种族之间的统治与被统治、殖民与被殖民、压迫与被压迫的对立关系，而且在人与自然关系上导致了"人类中心主义"，造成了人与自然之间的紧张对峙关系，特别是技术时代以来形成了严重的全球性环境问题和生态危机。在经历了三百多年的现代化发展之后，西方国家才以新的可持续发展理念，基本上实现了对人与自然、经济发展与环境和资源保护等方面关系的统筹与协调。

当前中国现代化进程中，由于经济结构的不合理性，经济增长方式单一，主要依靠资源消耗和巨大的劳动力投入，从而也造成了前所未有的环境问题和生态危机。因此，要把节约资源作为基本国策，发展循环经济，保护生态环境，加快建设资源节约型、环境友好型社会，促进经济发展与人口、资源、环境相协调。当前我国的经济社会发展应以独特的"后发优势"解决发展的"瓶颈"问题，它涉及发展的理论、模式、政策、机制以及伦理体系、公众心理等层面的内容。从根本上说，则是要重新达成人与环境之间的更高和谐状态。

从人类文明发展进程来看，可持续发展是一个晚近出现的课题，而作为其基础的环境问题则根源于社会经济运行方式。因此，要解决好环境问题，在根本上取决于以先进的发展观为指导，对社会经济运行方式作出调整与变革。我国要破解发展的"瓶颈"问题，就必须把科学发展观的有关要求加以具体落实。在实际工作层面上，试行绿色 GDP 的发展评价体系就是一项极其重要的举措。

随着改革开放和市场经济进程的深入，我国的社会结构和管理体制将出现政府、市场、社会三个主要方面共存的格局。在这种背景下，作为社会重要构成要素的社会团体，在社会发展进程中将会扮演独特的角色。对于解决社会发展与环境资源之间的矛盾而言，社会团体往往能起到政府、企业所不能起的作用，成为调节关系与解决矛盾的不可替代的力量。例如，社会团体一方面，可以对政府和企业的工作和生产过程提供促进和监督；另一方面，则可以通过自身的行动引起更广泛的社会关注。

应该倡导这样的道德观念，即维护生态系统的正常运行正是为了维护人类的根本利益。关爱环境本身就是关爱自己、关爱他人、关爱后代、关爱全人类，它体现了现代人的基本责任。每个人都拥有自身生存和发展的权利，但同时也负有维护和促进他人生存和发展的义务。对人类共有的生态环境造成危害，侵犯他人和后代的生存与发展权利，不论是过度地消费资源，还是随意地污染环境，都是违背伦理的。

关于文化与非文化的断想

郭　湛

内容提要：本文集中思考了社会文化在许多领域中品位下降的现象，深感这一问题在当今社会生活中的严重性，以及认识和解决这一问题的迫切性。作者提出了诸多论点，如："人类创造了文化，文化是人类非自然的存在方式"；"'文化'既是动词也是名词"；"文化的运动并不必然达到发展或优化"；"文化是人类生存与活动方式的有序化，这是以自然的有序性为前提的社会有序性，意味着人类生存状态的有序性"；"文化是非自然的存在，反过来说，自然是非文化的存在"；"自然界通过生命有机体的社会结合而过渡到或发展为人类的文化存在"；"生命是对无机自然存在的超越，文化是对生命的纯自然的存在方式的超越"；等等。

关键词：文化、非文化、生存

2001年7月7日至18日，我参加了中国人民大学哲学系部分硕士生、本科生和教师赴重庆和四川的社会调查。18日凌晨，在从成都归来的列车上，一觉醒来，再无睡意。车厢中一片寂静，思绪毫无干扰。当时，集中思考了社会文化在许多领域中品位下降的现象，深感这一问题在当今社会生活中的严重性，以及认识和解决这一问题的迫切性。如何概括这一问题，思之良久，忽有所悟，也许应该称之为"文化与非文化"。回到北京，在2001年7月18日到23日这几天中，陆陆续续写下了这些想法。因为不是系统连贯的表述，故称之为"断想"。

（1）人类创造了文化，文化是人类非自然的存在方式。文化在本质上是人为的程序和为人的取向的统一体。因此，文化的发展也就是人为的程序的发展和为人的取向的发展的统一，文化的优化即人为的程序的优化和为人的取向的优化。马克思主义的文化观是全面的文化本质观。片面的文化观，或者只强调文化是某种人为的程序，或者只强调文化是某种为人的取向，都会导致片面的褊狭的结论，在实践中带来严重的问题。

（2）"文化"既是动词也是名词。作为动词的文化是人类创造和实现某种自然中本来没有的程序的活动和过程，作为名词的文化则是人类这种活动过程所造成的状态和结果。人类文化的这两个方面相互联系而又相互转化：文化的活动和过程产生文化的状态和结果；文化的状态和结果又引出新的文化的活动和过程。在一种良性的互动中，文化是不断发展和优化的。

（3）但是，文化的运动并不必然达到发展或优化。人类在文化进化的同时也有文化的退化。文化的退化是与文化进化相反的趋势，其实就是对于文化的反动。在已有的文化水平上下降或倒退，这种现象可以称之为文化非文化。文化的发展是文化与非文化不懈奋斗并取得主导地位的结果。

（4）文化是人类生存与活动方式的有序化，这是以自然的有序性为前提的社会有序性，意味着人类生存状态的有序性。文化无论作为人为的程序或为人的取向都意味着一定的序。与有序相反的是无序，反文化或非文化意味着人类生存状态在从有序滑向无序，亦即从熵的减少转向熵的增加。在热力学中，熵标示系统的混乱度。因此，文化意味着人类生存状态的熵即混乱度的减少，反文化或非文化则意味着人类生存状态的熵即混乱度的增加。如果说人类生存状态中的文化意味着负熵即熵减的倾向，那么，反文化或非文化即意味着正熵即熵增的倾向。

（5）文化是非自然的存在，反过来说，自然是非文化的存在。自然和文化之间的中介或过渡环节是人。人作为生命有机体首先是一种自然的存在，但作为社会中的成员又是文化的存在。在一种宽泛的意义上，社会不仅是人类的组织形式，也是许多动物种群的组织形式。因而说人是社会动物，还不能真正把人类与其他动物区别开来，那么就应该说人本质上是文化的动物或文化的存在。

（6）自然界通过生命有机体的社会结合而过渡到或发展为人类的文化存在，这一点对于理解文化的由来及文化与自然的关系十分重要。以是否具有生命为界线，可以将自然界分为无机自然界与有机自然界，后者来自前者又复归于前者。无生命的无机自然界的事物的运动和变化有自己的过程，内在于这种过程的程序是规律。有生命的有机自然界的个体的发生和发展也有自己的过程，内在于这种过程的程序是基因，基因是调控生命有机体自然发生和发展的程序。

（7）生命是对无机自然存在的超越，文化是对生命的纯自然的存在方式的超越。在这个意义上，可以说文化是后自然的、超自然的或非自然的存在方式。因此，文化发展中的自然主义可能意味着向纯自然的生存方式的倒退，因而会导致反文化或非文化的结果。但是，生命又是扎根于无机自然界的，文化又是以人作为生命的自然存在为前提的。当文化与人的生存和发展的这种自然前提受到忽视甚至否定时，特定含义上的自然主义又可能是具有积极意义的，不可一概否定。关于这一点，可参见马克思所说的"自然主义的人道主义"或"人道主义的自然主义"。

（8）从文化与自然的关系上看，文化的前提是自然，通过人的实践，特别是劳动，对自然、社会和人自身的存在方式加以改造，人创造了文化。与自然生命的控制程序是基因相类似，文化"遗传"或模仿的程序被称为"谜米"（meme）。牛津大学生物学家理查德·道金斯于1976年在《自私的基因》一书中首次提出这个概念，其用意在于"给在诸如语言、观念、信仰、行为方式等的传递过程中与基因在生物进化所起的作用相类似的那个东西起一个名称"。他创造"meme"一词，是要与"gene"（基因）一词进行类比。有人认为，把"meme"译成"谜米"失去了与"基因"对比的意义。

（9）从自然的进化中产生了人类的文化，文化的内容和形式都是对自然的超越。然而文化的形式必须借助自然物质的质料方能存在，文化活动的具体主体——人作为生命的特定形态，只能在一定的时空条件下生存。文化在人和物上的积淀无论多么深厚，都挡不住大自然凭借时间之流无情的消磨。"大江东去，浪淘尽千古风流人物。"文化是人类以非自然的方式造成的，文化的形式及其中的"谜米"（程序）可以通过传递而长久保留，但特定文化形式赖以存在的质料却不能逃避自然界物质相互作用的耗损。自然界不断地使文化的存在自然化，亦即使文化非文化。历史上那些消失在荒漠、森林和海水中的文明就是证明。

（10）经济、技术和社会的发展，从饮食、服饰、器物、居室，到城市、交通、公共设施等的发展，甚至像田地、园林等自然环境的改造，都是"人化"即文化的体现，都是自然的人化即文化。精神文化、制度文化和物质文化一样，其发展而非倒退都是熵的减少，即系统混乱度的降低，有序性增加。文化是人的存在方式的非自然化。

（11）科学、技术、教育、卫生、体育、艺术、宗教、哲学等的发展，总的说来都在增强着人的文化素质和文明程度。在这个意义上，"教化"即是文化。但"教化"以及相应的"制度化"、"规范化"也可能产生副作用，使人的自然天性受到束缚，使社会生活死板和僵化，压制人的个性发展和创新能力。中国封建社会从孔孟儒学到程朱理学，"存天理，灭人欲"，把人的自然欲望即本性与"天理"完全对立起来，以人的社会性、群体性抹杀人的个性，在保持固有文化的努力中使文化失去自我创新的活力。

（12）重视人性，推崇个性和自由，解放了人的创新能力，鼓励了社会生活中的创造性活动，极大地推动了社会文化的进步，如近代以来我们所看到的。但人的自然本性的张扬，个人自由的过度扩张，又有其副作用，出现对非文化的盲目肯定，自然主义泛滥，在某些方面使社会的混乱度加大。

（13）现代、当代社会在总体上无疑是越来越文化的社会，但毋庸讳言，在许多方面也是非文化严重的社会。例如，经济中的无政府主义，商品生产中的假冒伪劣，社会管理中的混乱与无效，技术应用的失控，电脑病毒，作为科学对立面的伪科学，作为宗教对立面的邪教，文学艺术中的低俗化，垃圾文化泛滥，文化精品、杰作稀少。

（14）文化精品、杰作是文化含量高、文化质量高的文化产品。文化精品、杰作是人类文化发展不断挑战自身极限的成果，是人类文化的一定时期在一定领域内所达到的最高境界。精品、杰作稀少，意味着人们的文化活动大多在低水平中徘徊，缺少向文化高峰冲击的能力。

（15）文化的平庸化、低俗化不等于大众化。大众文化中无疑存在平庸和低俗的问题，但大众之积极的、主导的倾向恰恰不是安于平庸和低俗，而是力求摆脱、超越平庸和低俗。真正的大众化实质是高水平的精英文化向大众的渗透或普及。平庸化、低俗化则是精英文化本身的降低，以致与大众文化合流。在商品经济、市场经济条件下，大众是文化的顾客即"上帝"，文化产品的商业价值的实现当然要以大多数顾客的满意为前提。但满足什么？是满足大众积极的文化需求，还是满足其消极的非文化的需求？在大众文化水平不高的情况下，一味迎合所谓大众口味，单纯满足其直接的、现实的、次要的需要，可能意味着放弃其间接的、长远的、根本的需要。不在提高指导下的普及不是真正的普及，等同于甚至低于大众顾客水平的"文化"产品，作为"文化快餐"也许可以满足人们一时的需求，但由于缺乏应有的营养，不可能满足人们的全面的、本质的需求。

（16）需要对历史和现实社会中的文化非文化现象加以具体分析和解读，包括具有典型意义的个案分析。这包括两大方面：

第一，在自然界的消磨中不采取积极有效的措施，任其使文化非文化，甚至人为地破坏珍贵的历史文化遗产，使之迅速丧失殆尽。这些现存的文化成果本来是人可以在一定程度上予以保护的，不保护之，也是人的责任。有时看似天灾，实则人祸。

第二，人类自身由于战争或社会动乱，由于社会文化价值观念的紊乱，对文化的价值追求狭隘、短视，如只把物质、金钱的价值视为价值，使精神文化、文化精神的价值遭到鄙视和冷落。社会上的一部分人出于商业目的或变态心理，把文化上的畸形儿树为文化英雄，如粗俗不堪的"文化人"，痞气十足而又胡说八道的所谓"作家"或"批评家"，道德水准低于常人的"艺人"，捧之为明星，趋之若鹜。低俗文化大行其道，高雅文化识者寥寥，俗不可耐变成了雅不可耐。这是对文化发展的严重扭曲。在中国出现这种颠倒有其历史的和现实的原因。所谓文化"沙漠化"即文化非文化，这是人类自己造成的。

（17）广义的文化概念有其必要性。任何社会领域发展的核心都是文化的发展，其文化理想的追求，以及相应的文化标准的确定和贯彻，决定着整个过程和结果的文化程度。该领域实践活动的决策者和管理者的文化水平，决定着其内在"尺度"的高低。以低文化尺度的决策和管理实行之，整个过程和结果必然是低文化的。与本来可以达到的更高文化水平相比，这也是文化非文化的表现。

（18）文化生产中的"设计"非常重要。设计是活动过程和结果之文化品位的事先确定。大到国家或地区的发展规划、城市的建设和管理、交通系统的建设和管理、农村及小城镇的规划和建设、自然或历史景观的开发和保护，小到居室、器物、服饰、饮食等等，从人类社会活动、群体活动，到个人的行为、举止、言谈、礼仪等等，无不渗透着、体现着或高或低的文化。人是文化的存在，人类在各种活动过程及其结果中应力求更文化而不是非文化。

（19）非文化的强势意味着文化的弱势即低落，甚至导致局部文化系统的崩溃，进而危及整个文化系统的存在。自觉意识到这一点十分重要。在中国文化史上，许多文学家、史学家、哲学家、艺术家、科学家、政治家、宗教改革家等，以高度的文化使命感，面对某种社会领域文化非文化的潮流挺身而出，"障百川而东之，回狂澜于既倒"。如孔子之学术与教育活动，韩愈之文起八代之衰，东西方的政治家、宗教改革家的奋斗，等等。从文化的意义上说，他们都是在努力制止某种文化非文化的颓势，力图重现文化发展上升的势头。

（20）提倡创新，只有在文化发展的背景和意义上才是可以理解的。社会生活中的创新，实质上是文化的内容和形式上的创新。如果一种"创新"在文化上没有提高和突破，而是等于甚至低于已有的东西，那就不是什么创新，因为根本无新可言。而所谓"新"若非文化之新，或者"新"若不是在质上新的高度，也就没有实质性的意义，算不上真正的新。

（21）文化创造的尺度或标准是在比较中确立的，又是在评价乃至批评中校正方向的。文化批评是借助文化传播媒介对某种文化价值的评价，这种批评本身的价值也是要受评价的。对前人或他人的文化创造不负责任的批评，信口雌黄，贻笑大方，历来为批评之大忌，而今天却成为一种"勇敢者"的时髦。当然，文化的多元化导致文化创造和评价的多元化，我们不能要求文化批评千篇一律。多种文化共存造成丰富多彩的世界。

（22）文化意味着人的活动及其结果的有序化即和谐。一种文化自身应当是有序化的、和谐的，在共处的不同文化之间也应当是有序与和谐的。"和而不同"是不同文化之间应有的关系。追求文化之中和文化之间的有序与和谐，本身就是一种高度的文化追求。一个理想的文化世界，应该是多样而又统一、不同而又和谐的世界。不仅社会内部应该如此，在社会和自然之间亦应如此。

（23）文化本质上既然是程序，文化创新就是某种新程序的设计与实现。新程序与旧程序之间的关系不是简单的否定或替代，而是包含着肯定的否定或包含着否定的肯定。这里有传统与现代、继承与创新的关系。创新可能被传统视为非文化，而非文化的"创新"确实也非常之多。因此，区别文化与非文化就显得格外重要。

（24）一定的文化总是包含着一定的程序，文化的相对稳定和实现总是某种程序化，但文化又不是与程序化等同的，并非任何程序化的增强都意味着文化程度的提高。在这里，科学文化、技术文化和人文文化是不同的。科学技术在物质文明上的高度程序化，不能简单套用到人文领域。

（25）人是有生命的存在，又是意识到这种生命的存在，更是意识到和能够实现这种生命意义的存在，因而是一种文化的存在。生命在基因的规定下尚且没有导致完全规范的、僵化的生存状态，人作为文化的存在更需要能动性、主动性，以及由之带来的生存的灵活性和丰富性。生命的程序、文化的程序是更内在的，是在表现的多样性和多变性中内含着的有序性。机械运动、物理运动、化学运动、生物（生命）运动和社会（文化）运动的有序性、程序性是不同。不能以简单的机械运动的程序来规范复杂的物理运动、化学运动，更不能把生物（生命）运动、社会（文化）运动归结于机械运动，也不能把社会（文化）运动的程序化归结于生命运动的程序化。文化的程序是更具有复杂性的系统，不能仅以其中一种或几种程序规范所有的文化活动。

（26）中国古人以诗、文、琴、棋、书、画等衡量人的文化水平。这是不全面的，最明显的问题在于对科学、技术等的忽视。但先进的、高雅的文化对社会面貌的影响和对大众文化的拉动作用是不可否认的。在历史的进步中，文化形式激增。科学、技术、工艺的知识和能力，语言、媒介、工具的掌握和运用，社会的、政治的活动，物质的和精神的生产和交往，都从不同方面表现人的文化程度。受教育是所有这一切的基础，然而教育不仅仅指学校教育，家庭和社会都有其不可替代的教育功能。

（27）文化作为人的活动及其结果的有序性，作为负熵或熵减，可以用信息来标志。文化所传递的程序和意义都可视为信息，这种文化的信息即所谓"谜米"，它像生命的遗传信息即基因在一代代生物个体中间传递一样，在人与人之间一代又一代地传递。因之，文化在本质上是有序化，也是信息化，与之相反的非文化则是系统的无序化，是信息的混乱、流失、弱化。如果说文化是有序性和信息量的增加，那么非文化就是有序性和信息量的减少，表明其非文化倾向或非文化状态。要改变这种状态，由非文化转向文化，就要使系统增强有序性，增加信息量，使之远离平衡态，这需要人的努力即付出，需要输入或激活物质、能量和信息，调整或改变系统的结构和功能。

（28）总之，要通过人作为主体自觉的实践，特别是劳动，包括体力劳动和脑力劳动来实现人和社会的文化。文化以自然界的进化为物质前提，但不是自然界的进化的直接产物，而是人类通过世世代代的实践，通过物质生产、精神生产和人自身的生产而实现的。人类文化之甘美的果实，是给人们辛勤的文化劳作的丰厚报偿。

哲学的"终结":从理论转向实践

张志伟

内容提要:在现代社会中,哲学作为一个学科越来越专业化和职业化,以至于没有经过专业训练的人便无从问津。这就产生了一个问题:哲学究竟通过什么方式影响社会?哲学究竟通过什么方式发挥作用?这就是本文所说的哲学的"终结":哲学像所有专业化的学科一样,变成了由少数专家学者从事的一个非常专业化的学科,逐渐失去了对社会生活的影响和作用。这个问题的解决看起来很简单,但做起来却并不容易,那就是让它回归现实生活,回归实践。

关键词:哲学、学科、理论、实践

无论是哲学的"终结"还是理论与实践之间的关系都不是新问题,本文"老调重弹"的"新意"是这两个问题的"结合":哲学作为一个学科"终结"了,然而从理论转向实践亦意味着哲学的"新生"。

从理论上说,任何一种哲学都是时代的产儿,都是对它那个时代的重大现实问题和理论问题的某种回应,故哲学因问题而起,自实践而生。正如黑格尔所说:"哲学的任务在于理解存在的东西,因为存在的东西就是理性。就个人来说,每个人都是他那时代的产儿。哲学也是一样,它是被把握在思想中的它的时代。"[①] 换言之,哲学是"时代精神的精华"。当然,哲学自己是不会去总结和概括时代精神的,那是哲学家的任务。但是,如果哲学专业化到了没有经过专业训练的人无从问津的地步,这就产生了一个问题:哲学究竟通过什么方式影响社会?哲学究竟通过什么方式发挥作用?这就是我所说的"终结":哲学像所有专业化的学科一样,变成了由少数专家学者从事的一个非常专业化的学科,它有自己的一套"行话"和特殊的"语境",具有越来越多的"技术含量",但却失去了对社会生活的影响。

现代社会以越来越精细的分工为前提,我们每个人都必须在这个现代化的社会大机器上找到自己的位置。当一个人不得不从事某一种职业或专业的时候,例如在某个学科的某个分支中的某个领域中的某个问题上成为专家,势必造成"专业缺憾":我们每个人都必须以牺牲其他兴趣和才能为代价,片面地

---

① 黑格尔:《法哲学原理》,商务印书馆1982年版,第12页。

发挥自己某一方面的才能，以便相互之间共享各自的成果，社会因此而获得迅速的进步。结果，一个人的聪明才智被限制在某个学科的狭窄的领域，已经不可能了解他所研究的整个学科，更谈不上对其他学科的通晓了。另一方面，科学技术的发展，越来越向简单易用的方向努力，我可以不懂计算机技术和原理，但是我可以轻松地学会使用计算机。我不懂也用不着懂数学、物理学、生物学……我一样可以享受这些学科的成果。现在，哲学也是众多学科中的一个学科。问题是，我们能不能让哲学家们去思考哲学问题，去建立世界观、方法论和人生观，而我们用不着理解和领会，只要拿过来"共享"就可以了？哲学固然需要专家学者去研究，不过由于它关涉世界观、方法论、人生观，需要通过我们每个人的理解和领会才能发挥作用。

在某种意义上说，哲学的"终结"并非哲学的结束，而意味着从理论转向实践的开始。

一、哲学的边界

按照我们的学科分类，哲学属于人文学科。我们通常把知识分为自然科学、社会科学和人文学科。自然科学不用多说，社会科学指的是那些可以使用自然科学方法例如数学方法、统计方法等研究社会现象的学科，如经济学、社会学等。人文学科主要指的是文史哲那些不能使用科学方法的学科。

毫无疑问，科学的制度化对于科学的发展具有重要作用。19 世纪下半叶，在西方，科学知识开始了制度化，学科领域的划分越来越细致。科学研究不再是个人行为，而是集体的行为甚至是社会的行为，科学研究是有规范的，也有一定的规划，这对于科学知识的发展无疑具有重要意义。然而，现代化分工越来越细的后果是，科学支离破碎，知识领域四分五裂了。这就好像我们大家都在研究一棵树，我们每个人只是在研究一片树叶或一根枝杈，却没有人研究整棵大树一样。具有多方面才能的人越来越少，因为现代化的分工不提倡也不支持这样的人。尽管人文学科不同于自然科学和社会科学，然而却同样必须按照自然科学和社会科学的方式从事研究。我们经常可以在申报哲学社会科学项目的申请表上发现"科学方法"、"技术路线"的字样。如果有人声称他是研究哲学的，我们会问他研究的是哪个二级学科，进一步还会追问属于哪个二级学科的哪个研究方向。专业化的结果是专家学者们都在研究哲学，又可以说没有研究哲学——他们研究的是中国哲学、外国哲学、伦理学、美学、逻辑学、宗教学……却没有研究哲学。作为一个制度化的学科，哲学看上去很"繁荣"，因为研究方向越分越细，研究哲学的从业人员越来越多，我们也经常可以看到哲学下属不同学科层出不穷的新成果，如果不考虑销售利润的问题，书店里摆放哲学类书籍的书架肯定会越来越大、越来越多。然而，作为一门学科的哲学繁荣了，它却越来越失去了对社会生活的影响。在某种意义上说，正是因为仅仅作为一个学科在发展，哲学越来越脱离现实，脱离社会，脱离时代。

我们现代人本来就与现实生活存在着隔阂：我们生活在五花八门的观念、传媒、广告……之中，给这个世界涂抹了一层又一层浓重的色彩，现实世界原来是什么样早已不知道了。不仅如此，我们与世界之间还存在着理论观念的隔阂。研究哲学的人在思想中编织着观念的世界，那是一个独立于现实世界的精神世界。例如我研究西方哲学史，研究法国哲学家笛卡尔或者德国哲学家康德，我读他们的书，研究哲学思想之间的关系，通常没有时间考虑哲学家的思想与他的时代之间的关系，更没有时间考虑哲学家的思想与我们这个时代的关系。

哲学的"终结"不仅表现在失去了对现实生活的影响力，而且表现在研究哲学的人成了专家，而不是哲学家。

研究数学的人是数学家，研究物理学的人是物理学家，研究化学的人是化学家……这似乎都不成问题。然而在中国研究哲学的人却从来不自称也不愿意被称为哲学家。我们有数学家、化学家、物理学家……但是没有哲学家。

为什么？

首先是研究哲学的人的自谦，其次是自愧，最后是洁身自好。因为在中国的现代社会中往往哲学爱好者才自称或被称为"哲学家"，专门研究哲学的人更愿意被称为"专家"。换言之，"哲学家"这个称呼往往带有贬义，多数情况下是扣在哲学爱好者或者民间哲学家头上的"桂冠"，指的是在不具备基础知识和专业知识的情况下自造哲学体系的人。这样的"哲学家"的确不值得提倡，然而把"哲学家"的称号拱手相让的确是我们这些从事哲学研究的人的耻辱。经常听到哲学爱好者们说："你们有知识，我们有思想"、"哲学在民间"。反过来，我们这些经过了基础知识和专业知识的系统训练的人却只是想做一个专家学者，而不愿意做哲学家。

什么是哲学家？研究哲学的人就应该是哲学家，正如研究数学的人就是数学家一样。现在的哲学家并不是制造哲学体系的人，因为制造包罗万象的哲学体系的工作早就过时了。我们这个时代可以称得上是哲学家的人，应该是那些面向重大现实问题和理论问题的人，是那些有问题意识的人，他们不是仅仅生活在知识领域、思想之中的专家学者，而是有问题意识的思想家。用不着非得有体系和理论才是哲学家。对现实问题和理论问题有自己独到的看法，就是哲学家。

研究哲学的人之所以不敢称自己是哲学家还有一个重要原因，那是学科之间的森严壁垒。在我们的学科制度中，研究哲学的人是没有的，只有研究马克思主义哲学的人、研究中国哲学的人，研究西方哲学的人，没有研究哲学的人。学科的专业化使得哲学的二级学科以及研究方向越来越细，这固然对于培养专家学者是必要的，但是我们培养的只是专家学者，而不是哲学家。近年来，哲学界的同仁已经意识到这个问题，开始了哲学内不同学科之间的对话，例如"中、西、马"之间的对话。显然，无论研究马克思主义哲学还是研究中国哲学或是西方哲学，我们研究的都是哲学，都要面对同样的哲学问题。

由此可见，哲学面临着两方面的界限：一方面是哲学自身中不同学科之间的界限，另一方面是哲学与现实生活的界限。如果不打破这两方面的界限，哲学就只是收藏家保险柜中的收藏品，与现实生活无关，除了收藏家之外，对其他的人没有任何价值。

冲破哲学边界的关键是让哲学回归生活，面向社会实践。

二、从理论转向实践

从公元前 6 世纪希腊哲学诞生到 19 世纪黑格尔哲学为止，2000 多年来，哲学家们像科学家一样试图描述宇宙自然，不同之处是哲学家描述的是作为整体的宇宙，而其目的是获得一种世界观。进入 20 世纪以后，哲学家们终于意识到描述这个宇宙是科学家的工作，哲学不可能做得比科学更好，而一种世界观也不是通过描述世界形成的，它是"意义的世界"：自然的宇宙是事实的世界，哲学的宇宙是意义的世界。在某种意义上说，哲学不是描述世界，而是解释世界，发现或者创造世界的"意义"。这个世界不是客观的物质世界，而是人的"生活世界"。

20 世纪下半叶以来，西方哲学中出现了一个重要变化，越来越多的哲学家把研究视角转向了与人类现实生活密切相关的问题。[①] 一方面，一些现实问题不断地引发哲学家们的哲学思考，由此形成了一些与现实问题的解决密切相关的应用哲学，例如：对市民社会与福利国家、民主与政治制度、公平与正义、个人与社会、国际政治关系等问题的思考，促成了当代政治哲学的产生；对科技发展中提出的一些涉及生命价值和伦理观念变化的问题的解决，最终形成了生命伦理学；同样，对人类生存环境以及人类与环境的关系的伦理思考，产生了另一门新的应用伦理学即环境伦理学。

显然，这些"应用哲学"不仅仅是适应我们这个时代的需要而产生的学科，相关的问题早就产生了。它表明了从理论转向实践是哲学的发展趋势。

另一方面，时代的变化也促使哲学家们对自身的哲学传统提出了质疑和反

---

① 以下参见江怡：《西方哲学：从现代到后现代》，《当代西方哲学动态》2006 年第 1 期。

思。实际上哲学家们始终保持着忧患意识。20 世纪西方哲学在相当程度上所做的一项工作就是反思和批判自己的传统。哲学自公元前 6 世纪产生直到 19 世纪黑格尔哲学为止，体现为一种以科学思维方式为主导的理性主义。从 19 世纪下半叶开始，这种理性主义发生了动摇，现实世界的变化打断了哲学的迷梦。尤其是两次世界大战使人们意识到理性从来没有统治世界，即使理性统治世界也不一定是人类社会的繁荣。然而，也正是从 19 世纪下半叶开始，科学的制度化使得哲学安身于大学之中，专业化、职业化的结果是哲学逐渐形成了自己的世界，一个可以与现实世界平行发展的思想世界。研究哲学的人徜徉于思想的王国，越来越多地以以往的哲学思想为研究对象。

正当哲学悠闲漫步的时候，现实世界发生了剧烈的变化。1989 年柏林墙倒塌、苏联解体，两个超级大国剩下了一个，冷战结束。世界进入了"后冷战时代"。紧接着是欧盟的成立，紧跟着是如火如荼的全球化进程，当然还有"9·11"……于是，原来似乎是平行发展的哲学的理想世界与现实世界，由于现实世界的剧烈变化而不对称了。其中最重要的变化非全球化莫属。全球化彻底改变了我们的世界观，换言之，全球化的时代需要全新的世界观。如果说任何一个时代的哲学都是与那个时代相适应的哲学，那么我们恐怕还没有适应全球化的时代，我们还没有形成适应这个时代的哲学。在某种意义上说，这就是为什么我们只看到老一代哲学家例如伽达默尔、德里达、利科等离开尘世，却不见具有世界影响的新生代哲学家崭露头角的原因之一。

20 世纪 80 年代盛行一时的后现代主义从另一个侧面说明了这个问题。多元化和异质性取代了一元论和总体性，西方哲学的传统被彻底颠覆了，哲学特有的宏大叙事话语在解构的策略下分崩离析，西方哲学不仅失去了传统的研究对象，从天上降临尘间，而且越来越边缘化，更多地与文化研究、文化批评等融合在一起，显示出了跨学科的特征，并且开始回归"实践智慧"。

亚里士多德第一个区别了理论智慧与实践智慧。在他看来，理论知识与实践知识是不同的。理论知识的对象是不变的东西，对于不变的必然的东西，我们只能认识它而不能对它有所作为；而实践知识的对象则是那些在生活中经常变动的事情，我们需要对之深思熟虑，以便判断什么是对自己有益的。这就是"实践智慧"（phronesis），在某种意义上就是亚里士多德所说的伦理的理性，即人寻求对他自身好（善，有益）和坏（恶，无益）的理性的品质和行为的能力，也就是辨别和选择善恶、利害的能力。如果没有实践智慧，我们就不可能在两个极端之间选择中道，所以实践智慧类似自由选择的能力。按照亚里士多德的观点，根据理论知识与实践知识的区别，理论智慧当然高于实践智慧，思辨是人生最大的幸福。然而，在 20 世纪西方哲学中，例如：在海德格尔、伽达默尔、哈贝马斯、利科、罗蒂等哲学家那里，"实践智慧"越来越占有更重要的地位，尤其是人们关于自然科学的性质的认识发生了巨大的变化。不恰当地说，以往人们也许要靠对宇宙自然的认识来决定自己的命运，现在则更多地诉诸于选择与筹划的能力。因为实际上不存在一成不变的永恒真理，自然科学不过是具有相对而言最大限度的普遍必然性的"地方性知识"，作为有限的理性存在，我们必须在诸多可能性中进行筹划与选择，必须有所取舍，因而人类的命运归根结底应该交付给实践智慧。

如果比较一下国家哲学社会科学基金"十一五"规划哲学学科的重点研究方向和重点研究课题与"十五"规划的区别，我们可以看到，"十五"规划中纯理论的课题偏多，而"十一五"规划中与重大现实问题与理论问题相关的课题多了起来，例如：

科学发展观的哲学基础；价值哲学与社会转型时期价值观；人的主体地位与人的全面发展；中华优秀文化传统和世界现代思想精华；时代精神与民族精神；中国哲学与民族精神；中国传统伦理及德治与法治的关系；社会主义思想道德建设体系；未成年人思想道德建设和大学生思想政治工作；社会主义荣辱观；科学技术哲学与建设国家创新体系；文化与综合国力及我国文化发展战略……

再看国家哲学社会科学基金项目2006年度课题指南：

马克思主义理论研究与建设工程在社会主义意识形态中的地位；作为世界观和方法论的科学发展观研究；构建和谐社会的哲学理念研究；中国传统文化与中国和平发展研究；社会矛盾与社会和谐问题研究；建设社会主义和谐社会与社会活力研究；社会主义社会持续发展的可能性与条件的哲学研究；自主创新与创造性思维研究；社会公平与民主建设中的哲学问题研究……

由于国家社科基金与教育部人文社科项目都是在广泛征求意见的基础上形成的，因而相对而言反映了国内学术界普遍关注的问题。

社会实践在发展，向哲学提出的任务就是解释这种变化，建立相关的理论，指导社会实践。近年来，传统文化的现代化问题、全球化背景下的中国文化、中华民族精神、社会公正问题、科学发展观、和谐社会等等问题成为焦点或热点问题，表明哲学已经开始从单纯的理论研究转向了实践。

三、哲学何为

以哲学为业的人经常会感到困惑：在我们这个讲究实效的时代，哲学能够做什么？哲学应该做什么？现代社会，哲学何为？表面看来，我们这个社会无论有没有哲学都会按照自己的轨道运行，然而社会生活并不是不需要理论，恰恰相反，我们的社会比以往任何一个时代都更需要理论。它所需要的不是与实

践无关的理论，而是面向并且能够解答实践问题的理论。

哲学从理论转向实践可以包括两个方面：一个是关注个人的精神生活，另一个是关注与社会实践有关的重大现实问题和理论问题。

迄今为止，我们这个时代应该是最科学的时代、物质生活极大丰富的时代、最讲究生活质量的时代，然而也是精神生活最贫乏的时代、信仰危机的时代、价值多元化的时代。我们的物质生活比以往要丰富得多，但是精神生活却非常贫乏。这并不是说我们的精神产品、文化产品不够丰富，实际上它们的品种和数量今非昔比。但是这些精神产品都是一些快餐式的"消费品"，很少有能够形成持久的精神享受的东西。

现代人处在信仰危机之中。精神的危机远比经济危机难以解决。1900年去世的尼采有一句惊世骇俗的名言："上帝死了"。这句话并不是只对信仰基督教的人说的，其深层的含义是我们面临虚无主义的威胁，失去了精神的支柱，失去了生存的意义。我们生活在一个善恶是非的界限越来越模糊的时代，我们生活在一个相对主义的时代。如果这个世界上无所谓善恶是非，人生还有意义吗？如果这个世界就是无理性的自然，我们凭什么认为我们比一棵树、一块石头更有意义？如果人终有一死而且只此一生，人生的意义是什么？如果没有绝对真理，没有绝对价值，一切都是相对的，不存在真假、对错、善恶、是非之间的区别，人生的意义何在？

在某种意义上，如果我们不想凭借宗教信仰来解决问题，哲学就是唯一的选择。哲学不能仅仅关注于高深莫测的理论问题而忽略了人的需要，哲学应该是人的精神家园。这并不是说哲学能够告诉我们人生的意义是什么。道德说教是道德家的工作而不是哲学家的任务。哲学的作用是分析人的处境，分析各种可能的意义，把所有可能的意义提出来供你选择，在困境中锻炼你筹划选择的能力。哲学不能代替你思考，代替你选择你的人生之路。也许满足个人的精神生活不能体现哲学的学术性，也许在有些人看来哲学是大材小用了，其实不然。我们研究哲学的目的归根结底是为了人。如果哲学不能给人以精神上的安慰，如果哲学不能为我们营造理想的精神家园，哲学就没有存在的意义和价值。

哲学不仅应该关注个人的精神生活，也应该关注与社会实践相关的重大现实问题与理论问题。近年来诸如"中国哲学的合法性问题"、"传统文化的现代化问题"、"全球化背景下的文化多样性问题"、"现代性与后现代性的问题"、"社会公正的问题"、"科技时代的伦理问题"等问题成为哲学关注的前沿问题，集中体现了哲学从理论向实践的转向。下面这些问题都是实践向哲学提出的问题，而且都具有跨学科的综合性质。

1. 近年来，关于中国哲学的"合法性"问题成为学术界关注的焦点，标志着中国学者的主体性的觉醒。

其实不仅仅是哲学，人们在许多人文学科中都强烈地意识到了一种"失语症"，亦即离开了西方的学术语言我们就不会说话，这意味着我们还没有属于我们自己的人文学科。

通常我们把世界上的哲学划分为三大形态：西方哲学、中国哲学和印度哲学。然而，把中国哲学归属于哲学的名下，历来存在着不同意见。黑格尔的观点众所周知，他认为真正意义上的哲学从希腊开始，由于东方人的精神还沉浸在实体之中，尚未获得个体性，因而还没有达到精神的自觉或自我意识。所以，所谓中国哲学还不是哲学，不过是一些道德说教而已。他甚至说："为了保持孔子的名声，假使他的书从来不曾有过翻译，那倒是更好的事"。[①] 无独有偶，2001 年 9 月访华的法国著名哲学家德里达亦认为中国哲学不是哲学而是一种思想，不过他并不没有像黑格尔那样贬低中国哲学，而是主张哲学作为西方文明的传统，乃是源出于古希腊的东西，而中国文化则是逻各斯中心主义之外的一种文明。[②] 考虑到德里达对逻各斯中心主义的批判，当他说中国没有哲学的时候，即使不是赞扬，至少不包含贬义。

然而无论如何，黑格尔和德里达都认为中国没有哲学。中国学者们之所以困扰于这样的难题，是因为现在全世界的学科分类、概念系统和知识架构所依照的都是西方的标准。西方人按照西方的标准看待中国思想，中国人也只好按照西方的标准理解和梳理自己的传统。冯友兰先生在《中国哲学史新编》中曾经提出了"中国哲学"与"哲学在中国"的区别。[③] 讲中国数学史，其实是"数学在中国"，因为数学不分中国数学和西方数学，数学就是数学。但是讲到哲学，却有一个究竟是"中国哲学"还是"哲学在中国"的区别。显然，哲学不同于数学，不分中、外、东、西是不可能的。简言之，中国哲学不是哲学在中国的表现，中国哲学虽然与西方哲学都属于哲学的名下，但却是两种不同的哲学。这个问题之所以引起人们的关注是因为我们的中国哲学史是按照西方哲学的概念框架梳理出来的，这就使得中国哲学被硬性地分割为本体论、认识论、辩证法、历史观……从而支离破碎、四分五裂，失去了中国哲学固有的神韵。

毫无疑问，有关中国哲学的"合法性"问题的讨论还会继续下去，而更加关键的问题是，中国哲学究竟有没有能力对当今世界所面临的种种问题作出自

---

① 黑格尔：《哲学史讲演录》第一卷，三联书店 1956 年版，第 120 页。

② 陆扬：《中国有哲学吗？——德里达在上海》，《文艺报》2001 年 12 月 4 日。

③ 冯友兰：《中国哲学史新编》第一册，人民出版社 1992 年版，第 39 页。

己的回应？这也就是中国哲学的现代化问题。这个问题不解决，中国哲学就没有出路。

2. 在某种意义上说，中国哲学的合法性问题在于中国哲学能否现代化或者说与现代社会兼容的问题，扩而大之，也就是以儒家为代表的传统文化能否现代化的问题。

关于儒学传统与现代化之间关系的理论解释，可以说得上是一波三折。马克斯·韦伯关于新教精神与资本主义伦理之间关系的理论影响很大，而他的相关理论也得出了儒学传统阻碍资本主义产生的结论。然而到了 20 世纪 70 年代，东亚地区的香港、新加坡、中国的台湾以及韩国继日本之后崛起，创造了经济奇迹，完全出乎经济学家的意料之外，从而使人们开始将儒家传统视为现代化的助力。甚至过去被看作是现代化的障碍的集体主义现在被看作是东亚现代化的优点。1983 年，Peter Berger 在日本一个研讨会上宣读论文，提出了"东亚的发展模式"，并且认为是"西方世界以外唯一发育完整、推陈出新、产生独特现代性的地区"。1997 年亚洲金融危机爆发，基本上扭转了学界和大众传媒对儒家伦理的正面评价，论者认为造成金融危机的肇事元凶正是这个地区的政治领袖夸夸其谈的亚洲价值，特别是由此而生的"裙带主义"。当然，1999 年东亚经济反弹，使得问题难以确定了。①

在全球化背景下，中国的领导人一只手抓现代化，另一只手高举传统文化的大旗，这种策略是可以理解的。现在的问题是这两者能不能"兼容"，起码不能相互矛盾。道理很简单，迄今为止我们取得的成就基本上是现代化的结果，这条路义无反顾，否则传统文化是不可能有现实意义的。这就是说，我们现在的策略是在现代化基础上复兴传统文化，而不是在传统文化的基础上进行现代化。然而，许多人不明白这个道理，往往以现代化与传统文化的对立作为复兴传统文化的理由，并且一味地强调这一矛盾。倘若如此，恐怕复兴传统文化只是一句空话了。

儒学曾经是官方的意识形态，正所谓"罢黜百家，独尊儒术"。经历了"打倒孔家店"的五四运动和破四旧的文化大革命，虽然失去了官方意识形态的身份，虽然不再有制度化的优势，但是现在毕竟可以作为传统文化而提倡了。然而，这个时候的儒学却相当于回到了先秦百家争鸣的时代，必须凭自己的实力与各式各样的意识形态和价值观竞争。因为我们这个时代已经进入了多元化的时代，若想求生存，争得一席之地，就要看儒学的竞争力如何了。

---

① 参见张德胜：《儒商与现代社会——义利关系的社会学之辨》，南京大学出版社 2002 年版，第 35、48、44 页。

3. 传统文化现代化的问题之所以日益引起人们的关注，是因为我们面临着全球化背景下文化多样性的问题。

全球化对于我们这个世界产生了深刻的影响，这些影响有正面的，也有负面的。对待全球化的态度一般地可以分为赞同和反对两种观点。赞同的观点认为全球化将消除民族国家之间的界限，使我们的世界整体性地走向繁荣昌盛，世界和平翘首可望。而反对的观点则认为全球化必然在经济一体化的过程中使不同的文化在趋同中失去自我，因而是资本主义殖民的进一步世界化。即使对全球化持肯定态度的著名社会学家吉登斯也意识到："全球化并不以公平的方式发展，而且它所带来的结果绝对不是完全良性的。对许多生活在欧洲和北美洲以外的人来说，全球化似乎就是西化或者美国化，因为美国现在是唯一的超级大国，在全球秩序中占据主导的经济、文化和军事位置。在全球化的最显而易见的文化体现中，许多都是美国的，如可口可乐、麦当劳和美国有线新闻等"，因而"今天的全球化只是一定程度的西化"。① 就此而论，以西化或者美国化为表现形式的全球化，对于发展中国家和弱势民族文化形成了强大的压力，从而造成了全球化的世界主义与本土化的民族主义之间的矛盾。

几年前，最流行的话语是"跨世纪"和"与国际接轨"。然而迄今为止，"与国际接轨"从来不是西方被中国化，而始终是中国被西方化。现在，我们在许多方面与世界是同步的：从流行时尚、娱乐信息到新闻，瞬间便从世界的各个角落传递给了我们，因而在获得信息方面没有人再具有垄断的权威。这看起来似乎越来越公平，但是如果考虑到媒体的集中与垄断等因素，全球化很可能会造成强势文化越来越强，而弱势文化越来越弱，直到被强者所吞噬的结果。当一个中国人能够说一口流利的英语，却读不懂儒、释、道的经典的时候，我们根据什么说他是中国人呢？而现在这已经成为了比较普遍的现象。

中国传统文化在全球化进程中的遭遇向我们提出了一个尖锐的问题：全球化在经济一体化背景下的发展方向究竟是文化趋同还是文化多样性？迄今为止，我们感受到的主要的全球化的趋同趋向，这也是文化民族主义之所以愈演愈烈的原因。不过，全球化其实不仅有"化全球"的一体化趋势，而且具有文化多样性的要求。就此而论，全球化不仅使中国传统文化陷入了困境，也为之提供了历史性的机遇。

迄今为止，文化全球化的问题受到了人们普遍的关注，相对于文化趋同的观点，越来越多的人主张全球化是而且应该是文化的多样化。全球化的进程不是文化的同质化而是文化的多样化，这已经成了世界性的共识，联合国教科文

---

① 吉登斯：《失控的世界》，江西人民出版社 2001 年版，第 10、11 页。

哲学家论坛 哲学的『终结』：从理论转向实践

组织撰写的第二份《世界文化报告》的主题就是全球化背景下的文化多样性问题。关于人类起源的新发现表明："我们人类都属于一个物种，不同文化的发展道路为人类历史中文化的多样性留下了印记"。"所有人类都有能力创造文化，就是说，他们都有创造的潜力。但这并不是说他们都有或将有同样的文化，其原因就在于他们有创造性"。因而"我们应当把文化多样性看作是：它过去已经存在、现在呈现着更丰富的形式、在将来会成为汹涌的大河。""我们的结论是：了解、赞同和甚至欢呼文化多样性并不意味着相对主义，而是意味着多元共存"。①

我们的世界变成了一个"地球村"，资本、人员乃至思想的流动之迅捷，几乎是同时发生的。在某种意义上说，全球化就像国际互联网一样将世界连接成了"一个城市"（unicity），其功能是为个人之间的相互交往提供了一个硕大无朋的开放性的平台。当人们从狭隘的地域意识转向全球性意识的时候，其结果并不是同质化，而是一种新型的文化多样化。的确，全球化使"文化"的含义发生了巨大的变化，因为"文化"一直以来都是与一个固定的地方性的概念结合在一起的。有不同的文化，每一种文化通常含蓄地将意义建构与特殊性和地点连接了起来。② 因而，以往的世界划分为不同的文化（文明），而且由于不均衡而有"中心"和"边缘"的区别，当然这种区别在历史上是"流动"的。现在，全球化进程打破了文化在地域上的界限，为它们在相互交往中形成新型的多样性关系创造了条件："全球性恢复了文化的无边界性并且促进了文化表达方式的无限可更新性和无限多样性，而不是促进了同质化或杂交化"。③

4. 科学技术的发展与控制的问题。

我们在讨论西方哲学时提到了生命伦理学、环境伦理学等新兴学科，这些都与科学密切相关。哲学家们之所以关注科学的问题，是因为在科学的问题上我们面临着困境。18 世纪的问题是如何促进科学的发展，而我们今天的问题则是如何控制科学的发展。

毫无疑问，科学的发展是无止境的，然而，我们控制科学使之不至于伤害自己的能力却是有限的。所以，科学的问题不是发展的问题，而是控制的问题。所谓"控制"就是把科学的发展控制在我们可以控制的范围之内。1945年美国研制原子弹成功，从那时起直到今天，60 多年过去了，不用说核武器

---

① 联合国教科文组织：《世界文化报告——文化的多样性、冲突与多元共存（2000）》，北京大学出版社 2002 年版，第 10 页。

② 约翰·汤姆林森：《全球化与文化》，南京大学出版社 2002 年版，第 38 页。

③ 马丁·阿尔布劳：《全球时代——超越现代性之外的国家和社会》，商务印书馆 2001 年版，第 227 页。

的控制，和平利用核能也仍然是一个难题，尤其是 20 年前切尔诺贝利核电站的事故说明我们花了几十年仍然还没有能力控制核能的使用。基因技术和克隆技术也是如此。鉴于现代科学技术这把"双刃剑"一旦出现问题就非同小可，在某种意义上不允许出错，因为其后果很可能是毁灭性的，因此人类必须学会控制。至于如何为科学技术这种认识世界、改造世界的工具和手段确立目的和价值的约束，无论如何应该是哲学的任务。

那么，21 世纪的中国哲学向何处去？

季羡林先生有一个"三十年河东，三十年河西"的"河东河西论"，大意是说风水轮流转，世界文明的发展是三十年河东三十年河西，东方文明将代替西方文明占主导地位。世纪之交，也曾经有一些人预测世界哲学的走向，认为21 世纪将是东方哲学的世纪或中国哲学的世纪。同样也有个别西方哲学家有这样的观点，例如澳大利亚哲学家 G. 普里斯特写了一篇文章：《二十一世纪初的哲学走向何方?》，他把 20 世纪哲学分为"制度化阶段"、"职业化阶段"和"商业化阶段"三个阶段。按照马克思经济基础决定上层建筑的理论，20世纪的经济是美国人占统治地位，而 21 世纪很可能是中国经济占统治地位，由此类推，中国哲学应该在 21 世纪占主导地位。①

显然，如果我们坚持全球化的背景下的文化多样性，就不应该有什么中心。西方中心主义固然错误，东方中心主义一样有问题。我们批评西方中心主义是文化沙文主义，代之以东方中心主义同样是文化沙文主义，这道理很简单，毋庸赘述。我们希望 21 世纪的世界哲学是百花齐放、百家争鸣的繁荣景象。退一步讲，即使我们接受"河东河西论"，就算我们从感情上希望"河东河西论"能够成为现实，我们拿什么东西奉献给世界人民？孔、孟、老、庄、佛吗？

毫无疑问，我们有宝贵的文化资源，理应对世界文化有更大的贡献。然而我们也应该想一想，难道我们照原样把孔、孟、老、庄、佛……端出去，21世纪就是中国哲学的世纪了？也许是，但那绝不是现代中国哲学的世纪，而是古代中国哲学的世纪。换言之，中国的传统文化资源必须现代化，必须能够解答现代社会所面临的问题，必须能够与现代社会"兼容"才能发挥作用，这才是最关键的问题。然而这项工作充其量不过刚刚开始。

最后，让我们想象 2000 多年前的雅典，想象当年苏格拉底是如何从事哲学思考的。他在大街小巷拉住行人探讨哲学问题，这在苏格拉底和他的对话者看来或许没有什么值得大惊小怪的，因为哲学就是这样一种生活方式，哲学讨论的问题就在生活之中。让我们把思绪从古希腊拉回到今天。让我们想象一

---

① 参见 G. 普里斯特：《二十一世纪初的哲学走向何方?》，《世界哲学》2005 年 5 月。

下，如果今天我们之中有谁在大街小巷拉住过往的行人探讨哲学问题，会有什么结果？结果可想而知，他不是被看做疯子，就是被当作笑谈。然而，这是不是意味着苏格拉底的问题已经不再是问题了？这是不是意味着关于哲学问题我们早已有了答案？显然并非如此。

哲学问题并没有解决，不过解决哲学问题的方式越来越专业化了。哲学家们早已不在大街小巷探讨哲学问题，他们活动在高等学府的教室里和科研机构的会堂中。随着哲学的职业化和专业化，哲学问题成了仅属于哲学这个学科所有的专业问题。这就是问题所在：哲学"终结"于高等学府的教室里和科研机构的会堂中。要使哲学恢复活力的方法并不复杂，但做起来却并不容易，那就是让它回归现实生活，回归实践。

【学科研究】

公民道德研究的现状及学科定位

李　萍

内容提要： 公民道德问题涉及对公民概念的本质理解，同时也与社会经济、政治发展水平相关。回顾西方公民和公民道德的历史有助于我们正确认识此一问题，全面考察中国的公民道德研究的状况也可以揭示出利弊得失之所在。重要的是须对公民道德研究给出一个合理的学科定位。

关键词： 公民道德、公民道德的学理研究、中国公民道德研究状况

"公民"、"公民道德"问题进入中国人的视野可以上溯到20世纪初期。随着西学东渐，许多西方学术、思潮和流派陆续进入中国，其间，"公民"、"国民"这样的政治主体也被译介。清末1911年颁布的《重大信条》使用了"国民"一词，这大概可以算是最早且有案可查的官方文本。但"公民"真正走人政治生活、社会生活的全部领域则要晚得多。1954年颁布的《中华人民共和国宪法》第一次将"公民"作为国家权力与国家意志的主体，确定了公民的独立而至上的地位。然而，不可否认，这仅仅是在思想上解决了公民身份问题，公民地位的落实、公民道德①的推行等远远没有深人，甚至步履维艰，几度搁浅。始于20世纪90年代的市场经济体制的确立以及相伴随的政治体制改革的推进和以法治国理念的形成等都为回答公民、公民道德问题提供了时代背景。不仅如此，解决好公民、公民道德问题还将为民主体制、法治社会的形成创造坚实的群众基础和新的文化资源。

一、西方公民道德研究的历程

正像"公民"概念源起于西方一样，公民道德问题也首先在西方产生。亚里士多德认为，公民道德"在于既能出色地统治，又能体面地受治于人。"②人类社会有许多种政体，不同政体对公民地位的设立、公民道德的要求是完全

---

① 本文将公民道德界定为"公民在民主制度内活动所必需的道德品性"。虽然不同政体都会提出相应的公民道德要求，但符合时代精神的公民道德之内容应与民主政治、法治体系等相适应。

② 亚里士多德：《亚里士多德全集》第9卷，中国人民大学出版社1994年版，第80页。

哲学家

●2006

Philosopher 2006

不同的，虽然西方国家未必都是合乎民主理想的，但不可否认，近代以来的西方各国的努力都是朝着民主政治而进行的。从历史上看，公民道德研究可以分成三个阶段：古希腊罗马时期、近代时期和现代时期。

古希腊的"公民"来源于"城邦"，原意是"属于城邦的人"。有学者指出："成为公民"的希腊文原义为"始分神物"，由于最初的城邦民（或"公民"）是由血缘纽带联系在一起的，本族人和外族人的界限非常严格，只有本部落的人才能进入神坛、参与佳节庆典、享受公餐等，公民的身份确立是由参与部落宗教活动的权利而来的。公民之间是平等的，城邦的治权属于全体公民。城邦实行直接民主制度，公民直接参与城邦重大事务的讨论与决策。公民的地位是通过赋予所有公民最基本的政治权利，即参加公民大会、法庭陪审、参战、选举等权利来实现的。

亚里士多德对古希腊城邦的公民道德做了深入研究。他提出，公民是这样的人，他参与政务活动，享有对正义的治理，政治权利必须建立在对组成国家的各要素的贡献之基础上。他把城邦比作有机整体，个人是其有机组成部分。城邦的公共生活是人类完善自身必不可少的前提，那些享有这种公共生活的公民才是真正意义的人。作为政治共同体的成员，公民应是积极的而非消极的，团结起来组成一个政治共同体的人群相互间有一种联系，分享是这种联系的最重要部分。所以，"亚里士多德把公民资格限制在很小的范围，他认为从事'贱业'的工匠和商贩，忙于田畴的农民，他们无暇从事政治活动，其工作又有碍善德的培养，易养成奴性，故不应享受公民权。公民是'参加司法事务和治权机构的人'，是城邦中的少数。"① 亚里士多德主张公民之德性表现为公共善，但公民追求公共善并不是利他主义行为，因为公共善不是靠公民撇开自身利益而实现的。公民道德不只是公民个人的道德，更是城邦政体的道德。一个好的政体就是能保证所有公民可以不断地对公共善持有兴趣，而不是利用政治权力强化某些特殊群体，如富人的利益。

亚里士多德的主张成为西方公民道德理论的一个重要思想资源，发展为公民道德式共和主义模式。它强调公民身份是与国家密切相关的。一个公民就是这样一个人，他或者做决定，或者服从决定，公民必须融入到政治共同体中，只有在共同传统的网络和已知的政治组织中，公民才能发挥自己的特性。公民身份意味着与其他人分担责任、共享社会生活的某些益处。当代美国学者麦金泰尔也持这一立场，他断言：经济的自我利益不能提供社会关系的基础，社会关系必须包容在共同体网络或公共利益之中，社会的权力必须直接为着实现公共利益，公民有机会参与这一过程。共和主义的公民道德理论特别强调公共

---

① 丛日云：《西方政治文化传统》，大连出版社1996年版，第114页。

善。他们提出，公共善是任何形式的社会道德或好社会所必不可少的。每个公民都应保持对国家、法律的忠诚，做"好公民"，并且通过合作实现国家目标得以实现。此外，国家也必须保证以公正的方式分配财产以使所有公民有兴趣为公共善做贡献并从中获益，与公共善相关的财富必须均分化，至少在平等的贡献者中平等分配以促使共享和承担相应责任。法国大革命的领袖、社会主义革命家、欧洲左翼分子哈贝马斯等都是这一模式的追随者。

古罗马时期的公民道德既承继了古希腊的传统，又做了发展，并有所突破。在罗马战胜马其顿和希腊各邦的过程中，原有的公民—城邦关系逐渐瓦解，罗马帝国下新的政治联合体产生出新的个人与国家关系，公民的角色和社会地位发生了实质变化。原先的城邦公民理想日益被世界公民理想所取代。如西塞罗宣称，在人定法之上，还有一个自然法，它是统治宇宙的自然理性之体现。自然法具有高于一切人类社会立法的权威，是衡量人定法的唯一标准，任何违背了自然法的规定都不能算作"真正的法律"。他据此重新解释了"国家"，并用"人民"概念取代"公民"。他说："国家（或共和国）是人民的事务。但是，人民并不是以任何一种方式联系到一起的人的集合，而是在协议共同尊重正义的基础上大规模的人的联合体和谋求共同利益的伙伴。"这反映了罗马共和国向帝国扩张的特征，因不断地兼并和吸收其他部落和城市的居民，"人民"概念更适合突破了城邦界限、在更大范围内建立起统一政权的罗马帝国的政治格局。

盛行于古罗马时代的斯多葛派进一步提出了"世界国家的公民"或"宇宙公民"的概念。他们主张，由于所有的人本性相同、精神平等、共同受自然法的支配，因此，人类就构成一个情同手足的整体，一个世界国家。例如，克里西波斯在《法律论》中指出，每个人一生下来既是城市国家的公民，又是世界公民；既要服从城市国家的法律，又要服从世界的法律。世界的法律高于国家的法律。斯多葛派的人类平等思想标志着人的观念的一个重大飞跃，它为近代人权概念、近代公民理论的形成提供了一个关键要素。

近代时期的公民道德也有两个来源：一个是英国宪章运动所产生的公民意识，催生了公民权利观念，导致公民身份、公民人格的落实。另一个是法国启蒙思想家所倡导的公民教育，培养了民族归属、爱国主义、公共精神等公民品性，这些内容直接影响到今日现代西方公民道德研究的取向。

13世纪初，在英国发生了大宪章运动。封建领主要求国王保护教会自由和市民商业自由等，最初国王百般阻挠，以后国王为发动战争而要取得征税权时不得不向贵族、领主们妥协，签字、承认并颁布了《自由大宪章》。这一宪章成为西方世界最重要的法律文件，这一事件本身直接引申出宪政的理念，因为它为王权（以后就扩展为行政权力和官员的权限等）的范围立下了界标，肯定了公民个人独立并受切实保护的法定权利，通过合约、协商的形式来表达最低限度的最广泛共识。以后一有新的城市形成，大多以契约的形式确认城市的地位、权利以及城市内部关系和事务。这些都鼓励人们以权利斗争的方式维护和争取自己的利益。权利斗争不同于权力斗争，它的目的不是取得权力（power），而是保障权利（right）。斗争的方式一般是以法律为依据，采取合法的手段，即便有超出法律的行为，也常常是温和的、克制的。斗争的结果是纠正不法行为，或废止旧法律，或建立新法律。公民在争取自身权益的过程中逐渐习得了一些行为方式和思想观念，这些构成了近代以后西方公民道德的主流源泉，包括：个人权利神圣不可侵犯、尊重他人的同等权利、所受的不当侵害应被矫正等。

以洛克为代表的自由主义模式为西方公民道德理论提供了又一个思想资源。自由主义模式起源于自然法，如洛克认为，公民个体在逻辑上是先在于国家的，公民身份好比一个组织（国家）的细胞，而该组织的基础与合法性的根据是公民身份。因此，自由主义模式强调公民权利，尤其是政治权利，将它们视为公民身份的最核心内容，保护个人免受专制迫害，反对国家权力对私生活的干预。他们并不积极地主张公共善（common good），毋宁说更看重消极的善，即公民间彼此不伤害的责任。19世纪末英国的新自由主义者如格林（T·H·Green）、波萨奎特（Bernard Bosanquet）。20世纪80年代欧洲和其他地区的新自由主义者，如撒切尔、科尔、里根都是这一思想的倡导者。

自第二次世界大战以来，由于种种社会因素的变化和理论研究的推进，公民的内涵发生了改变，外延也在不断扩大。马歇尔认为，从18世纪到20世纪的现代政治价值观上看，公民概念的进化是从民事公民、通过政治公民过渡到了社会公民。总的趋势是"公民"与"人"、"公民权"与"人权"越来越趋同，在许多欧美国家，它们间的界限已经变得十分模糊。公民道德理论与实践在当代经历了三个发展时期。

第一个时期是起始于20世纪60年代初，有关公民身份的著述较多地侧重于经验主义式地考察公民个人，如公民认同、公民参与等。阿尔蒙德所提倡的公民文化修改了人们对"公民身份"的传统理解。他力图将公民理解为个体的成员，他们受到各自文化、制度、教育水平等因素的影响，各自直接或间接地参与政治活动。

第二个时期持续到20世纪80年代末。社区活动的兴起、公民团体的频繁活动等，使公民关心的问题从经济、政治方面转向了更广泛的社会方面，如犯罪、环保、核战争的威胁等。但在许多国家，不断增加的国家干涉和管理职能成为了政治事务，并对公民权利的行使构成威胁，如何在两者间取得恰当平衡成为了关注的焦点。公民道德的内容发生了微妙变化。约丹（Bill Jordan）认为，新的正统的理想公民是这样的：他们是独立的个人，住在城镇中，生活在小家庭内，他们的需要通过商业供应而满足，他们的道德行为界限是不越过自家花园的篱笆外，他们相互关心，也希望邻居过得好，尽管他们并不采取积极方式去促成共同利益。①

第三个时期是 20 世纪 90 年代迄今。随着东欧社会主义阵营的瓦解，建立在与集体主义价值观、专制政治相对立的西方社会的公民身份及其相应的公民道德要求也发生了重大变化。冷战的结束，使通过有敌意的苏联威胁所刺激起来的团结基础丧失了，这也导致了西方社会中公民相互认同的意识形态支撑物的毁灭。移民潮的出现和经济一体化的冲击，在造成传统民族国家的公民身份动摇的同时，也催生了一些地区保守主义势力的抬头。人们对公民的理解发生了许多变化。如在法国，公民根据地理所属来定义；在德国，公民被认为是具有相同血统的共同体。公民道德的共性经常似乎受到挑战，哈贝马斯和麦金泰尔都看到了严重的分歧，并给出了不同的解决方案。哈贝马斯希望重新回到"共识"，通过交往和对话，重建共通的公民道德；麦金泰尔指出人们在道德上的分歧和差异远远多于他们的一致，承认并正视这样的差异是我们探讨道德问题的前提，公民道德应当与各自的文化传统和社会格局相适应。

总之，西方公民道德的研究表现出如下几个特点：第一，公民道德的实质是一种政治道德或者说民主政治的道德基础，所以，主要关注的是两个层面：微观层面的是个体公民的权利与义务关系；宏观层面的是国家权力的监督、国家政治资源的分配、国家与社会的制衡等。第二，公民道德的形式是一系列德性要求，即体现为不同公民（公务员、法官、军人等）的不同角色要求（如责任、使命、忠诚）和每个公民的平等行为要求，包括爱国、守法、尊重善良风俗等。公民德性不同于人的一般德性，"如果一个城邦不可能完全由善良之士组成，而又要求每一位公民恪尽职守，做到这一点又有赖于各人的德行；那么，既然全部公民不可能彼此完全相同，公民和善良之人的德性就不会是同一种。"② 第三，公民道德研究的基本底线是对权利的信守。洛齐克与罗尔斯的分歧并不在于一方张扬权利而另一方否认权利，他们都力主对权利的维护，但洛齐克相信只要权利获得了保障就足矣，因此，对政府的积极作为因其可能伤害公民权利而大加反对；罗尔斯相信仅仅有权利是不够的，因为在法律上平等的人在实际生活中却未必平等，为了使"最少受惠者"的境遇有所改善，从而扩大民主的内蕴，平等就比自由更重要。多数社群主义者并不是简单地无视权

① Bill Jordan, *The Common Good: Citizenship, Morality and Self-interest*, Basil Blackwell, 1989, p. 140.

② 亚里士多德：《亚里士多德全集》第 9 卷，中国人民大学出版社 1994 年版，第 79 页。

利，而是更加关注义务，特别是在权利被过度使用的今天，漠视义务成为了"公害"，严重削弱了公民道德的基础，所以他们也是在不危及权利的前提下倡导义务。第四，公民道德研究的问题意识是公民身份的落实。公民是具有某国国籍的人，是纳入到民族国家这一共同体之下的成员，他们的身份体现了公共性，因此表现出普遍的道德行为特性，意味着要在心理和意识上走出"小我"，融入"大我"，同时也主要是对政府正当行为的诉求。有学者指出："西方的公民道德理论认为，公民道德是政府机构在社会道德方面所最应该承担的任务。促使公民以道德的方式尊严地生活，在任何时候都是公共权力的义务。"① 这确实揭示了西方公民道德的总体特征。

二、国内公民道德研究现状

由于"公民"是舶来品，是欧风东渐之后传入的，公民这样的主体在中国传统政治文化和社会生活中是缺少对应地位的，同样，也鲜有理论上的思考。但近代有所突破。众所周知，在传统社会，"我国之教初学，向用《大学》、《中庸》等书。"② 传统教育所授多是"教人以洒扫应对进退之节，爱亲敬长隆师亲友之道，皆所以为修身齐家治国平天下之本。"③ 20 世纪 30 年代，国民党政权的建立，国民教育的重点有所转变，公民教育得到突出。国民政府的"公民教育的意义，为培植社会上有效率的个人，合全体个人有效率的社会行为，以达到社会效率的目标。"公民教育的目标则是："发扬中国民族固有的道德，以忠孝、仁爱、仁义、和平为中心，并采取其他各民族的美德"，包括公民的体格训练、德性训练、经济训练和政治训练。④

然而，国民政府所做的公民教育和公民道德研究却中断了。由于战乱、政治运动、自然灾害等种种原因，关于这一问题的研究沉寂、断裂了 60 余年，直至 21 世纪初迎来了复兴。从目前可以查阅到的图书资料（截至 2005 年 1 月）可以看到，关于公民、公民道德的书籍主要集中在 2001 年以后，例如，在国家图书馆书目检索系统下输入"公民道德"这一主题词，出现了 128 本大陆版中文图书，其中只有 6 本是 2001 年之前的，它们是：《公民道德根本义》（陈筑山，1931）、《公民道德知识读本》（1996）、《儒家伦理与公民道德》

① 江雪莲：《西方公民道德研究》，《伦理学研究》2003 年第 4 期。
② 蒋智由：《小学修身书》，（东京）同文印刷社 1910 年版。
③ 朱熹：《朱文公文集》卷七十六，《小学序》，孟宪承等编：《中国古代教育史资料》，人民教育出版社 1961 年版，第 363 页。
④ 参见赵琼、胡钟瑞编著：《复兴公民教学法·高小公民教学法概要》第一册，商务印书馆 1934 年版。

（1996）、《公民道德教育知识问答》（1996）、《漫画公民道德》（2000）、《当代公民道德教育》（2000），其余122本均为2001年以后的，特别是《公民道德建设实施纲要》颁布之后陆续问世的。

与此相类似的是，作为博士生、硕士生学位论文选题，涉及"公民道德"的也集中于2001年以后，例如，在国家图书馆现存的学位论文文库中，查出15本相关论文，有10本是2001年以后的，20世纪40年代至2000年间的阙如，还有5本是新中国建立之前的，它们是：《公民鉴》（马维克，1914）、《公民道德根本义》、《个人救国信条讲解》（陈尔修，1933）、《新民说》（梁启超，1936）、《我们的公民》（蒋星德，1937）。

由于民国时期相隔久远，且与我们今日的社会现实和理论研究缺少连贯性，所以在此略去不表；2001年前的大陆有关公民道德的学术研究不仅成果少、较分散，而且大多停留于介绍、普及层面，对此时的研究成果下文也不再涉猎。

正如上文所言，2001年以后大陆出版的有关公民道德方面的书籍有122本之多，所发表的学术论文则更多。从互联网上可以查阅到近十年间的相关论文数达到320多篇，可以想象公民道德问题正成为理论界的热点，引起了多种学科研究人员的关注，事实上也取得了一些有价值的成果。一些学者从机制、制度角度考察了公民道德的实体化问题；一些人从道德思考、道德体系转型的角度分析了公民道德在伦理学学科中的地位；还有学者力图挖掘中国传统道德中与公民道德相符合或相增益的内容，以期推陈出新，吐故纳新；更有学者注意到公民道德中的人格、个体、理性等方面，倡导道德主体性的培养等。特别值得一提的是这样几篇有分量的学术论文：张博颖研究员撰文[①]指出，公民道德的提出反映了马克思主义伦理学的历史性变革，文章考察了马克思主义经典作家和中国马克思主义者不断探索的历程，揭示了中国共产党人在道德问题的认识上实现了从阶级本位向社会本位的跃进，他还从社会转型的角度，探讨了国家伦理与市民社会伦理在道德类型和结构等方面的不同，分析了开展公民道德对我们社会变迁的推进作用。还有人注意到公民道德教育与思想政治教育之不同，强调公民道德教育绝非传统的思想政治教育，教育方式也不能采取灌输、强制的手段，要从公民的现实关系和行为入手，进行互动的引导[②]。甘绍

【学科研究】 公民道德研究的现状及学科定位

---

① 参见张博颖：《"市民社会"视域中的公民道德建设》，《道德与文明》2004年第2期；《马克思主义伦理学的一个新发展——从阶级道德到公民道德》，《理论前沿》2004年第9期。

② 参见陈宏平：《公民道德教育的前提性批判》，《湖南师范大学教育科学学报》2003年第2期；魏开琼：《论公民与公民道德教育》，《河北学刊》2004年第3期。

平研究员①则从应用伦理学的兴起之层面分析公民道德对今日中国产生的必要性，他提出公民社会是一个以民主、商谈、参与为特征的社会，全新的社会意识以及与之相适宜的功能的行为模式和规则将对传统伦理学产生重大挑战。也有学者在研究方法上作出了新的尝试，借鉴西方公民道德的成就，力图改变自上而下的命令模式或外灌模式，主张从日常行为分析入手，注重自下而上的自发意识和行为习惯的养成。由于中国缺乏公民和公民道德的自发生长的历史进程，需要依靠政府力量的推动，但真正的公民道德必须诉诸公民的日常行为及其获得的常识，所以要改善公民生活处境，扩大公共参与，增进社会信任，从而使公民道德获得现实基础②。廖申白教授③力图从儒家伦理的现有资源和必要转型中确认中国公民道德建设的现实生长点，阐述儒家伦理传统对公民道德的发展有着怎样的影响。

全面浏览各种出版物和公开发表的文章，就会不无遗憾地发现，关于公民道德的研究存在"三多三少"的状况。"三多"是注解《公民道德建设实施纲要》的文章和书籍多；宏观式、概貌式研究过多；孤立性研究或自说自话式研究过多。"三少"是借鉴其他相关学科（如政治学、法学、社会学等）而作出的公民道德研究方面的成果很少；突出公民特殊地位和角色而做的深入理论分析较少；对公民道德所包含的内在道德问题的论证较少。

需要指出的是，不少学者都提到了"公民道德建设"，这是一个非常模糊的表达，是指通过制度改进、机制完善来达到公民道德水平的提高？还是指将公民道德推进到各行各业之中去？若取前者，公民道德建设就不是伦理学的研究对象，而是社会政策、公共行政的使命；若取后者，公民道德建设就成为一种新的全民道德，这又与以往的职业道德以及社会公德教育等有何区别呢？从伦理学角度看，公民道德的核心问题是解决权利与义务、个人与国家等关系的适度协调，必须严格划分个体主体与社会主体之区别。如果不是首先回答如何处理权利与义务、个人与国家等关系的恰当原则和行为方式是什么的问题，谈论其他问题就没有意义。但这个问题迄今为止并没有得到很好的解决。梁启超在《新民说》中对中国传统道德只讲"五伦"、只讲私德的弊端进行了批判，提出了第六伦，即群己关系，要突破血缘亲族关系原则在道德理性上把自己视为与其他人一样的普通人，确立平等、自立的人与人的关系，这样的公共道德

---

① 参见甘绍平：《从臣民、居民、村民走向公民》，《北京日报》2005 年 2 月 7 日。

② 参见李萍：《公民道德的日常性基础》，《江苏社会科学》2003 年第 6 期；《日常行为与公民道德的形成》，《上海师范大学学报》2004 年第 2 期；《公民日常行为是考察公民道德的基石》，《道德与文明》2005 年第 2 期；《论日常行为视阈下的公民道德》，《河北学刊》2005 年第 2 期。

③ 参见廖申白：《公民伦理与儒家伦理》，《哲学研究》2001 年第 11 期；《论公民伦理——兼谈梁启超的"公德"、"私德"问题》，《中国人民大学学报》2005 年第 3 期。

仍然是我们社会还不充分的呼声，也应成为公民道德研究的前提。

三、公民道德研究的学科定位

公民道德不仅是民主政治、法治体系的产物，而且还将直接促成民主政治、法治体系的进一步完善。不用说公民个体的所有高尚品质都是社会所推崇的，但社会不可能要求所有成员都具备这样的理想品质，只要多数公民具备了基本的公民道德，社会的政治秩序就有了保障，人们的交往和互动就有了可以彼此信赖的平台。在目前中国，公民道德方面的问题主要是公民的主体地位、角色意识尚不到位的问题，这些都受制于制度安排、法律体系等因素。与其他主体的形成不同，公民这一主体的形成高度仰赖于政治、法律、经济等社会性制度设计，所以，只有让公民实际地在个人生活中感受到公民式的地位、角色，体验到公民式的思想、意识，才会形成较稳定、较合理的公民道德。为此，必须在理论上澄清若干重要概念，厘清问题意识，为公民道德研究进行准确的学科定位，保证公民道德研究的科学性，从而为现实运用给予切实指导。

公民道德研究是基础性研究还是应用性研究？这看似不是问题的问题却似乎未能引起人们的广泛注意。虽然从辩证法的角度上说，公民道德研究或者任何一种学术研究都应理论联系实际，要同时在理论上和实践上推进。但我们要问的是：公民道德本质上是一种什么样的研究呢？我们认为，在目前的中国它首先是一项基础研究，原因有二：一方面中国的公民地位和公民意识尚不深入，民众对公民道德的了解不充分，因此，深入的理论研究就非常迫切，只有将公民道德的理论研究透彻了，才能向社会提供恰当而正确的公民道德建设蓝图，套用孙中山先生的话说就是"知难行易"，一旦掌握了科学的理论，行动就势如破竹。另一方面西方的公民道德有着丰富而久远的历史渊源，近代以来又有广泛而持久的思想启蒙运动，使公民道德的传播和教育借助学校、教会、政党斗争、新闻评论等渗透到民众日常生活之中。但中国在公民道德方面缺乏历史资源，相应的政治改革、经济体制转型、法治社会的形成等都在推进之中，中国的公民道德体系需要在借鉴西方经验、中国传统文化和当代中国社会状况等多种因素之后而成。这就要求我们不必仓促地开展公民道德的实践活动，而应花大力气做好理论解释和设计工作。《公民道德建设实施纲要》应成为我们未来社会道德建设的总体目标，为此必须要在理论上进行充分的论证。当然，我们说目前的中国公民道德应该注重理论研究，并不等于说反对或停止一切公民道德的实践活动，特别是在基层所开展的各种民主实践、政治参与、维权活动等都将对公民道德的形成起到极大的积极影响。但从整体上说仍然应以深入而扎实的理论研究为主。

哲学家

2006

Philosopher 2006

公民道德研究既然以理论研究为主，应着力解决哪些问题呢？

第一，澄清公民道德的本质内涵。首先，公民道德是社会道德，具有公共性、广泛性，而非个人私德。虽然道德都具有一定的社会性，单纯的私德是非常鲜见的，但是，不同类型的道德所表现出的社会性程度存在极大差别，如婚姻道德只适合于成家了的成年人；职业道德也主要针对职业劳动者，公民道德则具有最大范围的社会性，一切人，只要进入到公共生活或介入到政治事务之中，不论长幼、性别、种族等都应以公民道德来要求和约束自己。所以，公民道德是复数的公民行为要求迭加后的抽象与集中，体现的是高度的"共性"。其次，公民道德是基础性道德要求，具有最充分的可行性，而非高尚、理想的道德要求。一般而言，道德的主体是有意识的人，包括个人以及人的群体或组织。与此相对，公民道德的主体——公民则有着很大的不同。公民泛指一切具有某国国籍的人，公民的范围远远大于我们通常所能认识到的其他性质的主体。由于具有广泛性和群众性，公民行为主体的道德要求必然是基础性的、普遍性的要求，从这一意义上说，公民道德属一般性的层次，它是所有公民都可以也应当做到的要求。再次，公民道德主要是德性要求，而非规范性要求。公民道德产生于公民政治生活之中，体现的是公民作为独立主体的政治自觉性和地位、角色意识，直接表现形式是公民的德性，公民道德是由公民运动而产生的，并非自上而下的政府安排、社会倡导和领袖示范的结果，所以，必须诉诸公民个体的理性精神。

第二，理顺公民道德的层次。在现代，一个人无须特别的要求或努力就获得了（或者严格地说"被赋予了"）公民权，但是，这样的公民只是潜在的公民（或者说隐性的公民）。一个婴儿一出生就是公民，但这只是法律意义上的公民，他不能行使任何有效的权利或义务；同样，即便一个成年人，他若采取无所作为的方式拒绝一切社会交往，逃避所有义务和权利，他也没有成为真正的公民。现实的公民要实际地作为，因此，许多公民的权利或义务就被附加了种种条件，如在我国法律规定18岁以上的公民才有选举权，14岁以下的人被视为无行为能力者，显然，只有在年龄、受教育程度、财产等达到一定要求时，才可以实际地行使公民的权利和义务，满足了上述条件并实际地行使权利和义务的公民才是现实的公民。现实的公民不仅在心智、能力等方面有了相应准备，而且也切实地参与到公民社会的活动中，如结社、言论、投票、纳税等。如果说现行的民主制度和文明社会已使所有的人成为了潜在的公民，那么，现实的公民只有通过健全法律、完善体制、扩大参与机会、开放参与渠道才可以实现。从这一意义上说，公民道德的要求又是较高层次的规定，必须在参与社会活动、关心公益、投身国家事务之中才能得到淋漓尽致的发挥。因此，在公民道德中包含了高低两个层次：一是群众性水平，它是对所有公民的最低行为要求，如不违反法律、不恶意欺诈、维护社会秩序等；二是理想性水平，它是对达到自觉、自主水平的公民而提出的较高要求，如忠诚祖国、主动维权等。前者又可以叫积极的公民道德，它主要是对公务员、政党领袖、社会知名人士等的要求。后者又可以叫消极的公民道德，它主要面对普通公众。

第三，发挥公民道德的思想启蒙作用。公民道德的开展在我国这样公民文化不发达、民主政治不充分的国度还具有"助产术"的作用，为此，要做到如下三个方面：

（1）动员公共参与。公共参与是公众介入公共事务的一种主要方式，包括讨论、对话、选举、投书、请愿、结社等各种形式，是追求公共利益和实现不同群体间利益均衡满足的主要途径。但是，普通公民并不先天地、自愿参与到公共事务之中，他们更倾向于关心自己身边的利益，或者通过私人性行为求得利益的落实，此外，公共参与还受制于公民个人所掌握的资源、技巧和知识等具体限制，这些限制构成了"参与成本"，从而经常地制约公众实际地参与到公共事务之中。各级政府部门和行政人员都应在减少和降低参与成本中发挥重要作用，"参与成本必须降低至让全部人群都有机会参与。这不仅具有现实的必要性，同时也是个伦理关怀问题。"[①] 因此，为保证更多人较自如地参与公共事务，就需要"动员"。这种动员并非传统的思想宣传、政治运动，而要通过政府的组织、政策引导、公务人员的率先垂范等方式，特别是借助制度化、程序化的手段将公共参与的动员转化为一切政府工作和所有政府工作人员行为的精神指导。

（2）扩大政治民主的成果。市场经济常常被人们称为"法治经济"，因为市场经济必须要有一系列相应的法律为保障，市场经济是法治的受益者，也是法治的极力鼓吹者。法治的推行，为公民地位的确立提供了现实基础。更为重要的是，经济的发展，必将带来人们互动的增加，减弱社会生活的组织特征。而社会整体的非组织化，使得社会中个人的生存方式由组织化转变为社会化。个人不再被设定为整个社会组织中的一个固定分子，而是被设定为一个具有自主权利的独立个体。他可以自由地选择自己的生活方式和行为方式，自由地决定与其他个体结成怎样的社会性关系，他不再被固定在整体组织的某个环节或上下链中，而是可以自主地与所有其他个体平等地进行交换。在计划经济时代，由于政府是公有经济的代表者，是社会和人民整体利益的代表者，因而其政治主张自然就被认为是"人民"的主张，是为着社会和大众的整体利益的。在这种情况下，公民个人的政治自由、权利不可能是充分的。在市场经济条件

---

① T. L. 库珀：《行政伦理学——实现行政责任的途径》，中国人民大学出版社 2001 年版，第 53 页。

下，公民作为纳税人，出资支撑政府的运转和政府工作人员的活动，应该说，政府的一切都是公民赋予的。伴随着经济体制改革的深入，公民的政治权利得到了越来越充分的保证。由于政治权力的合法性建立在公民政治权利的基础上，政治权力的行使者不再是施恩于选民，而是履行他们在被选举时所承诺的义务。公民看到了自己在国家中的作用，从而可以理直气壮地享有权利，并要求国家和政府工作人员提供相应的救助或服务。

（3）增进社会信任。社会信任的形成可以依靠三种力量：第一种是理性能力，即人们从哲学、文学、教育学等学科的学习入手，经过认识和推理活动，首先在思想、观念上接受了人的目的性和信任对社会生活的必要性之后，承认信任的内在价值，并在行为上主动促成和维护社会信任。这种理性能力依靠普及而逐渐递进的人文教育，一方面由学校这样的正规机构提供，另一方面靠广泛的社会化影响，如报纸、广播、网络等的宣传和引导。第二种力量是对潜在利益关系的洞悉和追求，例如在充分竞争的市场环境下，每一个自由的参与者在无数次博弈之后，将学会从与不同群体或集团的合作与交换之中，实现自身的利益，从而产生以信任为前提的互惠行为。当这样的互惠行为逐渐增多，并成为他们的习惯之后，他们的行为就会构成社会资本。所以市场经济体制的建立、个人参与的扩大、工业化、都市化生活的经历也会促使人们打破封闭、狭隘的自我，意识到他人的客观性，并学会采取利人利己式的双赢方式。第三种力量就是中立的公共权威的推动。公共权威并非最高的政治领袖或最高行政官员，而是体现在国家政策或法律之中的权威。民主、科学的国家政策不仅将减少官员的个人主观性、随意性，而且可以为社会信任的形成创设平台。同样，依法治国也可以确认社会生活的客观依据，从而促使人们对彼此行为产生预期，并进一步形成对他人的信任，扩大开来就是对社会的信任。

第四，将公民道德与公民的日常生活相结合，使公民道德的要求转化为多数公民个人的习惯和常识。凡事多采取习以为常的方式，总会更便利些，比如，每天上班都重新思考走哪一条路更快，显然是烦琐而不必要的，习惯——这本身就是人们耗费了时间和热情才习得了的东西——常常可以保证日常行为的进行，习惯使日常行为变得经济而有效率。"公民之间在权利与义务问题上的相互作用，是由亲戚朋友小圈子逐渐向外扩展到联系不密的较大群体。比方说，对于福利制度的意见，就是先在小群体中议论，再到较大群体中讨论而形成，这些群体包括工作中的同事、志愿团体、教会、民族群体等等。"① 公民日常行为表现在职业活动、消费活动、政治参与、家庭关系等之中，这些领域与传统的道德领域并没有区别，但是，一个公民在这些领域所表现出的观念意

① 托·雅诺斯基：《公民与文明社会》，辽宁教育出版社2000年版，第123页。

识与普通人有所不同。公民道德就要通过这些领域培养公民意识。例如，在家庭关系中，普通道德的要求是夫妻恩爱、和睦邻里、敬老爱幼等，对公民来说，在家庭关系中重要的品德是讲独立、平等观念，夫妻平等、父子平等，尊重彼此的隐私权；在职业劳动中也是这样，一般的职业道德要求是：爱岗敬业、服务顾客、精益求精，但是，公民在职业活动中更侧重职业劳动的公共性，树立明确的公私界限，不将职务或岗位私己化、特殊化，对所有顾客一视同仁，尊重顾客的个人偏好。有学者指出："生活空间所表示的乃是人们默知的传统的存储器，以及根植于语言和文化之中的，以及由个人在日常生活中提炼出来的背景性预设，……因此，个人既不能跨出他们的生活空间，也不能从整体上对它提出质疑。"[①] 日常行为及其所建立的规则、知识保证了社会生活的稳定秩序，提供了成员间相互信任的背景性预设。

---

① 简·科恩、安德鲁·阿雷托：《社会理论与市民社会》，转引自《国家与市民社会》，中央编译出版社 2002 年版，第 187 页。

哲学与思想治疗

——当代"哲学咨询"及其理论应用综述

欧阳谦

内容提要：哲学究竟有什么用处？对于这个问题的最好回答，就是让哲学回归日常生活，让哲学与"人的问题"紧紧地贴在一起，让哲学发挥它应有的思想治疗的效用。"哲学咨询"自20世纪80年代在欧美国家兴起以来，就以复兴哲学的实践传统为己任，就以推广哲学的思想治疗方法为目标，担当起了一种应用哲学的当代实践形式。本文力图对当代"哲学咨询"的发展状况作出一个基本的综述，主要涉及"哲学咨询"的理论实践方向、思想治疗的方法以及传统哲学资源的发掘。本文还提出在推进"哲学咨询"的发展方面，具有鲜明的实践特征的中国传统哲学是可以大有作为的。

关键词：哲学咨询、思想治疗、理论应用

当代哲学的大师级人物 L. 维特根斯坦曾经有过这样的发问："如果哲学只是让你学会似是而非地谈论一些深奥的问题，如果哲学不能帮助你思考日常生活中的重要问题，那么你研究哲学又有什么用处呢"。[1] 哲学究竟有什么用处呢？对于这个大众都很关注的问题，哲学家其实很在意，都希望能够找到一条哲学的实践之路。不然，哲学家们为何都很欣赏马克思的这句名言："哲学家们只是用不同的方式解释世界，问题在于改变世界"。[2] 哲学能够改变世界吗？哲学能够服务于人们的实际生活吗？近年来在西方国家出现了一种颇为新鲜的"哲学咨询"（Philosophical Counseling）活动，使得哲学作为一种思想治疗的实践方式而引发了人们广泛的兴趣。依照"哲学咨询"所做的宣传广告，哲学真的可以走出讲堂为人们提供思想的服务吗？当人们的思想出现问题，哲学家可以像医生那样进行思想的诊断和治疗吗？难道说哲学家可以像心理学家那样为"来访者"提供思想的评估和纠正吗？其实不仅仅是那些非哲学家，就连哲学家本人也会将信将疑：哲学真的能够发挥其思想咨询的作用吗？这种怀疑的缘由是因为哲学发展到今天，愈发变得抽象晦涩难懂。学院化和专

---

① Wittgenstein, L. *Philosophical Investigations*. New York：Macmillan, 1968, p. 133.

② 《马克思恩格斯选集》第1卷，人民出版社1995年版，第57页。

业化的哲学学科总是离生活那么远，哲学几乎成了职业哲学家们的自言自语。

面对理论生存的窘境，哲学也一直在求新求变。在咨询业十分发达的西方国家，"哲学咨询"异军突起，形成了一个实践特征非常鲜明的应用哲学分支。当然与流行的心理咨询相比较，"哲学咨询"的出现让人感到很生疏很可疑。但是，经过20年来的推广宣传，"哲学咨询"还是将新颖的思想治疗服务逐渐推向了社会。在德国、法国、英国、美国等欧美国家不仅出现了专门的哲学咨询机构（如诊所和哲学咖啡馆等），成立了各式各样的哲学咨询学会，召开了众多国际性的哲学咨询研讨会，而且还有哲学咨询师的资格认证培训以及哲学咨询出版物的大量刊行等。在心理咨询处于强势的情形下，尽管"哲学咨询"还只是一种新生事物，但它却有着与心理咨询争夺思想治疗地盘的架势。因为不仅心理咨询在大量借用各种哲学理论，而且追根溯源下来"哲学咨询"其实是哲学的一个古老传统，有着十分悠久的历史背景，如伊壁鸠鲁的"心灵的治疗"，如斯多葛主义的"生活的艺术"，如苏格拉底的"思想的助产术"，如笛卡尔的"智慧的实践"以及柏格森的"扭转思维的习惯"等等。从某种意义上说，"哲学咨询"是当代哲学企图返老还童迈出的重要一步。

当代哲学一直为"哲学终结"的呼声所困扰。哲学家们只好一边唱着哲学的挽歌，一边寻着哲学的出路。无论是维特根斯坦的"语言游戏说"和胡塞尔的"生活世界"，还是后来罗蒂的"小写哲学"和福柯的"生存美学"，都反映了当代哲学在向语言问题转向和向生活世界回归的种种举动。与社会现实生活发生密切关联，体现了当代哲学的主导倾向。"哲学咨询"无疑是当代哲学的一种选择。它的实践方向是用哲学思想来处理"人的问题"而不是去争辩"哲学家的问题"。正如美国实用主义哲学家 J. 杜威倡导的那样："今天哲学要做的是从事苏格拉底 2500 年前指定的助产婆的工作"。① "哲学咨询"似乎是回到了哲学思考的起始点。哲学家应该做思想的医生，应该担负起生活顾问的职责。

"哲学咨询"在国外已经有了相当的发展空间，而在我们国内还是一个空白。本文的写作目标是弄清"哲学咨询"的理论实践方向，对"哲学咨询"的理论基础及其思想治疗方法作出一个比较清晰的综述，并结合中国传统哲学的现实转换问题，就如何推进哲学咨询在中国的发展提出一些个人的观点。

一、"哲学咨询"的理论实践方向

现代人的精神健康问题日益凸显，使得心理咨询大行其道，与心理治疗有

① J. 杜威：《人的问题》，上海人民出版社 1986 年版，第 14 页。

关的行业几乎是遍地开花。按照一位美国学者的观点，西方发达国家差不多变成了一个人人都要求助心理医生的"治疗化的社会"（therapeutic society）。①在精神疾患不断增多以及医生职业利益的驱动下，精神疾病（mental illness）的类型划分也越来越多。根据美国精神病学分类统计资料：1952 年计有 112 种；1968 年增加为 163 种；1980 年是 224 种；1994 年变成了 374 种；在 20 世纪 80 年代精神病专家估计每 10 个美国人中间有 1 个精神病人；到了 90 年代，已经变成了每 2 个美国人中间就有 1 个精神病患者。②难怪美国好莱坞的电影制片人也冲着票房的提升而大拍心理变态的电影（比如《沉默的羔羊》、《本能》、《偷窥》等）。通过这些比较夸张的文学影视作品，我们确实看到了心理医生无处不在的影子。当科技文明动摇了上帝的威信之后，当教堂牧师的作用被淡化之后，感到焦虑和沮丧的人们只好求助于心理医生。然而对于许多精神问题，仅仅依靠吞服药物和心理调整还是不够的，还必须有生活观念以及思想方式的开导和转换。于是我们看到，在许多当代的心理咨询理论中间，就有不少是以某些哲学理论作为出发点的，如精神分析疗法、阿德勒疗法、存在主义疗法、认知心理疗法、认知行为疗法、理性情绪行为疗法、女性主义疗法、后现代主义疗法等。这些流传甚广的心理治疗理论（Psychotherapies），其实就是一些哲学理论的实践变种。

既然心理咨询可以凭借一些哲学理论而通行无阻，那么哲学家为何不直接出手来应对愈加严峻的精神问题呢？既然那些传之久远的哲学思想还能够帮助人们改善思想状况，那么哲学家为何不去发掘传统哲学的思想治疗资源呢？大概就是在这样的认识背景下，一些有着实践志向的哲学家们开始推出自己的"哲学咨询"项目，尝试着将哲学应用到个人的生活选择和人际关系等问题的探讨上面。哲学不再局限于大学的课堂上，不再停留在哲学发展史的解读上。哲学开始以思想咨询和生活顾问的姿态介入到普通人的生活中间，比如帮助一个婚姻失败的女士从情感矛盾里解脱出来，比如与一个身处中年生活危机的男士一起探讨生活的意义问题，比如在咖啡馆里众人就伦理的善恶问题进行自由的辩论等。哲学就这样与人们的生活问题进行亲密接触，逐渐显示出哲学智慧原本就有的生活取向。

按照公认的观点，作为一种"应用哲学"的具体形态，当代"哲学咨询"是由德国哲学家 G. 阿申巴赫（Gerd Achenbach）率先创建的。他 1981 年在德国科隆附近的 Bergisch-Gladbach 正式创办了世界上第一家哲学咨询机构

①　Cf. Marinoff, Lou. *Plato, Not Prozac*! —*Applying Philosophy to Everyday Problem*. New York: Harper Colling Pulishers, 1999, p. 16.

②　Ibid. 20.

(Philosophische Praxis)，对外公开打出了"哲学咨询"的旗帜。1982 年，他又成立了"德国哲学实践协会"（The German Society for Philosophical Practice），最初只有 10 个正式的会员。到了 1987 年，这个协会吸纳了来自不同国家的 125 个会员，同时也改名为"国际哲学实践协会"（IGPP, Internationale Gesellschaft fur Philosophische Praxis）。这个协会以推广"哲学咨询"为宗旨，利用报纸、广播和电视进行宣传，积极开展国际间的交流与合作，并创办有理论刊物 Agora（原意为古希腊的市民辩论会场），后正式更名为"哲学实践杂志"（Zeitschrift fur Philosophische Praxis）。在已发表的重要作品《哲学实践》（Philosophische Praxis）中，阿申巴赫提出"哲学的生活咨询"可以作为心理治疗以外的一种选择，在心理学家及其心理治疗不起作用的地方，哲学的丰富思想资源可以发挥出意想不到的效用。对于阿申巴赫的哲学实践活动，媒体把他称为"自苏格拉底以来办这类实习所的第一人——他想把哲学的最本源的权限，把常常被人们遗忘并埋没的一个传统恢复起来，这一传统的要点是人对自我和世界的沉思，也就是说恢复作为生活艺术的哲学。现代世界生活方式的许多问题都是些意识问题，不是病，也不是心理异常"。①

或许是经过黑格尔以后的反思辨哲学运动的洗礼，德国人的哲学偏好开始发生实践性的逆转，从而使"哲学咨询"在德国最先兴起。或许是因为"哲学咨询"回应了哲学发展的时代问题，而且也面对了日常生活中的"人的问题"，使得"哲学咨询"的实践活动很快在欧美其他国家发展起来，并且出现了一批"哲学咨询"的领军人物：如美国人 L. 马利诺夫（Lou Marinoff），他是前美国哲学咨询协会主席，代表作品有《柏拉图灵丹——哲学在日常问题中的应用》（*Plato, Not Prozac! Applying Philosophy To Everyday Problems*）；加拿大人 P. 拉伯（Peter Raabe），哲学咨询师，第一个以哲学咨询作为哲学博士论文并获得通过，代表作品有《哲学咨询——理论与实践》（*Philosophical Counseling——Theory and Practice*）、《哲学咨询中的问题》（*Issues in Philosophical Counseling*）；英国人 T. 利波恩（Tim LeBon），英国实践哲学协会现任主席，代表作品有《智慧的治疗》（*Wise Therapy*）；美国人 S. 舒斯特（Shlomit Schuster），哲学咨询师，Sophon 哲学咨询中心主任，代表作品有《哲学咨询——咨询与心理治疗的另外选择》（*Philosophy Practice：An Alternativeto Counseling and Psychotherapy*）；法国人 M. 苏特（Marc Sautet），"哲学咖啡馆运动"的倡导者和推动者，代表作品有《苏格拉底咖啡馆》（*Un Café pour Socrate*）。他们都开办有自己的哲学咨询机构，直接面向个人或者团体开展各种形式的"哲学咨询"（有对话、讨论、建议、电话热线等），开通

---

① 参见 U. 伯姆编：《思想的盛宴》，浙江人民出版社 2001 年版，前言第 4 页。

专门的网站进行在线答疑等咨询服务，出版大量有关哲学咨询的理论案例书籍（在知名的亚马逊网上书店可以搜索到近万本的相关图书目录）。作为职业的哲学咨询师，他们的工作目标就是让哲学走进大众的视野，为人们提供思想的服务。

当然"哲学咨询"的历史还比较短暂，其社会的认知程度还不能与心理咨询、管理咨询等相提并论。究竟什么是"哲学咨询"？对于许多人来说，这还是一个有待了解的问题。因为仅仅是"哲学咨询"的叫法就有许多不同的名称概念：如 G. 阿申巴赫第一个提出的"哲学实践"（Philosophical Practice）概念，后来有许多人已经接受的"哲学咨询"（Philosophical Counseling）概念，再加上还有人愿意使用的"哲学顾问"（Philosophical Mentoring）、"哲学指导"（Philosophical Guidance）、"哲学交心"（Philosophical Encounter）、"哲学探询"（Philosophical Inquiry）、"哲学辅导"（Philosophical Coaching）、"哲学交谈"（Philosophical Consultation）等概念。"哲学咨询"作为一种应用哲学的当代发展形态，其理论基础和方法体系都还处于定型的过程之中。对于"哲学咨询"的理论方法定义，首先就会遇到如何与心理咨询、心理治疗相区别的问题，有时候要在哲学咨询与心理咨询之间划出一条黑白分明的界限来是很困难的。因为心理咨询、心理治疗往往也在使用大量的哲学概念及其方法，而哲学咨询处理的也多是因思想冲突引起的心理问题。其次"哲学咨询"一直宣称是对古老哲学实践传统的复兴，是对"苏格拉底对话"的传承。那么古老的哲学在今天能够复活吗？哲学本身真的具有服务于生活的思想治疗的功效吗？

如果要说"哲学咨询"与心理咨询之间有什么根本区别的话，那就是"哲学咨询"以"对话"（Dialogue）而不是"诊断"（Diagnosis）为核心，不是把来访者看作病人而是看作神智健全的人。"哲学咨询"的基本形式是在咨询师和来访者之间展开一种自由的对话，就一些个人生活危机以及普遍的意义价值等问题进行讨论。哲学咨询专家不是居高临下地讲一通深奥的哲学道理，简单地用柏拉图或是康德去教诲来访者，最后为来访者提供一些现成的理论答案，而是要像"接生婆"那样来帮助来访者找出问题的源头，重温哲人的智慧，让烦恼的心事得到解脱。事实上，哲学咨询师的主要作用就是对来访者有所提示和开导，"只有作为思想的伙伴和感受的伙伴，哲学咨询师才能使来访者摆脱他的孤独或绝望，重新看待他的生活世界"。① 与一般的心理咨询和心理治疗不同，"哲学咨询"没有纠缠在来访者的过去生活经历上面，一定要在过去的

---

① Cf. G. Achenbach："A short answer to the question：What is Philosophical Practice?" http：//www. igpp. org/eng/philopractice. asp.

遭遇中找出一些蛛丝马迹，而是启示来访者以面向未来作为积极改变生活的重要原则。正因为如此，哲学咨询师没有窥淫癖的倾向，完全可以公开地与来访者进行沟通，可以在公共场所进行探讨，"哲学咨询"不用面对来访者的个人隐私，不需要躲躲藏藏地进行谈话。爱恨情仇的问题，伦理善恶的问题，自我价值的问题，生活幸福及其意义的问题，大家都可以一起讨论。思想的问题，完全可以用思想的碰撞来解决。

为了避免与心理咨询、心理治疗相混淆，许多从事"哲学咨询"的专业人士在谈及哲学咨询的性质特征时，都不愿意使用"治疗"这样一个概念。事实上，哲学的理论观点及其思想方法确实具有相当的思想治疗效果。所以，本文认为可以用"思想治疗"这个概念对"哲学咨询"进行规定，以区别心理咨询、心理治疗的作用形式。其实从词源上看，心理治疗"Psychotherapy"是由两个希腊词 psukhe 和 therapeuein 组合而成的，这两个词原本就与医学无关。psukhe 是灵魂和呼吸的意思，therapeuein 是关注和照料的意思。当这两个词组合在一起的时候，完整的意思就是注意照料我们的灵魂。早在两千多年前，古希腊哲学家伊壁鸠鲁（Epicurus）就将哲学看作是"心灵的治疗"（Therapy of the Soul），强调哲学思考对于人生实践的服务作用。古罗马哲学家塞涅卡（Seneca）始终信奉哲学咨询的观念，主张哲学就是帮助人们去面对贫困，面对财富，面对死亡。当然还有苏格拉底的实践哲学，其根本宗旨是通过"哲学对话"来告诉人们"只有经过审视的生活才是值得过的生活"。因此"他的穷理讲学的方法完全是对话。他每天照例总要去雅典街市，或其他有许多人集聚之处，和愿意与他交谈的人讨论生死及各种深邃的问题……他的这种对话差不多总是一问一答，拿锋利的问题来诱发对方的思想，从而加以矫正、驳斥或发展"。①

如何将苏格拉底的"哲学对话"发扬光大？如何去发掘和运用自古以来的实践哲学的思想传统？这不仅是"哲学咨询"始终坚持的理论实践方向，而且也是"哲学咨询"应有的核心价值所在。长久以来在近现代科学技术的攻势面前，哲学始终处于被动挨骂的境地，只得采取一种"退避三舍"的策略，以致最后只能退到大学的讲堂上面，退到哲学家的理论著述里面。哲学也就逐渐淡出了公共生活的视线。回归日常生活经验，重塑哲学实践形象，正日益成为当代哲学的主流思潮。在这样的大背景下面，"哲学咨询"力求回到哲学理论实践的原点，充分发掘哲学的思想治疗功效，以恢复哲学与生活的亲密关系。

---

① 斯塔斯：《批评的希腊哲学史》，华东师范大学出版社 2006 年版，第 101 页。

二、"哲学咨询"的思想治疗方法

由于我们每个人的生活经验都很有限，对于生活中遇到的种种问题，我们都习惯于向别人打听和求教。这应该是思想咨询的原生实践形态。我们平时与身边的人谈话交流，其实就是一个咨询过程。生活中的"咨询"主要是向父母长辈老师朋友询问和请教，当然过去还有智者、圣人、牧师也代理思想治疗的职责。只是我们现在的生活变得越来越快，许多事情变得越来越复杂，就连父母长辈老师朋友们也感到无所适从。圣人被打倒了，牧师也不怎么顶用了。我们需要的是向专业人士请教，向心理医生咨询。无论是我们个人的恋爱婚姻家庭事务还是我们的职业选择、投资理财以及商业活动，都需要求教于职业咨询师。正是现代社会繁杂的商业活动滋生了各种各样的心理问题，同时也催生了各式各样的咨询服务形式。其中心理咨询和心理治疗是最为火暴的咨询业务，因为现代人有太多的焦虑、沮丧、孤独、绝望等消极情绪等待克服。那么"哲学咨询"能否利用哲学的洞见和方法去帮助人们找出自己的问题所在呢？哲学能否帮助人们积极地思考生活从而提升生命的价值呢？

西方发达国家"哲学咨询"的迅速发展，完全证明了思想服务的买方市场有着很大的开拓空间。自 1981 年"哲学实践"的牌子在德国科隆树立起来之后，很快在许多国家都出现了以"哲学咨询"为名的思想治疗工作室。为了交流，也为了形成"哲学咨询"的专业团队力量，各国从事"哲学咨询"的专业人士还陆续成立了相关的专业协会，如德国"国际哲学实践协会"（IGPP）、"美国哲学实践者协会"（APPA）、"美国哲学、咨询、心理治疗协会"（AS-PCP）、"加拿大哲学实践协会"（CSPP）、"英美哲学实践协会"（AASPP）、"挪威哲学实践协会"（NSPP）、"以色列哲学咨询协会"（ISPI）等。这些协会定期举办会议，展开同行间的经验交流，组织资格培训认证、设立专业性的哲学在线网站。1994 年在加拿大召开了第一届国际哲学咨询大会，有来自 18 个国家的一百多位哲学家和咨询师参加了这次会议并发表了最新的理论实践成果。① 近些年来，在日本、新加坡、中国香港地区以及中国台湾地区等亚洲国家和地区也出现了不少"哲学咨询"机构。当然最为热闹的就是法国出现的"哲学咖啡馆"活动了（The Philosophy Café Movement），几百家"哲学咖啡馆"遍布法国的大中城市。这些以思想交流和平等对话为特色的"哲学咖啡馆"，围绕一些生活观念问题进行自由的讨论，确实吸引了不少的法国人参与

---

① Cf. Lahav, Ran and Tillmanns, Maria da Venza（ed）. *Essays on Philosophical Counseling*. New York: University Press of America, 1995.

其中。

　　随着"哲学咨询"在世界范围内的不断推进，关于"哲学咨询"理论方法问题的讨论也逐渐增多起来。对于公众来说，只是觉得很好奇，很想知道"哲学咨询"的独特之处。对于那些愿意开展"哲学咨询"的哲学专业人士来说，非常需要了解"哲学咨询"的基本理论及其实施方法，以便掌握"哲学咨询"的从业要领。可是，"哲学咨询"从一开始就没有什么统一的和固定的理论方法为从业人员所遵循。"哲学咨询"的第一人德国哲学家 G. 阿申巴赫就没有提出一个明确完整的理论方法，只是强调了一种开放式的对话方法，即他所说的"超越—方法的方法"（beyond—method method）。阿申巴赫的"哲学实践"是向那些愿意寻求哲学帮助的人提供思想的服务，而且是完全依照"来访者"（Visitors）的具体问题情景选择不同的谈话进入方式。所谓"超越—方法的方法"，就是不要像心理治疗那样用事先规定好的心理类型去套在"来访者"（Clients）头上，就是不要划定圆圈只能用某个哲学家或某些哲学家的思想概念，总之就是不要有那种固定不变的和封闭僵化的咨询方法。哲学咨询师和来访者坐下来进行一对一的真诚对话，双方要敞开心扉排除偏见。通过真诚的对话，可以使存在的意义逐渐地清晰起来，可以扩展我们的生活视野。对于来访者来说，求助"哲学咨询"是为了寻求生活问题的解释，是为了理解自己的所作所为，是为了让别人也能理解自己。哲学咨询师不能将自己对问题的理解强加给来访者，因为哲学思想治疗的目的是开拓生活空间而不是封杀思想活动。用哲学去辅导来访者的结果，应该是唤起来访者的生活热情，而不是给来访者一个标准的答案。

　　阿申巴赫的"哲学实践"活动特别突出了哲学的批判性原则，特别重申了苏格拉底关于用思想对话来检讨人生意义的古老哲学洞见，为当代"哲学咨询"的思想治疗方法确立了一个基本的实践方向。然而，在开展"哲学咨询"的过程中，哲学咨询师还是需要掌握一些可操作性的方法程序，以便应对各式各样的思想问题。许多哲学咨询师确实也在积极探索一些具有普遍意义的哲学咨询方法。他们往往结合自己的咨询实践，注意从哲学咨询的各种案例中提升出基本的思想治疗方法。比如 L. 马利诺夫总结出来的"平静法"（PEACE）：第一步是找出"问题"（Problem）。生活中的问题总是细微而模糊。父母病故、夫妻离异、朋友背叛、身患重病、丢掉工作等生活变化，都会引发精神上的痛苦和迷惑。在内心思想的冲突之中，往往是各种因素纠缠在一起，导致思想问题复杂而难以识别。所以，哲学咨询的首要事情是发现问题的来由。第二步是审度由问题引发的"情绪"（Emotion）。这是一个内在的思考解释过程，对自己的悲哀愤怒进行有意识的引导，释放情绪，缓和情绪，都是哲学咨询所必需的过程。第三步是对出路的"分析"（Analysis）。既然烦人的问题找到了，情绪也缓和下来了，那就需要选择一个解决问题的途径。可是，解决问题的途径总是有许多选择，这就需要进行分析，从中找出一个切实可行的办法。第四步是对自己生活境遇的"概观"（Contemplation）。对于现实生活中的种种问题，无论是个人的还是社会的，我们都不能是只见树木不见森林。我们需要用一种哲学的眼光来总揽生活的方方面面，也就是说需要一种能够引导生活的世界观和人生观。第五步是达到思想的"平静"（Equilibrium）。当抓住了问题的实质之后，激烈的情绪被化解之后，生活的前景明朗之后，自信心有了之后，思想也就有了着落，生活也就走向了"平静"。① 这五个步骤用词的第一个字母组合在一起，正好组成了"peace"一词。这个词语正好就是"平和"、"平静"、"安宁"的意思。

目前十分活跃的加拿大哲学家 P. 拉伯也提出了自己的哲学思想治疗方法，简称为"FITT"咨询方法。第一个大写字母"F"代表 Free－floating 的意思，是指舒缓心情减轻压力从而达到思想的"自由浮动"，使问题的症结浮现出来。在思想治疗的对话过程中，哲学咨询师的职责是让来访者尽量摆脱心理的阴影，消除原来的偏见，克服观念的冲突，使来访者的精神压力得以缓解。第二个大写字母"I"代表 Immediate problems solution 的意思，是指促使来访者跳出问题的陷阱而找出解决问题的答案。一旦来访者有了解决问题的念头，哲学咨询师就可以进入下一个步骤。第三个大写字母"T"代表 Teaching as an intentional act 的意思，是指哲学咨询师有意识地讲授一些哲学理论，为来访者提供思想的工具，改变来访者自以为是的思维惯性。从某种意义上说，哲学咨询师既是教师又是顾问。第四个大写字母"T"代表 Transcendence 的意思，是指思想不再沉溺于过去和现在，要改用一种超越的心态来面对将来的生活。② 拉伯特别强调了哲学的思想治疗功效，因为在他看来哲学可以增进个人的自我理解，而且还可以提升个人的幸福感。哲学咨询的要旨是以来访者为中心，其理论和方法也是完全开放的。哲学咨询不能局限在某种哲学理论之中，而是要持折中态度博采众长，目的是让来访者改变自己的思维方式。③

上面介绍的几种哲学咨询方法，大多是针对个人来访者的（client counseling）。事实上哲学咨询的范围很大，其中还包括群体的哲学咨询（group facilitation）、组织的哲学咨询（organizational consulting）、公司的哲学咨询（corporate counseling）以及儿童的哲学咨询（children counseling）等。关于群体的哲学咨询方法，最有代表性的就是法国哲学家 M. 苏特开办的"哲学咖

---

① 参见 Cf. Marinoff, Lou. *Plato*，*Not Prozac*！1999. pp. 37-51。
② 参见 Cf. P. Raabe. *Philosophical Counseling*：*Theory and Practice*. 2001，Ch. 4。
③ 参见 Cf. http://www.interchang.ubc.ca/raabe/Raabe-article1.html。

啡馆"（philosophical café，café—philo）了。作为一种大众化的"哲学咨询"活动形式，"哲学咖啡馆"当然不是一种哲学讲座活动，而是一种由哲学家当主持人或协调人的大众参与的思想辩论会。这种思想辩论不是专业性的，而是专注于思想性的东西。一般由主持人哲学家向参与者征求讨论的主题，并确定一个参与者都有兴趣的主题。在每次的"哲学咖啡馆"活动中，哲学家的作用主要是提出问题，并从哲学上给予解释。因此哲学家的任务就是推动大家的自由思想对话。当苏特于 1992 年在巴黎的"the Café des Phares"开办第一个"哲学咖啡馆"的时候，就吸引了不少大学生、出租汽车司机、有闲主妇、行为古怪之人报名参加。每周星期天上午有两个小时的固定活动时间，大家讨论的有真理和美这样抽象的题目，也有性爱和死亡这样具体的话题。到苏特去世的 1998 年，"哲学咖啡馆"在法国已经发展有 100 多个。如今，在希腊、瑞士、比利时、奥地利、德国、南非、日本等国家都形成了一定规模的"哲学咖啡馆"运动。以团体讨论为基础的"哲学咖啡馆"，差不多成为了一种哲学化的社会公共论坛。① 从"哲学咖啡馆"受欢迎的程度来看，它用哲学讨论来改善人们的思想状况是成功的，是很接近哲学原本的活动形态的。

"哲学咨询"所进行的思想治疗，当然不是纯粹医学意义上的，也不是精神病治疗或者心理症治疗意义上的，而是哲学意义上的。正如维特根斯坦描述的那样：哲学的实际用处就是对人的"理智疾病"（intellectual disease）进行治疗，以求打开我们思想里面形成的各种"扭结"。对于各式各样的思想问题，"哲学咨询"采取了对话和讨论的平常形态。尽管只是话语的交流和思想的碰撞，但却产生了很好的"治疗"效果。

三、"哲学咨询"的理论资源开发

哲学咨询的目标就是帮助个人或团体解除生活中遇到的各种问题。生活中的问题有些是伦理道德方面的，有些是认识论方面的，有些是形而上学或本体论方面的，有些是人生价值观方面的，还有些是思维偏向方面的。因此，从事咨询的哲学家不可能按照所谓的医学标准对来访者进行临床式的症状诊断。来访者并没有身体疾患，也没有精神异常，而只是因为日常生活中的问题而产生观念上的冲突，心里总有一些迷茫和困惑，希望通过哲学的思考来消除这些思想问题。在面对面的哲学咨询过程中，哲学家就需要为来访者提供一些比较完整的哲学主张，举出某某哲学家具有启发性的思想观点，通过对话或是讨论的

① 参见 Cf. Joshua Glenn，"Steeped in Thought：The Philosophy Café Movement."On the Web at http：//www.britannica.com/bcom/original/article。

形式对于来访者的问题作出哲学上的解释。就如音乐治疗师在音乐治疗中要播放莫扎特的作品一样，哲学家需要讲讲亚里士多德的《尼各马可伦理学》或是休谟的《人性论》。这样的咨询实践，当然要求哲学家很熟悉哲学史上的各种哲学观点，能够信手拈来不同时期的哲学家关于人生问题的主张；当然要求哲学家不断去开发各种哲学理论的思想资源，为"哲学咨询"提供充足的思想观念储备。如果一个立志从事咨询的哲学家除了康德或者胡塞尔之外一无所知，那么他就不可能成为一个合格的哲学咨询专业人士。

哲学与咨询之间的婚姻基础，就在于哲学自身有着取之不尽用之不竭的思想资源。经过几千年的思想发展演变，哲学的理论形态千差万别，哲学家的思想观点也是百花齐放。正因为如此，哲学一路走来为我们留下了许许多多的宝贵思想资源。读柏拉图，读孔子，我们会惊叹古代先哲竟有这样的哲学思想；看伊壁鸠鲁，看庄子，我们会感慨古代先哲竟有如此的自由主张；谈笛卡尔，谈康德，我们会发现近代哲人竟有那般深邃的批判眼光。"哲学咨询"就是要让这些哲学家的思想走进我们的日常生活，用各种各样的哲学观点来丰富我们的思想世界。马利诺夫在他所写的《柏拉图灵丹——哲学在日常问题中的应用》的附录中，为我们开列了一个被"哲学咨询"广泛运用的流行哲学家目录：古代有毕达哥拉斯、赫拉克利特、苏格拉底、柏拉图、亚里士多德、普罗泰哥拉、塞涅卡、奥古斯丁、孔子、老子、庄子、孙子，近代有培根、贝克莱、霍布斯、笛卡尔、休谟、洛克、莱布尼茨、斯宾诺莎、卢梭、康德、黑格尔，现代有克尔凯郭尔、叔本华、尼采、柏格森、皮尔士、詹姆斯、杜威、摩尔、罗素、萨特、怀特海、维特根斯坦、奎因、兰德，共计有60位哲学家。[①]马利诺夫明确表示，这个哲学家目录当然还不够完整，还有待挖掘充实。在哲学咨询的思想资源中，还可以列出更多的哲学家目录。

围绕着"哲学咨询"的理论资源开发，首要的就是恢复哲学与生活的亲密接触，复兴哲学思想的实践传统，找回哲学的生活趣味。"回到苏格拉底"，差不多就是"哲学咨询"的一个基本理论原则。简单地说，"哲学咨询"的生长点就是让古老的哲学与现实的生活紧密地关联起来。按"哲学家"（philosopher）的本义讲，哲学家就应该是一个彻彻底底的"爱智慧的人"。自哲学诞生起，哲学家就像一个充满了好奇心的孩童，追问一切新鲜的变化的东西，质疑一切不公的和丑恶的现象。哲学家扮演着生活顾问的角色，热衷于当一个思想的接生婆。当军事顾问，当政治顾问，当经济顾问，当生活顾问，几乎就是许多古代哲学家的实践活动。苏格拉底喜欢在公共场所与其他人进行辩论，用他的"辩证法"来帮助其他人澄清概念，丢掉自以为是的坏毛病。他就是一

---

① 参见 Cf. Marinoff, Lou. *Plato, Not Prozac*! 1999, pp. 275—288。

个主动出击的哲学咨询师，希望人们想得更清楚活得更明白。作为苏格拉底的学生，柏拉图继承和发扬了老师的哲学辩证法，让对话成为思想发育成长的肥沃土壤。他不仅精心构筑了自己的理念论体系，而且也在努力实践着自己的政治抱负。他与叙拉古的暴君狄奥尼修有过短暂的交情，后来被新君主小狄奥尼修正式聘为他的哲学老师。显然，他未能用自己的哲学真正影响过这些君主。要不他后来为何不再关心现实的政治而是埋头于纯粹的学术呢。亚里士多德跟自己的老师柏拉图有着类似的经历：当过马其顿大帝亚历山大的老师，但后来也远离政治而创建了自己的"逍遥学派"。① 至于近代哲学家中间的培根、洛克、笛卡尔等，也都当过大臣，当过国王君主的顾问，或是被奉为官方哲学家（如黑格尔）。说到中国古代先秦的思想家孔子、孟子、老子、庄子、荀子等，他们的学说更是充满了鲜明的实践色彩，也都抱着强烈的介入现实生活的政治理想。无论是在个人生活层面还是在整个社会国家层面，都有他们对于天地人伦的道德化解释的影响。中国以往的社会文化生活就有着明显的儒学、道学的印记。

　　人只要活着，就需要生活的道理。哲学就是讲道理的，这就是哲学能够存在下来的根本理由，也是哲学能够行使思想顾问的前提条件。古代以来的各种哲学理论体系，无一不是对时代的阐释，对生活的解读，对理想的论证。对于今天的人来说，为什么传统哲学能够给我们一种思想的转换呢？在传统哲学的视野里，生活应该是简单化的，生活应该是节制化和慢节奏的。然而，现代消费社会的快速发展让人的眼睛目不暇接，让人的胃口越来越大，让人的思想愈加困惑。现代人只是感觉心里发虚，感觉没有着落。传统哲学以其形而上学的思想追求，总是能够给我们一种启示，给我们一种方向。不要以为传统的东西就是落后的，不要以为过去的思想就是腐朽的。恰恰相反，传统的东西里面往往有着朴素而深刻的道理，过去的思想里面总是有着我们当下需要的生活智慧。"哲学咨询"的思想治疗不仅要恢复哲学的生活实践传统，而且还要不断挖掘各个时代哲学理论中间的思想精华。哲学咨询师需要从各种哲学书籍中吸取思想的营养，指导来访者去阅读相关的哲学书籍，这也可以称之为"文本治疗"。事实上，无论是自己看哲学书，与哲学咨询师或团体一起看哲学书，还是自己独立思考，与哲学咨询师或团体一起思考讨论，都需要具备充分的哲学知识。

　　我们现在争论比较多的是中国传统哲学的现实转换问题，即孔孟老庄的思想能否活在当下的问题。结合当代"哲学咨询"的理论实践来看，我们会发现

---

　　① 参见斯塔斯：《批评的希腊哲学史》，庆泽彭译，华东师范大学出版社 2006 年版，第 129、194页。

中国传统哲学有着它得天独厚的思想治疗功效，因为中国传统哲学本身有着十分鲜明的实践品格。尽管它中间的理想成分很多，尽管它中间的农耕文化成分很多，但是它仍然不失为人类生活实践的智慧结晶。因为它从来就是贴近当下生活的，因为它一贯就是注重思想修炼的。中国传统哲学特别讲究修身修心修行修德，它有一整套"克己复礼"的思想修炼方法。从"忠孝"开始，从"仁义"开始，从"学问"开始，以做"圣人"作为人生的最高道德目标。孔子的《论语》阅读起来不就是"哲学咨询"的一个过程吗？在一问一答之中，人们知道了为人做事都要信守"仁"的原则，而"仁"的实践活动就是去行"忠恕之道"。孔子这样说："吾十有五而志于学，三十而立，四十而不惑，五十而知天命，六十而耳顺，七十而从心所欲，不逾矩"。（《论语·为政》）这段话既是他个人经历的自述也是他审视人生的忠告。事实上，在中国传统儒释道的思想资源宝库里面，可以挖掘出许多当下所需的生活智慧，为"哲学咨询"提供源源不断的理论资源。

与当下流行的心理治疗、艺术治疗、戏剧治疗、音乐治疗等比较，"哲学咨询"的思想治疗当然有它不可替代的功效。思想问题，需要用思想的方法来解决。看书是在思想，对话是在思想，讨论是在思想。现代人的许多观念冲突和思想困惑，就是需要进行一番"哲学咨询"的思想治疗。让思想拥抱我们的生活，这是哲学的宗旨所在。马利诺夫下面的这段话可以用来结束我们对于"哲学咨询"的综述："我们要想过上自由的生活，就要取决于我们的政治制度以及我们对于自由的坚决捍卫；我们要想活得长寿，就要取决于我们的基因以及我们的健康医疗质量；我们要想拥有理智的、高尚的、正直的、快乐的和美好的生活，就要取决于我们的哲学以及我们的哲学实践。用思想来审视我们的生活，才是更好的生活，也是可以企及的生活。读柏拉图吧，不用吃心理医生的药丸！"①

参考文献：

1. Achenbach, Gerd B. *Philosophische Praxis*, Köln：Verlag für Philosophie Dinter, 1984.

2. Marinoff, Lou. *Plato, Not Prozac*！—*Applying Philosophy to Everyday Problem*. New York：Harper Collins Publishers, 1999.

3. Marinoff, Lou. *Philosophical Practice*. San Diego：Academic Press, 2001.

---

① Cf. Marinoff, Lou. *Plato, Not Prozac*！1999, p. 271.

4. Peter. Raabe. *Philosophical Counseling*：*Theory and Practice*. London：Praeger, 2001.

5. Peter. Raabe. *Issues in Philosophical Counseling*. London：Praeger, 2002.

6. Schuster, Shlomit C. *Philosophy Practice*：*An Alternative to Counseling and Psychotherapy*. Westport, CT：Praeger, 1999.

7. Lebon, T. *Wise Therapy*. London：Continuum, 2001.

8. Grimes, Pierre. *Philosophical Midwifery*. Calif：Hyparxis Press, 1998.

9. Hadot, Pierre. *Philosophy as a Way of Life*. London：Blackwell, 1995.

10. Sautet, Marc. *Un Café pour Socrate*. Paris：Robert Laffont, 1995.

11. Lahav, Ran, and Tillmanns, Maria（editors）. *Essays on Philosophical Counseling*. Lanham, Md：University Press of America, 1995.

12. Nelson, Leonard. *Socratic Method and Critical Philosophy*. New York：Dover Publications, 1965.

13. Domino Brian. "Using Descartes to Correct Irrational Beliefs in Counseling." *Practical Philosophy*, Volume 7 No. 2, 7—12, 2005.

14. Wittgestein, L. *Philosophical Investigations*. New York：Macmillan Publishing, 1968.

15. 柏拉图：《柏拉图对话集》，王太庆译，商务印书馆 2004 年版。

16. R. 舒斯特曼：《哲学实践》，彭锋等译，北京大学出版社 2002 年版。

17. A. 德波顿：《哲学的慰藉》，资中筠译，上海译文出版社 2004 年版。

18. U. 伯姆编：《思想的盛宴》，王彤译，浙江人民出版社 2001 年版。

19. G. 格瑞：《心理咨询与治疗经典案例》，石林等译，中国轻工业出版社 2004 年版。

20. C. 凯斯，T. 达利：《艺术治疗手册》，黄水婴译，南京出版社 2006 年版。

21. M. 德拉帕：《音乐疗伤》，阿昆译，陕西师范大学出版社 2003 年版。

22. R. 兰迪：《戏剧治疗——概念、理论与实务》，李百麟等译，（台湾）心理出版社 1998 年版。

23.（台湾）辅仁大学编：《哲学与文化——哲学咨商专题》（月刊）Vol. 31，No. 1，2004 年第 1 期。

学科研究　哲学与思想治疗

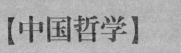【中国哲学】

漫谈佛典翻译[*]

石 峻

内容提要： 石峻先生这篇成于 1951 年 8 月 25 日的手稿对于我国千余年来卷帙浩繁的佛典翻译的诸多问题进行了深刻的总结和极富启发性的探讨，细细品来，对于我们今天的翻译工作仍有着很重要的借鉴意义。

关键词： 佛典、翻译

近来出版的《翻译通报》，先后发表有关佛典翻译的文章不少，因为那是祖国文化史上一件大事，多数人参加这个讨论，除了可以提供一些重要的翻译史料外，在总结以往的成绩中，还可以吸取一部分有用的经验，因此我们以为是很有意义的。但在一些有关佛典翻译的重大问题，如译场组织、人事制度、工作方法等，多经同志们有系统地加以发挥，那么下文所能谈到的便难免不是一些枝节问题了。

佛典翻译能有日趋完善的制度以及较好的工作方法，都是翻译工作者长期摸索的成果，不是一上来就会如此的，何况有了理想，还须顾及条件，如人才、设备等，所以佛典的翻译，晚出的较为精细，早出的多见粗糙，各书的优劣，实在是不可同日而语的。这说明了过去比较完善的翻译工作计划，事实上的推行，也是经过不断努力来克服困难的。

翻译工作是用不同的语言来表达相同的实际，由于不同文体语法的牵制，加之各民族历史背景以及生活习惯的悬殊，譬喻之间，自然多有差别，一经转手，要想做到尽如人意，恐怕是不可能的，因此一部分人甚至说那比创作还要困难。翻译工作的客观需要，本是为了一切不懂原文的读者，所以在精通原作的人看得明白，并非理想，只有在一些不通原文的人读了，深切地了解，才成可贵，自然读者关于这门学问的基础训练，也不能一概不问。为了克服这些事实上的苦难，过去佛典翻译大家，特别注意选择自己所擅长部门的著作，即是把个人研究与翻译这两方面密切地结合起来，以求减少理解上的错误和困难外，他们同时有讲经的办法，在翻译前后，经常举行，我们以为除了有负责宣扬教义的目的，实在也是明确所译佛典内容的最好方法。隋唐一代大师讲经的

---

* 本文根据石峻先生 1951 年 8 月 25 日手稿刊印。

办法可说是非常仔细的。例如这一个专门名辞在原文有多少种不同的意义，本书是用的那样解释，这段话要是反驳别派的意见，那么反对派有关的思想究竟是什么，皆得扼要地加以叙述，乃至篇章结构、全书要点，附带也有说明，这些讲经人的"口义"，大都由学生笔录下来，加以整理，作为研究的参考，如玄奘门下窥基所撰《成唯识论述记》便是好例，此书内容虽失之未免过分繁烦，但是他们这一套办法，把翻译、研究与讲授这三方面结合起来是有意义的。因为如此，译者对于所翻译书的内容可以更深入地了解，更浅显地说明，并且这样训练，毫无疑义又可熟练表达的技巧，提高翻译的水平。正如有教学经验的人跟没有教学经验的人，转述同样事体，亦可显分高下。个人孤立来搞翻译，为应急需，实在也是不得已的办法，其间一些缺点，因为未通过公开的检查讲授，译者的疏忽，尤其是隐深的地方，自己很难一一发觉。例如目前极少部分马列主义经典著作的翻译，一般读者的确很不容易看懂，译者又多不自知有无错误，如此翻书的人，得有机会公开讲授，我想对于大家都是很有益处的。否则，今后出版界就应该广泛征求读者的意见，或者稍可补救以往这样的缺点。

谈到一般不通外语的人，对于原文的语法自然比较生疏，并无足怪，所以除非国文实在无法表达的意思，译者最好避免模拟外语结构，到一般国人多不了解的程度，同时音译的部分，除了人名地名之外，绝不宜过多，乃至选字也要斟酌，用隋彦琮《辩证论》上的话说，就是译者要"诚心爱法，志愿益人，不惮久时。"① 即是无处不存心为读者着想。针对着这个方向努力，一些有关技术性的问题，过去佛典翻译的办法，在长期的改进中，看出似乎也有一部分经验，如后期译场组织的人事分工上，便有所谓"润文"的，参加玄奘译场的有薛元超、李义府等，参加义净译场的有李峤、韦嗣立等，可为代表。他们的专门任务就是修辞，这类人多半是国文根底较好，对于梵语倒不见得怎样深入，甚且可能是完全不懂，因其如此，他们"润文"当不致过分拘泥于外语的习惯，可以让译文更加"华化"，取得民族的形式。现在的翻译工作者在最后定稿时，往往不对勘原书，单观译文来斟酌词句，用心或许是一样的。他们都不是存心反对吸取外国语文的长处，而在有意广泛寻求读者，扩大影响。再则"同义字"的选择应用，以及错字别字的校改，本是写好文章的一种非常细致的功夫，作者能得避免，自然需要比较长期的训练，译书更是不能例外。所以后来佛典译场中又有所谓"正字"的，顾名思义，即是专门负责改正文字上的错讹，如参加玄奘译场的玄应，撰有《一切经音义》，多数人知道他是当时有数的"字学名家"。现在人们译下一篇东西，有时请几位国文程度较好的同志看看，虽明知对于这门学问非所专长，但在用字上可能听取些意见，也许是同

---

① 《彦琮传》，《续高僧传》卷二。

类的经验。此外，一切专门名词，包括人名、地名的对音，要能避免各地不同方言的影响，尤其在集体工作中做到划一，方便读者记忆，也是要有标准的。因此佛典译场的人事分工中，"正字"之外，又有所谓"证梵"、"参译"之类，也就是核对原文的，他们负责译名的无误与一致。在后期佛典翻译中，可谓更进一步，对于一般专门名辞，音译之外，多附加意译。如"伐苏槃度"（Va-subandhu，人名），必注曰：此言"世亲"；"僧伽罗"（Siamdotabv；hala，地名），必注曰：此言"执师子"；"阿毘达磨"（Abhidharma），必注曰：此言"对法"，……之类，这种办法，虽未免略嫌累赘，但事实证明，可有两重好处：一则对于通常读者，利用音义的关联，难于遗忘；再则懂得原文的人，虽见同音的字，也可以深知其异。因为过去佛典翻译本有这些讲究，所以今日国内外深通梵语的学者，仍然可以根据译文翻译回去，大致不差。可惜这种工作，近代翻译工作者已多不再留意了。

翻译思想的作品，正确与否，关系尤为重大，对于一般不懂原文的读者，要能避免错误的联想，明确观念的本质，晋代道安总结佛典翻译的经验，有"五失三不易"之论①，内说"好用文言"也是一失，我们以为是很有道理的。好比有的少年学生，参加考试，完全懂得的才敢用明白的话写下来，含糊的反多"大凑其文"，恐怕是一类的事实。因此要用所谓"典雅"的文章，来掩饰自己的糊涂，叫人看了，似是而非，绝不能说是全错，办法虽属高明，且是一般读者不容易发觉的毛病，但实际最为害事，应该算是译者最不忠诚老实的表现。因此不特晋代道安所谓"三不易"的第一条就告诉我们要"既须求真，又须喻俗"，兼通梵华，同时对于翻译有研究的隋代彦琮也说："宁贵朴而近理，不用巧而背源。"② 他们前后都如此强调这个问题，可见是从工作中体会得来的重要原则。

翻译既然主要的是为了一般不通原文的读者，他们了解专门术语，尤其比较形象化的，多根据自己现有的学识与经验，加以比较与推测，所以要译名不让读者有错误的联想，以致走失原义，必须注意这个名词音译用字可能引起误解的一些关节：例如大家常见佛典中的一册小书《般若波罗蜜多心经》，全名原系一半音译，一半意译，"般若波罗蜜多"是梵语 Prajnaparamita 的译音，"心"是梵语 hṛdaya 的译音，但在吴承恩的小说《西游记》中则皆错写作"多心经"，虽则可笑，这是有理由的。因为"多心"两字联读，恰是大众常说的话。又如《盂兰盆（经）》，虽是梵语 Ullambana 的音译，本义是"倒悬"，但在后来好些著作的解释，甚至包括一些不通梵语的大师（例如唐朝宗密所作

---

① 详载道宣：《续高僧传》卷二《彦琮传》引。
② 道宣：《续高僧传》卷二本传。

《盂兰盆经疏》），多以为那是一种什么盆子，如此"望文生义"，虽则错了，但是并非完全不可理喻的。佛典翻译的这些例子，今后由于国际文化的交流，教育的普及，同样的故事，可能是没有的。但是目前一切翻译工作者要坚持大众的方向，这样小事，也像值得略为留意的。此外，则有一种较为复杂而嫌别致的例子，如《般若波罗蜜多心经》上说的："色即是空，空即是色"，"色"是梵语 Rupa 的意译，本是形形色色之色，换句话说，就是指的物质现象，"空"是言其"无有自性"。但是一般读者引用这句话的时候，则多有意或无意地解作男女色情之色，自成一套。这种联想，反映了不合理社会的现象，已经不是简单用字的问题了。

佛典内容虽是非常驳杂，而且派别甚多，然各种"说教"，皆在巩固其特殊地位，全盘思想体系我们今日应该严加批判，但是他们一些传道的办法，在努力寻求概念的明确性，不让反对派的观念混淆它的思想，尤其到寺院僧侣在社会成为一种"剥削集团"之后，用心总算是很仔细的。有关这一方面的努力，对于今日翻译工作者，尚不失有部分可供参考的意义。例如某些外来观念是我国原本所没有的，换言之，就是复杂到不能用本土几个相当的字来代替的，他们宁用音译，如佛典中常见的"涅槃"（Nirvana），"般若"（Prajna），"瑜伽"（yoga）之类。另外一种虽是意译，他们尽可能避免与传统思想，即先秦儒道各家发生纠葛，如"真如"（Tathata）、"法身"（Dharma－kaya）、"因明"（Hetu－vidya）之类，也算是佛典翻译中的一些经验。唐代玄奘所立"五种不翻"的意见，可算是对于这方面问题的一个总结。

与佛典翻译事业进展有不可分的关系，就是佛典目录学的发达。我国自汉以后，差不多各代都有撰述，其间详情，因非本文主题，不烦细说。到唐代的体例，增订得已够详密。暂以影响较为久远的智升所撰《开元释教录》一书为例，全部二十卷，不特转述了以往各大家目录学的贡献，对于一书翻译的经验并及译者生平，都有详细的记载。如这一部书某人何时起译，何时完成，主译之外，参加各项工作者是些什么人。某人译的是初译、二译、三译……是全本或是删节，若果此是部分，相当于该全书何卷何章，属于何类，原本是真是伪，或真伪不定，乃至过去的翻译，现在是"有本"还是"无本"，可以考见的，都经记录，不仅是一种很好的翻译史料，实在也是当前翻译工作者极有价值的参考书。一般说来，译本往往是后来居上，工作者除了一些客观条件的改善，如工具书的增多之类，有参考前人译本的便利，无疑也是一个重要因素。因此我们以为研究佛典翻译的历史，对于佛典目录学的成绩，最好也略加注意。甚至今日要有计划有领导地展开全国的翻译事业，尤其关于各科经典著作部分，近世译书目录的整理，也不失为一项颇具意义的工作。

末了，本文所曾提及的佛典翻译大家，如道安（晋）、彦琮（隋）、玄奘

（唐）辈，都能总结经验，公开发表，留供后来人参考，不把它当作秘密，以致湮没，这种地方，真是值得特别表扬，也是我们希望于当今一切翻译大家的。

论现代新儒学思潮

宋志明

内容提要：现代新儒学思潮是自五四新文化运动时期形成的中国现代学术思想的发展方向之一，以融会中西学术思想为基本特征，以发展人类精神文明为根本宗旨。它一方面面向世界，吸纳、理解、转化包括马克思主义在内的西方各种学术思想，一方面基于时代的要求，反省、充实、推进传统的儒家思想，使之在现时代获得新的表达方式，促进人类精神文明的发展，建设适应时代要求的精神家园。现代新儒学思潮发端于现代新儒家，但不限于现代新儒家。这一思潮经历了五四时期的草创、20 世纪 30—40 年代的理论建构、50 年代后内地的"批孔"和港台新儒家的活跃、70 年代末的正本清源等四个发展阶段，表现形态为狭义新儒家、广义新儒家和儒家解释学。

关键词：新儒家、新儒学、发展历程、表现形态

自 20 世纪 80 年代开始，"现代新儒家"成为学术研究的热门课题，发表的文章数以千计，出版的专著也有几十部之多。梁漱溟、熊十力、冯友兰、贺麟、马一浮、方东美、张君劢、钱穆、牟宗三、唐君毅、徐复观、杜维明、刘述先、成中英、余英时等代表性人物，都有人做专门的研究，可谓是硕果累累。本文在学术界对现代新儒家进行充分研究的基础上，提出"现代新儒学思潮"的概念。"现代新儒学思潮"当然包括"现代新儒家"，但研究范围不仅仅限于"现代新儒家"，其外延比"现代新儒家"大得多。无论站在怎样的学术立场，无论抱着怎样的学术观点，只要是从现时代的视角研究儒家思想、诠释儒家思想、发掘其时代价值的学问，都可以看成"现代新儒学思潮"的组成部分。何谓"现代新儒学思潮"？笔者的看法是：它是自五四新文化运动时期形成的中国现代学术思想的发展方向之一，以融会中西学术思想为基本特征，以发展人类精神文明为根本宗旨。它一方面面向世界，吸纳、理解、转化包括马克思主义在内的西方各种学术思想；另一方面基于时代的要求，反省、充实、推进传统的儒家思想，使儒家思想在现时代获得新的表达方式，促进人类精神文明的发展，建设适应时代要求的精神家园。现代新儒学思潮发端于现代新儒家，但不限于现代新儒家。它作为中国现当代的主要社会思潮之一，其范围已超出少数的现代新儒家。许多学者并没有沿用现代新儒家的思维定式，而是以

各自的方式研究、诠释儒学，他们的研究成果也属于现代新儒学思潮的范围。"现代新儒学思潮"是指社会思想动向，"现代新儒家"是指特定的学派，尽管两者的外延有部分重合的情况，但毕竟不是同一概念。现代新儒学思潮的发展并不是一帆风顺的，曾遇到种种困难，但毕竟延续到今天，并且仍然保持着向多重向度进一步发展的态势。"现代新儒家"已经成为历史；"现代新儒学思潮"正在参与创造历史。

一、现代新儒学思潮的起因

梁漱溟是现代新儒家的开山，当然也就是现代新儒学思潮的开山。现代新儒学思潮之所以发端于五四新文化运动时期，同当时已经形成具有独立思考能力的新式知识分子队伍有密切的关系。自从鸦片战争以来，先进的中国人抱着"向西方寻找真理"的心态，有意无意地把西学理想化，将其看成解决一切问题的灵丹妙药。他们常常把中学与西学对立起来，把中学等同于旧学，把西学等同于新学，对儒家思想缺少应有的同情。平心而论，他们尚未形成独立的思考能力。到五四时期这种情况有了变化。在这一时期，新式知识分子队伍无论在数量上还是在质量上都有很大的改观。从人数上看，一大批留学日本的学人回国，从中国自己办的新式学校中也走出数量可观的毕业生。从质量上看，有一批在欧美取得高学历的学人回到祖国。由于对西方文化了解得比较深入，中国人发现西方文化并非尽善尽美，也存在诸多弊端。特别是经历了第一次世界大战以后，人们对这种弊端看得更为清楚，逐步破除了对西方文化的迷信，形成独立思考的能力，开始重新思考中国的出路问题，重新看待中学与西学的关系、新学与旧学的关系，重新审视固有文化的价值。于是，从新式知识分子的群体中，涌现出一批现代新儒家学者。梁漱溟、熊十力、马一浮、冯友兰、贺麟都出自这一群体。

在五四新文化运动时期，中国思想界关注的焦点已由传统社会形态的"破坏"转向现代社会形态的"建设"。在辛亥革命以前，先进中国人关注的焦点是传统社会形态的"破坏"，致力于推翻清王朝的斗争。辛亥革命以后，中华民国成立废除统治中国数千年之久的封建帝制，"破坏"的目的应该说基本达到，可是中国的社会状况非但没有改变，反而趋于恶化。打倒了一个清廷小皇帝，冒出了数十个土皇帝，军阀争战，接连不断。"无量黄金无量血，可怜购得假共和。"正如孙中山所说："去一满洲之专制，转生出无数强盗之专制，其为毒之烈，较前尤甚，于是而民不聊生矣。"① 残酷的现实告诉人们：仅有

---

① 《孙中山选集》，人民出版社 1956 年版，第 104 页。

"破坏"是远远不够的，还必须着眼于"建设"；"建设"是一项更为艰巨的任务。这里所说的"建设"是多方面的，其中既包括经济建设、制度建设，也包括社会建设和精神文明建设。经济建设和制度建设可以借鉴西方成功的经验，而西方的社会状况和精神文明状况并不能令人满意，中国人必须进行独立的探索。孙中山提出"心理建设"理论，是在社会建设和精神文明建设方面所做的探索；陈独秀提出"伦理的觉悟为吾人最后觉悟之最后觉悟"的说法，是在这方面所做的探索；现代新儒家提出各种学说，也属于在这方面所作出的探索。

现代新儒学思潮是对五四时期批孔思潮的反弹。自鸦片战争以来，中国知识分子把挽救中国的希望寄托在西学的引进上，并且把传统儒学视为引入西学的思想障碍，形成扬西抑中的倾向。这种倾向到五四时期演化为"打孔家店"的批孔思潮。在新文化运动中，激进派批判传统儒学所包含的封建主义思想因素无疑是正确的，问题在于他们把儒学完全归结为封建主义，全盘否定其正面价值，流露出民族文化虚无主义的情绪。有些人甚至提出一些过火的、不切实际的主张，如废除汉字、把线装书丢到茅厕中去等，这显然有损于民族自尊心和自信心的提升。正是针对激进派的民族文化虚无主义倾向，现代新儒学思潮开始兴起。从新式知识分子队伍中走出来的现代新儒家学者，认同科学与民主的价值，反对封建主义，接纳现代性，有别于守旧派。他们拒斥全盘西化论，摆脱激进情绪的困扰，以理性的眼光和同情的态度看待儒学的价值，努力推动儒学的现代转化，有别于激进派。在提升民族自尊心和自信心方面，他们是有贡献的。

现代新儒学思潮的出现，同世界性文化批判思潮也有密切的关系。自近代以来，中国哲学走向世界，世界哲学走入中国。我们考察现代新儒学思潮，既要看到它兴起的国内背景，也要看到它的国际背景。第一次世界大战爆发以后，使西方资本主义社会的矛盾和危机更加表面化、尖锐化，暴露出西方资本主义现代文明的弱点，于是形成世界性的文化批判思潮。斯宾格勒在《西方的没落》一书中，用"没落"一词形容当时西方人的思想状态。梁启超考察欧洲之后，作了这样的报道："全社会人心都陷入怀疑沉闷畏惧之中，好像失去了罗盘的海船遇着风、遇着雾，不知前途怎样是好。"现代文明的一大问题是工具理性与价值理性的失衡。在现代西方思想界，批评科学主义的声音越来越强，呈现出人本主义思潮抬头的趋势。这为以价值理性为中心的儒学获得发展的契机。现代新儒家从非理性主义、人本主义思潮寻找现代转化的资源，试图创立儒学的新形态。

现代新儒学思潮兴起的根本原因，还在于儒学确实有实行现代转换的可能性，能够成为中国精神文明建设不可或缺的宝贵资源。

儒学作为中国文化的主干，既有时代性的一面，也有民族性的一面。因其有时代性,传统儒学作为农业社会的产物,不能不表现出历史的局限性,甚至被帝王用来作为维护统治的工具。五四时期新文化运动的倡导者们发起对传统儒学的批判,其实并不是对儒学的全盘否定,而是把矛头指向传统儒学的历史局限性。李大钊说:"故余掊击孔子,非掊击孔子之本身,乃掊击孔子为历代君主所塑造之偶像的权威也;非掊击孔子,乃掊击专制政治之灵魂也。"① 在这里,他把"孔子之本身"同"孔子之偶像"区分开来,明确表示只掊击后者,而不是前者。五四时期对传统儒学历史局限性的批判有积极的意义,起到了思想解放的作用,则是不能否定的,那种视此为"文化断层"的论点是不能成立的。实际上,新文化运动的倡导者对传统儒学既有批判,也有同情的诠释。② 令人遗憾的是,长期以来在"左"的话语占主导地位的情况下,人们夸大了五四时期"批孔"的一面,而忽视了"释孔"的一面。五四时期对传统儒学的历史局限性的批判,贡献在于凸显出儒学实行现代转换的必要性。正如贺麟所说,五四新文化运动破除了"儒家的僵化部分的躯壳形式末节和束缚个性的传统腐化部分","他们并没有打倒孔孟的真精神、真意思、真学术。反而因它们的洗刷扫除的功夫,使得孔孟的真面目更是显露出来。"③

由于儒学有时代性的一面,必须清除历史灰尘,适应新时代要求不断作出新的诠释,从而促使现代新儒学思潮的形成。由于儒学有民族性的一面,体现中华民族的文化共识,如何发掘儒学体现时代精神的正面价值,将是一个恒久的课题。从这个角度看,现代新儒学思潮的出现也是必然的。从哲学人类学的意义上看,任何社会组织必须有一套全体社会成员达成基本共识的主流价值观念和伦理规范,这是每个民族形成所必不可少的文化共识。这种文化共识可以采用宗教的形式来表达,也可以采用非宗教的形式来表达。大多数民族采用宗教的形式,如伏尔泰说,一个民族即便没有神,也要造出一个神来。中华民族则采用非宗教的形式,这就是儒学。儒学是世界上少有的以非宗教的、内在超越的方式安顿精神世界的成功模式(有别于基督教、佛教、伊斯兰教),有效地组织社会、安顿人生,已形成中国人的文化基因,并且具有强盛的生命力。儒学有深厚的历史积淀,有广泛的社会影响,并不会因新文化运动的冲击而终结。如何把握民族性与时代性相统一的原则,克服传统儒学的局限性,走出民族文化虚无主义的误区,摆脱"左"的偏见,重估儒学的价值,开发儒学资源,培育适应时代精神的中华民族精神,将是我们的一项重要的理论任务。

在启蒙主义的话语下,现代观念与传统观念之间的联系被割断了,过分强

① 《李大钊选集》,人民出版社 1959 年版,第 80 页。

② 参见宋志明、刘成有:《批孔与释孔:儒学的现代走向》,华东师范大学出版社 2004 年版。

③ 贺麟:《当代中国哲学》,胜利出版公司 1947 年版,第 9 页。

调现代对于传统的变革，而忽视现代对于传统的继承。这并不符合现代社会发展的实际。以西方发达国家为例，尽管各国都曾发生过批判基督教的启蒙主义运动，但基督教并没有因此而消失，而是实行现代转化，依然发挥着文化共识的作用，依然维系着现代西方社会的运转。在五四时期，中国受启蒙主义的影响，也出现全盘否定儒学的西化思潮。西方基督教受启蒙主义思潮的冲击，并没有消失，而是实行了现代的转化；同样，儒学受到西化思潮的冲击也不会消失，也会实行现代转化。现代新儒学思潮的出现，正是对西化思潮的反弹，体现中国文化发展的大趋势。

长期以来，在"左"的思潮主导下，儒学被视为封建主义意识形态，予以全盘的否定：儒学的历史局限性被夸大了，儒学的普适性被消解了。在传统与现代对立的思维模式下，儒学只是被驱逐的消极因素，"打倒孔家店"成为流行语。许多人把"打倒孔家店"说成五四时期的口号，实际上是个误传。在五四时期，并没有"打倒孔家店"的提法，近似的说法是"打孔家店"。胡适曾在为吴虞的书作序时，称赞吴虞是"只手打孔家店的老英雄"，并没有用"打倒"二字。"打倒孔家店"以至于"批林批孔"的口号，都是"左"的话语，反映出全盘否定儒学的偏见。

儒学是复杂的文化现象，不能把儒学简单等同于封建主义意识形态。已经成为中国传统文化主干的儒学至少可以从三个角度来把握：第一，有作为学理的儒学。儒学是一种行之有效的社会组织原理，体现人类性或合群体性，具有普适价值。虽然历代儒学家关于儒学的阐述，对于我们认识儒学社会组织原理有帮助，但仍需要适应现代社会发展的要求不断作出新的阐发。从这个意义上说，儒学是一门常讲常新的学问，可以实现现代转化。第二，有工具化的儒学。毋庸讳言，儒学在古代中国社会曾经被官方当成思想统治的工具，有禁锢思想的负面效用。随着社会的发展，这种贵族化、制度化、政治化的儒学，已经失去了存在的合理性。需要注意的是，我们不能在批判工具化的儒学的时候，抹杀儒学的普适价值。第三，有作为生活信念的儒学。儒学在中国已经有几千年的历史，已经深入到人民群众的精神世界和生活世界中，成为中国人树立道德理念、处理人际关系、凝聚民族群体的理论依据。作为生活信念的儒学，有别于贵族化、制度化、政治化的儒学，可以称之为民间儒学或草根儒学。这样的儒学有广泛的社会基础，因而有实行现代转化的充分根据。今日的中国是昨日的中国的继续，任何不尊重历史的虚无主义观点都是站不住脚的。西方发达国家实现现代化以后，没有抛弃有广泛社会基础的基督教，而是促使其实行现代转化；同样，中国建设现代化，也不可能抛弃有广泛社会基础的儒学，也应当促使其实行现代转化。这正是现代新儒学思潮产生的内在原因。

二、现代新儒学思潮的发展历程

现代新儒学思潮的发展历程大体上可以概括为四个阶段，即五四时期的草创阶段，20 世纪 30—40 年代的理论建构阶段，50 年代以后内地的"批孔"和港台新儒家活跃阶段，从 70 年代开始的学风转折阶段。

（一） 五四时期的草创

考察现代新儒学思潮的发展历程，应当从考察五四后期涌现出来的现代新儒家着手。虽然他们并不能代表整个现代新儒学思潮，但毕竟是这一思想运动的发起者。

五四时期是中国思想史上思想比较活跃的时期，甚至可以同先秦时期媲美。如果用"百家争鸣"来形容先秦时期的思想活跃程度的话，也可以用"小百家争鸣"来形容五四时期的思想活跃程度。从五四时期开始，西方学术思潮大规模地涌入中国，各种各样的学说几乎都有人介绍，杜威、罗素等著名的哲学家也纷纷到中国讲学，中国到欧美的留学生选择同中国文化有关的题目作博士论文的题目（如胡适的博士论文的题目是《中国古代哲学方法之进化史》）。从此，西方学术走入中国，中国学术走入世界。当然，这种交流并不是平等的，西方学术处于强势，中国学术处于弱势。西化思潮在五四时期占主流地位。

辛亥革命以后，袁世凯篡夺中华民国大总统的位置，并且企图恢复君主制，预定在 1916 年元旦举行"登基大典"。袁世凯的倒行逆施引发全国性的反袁斗争，他的皇帝梦也没有做成。袁世凯死后，北洋军阀分裂为几个派系，并且形成军阀混战的局面。北洋军阀政府为了维护自己的统治，还打起了尊孔的旗号。1919 年 10 月，北京政府总统徐世昌出面举行秋丁祀孔活动，北京政府还规定孔子生日为公休假日。徐世昌还组织四存学会，以昌明"周公孔子之学"自我标榜。当时还有人提议把尊孔写入宪法。当局的尊孔活动受到先进中国人的激烈批判。李大钊说："我们可以晓得孔子主义（就是中国人所谓纲常名教）并不是永久不变的真理。孔子或其他古人，只是一代哲人，绝不是'万世师表'。他的学说所以能在中国行了二千余年，全是因为中国的农业经济没有很大的变动，他的学说适宜于那样经济状况的缘故。现在经济上发生了变动，他的学说就根本动摇，因为它不能适应中国现代的生活，现代的社会。就有几个尊孔的信徒天天到曲阜去巡礼，天天戴洪宪衣冠去祭孔，到处建筑些孔教堂，到处传布'子曰'的福音，也断断不能抵住经济变动的势力来维护他那

'万世师表'、'至圣先师'的威灵了。"① 陈独秀写了《驳康有为致总理书》、《宪法与孔教》、《孔子之道与现代生活》、《袁世凯复活》、《再论孔教问题》、《旧思想与国体问题》、《复辟与尊孔》等文章，认为孔子之道已经不能适应现代社会生活的需要，应当抛弃，反对北京政府搞尊孔活动。反对尊孔的思潮与扬西抑中的西化思潮会合在一起，形成在思想舆论界占主导地位的批孔潮流。

五四时期的批孔潮流的积极的意义，在于推翻旧式儒学在思想界的权威，清算封建主义，粉碎统治者把儒学工具化的图谋，起到了倡导启蒙、解放思想的作用，标志着中国人民的觉醒达到了新的水平。由于推倒了旧式儒学的权威，为新思想的发展提供了条件，从而揭开了中国哲学思想发展新的一页，进入现代阶段。但是，这一潮流也有明显的缺陷：第一，由于当时形势所迫，批判者有意无意地把学术批判与政治批判混在一起，感情色彩很浓，甚至把对军阀政府的憎恨迁怒于儒学，难以保持学术批判的清醒和冷静，往往使用一些过激的语句，理论深度不够。第二，思想方法有片面性。批判者只看到儒学的局限性，而没有看到儒学的合理性，仿佛把洗澡水和小孩一起都丢掉。"那时的许多领导人物，还没有马克思主义的批判精神，他们使用的方法，一般地还是资产阶级的方法，即形式主义的方法。他们反对旧八股、旧教条，主张科学和民主，是很对的。但他们对于现状，对于历史，对于外国事物，没有历史唯物主义的批判精神，所谓坏就是绝对的坏，一切皆坏；所谓好就是绝对的好，一切皆好。这种形式主义地看问题的方法，就影响了这个运动的发展。"② 批孔潮流存在的这些缺陷，成为现代新儒学思潮的诱因。

面对批孔潮流，第一个站出来"为儒家说话"的是梁漱溟。1917 年，梁漱溟应北京大学校长蔡元培之聘，到北大哲学系任特约讲师，他声明："我此来除替释迦、孔子发挥外，更不作旁的事。"③ 由于受到批孔潮流的触动，原本信仰佛教的梁漱溟转向儒家。他在北大任教期间，他写了《吾曹不出如苍生何》，自印成册，散发给友人。这时，他已放弃佛教的出世主义，皈依儒家的入世主义，表示以关注国事民瘼为己任。

那时北大是五四新文化运动的中心，新旧两派争论得很激烈。梁漱溟拒斥批孔潮流，对儒家表示同情与敬意，似乎倾向于旧派，但他并不是旧派中人。他与李大钊等新派人物有交往，也有共识。他从一个新的角度思考新旧两派争论的问题，致力于儒学的新发展。在他看来，以辜鸿铭为代表的旧派只是株守传统儒学，实在不是陈独秀等新派人物的对手。"旧派只是新派的一种反动，

---

① 《李大钊选集》，人民出版社 1959 年版，第 301—302 页。

② 《毛泽东选集》第二卷，人民出版社 1991 年版，第 789 页。

③ 梁漱溟：《东西文化及其哲学·序》，商务印书馆 1922 年版。

他并没有倡导旧化。……他们自己思想内容异常空乏，并不曾认识了旧化的根本精神所在，怎能禁得起陈先生那明晰的头脑，锐利的笔锋？"① 旧派之所以败下阵来，吃亏吃在"思想内容异常空乏"上，可见一味守旧是行不通的，并不能真正弘扬儒学。基于这种认识，梁漱溟努力从西方现代哲学中寻找可资利用的思想资源和思想方法，通过中西文化比较融通的办法，重新诠释儒学的优长，促使儒学复兴。这样一来，他就开辟了新的学术方向，即现代新儒学的方向，成为现代新儒家的开山，也成为现代新儒学思潮的开山。

1920 年秋，梁漱溟在北大讲演《东西文化及其哲学》，次年又应王鸿一的邀请到山东省教育厅讲演同一题目，引起较大的反响。1922 年，他的学生罗常培和陈政根据这两次讲演的记录稿以及梁漱溟在《少年中国》杂志上发表的《宗教问题》一文，整理成书，题为《东西文化及其哲学》，由商务印书馆出版。此书是梁漱溟的成名之作，标志着他的新儒学思想已成型，也标志着现代新儒家思潮开始问世。1923 年，梁漱溟在北大哲学系讲授《孔学绎旨》，并打算写《人心与人生》一书，阐述儒家的"人类心理学"。由于种种原因，这本书迟迟未能脱稿。直到 1984 年，他在 91 岁时才写出此书，自费在学林出版社出版，了却了数十年的心愿。

在五四时期，拒斥批孔潮流、同情固有文化、反对盲目崇拜西方文化的学人，除了梁漱溟之外，还大有人在。他们对于现代新儒学思潮的兴起也起到了推波助澜的作用。首先应当提到的是梁启超。1920 年，梁启超到第一次世界大战后的欧洲考察，亲身感受到当时西方学术思想的变化。世界大战暴露出资本主义文明的危机，许多有识之士开始反思这种文明的弊端，甚至对这种文明的合理性表示怀疑，开始批判西方近代以来一直是主流话语的科学主义思潮。深有感触的梁启超回国以后写了一篇题为《欧游心影录》的长文，发表在上海《时事新报》上。他在文中写道："当时讴歌科学万能的人，满望着科学成功黄金世界便指日出现。如今功总算成了，一百年物质的进步，比前三千所得还加几倍。我们人类不惟没有得到幸福，倒反带来许多灾难，好像沙漠中失路的旅人，远远望见个大黑影，拼命往前赶，以为可以靠它向导，哪知赶上几程，影子不见了，因此无限凄惶失望。影子是谁？就是这位'科学先生'。欧洲人做了一场科学万能的大梦，到如今却叫起科学破产来，这便是最近思潮变迁一个大关键了。"② 在高扬科学与民主的五四时代，梁启超介绍批判科学主义的观点，似乎有些不合时宜。为了避免误解，梁启超特地在文章中表示，他并不反对科学，只反对把科学当成崇拜对象的科学主义。梁启超也许是五四时期第一

① 梁漱溟：《东西文化及其哲学》，商务印书馆 1922 年版，第 205 页。
② 《梁启超选集》，上海人民出版社 1984 年版，第 724 页。

个表示反对科学主义的学人，他这种观点对于人们摆脱西方文化的负面影响，无疑是有意义的，帮助人们认识到，西方文化并非尽善尽美，不必全盘接受。这种新的西方文化观有助于人们走出盲目崇拜西方文化的误区。

梁启超介绍批判科学主义的观点，开启了重新审视西方文化的新风气。不过，他对西方文化的质疑，还仅限于科学主义思潮。《东方杂志》的主笔杜亚泉则把质疑的范围扩大到整个西方的物质文明，并且主张重新摆正东西方文化的关系。他说："西洋人于物质上虽获成功，得致富强之效，而精神上之烦闷殊甚。正如富翁，衣锦食肉，持筹握算，而愁眉百结，家室不安，身心交病。"西方物质文明的衰落，反衬出以儒家学说为代表的东方精神文明的优长，因此，应当重新评估东方精神文明的价值，它或许能帮助西方人摆脱困境，救治精神文明方面的危机。杜亚泉在这里找到了对于中国固有文化的自信心，他说："吾代表东洋社会之中国，当此世界潮流逆转之时，不可不有所自觉与自信。""我国先民于思想之统整一方面，最为精神所集注。周公之兼三王，孔子之集大成，孟子之拒邪说，致力于统整者。后世大儒，亦大都绍述前闻，未闻独创异说；……此先民精神之产物，为吾国文化之结晶体。"① 杜亚泉认为儒学是中国文化的主干，具有普适价值。"吾国儒家，一方面抱治平的理想，自强不息，具进化的乐天观；一方面安贫乐道，不婪纷华，又具超越的乐天观。"② 他固然对儒学抱有同情和敬意，但并不主张一味守旧，而是主张"东西方文明调和"，探寻人类文明未来的发展方向。他说："救济之道，在统整吾固有之文明！其本有系统则明了之，期间有错者则修整之，一面尽力输入西洋学说，使其融入吾国固有文明之中。西洋之断片的文明，如满地散钱，以吾国固有文明为绳索，一以贯之。"③ 这种主张正是现代新儒家的共识。

除了《东方杂志》之外，《学衡》杂志也是推动现代新儒学思潮的重镇。学衡派的代表人物梅光迪提出，"中国最大之病根"，"实在不行孔子之教"。他主张："守数千年来圣哲崇尚之精神生活，而以道德为人类文明之指归耳。"④ 被人们赞誉为"向西方寻找真理"的严复，也改变了扬西抑中的态度，成为《学衡》的撰稿人。他在《严几道与熊纯如书札节钞》中写道："鄙人行年将近古稀，窃尝究观哲理，以为耐久舞弊，尚是孔子之书。四子五经，固是最富矿藏，惟须改用新式机器，发掘淘炼而已。"⑤ "新式机器"显然是指西方哲学的

① 《杜亚泉文存》，上海教育出版社 2003 年版，第 366 页。
② 同上书，第 128 页。
③ 同上书，第 366 页。
④ 梅光迪：《敬告我国学术界》，《学衡》1923 年第 23 期。
⑤ 梅光迪：《严几道与熊纯如书札节钞》，《学衡》1922 年第 13 期。

思想方法，他希望用这种方法重新诠释儒家学说，也是在为现代新儒学思潮鼓与呼。

在五四新文化运动的后期，也就是 1923 年，中国思想界发生了影响颇大的"科学与人生观论战"，也称为"科学与玄学论战"。1923 年，张君劢在清华大学作《人生观》讲演，认为科学不能解决人生观问题。他的理由是："人生观之特点所在，曰主观的，曰直觉的，曰综合的，曰自由意志的，曰单一性的。惟其有此五点，故科学无论如何发达，而人生观之解决，决非科学所能为力，惟赖诸人类自自身而已。"他对"人生观"的界定是："我对我以外之物与人，常有所观察也，主张也，要求也，是之谓人生观。"[①] 从这里可以看出，他所说的"人生观"，并不是通常意义上的关于人生价值的看法，而是指哲学意义上的世界观。在哲学上，他举起人文主义的旗帜，反对科学主义的哲学观。张君劢的人文主义哲学观招致科学主义者丁文江的批评，于是引发"科学与人生观论战"或称"科学与玄学论战"。丁文江针对张君劢的人文主义的哲学观，张开科学主义旗帜，宣称"科学方法万能"，可以解决人生观问题。1923 年 12 月 20 日，中国共产党的理论刊物《新青年》发表陈独秀的《〈科学与人生观〉序》和瞿秋白的《自由世界与必然世界》，对论战双方的唯心主义观点均加以批评，阐述唯物史观的立场，遂形成科学派、玄学派、唯物史观派三方鼎立的格局。在中国现代哲学的语境中，张君劢举起人文主义的旗帜，也就是举起现代新儒家的旗帜，表明了现代新儒家的学术立场。他对宋明理学家表示同情与敬意，盛赞他们"功不在禹下"。他自称为"20 世纪的新儒家"，在 1958 年唐君毅起草的《为中国文化敬告世界人士宣言》（学界称"现代新儒家宣言"）上，签上了自己的名字。通过科学与人生观论战，现代新儒学思潮在中国现代哲学领域中占据了与科学派、唯物史观派抗衡的位置，代表了中国现代哲学发展的一个重要方向。

（二）20 世纪 30—40 年代的理论建构

到 20 世纪 30 年代，南京政府成立，东北军的张学良易帜，军阀混战暂时平息。1931 年，日本帝国主义侵占东北三省，民族危机加剧，抗日救亡的民族主义情绪高涨，批孔思潮渐渐退去。在这种形势下，学术界对儒学的同情度大大提升，促使现代新儒学发展到了理论建构阶段。

在这一阶段，倡导儒学开始成为新的潮流。五四新文化运动的支持者、著名的教育家蔡元培写了《中华民族与中庸之道》、《孔子之精神生活》等文章，把儒学同孙中山创立的三民主义联系在一起，提出："孙博士创立这种主义，

---

① 张君劢：《人生观之战》，泰东书局 1923 年版。

成立中国国民党，实在是适合中华民族性，而与古代的儒家相当"。"我们不能说孔子的语言，到今日还是句句有价值，也不敢说孔子的行为，到今日还是样样可以做模范。但是抽象地提出他的精神生活的概略，以智、仁、勇为范围，无宗教的迷信而有音乐的陶养，这是完全可以师法的。"① 他认为，儒家伦理实行现代转化之后，仍然可以指导中国人的精神生活。国学大师章太炎早年曾批评儒学"少振作"、"骄吝"、"迂阔"，这时也转变了态度，对儒学表示同情和敬意，他宣称："余以为救之之道，舍读经未由。"② 他们作为名人，出面倡导儒学，社会影响相当大。最早站出来"为孔子说话"的梁漱溟，在 20 世纪30 年代以后致力于乡村建设运动。乡村建设运动的指导思想就是梁漱溟创立的新儒学。他写出《中国民族自救运动之最后觉悟》和《乡村建设理论》等书，试图把新儒学思想落实到社会改造的实践中。尽管乡村建设运动没有取得成功，但对于儒家思想影响的提升，还是有所促进的。

1935 年，上海的王新命等十教授发表了《中国本位的文化建设宣言》。这篇宣言最早刊登在这年 1 月 10 日出版的《文化建设月刊》第 1 卷第 4 期，因而又称为"一十宣言"。这篇宣言被各报刊转载后，引起各方面的辩论，形成继五四之后思想界第二次关于中西文化关系的大讨论。在这次讨论中，西化派虽然对本位文化派加以反驳，但已无力控制舆论了。王新命等人的"本位文化建设"主张，并没有提出什么系统的文化理论，但表达了同情以儒学为主干的固有文化的思想倾向，反映出现代新儒学影响在增长，并且已经成为一种社会舆论。

经过十几年的理论准备和舆论准备，现代新儒学理论建构的条件已经成熟了。在理论建构上有建树的现代新儒家主要有熊十力、冯友兰、贺麟等人。

（1）熊十力的"新唯识论"。熊十力是新陆王型的现代新儒家。他是由佛教转向儒家的，故而把自己的理论体系称为"新唯识论"，表示已经走出佛教的唯识学，归宗儒家。他虽然没有明确表示承续陆王学脉，实际上是接着陆王讲的。他提出的"体用不二"论，同陆九渊的"吾心即是宇宙，宇宙即是吾心"，同王阳明的"心外无理，心外无物"，思路是一致的。在他看来，"本心"就是宇宙万有的本体，宇宙万物则是这一本体的功用或表现。本心是唯一的真实存在，现实的宇宙万物则是"乍现的迹象"而已。本心作为本体，具有"翕"和"辟"两种功用。本心借助"翕"的功用，物化为物质宇宙，又借助"辟"的作用，使物质宇宙向自己复归。"翕"和"辟"相辅相成，对立统一，

---

① 《蔡元培哲学论著》，河北人民出版社 1985 年版，第 397、431 页。
② 章太炎：《读经有利无弊》，见蔡尚思主编：《中国现代思想史资料简编》第 3 卷，浙江人民出版社 1982 年版，第 650 页。

构成宇宙的无限的运动发展过程。本心既是宇宙万有的本体，也是人生价值的本体。从价值本体的意义上说，本心就是儒家讲的"仁"。但是，现实社会生活中的人，由于受到"量智"思维的限制，常常把世界看成是物质的，让"习心"蒙蔽了本心，不能体认价值本体，遂形成善与恶的分化。因此，应当用"性智"思维取代"量智"思维，祛除"习心"，树立本心，培育"内圣"的道德价值理念。熊十力强调，"内圣"应当通过"外王"即经世致用体现出来，力矫宋明理学有内圣无外王的空疏之弊。总之，本心是"新唯识论"的最高范畴和核心范畴，而"内圣外王"则是终极的价值目标。

（2）冯友兰的"新理学"。冯友兰是新程朱型的现代新儒家。他奉程朱理学为正宗，融会新实在论的思想资源，运用逻辑分析的方法建构了"新理学"思想体系。他认为，在人们经验所及的"实际"（现象界）之外，潜存着超验的"真际"。"真际"在逻辑上先于"实际"，它是"实际"的范型、目的和根据。真际就是程朱理学中所说的"理世界"，也可以称为"大全"、"太极"、"天"或"哲学中的宇宙"（有别于"科学中的宇宙"）。"理"是构成宇宙万物的形式因，"气"是构成宇宙万物的质料因，"道体"构成宇宙万物的动力因，而"大全"则是构成宇宙万物的目的因。"理世界"即是存在意义上的本体，也是价值意义上的本体。人通过"觉解"的途径与"理世界"发生关系，形成主观的精神状态，也就是人的精神境界。按照人对"理世界"的觉解程度，人生中的境界可以划分为自然、功利、道德、天地四种类型，其中天地境界为最高境界。在此种境界中的人，"经虚涉旷"，"自同于大全"、"极高明而道中庸"，主观精神与真际本体合而为一。天地境界就是传统中国哲学所说的天人合一的境界。从真际先于实际的本体论原则出发，经过"觉解"的途径，达到最高的天地境界，这就是新理学的基本框架。

（3）贺麟的"新心学"。贺麟是新陆王型的现代新儒家。他承续陆王学脉，借鉴新黑格尔主义的思想材料和思想方法，建立了"新心学"思想体系。贺麟认为，世界是心的表现。通常所说的"物"，颜色和形状由意识渲染而成；条理和价值也是由心赋予的。事物的客观性来自人的认识的普遍性和共同性，即所谓"人同此心，心同此理"。所以"心和物是不可分的整体。"在这个整体中，心为本质、为主宰、为逻辑主体。他把这种宇宙观引申到认识论方面，便形成"自然的知行合一论"。在知行合一的展开过程中，知是行的本质，行是知的表现；知永远决定行，故为主；行永远为知所决定，故为从。依据心理合一的宇宙观和"自然的知行合一论"，贺麟构想了"合理性、合人情、合时代"的现代儒者人格，主张由"重忠孝仁爱信义和平的道德之儒商儒工"出来做社会的柱石。

除了熊十力、冯友兰、贺麟之外，比较著名的现代新儒家还有马浮和钱穆。

马浮（1886—1967年）字一浮，号湛翁，别号蠲戏老人。他长期隐居在西湖畔，钻研学问。旧学功底深厚，擅长诗词书画，精通多种外语。抗日战争时期，他出任设在四川乌尤寺的复性书院的主讲。他在学界的名气很大，贺麟称他是中国文化仅存之硕果。在他的门人的眼里，"先生守程朱居敬穷理之教，涵养之粹，读书之博，并世未见其比。"马浮为复性书院所立的学规是："主敬为涵养之要，穷理为致知之要，博文为立事之要，笃行为进德之要。"主要著作有《泰和会语》、《宜山会语》、《尔雅台答问正续篇》、《复性书院讲录》等。

马浮认为，文化是精神的产物，而儒家的六艺之学则是人类文化的根本。"全部人类之心灵，其所表现者不离乎六艺，其所演变者不能外乎此。"他承继程朱看重经典、读书务博的学风，重视对儒家经典的研读。他也承继陆王发明本心的传统，把心性视为六艺的根基。他在《复性书院讲录》卷三中说："性外无道，事外无理。六艺之道，即吾人自性本具之理，亦即伦常日用所当行之事也。"而在《宜山会语》中指出："一切道术皆统摄于六艺，而六艺实摄于一心，即是一心之全体大用也。"既然心性是六艺之道的根基，那么，治学的原则当然是由博返约，他在《复性书院讲录》卷一中强调："今明心外无物，事外无理，即物而穷理者，即此心之物，而穷其本具之理也。此理周遍充塞，无乎不在，不可执有内外。"马浮调和朱陆，但侧重于道的普遍性和绝对性，实则倾向于朱，而不是陆。马一浮的名声很大，但在理论上的创新程度不是很高。

钱穆（1895—1990年）字宾四，江苏无锡人。1949年以前曾在北京大学、西南联合大学、江南大学任教授，到台湾后曾任"中央研究院"院士。著有《先秦诸子系年》、《近三百年学术史》、《国史大纲》、《国史新论》、《中国文化史导论》、《宋明理学概论》等四十余种。他自述："自问薄有一得，莫匪宋明儒者之所赐。"[①] 他以宋明理学为指导思想编纂历史，以叙述历史的方式阐发宋明理学。他很强调儒学的特色，并且与外国文化加以比较："大抵中国主孝，欧西主爱，印度主慈。故中国之教在青年，欧西在壮年，印度在老年。我姑赐以嘉名，则中国乃青年性的文化，欧西为壮年性文化，而印度为老年性文化也。又赠之以美谥，则中国文化为孝的文化，欧西为爱的文化，而印度为慈的文化。"[②] 在他看来，孔子堪称青年人的楷模。"孔子中国之大圣，其为人也发愤忘食，乐以忘忧，不知老之将至，是孔子终身常带一种青年气度也。《论语》

① 钱穆：《宋明理学概述·序》，（台北）台湾学生书局1977年版。
② 钱穆：《中国文化与中国青年》，见蔡尚思主编：《中国现代思想史资料简编》，浙江人民出版社1982年版，第398页。

中国之大典，二十篇首《学而》，子曰：'学而时习之，不亦悦乎？有朋自远方来，不亦乐乎？'有子曰：'孝悌为仁之本。'曾子曰：'吾日三省吾身，为人谋而不忠乎？与朋友交而不信乎？传不习乎？'是孔门弟子教训皆主为青年发。《论语》即一部青年宝训也。"[①] 在他看来，儒学有恒常的价值，"只因有孔子的心教存于中国，所以中国能无需法律宗教，而社会可以屹立不摇。此后的中国乃至全世界，实有盛唱孔子心教之必要。"钱穆主要是从史学的角度倡导儒学的，在哲学上没有多少建树。

（三）20 世纪 50 年代后内地的"批孔"和港台新儒家的活跃

1949 年以后，随着思想改造运动的展开，"批孔"思潮逐渐形成，并且在"左"的风气影响下，越演越烈。20 世纪 50 年代初，梁漱溟、冯友兰、贺麟等现代新儒家表示放弃自己的新儒学思想，并且做了言辞激烈的自我批判。许多人发表文章，以政治批判取代学术研讨，把儒家思想等同于"封建主义毒素"，予以全盘否定。到"文革"期间，"批孔"更加极端化，把孔子与"复辟"联系在一起，大搞所谓的"批林批孔"，大搞所谓的"儒法斗争"，把人们的思想完全搞乱了。

20 世纪 50 年代以后，师承于熊十力的唐君毅、徐复观、牟宗三等人来到香港，并且经常到台湾任教讲学。在他们的推动下，台湾港台新儒家开始兴起。港台新儒家的第一项重大举措就是创办新亚书院。1949 年 6 月，唐君毅、张丕介、程兆熊等人共同创办新亚书院，唐君毅出任教务长。到 60 年代初，这所书院发展成为有哲学、历史、中文、数学、生物、物理、化学等学科的综合性学院。1963 年，新亚、崇基以及联合三所书院合并，组建了香港中文大学。新亚书院可以说是港台新儒家的研究基地，徐复观、牟宗三都曾在此执教。港台新儒家的第二项重大举措是创办《民主评论》。这份由徐复观筹措资金在香港创办的杂志，成为港台新儒家的思想阵地。港台新儒家的第三项重大举措是发表《为中国文化敬告世界人士宣言——我们对中国学术研究以及中国文化与世界文化前途之共同认识》（以下简称《宣言》）。他们在与世界各国学者交往的过程中，深深地感到西方学者对以儒学为主干的中国文化存在着很大的误解，觉得自己有责任站出来纠正这种误解，提升中国文化在国际上的地位。唐君毅与当时在台湾的牟宗三、徐复观以及在美国的张君劢联系，达成共识。由唐君毅起草，四人共同署名，于 1958 年元旦在《民主评论》和《再生》杂志上同时发表了这份《宣言》。钱穆也参与了《宣言》起草，因有些看法存

---

① 钱穆：《中国文化与中国青年》，见蔡尚思主编：《中国现代思想史资料简编》，浙江人民出版社1982 年版，第 400 页。

在分歧，没有在《宣言》上签字。

《宣言》4 万多字，表达了港台新儒家的基本主张和共同的学术立场。他们对西方学者关于中国文化的偏见提出批评。有的西方学者出于传教的目的曲解中国文化，有的人出于政治的目的图解中国文化，有的人则出于好奇心，把中国文化看成博物馆中的文物。在某些西方人的眼里，中国文化与古埃及文化、古波斯文化、小亚细亚文化一样，都属于已经死亡了的文化。针对这种偏见，《宣言》严正指出：尽管中国文化有缺陷，称为"病人"未尝不可，称为"死人"断断不可。有数千年历史的中国文化仍旧是活的生命存在，"这中间有血、有汗、有泪、有笑，有一贯的理想与精神在贯注"。因此，考察中国文化应当抱有"同情"和"敬意"："敬意向前伸展增加一分，智慧之运用亦随之增加一分，了解亦随之增加一分。"（见《宣言》第三节）《宣言》在海外产生了较大的影响，标志着港台新儒家作为一个学术群体已经形成。在这个学术群体中，唐君毅、徐复观、牟宗三无疑最具代表性。

唐君毅是仁者型的港台新儒家。他侧重于从正面疏通中国文化的精神与价值，纠正民族文化虚无主义倾向。熟悉西方哲学的唐君毅在本体论研究方面也从生命进路契入，但同熊十力相比还是向前推进了一步。他的本体论思想更加凸显人文色彩，并且指向道德理性。他不再以佛教为对话的主要对手，更为重视中国哲学与西方哲学的比较与会通。他借鉴德国古典哲学（尤其是黑格尔哲学）的理论思维成果，诠释儒家的心性之学，力图证成"道德理性"的本体论地位。

在他看来，宇宙间万物在时空中固然相互外在，然而在这种外在性中隐含着万物之间相互联系着的内在性。内在性是超越于物质世界之上的，其实是生命的表现形式。于是，唐君毅从物质世界跃升到生命的世界。他指出，生命的特质在于，它必须求得自身的不断延续，求其过去的生命内在于现在的生命，求现在的生命于将来的生命。唐君毅由此得出结论："任一生物，皆有一使全宇宙的物质皆表现其身体之形式之潜在的要求。此是一生命之盲目的大私，亦即其晦暗之原始之无明，或欲征服一切之权力意志。"[①] 在这里，他把宇宙的内在性归结为生命，把生命理解为动态的本体，理解为盲目的意志，显然是接受了从叔本华到柏格森西方现代非理性主义的影响。但唐君毅并不是非理性主义者。在他看来，生命的世界还不是究极的世界，因为在生命的世界中尚无自觉的价值意识，尚处在"无明"状态。因此，必须超越生命的世界，继续向前探究。

唐君毅对生命世界作了这样的分析：生物的生命活动不可避免地受到生存

---

① 唐君毅：《文化意识与道德理性》，（台北）台湾学生书局 1986 年版，第 62 页。

环境的限制，不过这种限制随着生命的发展可以被突破、被超越。到了生命的高级形态，"克就此时超越自身之形式之限制，而有所增益上言，则生物之本性即不得说为不自觉之大私或无明，而是不断自其私之形式解放，以开明其自体，而通达于外者。"① 他的这段分析表明，唐君毅已摆脱非理性主义，而跨入理性主义的轨道。他由非理性的生命世界跃升到理性的人文世界，并且把人文世界描述为体现道德价值的世界，运用现代的哲学语言表达了"仁者与万物同体"的儒家情怀。在人文的世界中，"大私"、"无明"、"权力意志"等非道德的因素均被化除，形而上的精神实体朗现。至此，唐君毅终于由形而下达到形而上，由物质世界、生命世界的"杂多"求得人文世界的"统一"，证成他心目中的本体——他称之为"生生不息之几之形上实体或形上之宇宙生命精神"。这种宇宙生命精神是通过人自觉的体现出来的，从这个意义上说，它就是"本心"、"仁体"、"道德自我"、"精神自我"、"超越的自我"、"道德理性"。我们从唐君毅哲学思考步步展开的过程中不难看出，他的本体论思想始终关注着人文的价值、道德的价值。他的本体论无疑是一种唯心主义，但不是西方哲学中的认知意义上的唯心主义，而是道德意义上的唯心主义。唐君毅的本体论思想既有熊十力的痕迹，又透出黑格尔式的思辨，就其理论深度来说，显然已超出乃师。

徐复观是勇者型的港台新儒家。他对形而上的哲学思辨不感兴趣，甚至对他的师友也有所批评，认为他们"把中国文化发展的方向弄颠倒了"。照他看来，儒学的根基建立在"仁心"或"本心"这一价值的自我意识上就足够了，没有必要对其作形而上的证明。他认为，"仁心"规定了人生的价值或意义，认同这一价值意义的源泉，并且由此引出生活格局、社会秩序，这就是儒家思想的基本路数。显然，徐复观的新儒学思想同其师友一样，也是基于"仁心"这一最高范畴，也是贯彻内圣外王的理路。同其师友不同的是，他不愿意把思考的重点放在本体论方面，以免人们把儒学视为难以涉足其间的畏途。照他看来，与其费力地探讨内圣（本体）如何建立，不如探讨外王（科学和民主）如何开出，这样才会使新儒学更具现代感、更有社会影响力。

那么，外王如何从内圣开出呢？徐复观提出的方案是"转仁成智"。所谓"仁"是指价值的自我意识，而"智"是指认知理性。他认为由"仁"无法直接开出科学和民主，因此必须转仁成智才能实现儒学的现代转化。他指出，传统儒学之所以没有开出科学和民主，原因之一就在于没有实现转仁成智。徐复观对传统儒学保有深沉的同情和崇高的敬意，但并不讳言传统儒学的缺点。他认为，传统儒学大都为统治者说话，很少为被统治者说话，现代新儒家必须转

① 唐君毅：《文化意识与道德理性》，（台北）台湾学生书局1986年版，第62页。

变立场，做被统治者的代言人。他是这样说的，也是这样做的，发表大量政论文章，抨击当局的专制主义政策，为呼吁民主而大声疾呼。

严格地说，徐复观的"转仁成智"说并没有回答如何从内圣开出新外王的问题，只是肯定由内圣应该开出新外王。他的主张实则是推进传统，而不是保守传统。他极力证明传统的儒学同现代的民主政治并不矛盾，从儒家典籍中找出"天听自我民听，天视自我民视"之类的民主思想的闪光点，但从未作出从儒学中直接开出民主政治的断语。徐复观这一处理传统儒家学说与民主政治的关系，表现出较强的批判精神、正视历史的求实精神和面向世界的时代精神。这在狭义新儒家当中颇为独特。

牟宗三是智者型的港台新儒家。他沿着生命—人文—道德的进路，明确地提出"道德的形上学"，最后完成了对新儒家思想的本体论诠释。牟宗三指出，"道德的形上学"不同于"道德底形上学"。后者是从形上学角度研究道德，并非是"形上学"本身；前者"则是以形上学本身为主，而从'道德的进路'入，以由'道德性当身'所见本源渗透至宇宙之本源，此就是由道德而进至形上学了，但却是由'道德的进路'入，故曰'道德的形上学'。"① 按照牟宗三的解释，儒家所谓"仁"，所谓"本心"并非仅指道德意义上的主体，而应当视为宇宙万有的本体，故称"道德的形上学"，——这正是儒家哲学的特质之所在。所谓"道德的形上学"也就是儒家一脉相传的内圣心性之学或"成德之教"。它所讨论的主要问题有两个方面："首在讨论道德实践所以可能之先验根据（或超越的根据），此即是心性问题是也。由此进而复讨论实践之下手问题，此即是工夫入路问题是也。前者是道德实践所以可能之客观根据，后者是道德实践所以可能之主观根据。宋明儒心性之学之全部即是此两问题。以宋明儒词语说，前者是本体问题，后者是工夫问题。"② 立足于"本心仁体"这一"道德的形上学"的基本理念，牟宗三试图解决"外王如何从内圣开出"的问题。他使用三个术语评判传统儒学：一是道统，即"道德的形上学"，这是儒学的最突出的理论成就；二是学统，即科学知识，传统儒学对此不够重视；三是政统，即民主政治，在这方面只有理性之运用表现而无理性之架构表现。总的结论则是在传统儒学当中"有道统而无学统与政统"。换句话说，传统儒学事实上并未开出新外王，未开出科学和民主。那么，在理论上从儒家的内圣之学能否开出新外王呢？牟宗三的回答是肯定的。他认为开出的具体途径就是"良知的自我坎陷"，即从德性主体转出知性主体，以便为科学、民主的发展提供依据。他说："由动态的成德之道德理性转为静态的成知识之观解理性，这一步

---

① 牟宗三：《心体与性体》第1册，（台北）中正书局1968年版，第140页。
② 同上书，第8页。

转，我们可以说是道德理性之自我坎陷（自我否定）：经此坎陷，从动态转静态，从无对转有对，从践履上的直贯转为理解上的横列。"① 至于如何从道德主体"坎陷"出知性主体，他并未做出令人信服的说明。

（四）20 世纪 70 年代末的正本清源

党的十一届三中全会以后，新中国的社会发展迈入新的历史时期。在邓小平理论的指导下，拨乱反正，"左"的影响逐步被清除，儒学研究也呈现出新的气象。20 世纪 80 年代初，北京大学成立中国文化书院，梁漱溟出任名誉院长。文化书院举办多次中国传统文化讲座，受到欢迎。梁漱溟不顾年事已高，重新活跃在讲坛上，多次阐述他关于儒学以及中国传统文化的看法，影响很大。随着改革开放的力度不断加大，海外儒学研究的情况也被介绍过来，扩大了人们的眼界。人们把这种新变化称为"传统文化热"。尽管也有人对这股热潮颇有微词，人们敌视儒家的心态毕竟在逐步扭转。

从 20 世纪 80 年代开始，大陆学术界越来越重视儒学研究。许多大学都开设关于儒学的课程，许多硕士生、博士生选择儒学研究作为硕士或博士论文选题。1981 年，刚刚成立不久的中国哲学史学会在杭州召开"宋明理学研讨会"，参会人数达数百人之多，盛况空前。陈荣捷、狄百瑞、刘述先等海外著名的儒学研究者也出席了这次会议。在这次研讨会上，许多学者都围绕儒学这个话题发表自己的学术观点，对儒学表示同情的理解。1986 年，国家社会科学基金批准设立"七五"重大项目"现代新儒家研究"，由方克立、李锦全担任课题组召集人，组织研究队伍。这一课题从"七五"顺延到"八五"，有 30 多人参加课题组，发表论文数百篇，出版学术专著数十种，召开多次学术研讨会，产生很大的学术影响。一些全国性的儒学学术团体如孔子基金会、中华孔子学会、国际儒学联合会等也相继建立起来。这些学术团体经常举办关于儒学的大型活动，党和国家的领导人有时也出席并发表讲话，表示支持。儒学的社会影响力显然有较大的提升，实事求是、自强不息、以人为本、以德治国、明礼诚信、和而不同、和谐互助等有儒家色彩的语汇，已经融入了执政理念。

在国际中国哲学会和杜维明、刘述先、成中英、余英时等学者的推动下，儒学在国际思想界的影响力也有较大的提升。1997 年 12 月，在意大利的拿波里召开"第二次世界伦理会议"。此次会议由联合国教科文组织主导，由意大利哲学院承办，30 位来自世界各地的哲学家与会。刘述先作为儒家的代表出席了这次会议，并在会上阐述了儒家伦理的现代意义，与世界上各大宗教的代表进行对话，提出用"理一分殊"来面对世界伦理问题的主张。杜维明来往于

---

① 牟宗三：《政道与治道》，（台北）台湾学生书局 1983 年版，第 58 页。

美国和两岸三地之间，用中、英文宣讲他的新儒学思想，引起了学术界乃至大众对儒学的现代价值的关注。国际中国哲学会还同国内学术机构联合举办多次大型学术会议，提升了儒学的影响力。

2002 年，中国人民大学建立孔子研究院，着手编纂儒藏，每年组织"孔子文化月"活动，举办"国际儒学论坛"，在国内外引起极大的反响，先后有数以千计的中外学者参与中国人民大学孔子研究院组织的各种学术活动。"十六大"报告中对中华民族精神表示高度的重视，十六届四中全会发出建构和谐社会的号召，进一步推动了全社会对儒学思想资源的关注。中国人民大学率先建立国学院，培养国学人才。许多大学也建立专门的研究机构，开展儒学研究。除了中国人民大学之外，北京大学、四川大学也投入大量的人力和财力，开展儒藏编纂工程。近年来，各种关于儒学的学术会议接连召开，关于儒学的专著不断出版，关于儒学的论文大量发表，"儒门清淡"的局面基本上得以扭转。

由上述可见，现代新儒学思潮虽然是现代新儒家提出的一个话题，但到 20 世纪末，已经不再局限在现代新儒家的范围内，已经变成全中华民族的思想动向，变成社会主义精神文明建设的一项重要内容。未来的现代新儒学思潮，将在时代精神和民族精神的交汇中，将在与世界上其他文化形态的对话中，得到长足的发展。

三、现代新儒学思潮的表现形态

发端于 20 世纪初的现代新儒学思潮至今已经有近 80 年的历史了。我们认为，"现代新儒学思潮"的外延应当包括两个组成部分：一部分可以称为"现代新儒家"，指那些明确地表示以接续儒家道统为己任的学者，他们表现出鲜明的文化保守主义学术立场。"现代新儒家"又有狭义与广义之分。另一部分可以称为"儒家解释学"，指那些不标榜道统的儒家研究者或诠释者，他们分别站在不同的学术立场对儒家思想作同情的理解与诠释，以彰显儒学的现代价值。

（一）狭义新儒家

狭义新儒家奉儒家内圣学为道统，尊陆王而贬程朱，采取生命的进路，标榜道德形上学，主张由内圣开出外王，从梁漱溟、熊十力到唐君毅、徐复观、牟宗三，构成了一条明显的学脉。

梁漱溟是狭义新儒家的开山，他确立了这一学派的基本风格。首先，他第一个站出来"替儒家说话"，从现代理论需要的角度肯定儒学的价值。他从西方发生第一次世界大战的严酷事实中看出，西方文化绝非如某些中国人原来想象得那么美妙。尽管中国在物质文明方面的成就远不如西方，但在精神文明方面却具有西方文化不可比拟的优长。他的这种儒家思想优于西方文化的看法，尽管在后来的狭义新儒家当中有所修正，但基本上得到比较一致的认同。其次，他采取生命的进路诠释儒学的现代价值。他认为柏格森的生命哲学与儒学有相通之处，借鉴柏格森的思想方法和思想数据，从主体主义立场出发，接上陆九渊、王阳明等心学一脉，为狭义新儒家定下了崇陆王而贬程朱、发挥内圣学的基本发展思路，这在后来也成了狭义新儒家理论的基本风格。

梁漱溟提出儒学优位论、主体主义和生命的进路，可以说表述了狭义新儒家的基本理念，但他尚未来得及作出充分的论证。他只是开启者，而不是终结者。他在草创新儒学思想之后，便转向实践方面，长期致力于乡村建设运动和其他社会活动，在理论方面没有取得多少进展。梁漱溟的讲友熊十力接过他在北京大学的教职，多年从事教学和理论研究，担负起了发展狭义新儒家基本理论的任务。他从生命进入到人文，确认儒家"本心"范畴的本体论意义。他在《新唯识论》中写道："本书生命一词，为本心之别名，则斥指生生不息之本体而名之。"① 本心具有"翕"和"辟"两种功用，施设宇宙、统摄宇宙，构成存在的本体；"仁者，本心也。即吾人与天地万物所同具之本体也。"② 本心也是人生价值的源头。他依据体用不二论建立内圣外王论。

熊十力的新儒学特别关注两个问题：一是本体如何建立的问题，二是外王如何从内圣开出的问题。他对第一个问题投入的精力比较多，但由于他对西方哲学并不十分熟悉，主要是采取与佛教对话的方法展开他的哲学构想的，虽多有创见，可是对西方哲学的回应毕竟有些力不从心。这对熊十力的理论思维深度不能不构成一个明显的限制。就连他的弟子牟宗三也觉得乃师的本体论思想"没有十字打开"。至于外王如何从内圣开出的问题，他解决得也不够理想。他的"外王"观念也比较陈旧，尚未明确地赋予科学与民主的内涵。尽管受到主客观条件的限制，熊十力对上述两个问题的解决不够圆满，然而正是他把这两个问题凸显出来，为后来的狭义新儒家开辟了广阔的理论思考空间，从而为狭义新儒家的发展起到了导向的作用。1949 年以后，狭义新儒家的研究中心转到港台地区，熊十力的弟子唐君毅、徐复观、牟宗三成了狭义新儒家的代表人物。他们的新儒学思想各有特色，但也有共性。其共性就是，他们都试图以各自的方式解决"本体如何建立"和"外王如何开出"这两个狭义新儒家的基本问题。

---

① 熊十力：《新唯识论》，中华书局 1985 年版，第 525 页。
② 同上书，第 567 页。

唐君毅也是从生命进路契入的，但同熊十力相比还是向前推进了一步。他试图立足于人文主义立场解决"本体如何建立"的问题。他认为，本体就是"道德自我"或"道德理性"，把儒家的心性之学诠释为超验的唯心论。在他看来，宇宙间万物在时空中固然都是相互外在的，然而在这种外在性中也隐含着万物之间相互联系着的内在性。内在性是超越于物质世界之上的，其实是生命的表现形式。于是，唐君毅从物质世界跃升到生命的世界，又从生命世界跃升到人文世界。为此，他进一步提出了"生命三向说"和"心灵九境说"，展开了他对道德理性的系统论述。

不喜欢哲学思辨的徐复观不大关心"本体如何建立"的问题，特别看重"外王如何从内圣开出"的问题。徐复观提出的解决方案是"转仁成智"。所谓"仁"是指价值的自我意识，而"智"是指工具理性。以往的儒家过分拘泥于"仁"，而没能转"仁"成"智"，因而无法开出科学和民主。现代新儒家应当在先儒的基础上，把儒学向前推进一步，实现"转仁成智"，实现儒学的现代转化，接纳科学和民主。徐复观已经意识到，工具理性的缺失是传统儒学的不足之处，弥补这一不足是儒学实现现代转化的关键。至于从"仁"何以可能转出"智"，或者说，从价值理性何以可能转出工具理性，他似乎还未做深入的理论探讨。

牟宗三沿着梁漱溟开辟的生命进路，认同熊十力的本心本体论，吸收唐君毅和徐复观的研究成果，最后建构成"道德的形上学"。他强调，儒家立足于人所特有的"智的直觉"，从有限进入无限，达到"道德的形上学"。所谓"道德的形上学"，就是道德意义上的本体论，有别于西方哲学中认知意义上的本体论。这种"道德的形上学"，就是先儒所说的天德良知，就是儒家的安身立命之地，就是儒家做人的哲学依据，就是儒家独特的理论造诣。儒家的"道德形上学"，已经超越了康德，达到了西方哲学没有达到的理论高度。依据"道德的形上学"，牟宗三提出"坎陷"说。他认为，必须从德性主体"坎陷"出知性主体，才可以从儒家的内圣学开出新的外王学，开出科学和民主。至此，他比较系统地回答了狭义新儒家的两个基本问题，为这一学派的发展画上了句号。他的新儒学思想是狭义新儒家的最高阶段，换言之，狭义新儒家到牟宗三这里便宣告终结了。这里所说的"终结"不等于"完结"，不等于说牟宗三后继无人，只是说他的后继者很难再沿着他的思路继续推进他的理论，很难在学理上有新的突破。

（二）广义新儒家

广义新儒家的道统观念比较宽泛，冯友兰奉程朱为正统，贺麟则力图化解陆王与程朱的对立，但倾向于陆王。他们在建立思想体系的时候，没有选择非理性主义的生命进路，而是选择了理性主义的学理进路。同狭义新儒家相比，广义新儒家不能算是严格意义上的学派，他们之间有明显的观点分歧。

冯友兰采取逻辑分析的进路建构了"新理学"体系。他用"理"、"气"、"道体"、"大全"等四个"逻辑观念"解释世界："理"是万事万物的形式因，"气"是质料因，"道体"是动力因，"大全"是目的因。根据人对"理世界"的觉解程度，人生境界可以划分为自然、功利、道德、天地四种境界，其中天地境界为最高境界。在天地境界中的人，就是儒家所说的圣人，也就是进入天人合一境界中的理想人格。新理学引入现代西方哲学界较为流行的逻辑分析方法，改造传统儒家哲学的思维方式，对于儒学的现代转换是有促进作用的。一般说来，传统的儒家学者虽然提出一些深邃的哲理，但因缺少逻辑论证，理论性显得比较薄弱。新理学避免了这个缺点。他以知性思维的逻辑性和明晰性纠正了直觉思维的独断性和神秘性，开辟了中国哲学研究的新路。同时，冯友兰的新理学彰显出理世界的超越性，由超越性讲到内在性，对于全面弘扬宋明理学的学术精神做了必要的工作，而狭义新儒家往往尊陆王而黜程朱，从生命的进路承续内圣学，但沿着他们的进路恐怕讲不出超越性来。从这个意义上说，新理学的确有狭义新儒家所不及之处。

贺麟采取逻辑综合的进路建构了"新心学"体系。在他看来，心与物是不可分的整体：不能离开心，解释事物的存在；也不能离开物，把心抽象化。心有两种含义，一为"心理上的心"，二为"逻辑上的心"。"心理上的心"规定物，"逻辑上的心"规定理。"心理上的心"是"被物支配之心"，相当于宋明理学中的"已发"，故"心亦物也"；"逻辑上的心"是"超经验的精神原则，是经验的统摄者，行为的主宰者，知识的组织者，价值的评判者，是心理意义的心由以成立的根据"，相当于宋明理学中的"未发"。"未发"为"已发"之体，故"心为物之体，物为心之用"。心与物是不能两相分离的，所有的现实存在物，都是心物合一的。贺麟合心而言实在，合理而言实在，合意义价值而言实在，得出的结论是："从哲学看来，仁乃仁体，仁为天地之心，仁为天地生生不已之生机，仁为自然万物的本性，仁为万物一体生意一般之有机关系之神秘境界。简言之，哲学上可以说是有仁的宇宙观，仁的本体论。离仁而言本体，离仁而言宇宙，非陷于死气沉沉的机械论，即流于黑漆一团的唯物论。"[1]通过对"仁"这一儒家伦理规范的强调，贺麟新心学的宇宙论也就过渡到了伦理主义，从而实现了向儒家学脉的复归。

---

① 贺麟：《文化与人生》，商务印书馆 1947 年版，第 6 页。

（三）儒家解释学

"儒家解释学"与"现代新儒家"相比，外延更宽。无论选择怎样的学术立场，无论选择怎样的研究视角，只要是以同情的态度诠释儒家思想，用现时代人的眼光发掘儒家思想资源，都可以归入"儒家解释学"的范围。

儒家解释学在五四时期就已见端倪。西化派的代表人物胡适虽然曾经称赞吴虞是"只手打孔家店的老英雄"，但他在批孔的同时，也做了一些释孔的工作。他在《先秦名学史》中对孔子作了积极的、肯定的评价，认为孔子"基本上是一位政治家和改革家，只是因强烈的反对，使他的积极改革受到挫折之后，才决心委身于当时青年的教育。"[①] 在《中国哲学史大纲》和《中国中古思想史长编》中，他把孔子、孟子、荀子乃至汉初儒生都当作研究的对象，而不是批判的对象，也作出同情的诠释。到 20 世纪 30 年代，尽管胡适仍旧坚持批儒的立场，但已走出激情，能够以更加客观、更加平和的心态看待儒学，将其当作学术研究的对象，并且取得了一些重要的研究成果。1934 年他写出 5 万多字的《说儒》，阐述了他关于儒学的起源及其早期发展的看法。他指出，经过孔子改造以后，儒学不再是亡国遗民柔顺以取容的人生观，精神面貌焕然一新，转变成积极进取的人生观。"'士不可以不弘毅：任重而道远'，这是这个新运动的新精神。"[②] 孔子把柔弱的儒和杀身成仁的武士结合起来，提出一个新的理想人格，即"君子儒"。对于孔子倡导的新儒行，胡适也表示充分的肯定，评论说："他把那有部落性的殷儒扩大到那'仁以为己任'的新儒；他把那亡国遗民的柔顺取容的殷儒抬高到那弘毅进取的新儒。这真是'振衰而起儒'的大事业。"[③] 尽管胡适的结论引起了争议，但他同情儒学的态度是显而易见的。

接受唯物史观的中国马克思主义者，一般都对孔学抱着批判的态度。他们作了大量的清理封建主义思想糟粕的工作，努力为新民主主义革命扫清思想障碍，为马克思主义在中国的传播扫清思想障碍。不过，他们并没有因此而全盘否定孔学的价值，在批孔的同时，他们也作了大量的释孔工作，付出了相当大的努力。陈独秀多次提到，"孔学优点，仆未尝不服膺。"李大钊说："故余掊击孔子，非掊击孔子之本身，乃掊击孔子为历代君主所雕塑之偶像的权威也；非掊击孔子，乃掊击专制政治之灵魂也。"[④] 他已注意到了如何评价孔子这一

---

① 胡适：《先秦名学史》，学林出版社 1983 年版，第 25 页。

② 《胡适文存》（四集）卷一，亚东图书馆 1921 年版，第 47 页。

③ 同上。

④ 《李大钊选集》，人民出版社 1959 年版，第 80 页。

问题的复杂性。郭沫若认为，在孔子的思想中包含着"以人民为本位"的精华。"孔子的基本立场既是顺应着当时的社会变革的潮流的，因而他的思想和言论也就可以获得清算的标准。大体上他是站在代表人民利益的方面的，他很想积极地利用文化的力量来增进人民的幸福。"[①] 侯外庐和杜国庠也运用唯物史观研究儒家学说，肯定儒学在思想史上的地位。从发展趋势上看，中国马克思主义者对孔学态度逐渐从批判过渡到同情，从以清理思想糟粕为主过渡到以提留思想精华为主。应当说这种转折是正常的、合理的。如果我们当时能沿着他们开辟的方向往前走，也许会早些完成"释孔"的任务，可惜由于受到"左"的思潮的干扰，我们竟走了几十年的弯路。这里的教训难道不应该认真反思吗？过去，人们总觉得批孔是合乎唯物史观的，而同情地释孔则是违背唯物史观的，现在应该纠正这种误解了！

"文革"结束之后，"左"的思潮的干扰得以排除，学术界走出批孔的误区，相当多的学者开始从新的视角诠释儒家思想。1980年，著名哲学史家张岱年在《孔子哲学解析》一文中，把孔子的思想概括为十点：1. 述古而非复古；2. 尊君而不主独裁；3. 信天而怀疑鬼神；4. 言命而超脱生死；5. 举仁智而统礼乐；6. 道中庸而疾必固；7. 悬生知而重见闻；8. 宣正名而不苟言；9. 重德教而轻刑罚；10. 整旧典而开新风。他在多次学术会议上讲，时至今日，尊孔的时代已经过去了，批孔的时代也已经过去了，现在已经进入了研究孔子的新时代。他所说的"研究"，其实就是从新的视角、以同情的态度诠释儒学，就是建构同新时代相适应的新儒学。张岱年写了《关于孔子哲学的批判继承》、《孔子与中国文化》、《评"五四"时期对于传统文化的评论》、《孔子的评价问题》、《儒学奥义论》等多篇文章，阐述他关于儒学的新见解。

张岱年不同意给孔子戴上一顶"保守主义"的帽子，他说："多年以来有一个流行的说法，认为孔子在伦理学说、教育思想方面有所创新，在政治上却是保守的，属于守旧派，他一生不得志，是由于他的政治活动是违反历史发展趋势的。十年动乱时期，'批孔'、'批儒'，更指斥孔子是一个顽固的反动派、复古派、复辟狂。时至今日，这个问题须加以认真考察，分辨清楚。"[②] 他充分肯定孔子对于中国文化的历史性贡献，他说："孔子有哪些主要的贡献呢？第一，孔子是第一个从事大规模讲学的教育家在客观上为战国时代的百家争鸣开辟了道路。第二，孔子提炼并宣扬了上古时代流传下来的关于公共生活规则的处世格言，提出了以'泛爱'为内容的仁说。第三，孔子重视人的问题而不重视神的问题，提倡积极有为的乐观精神，要求在日常生活中体现崇高理想，

① 郭沫若：《十批判书》，东方出版社1996年版，第87页。
② 《张岱年全集》卷6，河北人民出版社1996年版，第114页。

从而为中华民族的'共同心理'奠定了基础。"① 他认为，儒学的基本精神不但不是保守主义的，反而是积极进取、乐观向上的。张岱年把儒学分为深、浅两个层面：维护等级制的思想，属于浅层的儒学；微言大义才属于深层的奥义。这些思想为"一般人所不易理解的，对于文化思想的发展却起了非常重要的作用。"② 儒学的浅层思想应当批判，而儒学深层的奥义具有普适价值。他说："儒家学说中确实具有一些微言大义，'微言'即微妙之言，'大义'即基本含义。微言大义即比较具有深奥精湛的思想，亦就是儒学的深层意蕴。儒学是有时代性的，时至今日，儒学的许多观点（主要是浅层思想）都已过时了，但是其中也有一些重要观点（主要是深层思想）却具有相对的'普遍意义'，虽非具有永恒的价值，但至今仍能给人们以深刻的启迪。"③ 张岱年拒绝人们把他称为新儒家，但把他的这些新见解归入"新儒学"的范围，恐怕他是不会反对的。张岱年可以说是新的历史时期运用马克思主义观点诠释儒学的杰出代表。

李泽厚也是新时期重新诠释儒学的学者之一。在 20 世纪 80 年代，他出版《中国古代思想史论》一书。在这本书里，他把儒家思想诠释为原始的人道主义，并且表示同情的理解。他认为，儒学"在塑建、构造汉民族文化心理结构的历史过程中，大概起了无可替代、首屈一指的严重作用"。④ 儒学作为汉民族的集体无意识，已经渗透在人们的心理结构、行为准则、思想观念之中，变成日用而不知的基因，是无法全盘抛弃的，必须寻找促使其"转换性地创造"的途径。他不赞成港台新儒家关于儒家文化已死的论断、关于儒学发展的三期说、内圣外王说、内在超越说、"智的直觉"说、道德形上说，强调实用理性、乐感文化、情感本体、一个世界才是中国文化的根本特征。有些人根据李泽厚的这些看法，把他归入现代新儒家的行列。他本人对此不置可否，并不表示认同。其实，把他看作一个儒家解释学者，恐怕更为确切。

牟宗三的后学林安梧提出"后新儒学"的概念，对乃师的"两层存有"、"良知的自我坎陷"、"智的直觉"等观点提出批评，认为乃师以形式主义的方式把儒学加以理论化和知识化，有意无意地造成了"道的错置"。他在《道的错置——中国政治思想的根本困境》一书中指出，现代新儒家以道德自我或良知涵盖一切，陷入了本质主义的误区，远离了生活世界。他特别强调人的经验实存性，主张回到现实的生活世界，从人的社会生活关系、互动实践角度诠释

---

① 《张岱年全集》卷 5，河北人民出版社 1996 年版，第 393—394 页。
② 《张岱年全集》卷 7，第 1 页。
③ 同上书，第 1—2 页。
④ 李泽厚：《论语今读》，安徽文艺出版社 1998 年版，第 3 页。

儒学的意涵，而不必拘泥于道德理想主义的立场。林安梧提出的"后新儒学"，显然已突破了现代新儒家的视界，也应属于儒家解释学的范围。

我们把现代新儒学运动概括为上述三种表现形态，旨在扩大研究范围。以往的研究范围，大都局限在"现代新儒家"的范围，局限于有数的几个人，难以反映现代新儒学思潮的整体动向。实际上，"现代新儒家"只是现代新儒学思潮的部分内容，并且只有思想史的意义，无法反映现代新儒学思潮的发展前景。"现代新儒家"的讲法，只是关于现代新儒学思潮的一种讲法，并不是现代新儒学思潮的全部内容。除了"现代新儒家"之外，"儒家解释学"还有诸多讲法。把这两部分内容综合起来研究，才能看清现代新儒学思潮的发展动向。

激进与保守之间

——近代文化中的调和论思潮

干春松

内容提要： 随着近代西方文化的冲击，中国传统社会的转型出现了旧价值退场而新的核心价值难产的混乱状况，从而使得文化问题成为中国由近代转向现代过程中一个至关重要的问题，并使得 20 世纪文化讨论成为与政治、经济变革密切相关的社会事件。在激进和保守的变奏中，调和论或折衷论的观念特别值得我们注意。调和论在严格意义上并不能构成一个"派"，而是激进派和保守派所共同采用的"障眼法"，即通过调和的手段作为自己真实立场的掩护。本文便集中探讨了近代文化中介于激进与保守之间的新文化运动、杜亚泉、梁启超、梁漱溟以及学衡派等的调和论思想。

关键词： 激进、保守、调和论

中国传统社会以儒释道的主从结构来建立政治和社会价值体系，并为现实的政治合法性和价值的正当性提供支撑。但近代西方文化的进入，并非如汉魏之际佛教传入，只是对中国人的精神世界产生影响，[①] 而是代表着一种"现代性"对于传统社会的解构。康有为的变法运动是最先直接涉及现代性的制度设计和传统的价值理念之间协调的一次尝试。这种尝试毋宁说是"中学为体，西学为用"的实践版。但康有为的努力总归于失败。而更为激进的革命派，则在利用民族主义的口号将满族政权推翻之后，却已无力再运用民族主义重聚儒家的价值的正当性。因为当一系列的政治、社会制度变革之后，儒家所赖以发挥作用的制度体系遭受了空前的挫折，进而出现了旧价值退场，而新的核心价值难产的局面。这种价值观上的混乱状况，使得文化问题成为中国由近代转向现

---

① 刘小枫说："华夏帝国自汉以降未遇到制度理念的正当性危机，朝代的更替是政权的更换，制度理念及正当性形式没有变。虽然各代都在具体的制度安排方面有所变革，为制度问题忧心的儒生代不乏人。然而，凡此变革和忧心，都是在儒家的制度理想的框架中生发的。儒家的政制理念的正当性本身，从未受到过挑战。佛教义理人华，对作为国家宗教的儒教的义理有很大的冲击。陆王心性圣学不会成为这个样。但佛教人华，并未携带一套政制理念，从而未激起儒学在政制理念选择上的反应。"见刘小枫：《儒家革命精神源流考》，载《个体信仰与文化理论》，四川人民出版社 1997 年版，第 532页。

代过程中一个至关重要的问题，并使得 20 世纪文化讨论成为与政治、经济变革密切相关的社会事件。这中间对于中国人而言，最为重要的是如何安顿中西文化的地位问题。

在激进和保守的变奏中，有一种思维方式值得我们注意，即调和论或折衷论的观念。调和论在严格意义上并不能构成一个"派"，[①] 而是激进派和保守派所共同采用的"障眼法"。也就是说通过调和的手段作为自己真实立场的掩护。比方说激进的西化派会采取西学与中学并不冲突的言说来为西学的传播提供合法性的依据。而保守派为了不给人以顽固不化的口舌，也会运用"道器"、"体用"等手段来化解双方立场之间的尖锐对立。如果要列举这个问题的关键词的话，"中体西用"、"国粹和欧化"[②]、"古今中西"等，无不体现出中国人在寻找国家富强和价值凝聚之间的矛盾和紧张。

这种紧张在 20 世纪的第一个高潮便是新文化运动。

一、新文化运动，从文化寻求现代化之路

新文化运动的一个直接结果是使西方的新思潮以一种前所未有的势头传入中国。虽然在鸦片战争之后，中国人就开始"开眼看世界"，但是在"中学为体，西学为用"的总体思路之下，中国人始终认为西方文化只有器物上的优势，而政治道德领域是西方所不及的，因此虽然严复的进化论等影响巨大，但其影响所及只是少数的人，因为真正的新知识群体形成要到民国成立之后。所以张灏指出："一般认为，在 1840 年与西方开始接触后的 19 世纪大部分时间里，西方对中国思想上的冲击仍然是表面的。除少数几个在位的学者官员和一些在通商口岸处于边际地位的人物之外，西方的影响几乎没有渗透到中国的学术界。令人惊讶的是，19 世纪末中国的一些重要思想人物，如陈澧、朱次琦、

---

① 陈序经认为存在着一个与西化派和复古派不同的折衷办法的派别。"折衷派的主张是要把一部分的西洋文化来和中国的固有文化融合起来，而成为一种中西合璧的文化。"他把"道的文化与器的文化"、"中学为体，西学为用"、"精神文化与物质文化"、"静的文化与动的文化"等都归入折衷派。站在全盘西化立场上的陈序经，当然认为这些主张是毫无根据的。见陈序经：《东西文化观》，中国人民大学出版社 2005 年版，第 81 页。

② "国粹"和"欧化"也是一组经常使用的概念，从 20 世纪初的国粹派，到 20～30 年代的"学衡派"均对这组对称性的概念情有独钟，尽管这个概念本身是从日本传入的。当时一本以翻译为主要内容的杂志介绍说："日本有二派，一为国粹主义。国粹主义者谓保存己国固有之精神，不肯与他国强同，如犹国家而论，必言天皇万世一系；就社会而论，必言和服倭屋而不可废，男女不可平权等类。一为欧化主义，欧化云者，谓文明创自欧洲，欲己国进于文明，必先去其国界，纯然以欧洲为师。极端之论，至谓人种之强，必以欧洲互相通种，至于制度文明等类无论矣。"见《日本国粹主义与欧化之消长》，《译书汇编》第 5 期。

朱一新和王闿运的思想，很少显示出西方影响的迹象。"①

很多人比较过中国和日本在接受西方文化中的差别，但是中国主流知识界的傲慢和对于自己文化的自信，显然是使中国人接受西方知识上滞后的重要原因。而具体地说也有政治和社会环境的因素。按照周策纵的分析，即使在"1917 年以前，西方知识的传入和介绍的确非常有限，中国出版业停滞不前。这种现象也许可以直接归因于 1914 年以后一连串严厉的限制报纸和出版的法规，虽然国内外战争和其他根本的因素所造成文化发展的中断也是一种阻碍，1917 年和 1919 年之间稍为有点改进，不过主要还只限于北京的新知识分子和其他城市的某些学校。"② 而五四运动之后，情况则发生了很大的变化，1917 年到 1921 年全国新出版的报刊估计有 1000 种以上，最著名的当然是《新青年》、《新潮》、《国民》、《每周评论》等，而这些杂志专门讨论文化和政治问题，介绍西方流行的思潮和社会观念，有些则专门讨论哲学、音乐、绘画、文学或其他自然科学和社会科学方面的问题，总之这些新的出版物所介绍的内容几乎包括了新知识、新生活的各方面的东西。

不但如此，因为介绍西方思想的刊物是如此的受欢迎，所以即使是原有的持保守立场的刊物也不能不改弦易辙，如 1919 年 6 月已经创立 15 年的《东方杂志》宣布要紧跟世界潮流而放弃"反动的保守主义"，而一些不能顺应潮流的报刊则只能面对销路下降甚至停刊的现实。

之所以在新文化运动中，西方思潮得到如此广泛的传播：一是人们认识到要解决中国的发展困境必须从西方思想那里寻找观念支持，同时是因为新文化运动领导者所倡导的"重估一切价值"的口号，要求对传统中国文化进行新的评判。胡适强调："仔细说来，评判的态度含有几种特别的要求：

1. 对于习俗相传下来的制度风俗，要问：'这种制度现在还有存在的价值吗？'

2. 对于古代遗传下来的圣贤教训，要问：'这句话在今日还是不错吗？'

3. 对于社会上糊涂公认的行为与信仰，都要问：'大家公认的，就不会错了吗？人家这样做，我也该这样做吗？难道没有别样做法比这个更好，更有理，更有益的吗？'

尼采说，现今时代是一个'重新估定一切价值'的时代，'重新估定一切价值'八个字便是评判态度的最好解释。"③

这种评判的结论是将一直以来的中西对峙的思想模式转变为古今演变的模

---

① 张灏：《梁启超与中国思想的过渡（1890—1907）》，江苏人民出版社 1997 年版，第 3 页。
② 周策纵：《五四运动史》，岳麓书院 1999 年版，第 261 页。
③ 胡适："《新思潮的意义》，载《胡适文集》第 2 册，北京大学出版社 1998 年版，第 522 页。

式。也就是说，将中国文化甚至东方文化视为落后的，代表古代的；而西方文化则是进步的，代表今天和未来的发展方向。陈独秀说："近世文明，东西洋绝别为二。代表东洋文明者，曰印度，曰中国。此两种文明虽不无相异之点，而大体相同，其质量举未能脱古代文明之窠臼，名为'近世'，其实犹古之遗也。可称曰'近世文明'者，乃欧罗巴人之所独有也，即西洋文明也；亦可谓欧罗巴文明。"① 而且这两者之间是不可调和、非此即彼的，要接受西方文化就必须抛弃中国固有的文化。"记者非谓孔教一无可取，惟以其根本的伦理道德，适与欧化背道而驰，势难并行不悖。吾人倘以新输入之欧化为是，则不得不以旧有之孔教为非。新旧之间，绝无调和两存之余地。"②

在这样的指导方针下，虽然胡适等人试图将五四新文化运动的定义为"文艺复兴"，在种种新思潮的车轮下，碾过的则是儒家和中国传统制度文明的身躯。例如陈独秀说："孔子生长封建时代，所提倡之道德，封建时代之道德也；所垂示之礼教，即生活状态，封建时代之礼教，封建时代之生活状态也；所主张之政治，封建时代之政治也。封建时代之道德，礼教，生活，政治，所心营目注，其范围不越少数君主贵族之权利与名誉，于多数国民之幸福无与焉。"③

这种激烈的反传统的观念很快成为新式教育体系下成长起来的青年一代的共同信仰，④ 为了民族的复兴，为了保国保种，他们选择了放弃自己的文化。五四新文化运动最著名的口号就是"德先生"和"赛先生"，在民主和科学的大旗下，自由主义、无政府主义、社会主义、实验主义等，被介绍到中国来，而罗素、杜威等当时世界巨子也被请来中国发表演讲。

然而在形形色色的思潮之中，自由主义和无政府主义和社会主义则是最受人关注的。欧阳哲生认为，"自由主义是与五四运动关系最为密切的一种思潮。两者之间的关系，我们甚至可以这么说，自由主义为五四运动提供了最强大的动力：健全的个人主义精神、'重新评估一切'的怀疑精神、否定专制的民主精神、反对偶像崇拜的科学精神、兼容并包的学术自由原则。没有自由主义，或抽掉自由主义，就无所谓五四运动的内核。""但如把五四运动解释为一场自

---

① 陈独秀：《法兰西人与近世文明》，载《独秀文存》，安徽人民出版社 1987 年版，第 10 页。

① 陈独秀：《法兰西人与近世文明》，载《独秀文存》，安徽人民出版社 1987 年版，第 10 页。
② 陈独秀：《答佩剑青年》，载《独秀文存》，安徽人民出版社 1987 年版，第 660 页。
③ 陈独秀：《孔子之道与现代生活》，载《独秀文存》，安徽人民出版社 1987 年版，第 121 页。
④ 中国共产主义运动的早期活动家郑超麟回忆说，一开始在《新青年》上，看到陈独秀批评孔教的言论，还写文章骂陈独秀，但几个月之后，他便完全改变了思想。"幸而五四运动救了我。我说的不是打章宗祥，罢课游行的，抵制日货的，爱国的五四运动。我说的是请赛先生和德先生打倒孔家店的五四运动。同梦魇似地压在我身上的孔子道统被我踢开了，连带着做这道统补充品的老庄哲学也被我抛弃了。从此我只过着一种生活，我所行的只是我所思想的。而这是经过严肃思考和内心斗争而达到的，并非为了趋时和从众。"郑超麟在回忆中还说到他周围的同学也与他有类似的思想经历。见《郑超麟回忆录》上，东方出版社 2004 年版，第 168 页。

由主义的运动，显然也是不恰当的。五四运动的确还包含着与自由主义不相干甚至不相容的思想，如无政府主义、以现代新儒家为代表的文化保守主义、激进主义等。这些不同的主义、思潮之间既相互激荡又相互冲突。"①

作为另两种重要思潮的无政府主义和社会主义之间则有着内在的同质性，因此，在许多五四人物的回忆录中，我们都可以看到这样的回忆，即是因为觉得无政府主义一时实现不了，所以才转向马克思主义。而当时人们对于社会主义的理解也是五花八门，只是后来苏联十月革命的胜利，人们才逐步将思想统一到列宁式的社会主义。五四时期那样多先进分子奔集到社会主义的旗帜下来，是不难理解的。最初传入中国的新思潮中，有社会主义、无政府主义、工团主义、国家主义、自由主义等，都曾在社会上产生过不小的影响。那些先进分子从对各种思潮的反复比较推求中，得出结论：只有把社会主义和共产主义作为奋斗目标才能救中国，别的办法都不能救中国。

因此说，五四运动显然不仅仅是一次文学或者文化意义上的启蒙运动，新文化运动之提倡民主和科学，其立足点仍然在于国家和社会和群体的改造，这是一种悖论式的民族主义，② 这既是启蒙运动和救亡运动在新文化运动不久后很快合流的内在因素，③ 同时也为日后中国制度与社会观念之间的矛盾埋下了根源。

启蒙运动和救亡运动的结合，在中国近代内忧外患的复杂政治军事形势下，使得新文化运动的主题由民主和科学转变为如何选择中国救亡的道路上，因此，在五四新文化运动中那种空前一致的激进立场背后，他们之间的见解显然是不一致的，胡适和陈独秀、李大钊等都一样，当他们把注意力从对旧制度和旧文化的敌视而转向现实政治设计的选择的时候，这种分歧就出现了。激进论者认为中国的问题需要一种整体性的解决，而也有一些人则主张需从中国的问题出发，采取渐进式的发展。五四时期发生的李大钊和胡适之间的"问题和主义"之争，就是激进派之间的争论，这种争论的核心是中国应通过什么样的方式走上现代国家的道路。

---

① 欧阳哲生：《新文化的传统—五四人物与思想研究》，广东人民出版社 2004 年版，第 168—169 页。

② 林毓生说："一般而言，民族主义的自觉是经由对自己民族之过去的珍惜之情而培养出来的。民族主义者通常倾向夸耀与歌颂自己的历史与自己的文化；…相反地，五四时代的反传统主义者，虽然也认为他们的传统文化与政体产生了极大的疏离感，为了民族的生存与发展，他们对中国传统文化与政体进行了强烈的反抗与抨击。他们也是民族主义者，但他们底民族主义是反传统的民族主义。"见林毓生：《中国传统的创造性转化》，三联书店 1988 年版，第 152 页。

③ 对于启蒙和救亡复杂关系的分析可参见李泽厚：《启蒙与救亡的双重变奏》，载《中国现代思想史论》，东方出版社 1987 年版，第 7—40 页。

五四运动的复杂性会随着中国社会的不断发展而日益突现。不过五四新文化运动的思想方式却是需要我们作进一步的反思的，这就是那种建立在科学主义和进化主义之上的整体观①思路。"反传统主义者接受了许多西方思想和价值以后，当中国传统文化因其架构之崩溃而失去可信性时，其中陈腐而邪恶的成分，从这种思想模式的观念看去，并不是彼此隔离的个案，而是整个（产生根本思想的）中国心患有病毒的表征。这种病毒侵蚀了每件中国事物。因此，如要打倒传统，就非把他全盘而彻底地打倒不可。"②

在新文化运动一日千里的时候，作为激进思潮的必然反应的保守思潮的声音，虽然有些微弱，但也顽强地开始了对于文化的反思。

这种声音最初来自于《东方》杂志，由于新文化运动以"新旧"来取代"中西"，所以反击者也从"新旧"观念出发。如杜亚泉在发表于 1919 年 9 月的论文《新旧思想之折中》提出，应以"创造未来文明者为新"，"维持现代文明者为旧"。③ 而大约在同一时期，章士钊亦发表文章表明，新时期"决非无中生有天外飞来之物，而为世代相承连绵不断。"④ 并引发了新旧问题的争论。

二、激进和保守之间，杜亚泉和梁启超

当时的著名记者黄远生以一种独有的敏锐和精确的笔法描述民国成立之后中国思想文化界的状况，因为当时的激进和保守两大阵营的争论，已经由器物和制度之争，扩展到"思想"，"此犹两军相攻，渐逼本垒，最后胜负，旦夕昭布。"⑤ 其实这种激进和保守激烈冲突，并非必然会走向一种决裂，而是衍生出一种"调和"的思路。丁伟志说："鸦片战争以后 60 多年间，在时代潮流的推动下，中国文化思想阵线急剧发生的是一种十分有趣的反方向的变化，从新思想的传播一方面来看，是从那种绝无反抗精神、充满对王朝忠诚的'师夷长技以制夷'，一步步发展成主张对旧文化传统坚决实行'根本扫荡'的新文化运动，这是一条明显呈现为不断减弱直至消除对旧传统妥协心态和调和方式的愈战愈奋的进攻线路。而从旧思想维护的一方来看，却是在新思想的进攻下，节节败退、步步为营，从顽固地主张盲目排外，一变再变，到新文化运动兴起

---

① 这种整体观的思路按林毓生的解释是"视思想为根本"，"认为中国传统的每一方面均是有机地经由根本思想所决定并联系在一起。"见林毓生：《中国传统的创造性转化》，三联书店 1988 年版，第156 页。

② 林毓生：《中国传统的创造性转化》，三联书店 1988 年版，第 156 页。

③ 杜亚泉：《新旧思想之折中》，《东方杂志》第 16 卷第 9 号。

④ 章行严：《新时代之青年》，《东方杂志》第 16 卷第 11 号。

⑤ 黄远生：《新旧思想之冲突》，《东方杂志》1916 年 2 月。

时，维护旧文化旧传统者却成了力主折中的调和论者。和新思想提倡者对于新旧思想的关系从持调和态度转变成持绝不调和态度那样的变化趋势，构成鲜明对照，旧思想维护者对于新旧思想的关系，从持绝不调和态度变成了持调和的态度。"① 从历史的轨迹看，调和论则往往是相对弱势一派的"手段"。而在五四新文化运动取得压倒性的优势之后，这种调和论的立场基本上为坚持传统资源的价值一方所采用，因此，调和论有时候会被划入保守的行列。而且这种思路由于比较中庸，似乎没有激进和保守之对垒那么引人注目，因而会被许多文化研究者所忽略。有意思的是近来也有人将杜亚泉的调和论看做是"另一种启蒙"。许纪霖借用墨子刻的"转化"和"调适"的划分，说："转化论者相信，传统可以像一件旧衣服一样脱去，新文化可以在理性主义的建构下平地而起。问题只是在于，是否有勇气与传统告别。陈独秀当年就是一个最激烈的转化论者。而调适论者则认为，新文化不可能凭空生成，只能在传统的背景下逐渐演化，新与旧之间有可能、也应该在新的语境下实现融合。从梁启超到杜亚泉，在近代中国思想史上始终存在着一种调适的变革线索。假如我们不再持有一元论心态的话，就无法否认这也是一种启蒙。不过是另一种启蒙，一种温和的、中庸的启蒙。"②

这种会通型的思路，最初表现为严复和梁启超对于中国魂的坚持和对于西方制度安排的接受上。③ 其他的代表人物还有章士钊、李大钊、蔡元培、李剑农、张君劢等。而最典型的形态可能是杜亚泉的东方文化派。

（一）杜亚泉的折中主义

随着对于近代思想的认识的不断丰富，杜亚泉这个曾经在近代思想史上产生过重大影响的思想家也逐渐开始引起人们的注意。而他的调和中西的思想更是为王元化等许多学者所关注。

杜亚泉（1873—1933年），原名炜孙，号秋帆，浙江绍兴人，他具有多方面的代表性。首先，他是20世纪初我国介绍西方科学技术的主要人物之一。1900年，杜亚泉在上海创办了《亚泉杂志》，所载文章大都是数理化的论文，是科学界公认的近代中国最早的科学杂志。1904年，应夏瑞芳、张元济的邀请，他进入商务编译所任理化部主任，很快编写了《最新格致教科书》和《最

---

① 丁伟志：《重评"文化调和论"》，《历史研究》1989年第4期。

② 许纪霖：《杜亚泉与多元的五四启蒙》，《中华读书报》2000年1月5日。

③ 黄克武说："'会通'的思路从清末士人追索'国魂'开始，至民国初年发展为学界挖掘'国性'、'国粹'、'立国精神'或'民族精神'，并追求中国精神文明与西方物质文明的结合"。见黄克武：《魂归何处？》，载郑大华等编：《思想家与近代中国思想》，社会科学文献出版社2005年版，第98页。

新笔算教科书》这两种我国最早的理科课本。1911年至1919年年底，杜亚泉还兼任了《东方》杂志主编，历时九年。是当时风行的《新青年》杂志的论敌之一，《东方》杂志能成为最负盛名的杂志之一，杜亚泉功不可没。

杜亚泉在很长时间被一直被视为是保守的、落后的代表人物，原因在于陈独秀对于《东方》杂志中几篇文章的质问，即署名平佚的《中西文明之评判》、钱智修的《功利主义与学术》还有伧父（杜亚泉）的《迷乱之现代人心》，还有对于杜亚泉所做的回答的"再质问"。

杜亚泉的调和立场首先是建立在他对于中西文明的认识上，他反对用进步和落后的进化立场来看待中西文化的差别，指出文化是社会的产物，而文明的差别只是社会差别的体现，因此不同的文明只是"性质"上的差别而非"程度"上的高低。"盖吾人意见，以为西洋文明与吾国固有之文明，乃性质之异，而非程度之差；而吾国固有之文明，正足以救西洋文明之弊，济西洋文明之穷者。……文明者，社会之生产物也。社会之发生文明，犹土地之发生草木，其草木之种类，常随土地之性质而别。西洋文明与吾国文明之差异，即由于西洋社会与吾国社会之差异。"①

而随着文化之间交流的日益完善，不同文化之间势必互相接近而互资利用。"至于今日，两社会之交通，日益繁盛，两文明互相接近，姑抱合调和，为势所必至。"② 因此，他特别反对激进的西化论者完全否认中国文化之价值，全盘仿效西方的主张。他说："而吾国一部分醉心欧化者，对于西洋现代文明，无论为维持的、为破坏的，皆主张完全仿效，虽陷于冲突矛盾而不顾；惟对于中国固有文明，则以为绝无存在之价值，苟尚有纤芥之微留于国人之脑底者，则仿效西洋文明决不能完全。此种思想，固由戊戌时代之新思想推演而来。然于时代关系言之，则不能不以主张刷新中国固有文明，贡献于世界者为新，而以主张革除中国固有文明，同化于西洋者为旧。"③ 所以他在《迷乱之现代人心》一文中，对于中国基本精神的丧失，政治上的强有力主义，教育中的实用主义，表示了深深的忧虑和进行了系统的批评。

由此而来，他提出一种调和论的立场，认为应不遗余力地吸收西方的文化，但因为这些文明，如"满地散钱"，所以需要"以吾固有文明为绳索，一以贯之"。他说："吾人往时羡慕西洋人之富强，乃谓彼之主义主张，取其一即足以救济吾人，于是拾其一二断片，以击破己国固有之文明。此等主义主张之输入，直与猩红热、梅毒等之输入无异。惟此等病毒之发生，一由于自己元气

① 许纪霖等编：《杜亚泉文存》，上海教育出版社2003年版，第338页。
② 同上书，第343页。
③ 同上书，第402页。

之虚弱，一由于从前未曾经验此病毒，体内未有抗毒素之故。姑仅仅效从前顽固党之所为，竭力防遏西洋学说之输入，不但势有所不能，抑亦无济于事焉。救济之道，正统整吾固有之文明，其本有系统者则明了之，其间有错出者则修整之。一方面尽力输入西洋学说，使其融合于吾固有文明之中。西洋之断片的文明，如满地散钱，以吾固有文明为绳索，一以贯之。今日西洋之种种主义主张，骤闻之，似有与吾固有文明绝相凿枘者，然会而通之，则其主义主张。往往为吾固有文明之一局部扩大而精详之者也。吾固有文明之特长，即在于统整，且经数千年之久而未受若何之摧毁，已示世人以文明统整之可以成功。今后果能融合西洋思想以统整世界之文明，则非特吾人之自身得赖以救济，全世界之救济亦在于是。"①

这种调和论的思想理所当然引发了陈独秀的批评。由于抱定了中国文化传统是吸收西方文化的障碍这样的信念，陈独秀反对任何形式的"调和"，提出任何方案的调和只是反对革新的借口。陈独秀说："现在社会上有两种很流行而不祥的论调，也可以说是社会的弱点：一是不比较新的和旧的实质上的是非，只管空说太新也不好，太旧也不好，总要新旧调和才好；见识稍高的人，又说没有新旧截然分离的境界，只有新旧调和递变的境界，因此要把'新旧调和论'号召天下。二是说物质的科学是新的好西洋的好，道德是旧的好中国固有的好。"②

陈独秀认为，新旧之间没有明确的界限虽是文化史上的自然现象，却是一个不幸的现象。如果看不到文明之间的新旧差别，那么"劣等民族"便不能"同时和优级民族优级分子同时革新进化。所以，"这等万有不齐新旧杂糅的社会现象，乃是因为人类社会中惰性较深的劣等民族劣等分子，不能和优级民族优级分子同时革新进化的缘故；我们抱着改良社会志愿的人，固然可以根据进化史上不幸的事实，叙述他悲悯他实在是如此，不忍心幸灾乐祸得意扬扬的主张他应该如此。……惰性也是人类本能上一种恶德，是人类文明进化上一种障碍，新旧杂糅调和缓进的现象，正是这种恶德这种障碍造成的；所以新旧调和只可说是人类惰性上自然发生的一种不幸的现象，不可说是社会进化上的一种应该如此的道理；若是助纣为虐，把他当做指导社会应该如此的一种主义主张，那便误尽苍生了。"③

据此，陈独秀对于前述《东方》杂志的文章提出了系统的批评，首先对欧战所导致的西方文明权威动摇表示不解，特别是对杜亚泉将"纲常伦理作为国

---

① 许纪霖等编：《杜亚泉文存》，上海教育出版社 2003 年版，第 367 页。

② 陈独秀：《调和论与旧道德》，《新青年》第七卷第一号 1919 年 12 月 1 日。

③ 同上。

基"的思想与共和政体之间的冲突加以强调，并将《东方》杂志和复辟联系在一起，因此，使调和论的观点与启蒙立场相对立。

以彻底否定传统文化为前提的新文化运动固然有其偏颇之处，但调和论自有其内在的矛盾：首先，新文化运动之前，调和论一直处于"手段"而非"一以贯之"的价值追求；其次，新文化运动后，调和立场传为对传统持同情和保守立场的思想流派的手段，那么如何在现代的政治体制下，将一直作为制度合法性资源的儒家等思想转变为现代中国人的"民族认同"，如何调和民主政治和传统价值之间的紧张，始终是一个困境。"杜亚泉的调适思想以调和论为其哲学基础，它是英国自由主义、现代科学思想与中土阴阳学说、中庸思想融合的产物，其基本思想特质为多元、辩证、中和，即所谓'对立的和谐'。杜氏的调适思想代表了五四时期另一种温和的启蒙传统。启蒙运动中的调适思想和转化思想具有互补性：激进的转化思想犹如烈性药，温和的调适思想则若营养剂，两者在批判和建设上各有其价值。当然，两者亦各有其难题。转化思想的困局，在于其毁弃儒教又拒斥基督教之后，无以借西化解决意义危机。调适思想的难题则在于：在政教分离的西方文化中，基督教自然可与自由宪政并行不悖；但在一元论传统的中国文化语境中，建制化的半伦理半政治的儒教，在普遍王权崩解之后，如何在文化而非学术层面实行道德与政治的非建制化分殊？儒教非建制化之后又如何发挥其社会伦理的功能？这也是杜亚泉调和思想给我们留下的世纪难题。"①

（二）梁启超的调和论

而对中国知识界产生更大影响的主要是梁启超的《欧游心影录》和梁漱溟的《东西文化及其哲学》。梁启超从第一次世界大战引申出对于西方文化的反思，认为"拿孔孟程朱的话当金科玉律，说他神圣不可侵犯，固是不该，拿马克思、易卜生的话当作金科玉律，说他神圣不可侵犯，难道又是该的吗？我们又须知，现在我们所谓新思想，在欧洲许多已成陈旧，被人驳得个水流花落。就算他果然很新，也不能说'新'便是'真'呀！"②

按照胡适的说法，梁启超是思想界里面敢于公然宣布"科学破产"的人，的确，当科学成为一种主义，他便能取得"无上尊严的地位，无论懂与不懂的人，无论守旧和维新的人，都不敢公然对他表示轻视或戏侮的态度。"③

---

① 高力克：《调适的启蒙传统》，《二十一世纪》2000 年第 6 期。

② 梁启超：《饮冰室合集》第五册，中华书局1989 年版，第 27—28 页。

③ 胡适：《〈科学与人生观〉序》，载张君劢、丁文江等：《科学与人生观》，山东人民出版社 1997 年版，第 10 页。

哲学家

●2006

Philosopher 2006

然后梁启超在游历刚刚结束第一次世界大战的欧洲的时候，发现欧洲人正在经历一种价值观矛盾，① 也就是当传统的价值观被否定的时候，人生的意义能否由科学方法来承担。"现今思想界最大的危机就在这一点。宗教和旧哲学既已被科学打得个旗靡帜乱，这位'科学先生'便自当仁不让起来，要凭他的试验发明个宇宙新大原理。却是那大原理且不消说，敢是各科的小原理也是日新月异，今日认为真理，明日已成谬见。新权威到底树立不来，旧权威却是不可恢复了。所以全社会人心，都陷入怀疑沉闷畏惧之中，却好像失了罗针的海船遇着风雾，不知前途怎生好。"

"一百年物质的进步，比从前三千年所得还加几倍。我们人类不惟没有得着幸福，倒反带来许多灾难。好像沙漠中失路的旅人，远远望见个大黑影，拼命往前赶，以为可以靠他向导，哪知赶上几程，影子却不见了，因此无限凄惶失望。影子是谁，就是这位'科学先生'。欧洲人做了一场科学万能的大梦，到如今却叫起科学破产来。"②

如何解决这个问题，在文化上就是要对自己的文化传统存有敬意，并融合中西方文明。"我希望我们可爱的青年，第一步，要人人存一个尊重爱护本国文化的诚意；第二步，要用那西洋人研究学问的方法去研究他，得他的真相；第三步，要把自己的文化综合起来，还拿别人的补助他，叫他扩充，叫人类的全体都得着他的好处。"③ 而第四步则是要把这个新文化系统向外扩充，使世界受益。

如何展开中西文化的互动：

一是把西方的物质文明与东方的精神文明合二为一。

二是将西方的个性解放和中国的人格修养融合起来，塑造新国民。

"国民树立的根本意义，在发展个性，《中庸》里头有句话说得最好：'惟天下至诚能尽其性。'我们就借来起一个名叫'尽性主义'。这尽性主义是要把各人的天赋良能，发挥到十分圆满。就私人而论，必须如此，这才不至成为天地间一赘瘤，人人可以自立，不必累人，也不必仰人鼻息；就社会国家而论，

----

① 20世纪20—30年代，欧洲流行一种有关没落和衰败的言论，其主要征候是：（1）反历史主义；（2）体认非理性因素在历史中所扮角色的重新重视；（3）历史循环论的复活；（4）体认欧洲并不居于世界的中心，且处于文化没落的痛苦之中。很显然这种观点深深地影响到梁启超晚年的文化主张，使他更接近于折中主义。参见耿云志：《五四以后梁启超关于中国文化建设的思考》，载李喜所主编：《梁启超与近代中国社会文化》，天津古籍出版社2005年版，第240页。

② 转引自胡适：《〈科学与人生观〉序》，载张君劢、丁文江等：《科学与人生观》，山东人民出版社1997年版，第11页。

③ 梁启超：《欧游心影录》，见《饮冰室合集·专集之二十三》，中华书局1989年影印本，第37页。

必须如此，然后人人各用其长，自动的创造进化，合起来便成强固的国家，进步的社会。"①

三是自由竞争和"互助主义"的结合。

"中国社会制度颇有互助精神，竞争之说，素为中国人所不解，而互助西方人不甚了解。中国礼教及祖先崇拜，皆有一部分出于克己精神和牺牲精神者。中国人之特性可能抛弃个人享乐，而欧人则反之。夫以道德上而言，决不能谓个人享乐主义为高，则中国人之所长，正在能维持社会的生存与增长。……因此吾认为不必学他人之竞争主义，不如就固有之特性而修正扩充之也。"②

四是民本主义和西方代议制的结合。

"其实自民本主义而言，中国人民向来有不愿政府干涉之心，亦殊合民本主义之精神。对于此种特性不可漠视，往者吾人徒作中央集权之迷梦，而忘却此种固有特性。须知集权与中国民性最不相容，强行之，其结果不生反动，必生变态，此所以吾人虽效法欧洲而不能成功者也。"③

这种极具感染力的文字，可以说是梁启超的招牌，开始鼓励中国的知识层反思，西方思想的内在的问题和我们对待自己文化传统的态度。

三、梁漱溟：最后的儒家还是隐晦的折中主义者

晚清的"中学为体、西学为用"的观念出现，就是面对西方文明冲击而衍生的对于社会发展和文化认同问题的深刻反思。而梁启超的老师康有为对这些问题有着更为复杂的思考，他敏锐地意识到政治合法性和文化认同之间的内在联系，④ 但是他与政治过于密切的关系和建立孔教会的主张，已经使他成为新文化运动的一个靶子而难以使他的观念转化为人们思考的基础，而这时梁漱溟的《东西文化及其哲学》⑤ 正好应和了人们的期待。

《东西文化及其哲学》所针对的就是新文化运动对于传统文化的批评；

① 梁启超：《欧游心影录》，见《饮冰室合集·专集之二十三》，中华书局 1989 年影印本，第23—24 页。

② 梁启超：《在中国公学之演说》，《申报》1920 年 3 月 14 日。

③ 同上。

④ 参见干春松：《儒家制度化重建的尝试》，载《中国社会科学评论》总第 4 卷，法律出版社 2005 年版。

⑤ 当时的许多人认为梁漱溟的《东西文化及其哲学》是受了《欧游心影录》的影响，并认为张君劢等对于科学不能解决人生观问题的"玄学鬼"式的叙述也是受此影响。参见吴稚晖：《箴洋八股化之理学》，载张君劢、丁文江等：《科学与人生观》，山东人民出版社 1997 年版，第 308 页。

《新青年》杂志之批评中国传统文化，非常锋利，在他们不感觉到痛苦；仿佛认为各人讲各人的话，彼此实不相干；仿佛自己被敌人打伤一枪，就视若无事也。而我则十二分的感觉到压迫之严重，问题之不能忽略，非求出一解决的道路不可。"①

正是这样的背景使得梁漱溟先生认为必须为中国文化甚至东方文化声张一下。他当时受聘担任北京大学的教职的时候就明确地对蔡元培和陈独秀说："我来此除替释迦孔子去发挥外更不作旁的事。"② 当然他深知要发挥东方文化的义理，要阐明儒家思想的价值，需要对当时的文化观做全面的辨析，要破除当时的种种对于文化问题的简单化理解，他所批评的对象如李大钊的西化论，他认为李大钊用"动""静"之异来概括东西文化之别是"没来由没趋向一副呆板的面目加到那种文化上去。"③

当然，他也反对杜亚泉为代表的"文化调和论"，因为在弄清楚文化的特性，弄清楚东西文化的特性之前，调和是不可能的。"大家意思要将东西文化调和融通，另开一种局面作为世界的新文化，只能算是迷离含混的希望，而非明白确切的论断。像这样糊涂、疲缓、不真切的态度全然不对。既然没有晓得东方文化是什么价值，如何能希望两文化调和融通呢？如果要调和融通总须说出可以调和融通之道，若说不出道理来，那么，何所据而知道可以调和融通呢？"④

因此，要了解文化的走向，需要了解如何是西方化，如何是东方化，而解决这个问题需从"文化"这一最基本的问题说起。他对文化有一个全新的定义："文化不过是一个民族生活的种种方面，总括起来，不外三个方面：

"（一）精神生活方面，如宗教、哲学、科学、艺术等是。宗教、文艺是偏于感情的，哲学、科学是偏于理智的。

"（二）社会生活方面，我们对于周围的人——家族、朋友、社会、国家、世界——之间的生活方法都属于社会生活一方面，如社会组织，伦理习惯。政治制度及经济关系是。

"（三）物质生活方面，如饮食、起居种种享用，人类对于自然界求生存的各种是。"⑤

以这样的分层法来探讨文化，可以避免李大钊等人简单以"动"、"静"等

---

① 梁漱溟：《我的努力与反省》，漓江出版社 1987 年版，第 67 页。
② 梁漱溟：《东西文化及其哲学》，载《梁漱溟全集》第 1 卷，山东人民出版社 1989 年版，第 344 页。
③ 同上书，第 353 页。
④ 同上书，第 342 页。
⑤ 同上书，第 339 页。

特性来区分东西方文化的做法，也反对简单地以"好"、"坏"来判定东方文化和西方文化，而是认为东西方文化各有特性。按这样的文化层次，梁漱溟先生得出的结论是中国文化在物质生活、社会生活和精神生活上，并不如西方人，但可能是受辜鸿铭等人的观念的影响，认为中国人却比西方人有更多的幸福感。他说："（一）物质生活方面……中国人的一切起居享用都不如西洋人，而中国人在物质上所享受的幸福，实在倒比西方人多。盖我们的幸福乐趣，我们能享受的一面，而不在所享受的东西上——穿锦绣的未必愉快，穿破布的或许很乐；中国人以其与自然融洽游乐的态度，有一点就享乐一点，而西洋人风驰电掣的向前追求，以致精神沦丧苦闷，所得虽多，实在未曾从容享受。

"（二）社会生活……个性不得申展，社会性亦不发达，这是我们人生上一个最大的不及西方人之处……然而家庭里，社会上，处处得到一种情趣，不是冷漠、敌对、算帐的样子，于人生的活气有不少的培养，不能不算是一种优长和胜利。

"（三）精神生活方面……人多以为中国人在这一方面是可比西洋人见长的地方，其实大不然；中国人在这方面实在是失败的……情志一边的宗教，本土所有，只是出于低等动机的所谓祸福长生之念而已，殊无西洋宗教的那种伟大尚爱的精神……知识一边的科学，简直没有；哲学亦少所讲求。"①

在当时学者的眼里，中国人的物质生活不如西方人的工业化而苦，社会生活没有西方的民主而苦，精神生活则博大精深而乐。梁先生却从另一个角度去看，物质生活中国人因满足而乐，社会生活中有情谊而欢，但是在精神生活方面则缺少伟大尚爱的宗教，真情真性的文艺和精深的哲学，科学知识更是没有，这才是中国人真正缺少的。这也就是说，中国人的文化虽然不如西方人，但生活却比西方人好，最后他作出的结论是："照我们历次所说，我们东方文化本身都没有什么是非好坏可说，或什么不及西方之处；所有的不好与不对，所有的不及人家之点，就在步骤凌乱，成熟太早，不合时宜。并非这态度不对，是这态度拿出来太早不对，这是我们唯一致误所由。"②

因此，梁漱溟先生提出了他的"路向"说。梁先生从柏格森的"意欲"观念出发，分析了中国、西方、印度文化的起源和特点，指出："所有人类的生活大约不出这三个路径样法：（一）向前要求；（二）对于自己的意思变换、调

---

① 梁漱溟：《东西文化及其哲学》，载《梁漱溟全集》第 1 卷，山东人民出版社 1989 年版，第477—480 页。

② 同上书，第 529 页。

和、持中；（三）转身向后去要求。"①

西方人是第一种路向——向前面要求，因此文化的特点是"征服自然之异采"、"科学方法之异采"、"德谟克拉西之异采"，也就是发达的物质器具，科学和民主。"而中国文化是以意欲反身向后要求为其根本精神的"②，因此中国没有西方的科学和民主，只有落后的"手艺"、"猜测直观"的玄学和"有权的无限有权，无权的无限无权"③ 的政治独裁，走的是第二条路向。而"印度文化是以意欲反身向后要求为其根本精神的"④，因而他们的宗教是畸形的发达，而物质和政治也是毫无建树，走的是第三条路向。

西、中、印三方所走的生活路向不同是因为他们用不同的工具来解决各自在生活中所面临的问题：

"（一）西洋生活是直觉运用理智的，（二）中国生活是理智运用直觉的，（三）印度生活是理智运用现量的。"⑤

在梁先生看来，西洋文化是理智主义的，其表现为以计算的态度对付自然和个人，精神生活也是知识方法占主导地位的；中国人是直觉主义的，其表现为人与自然的浑融合一，人际关系崇尚情感，以及社会生活的玄学化和艺术化；印度文化是运用现量的，其表现为在对自然、人际关系和精神生活时都是佛者的现量体认占统治地位的。

无论是"直觉"的还是"现量"的，这些名称一方面胡适猛烈攻击，另一方面与"动"、"静"之类的概括也是五十步和百步。更有趣的是梁漱溟十分清楚地认识到在当下的阶段，西方文化之优势是压倒性的。他指出：所谓的东西文化，也不过是东方国家西方化的问题："我们所看见的，几乎世界上完全是西方化了的世界……就是东方各国，凡能领受接纳西方化而又能运用的，方能使他的民族、国家站得住；凡来不及领受西方化而不能运用的即被西方化的强力所占领……所以这个问题的现状，并非东方化与西方化的对垒的战争，完全是西方化对东方化绝对的胜利绝对的压服！这个问题此刻要问：东方化能否存在？"⑥

因此，尽管我们将梁漱溟看作是保守主义者，但是面对新文化运动和"守旧"派，他则更倾向于新文化运动的立场，并对陈独秀的敏锐性大加赞赏。

---

① 梁漱溟：《东西文化及其哲学》，载《梁漱溟全集》第 1 卷，山东人民出版社 1989 年版，第382 页。

② 同上书，第 383 页。

③ 同上书，第 364 页。

④ 同上书，第 383 页。

⑤ 同上书，第 485 页。

⑥ 同上书，第 332—333 页。

"旧派只是新派的一种反动，他并没有倡导旧化。陈仲甫先生是攻击旧文化的领袖。他的文章，有好多人看了大怒大骂，有些人写信和他争论。但是怒骂的止于怒骂，争论的止于政论，他们只是心理有一种反感而不服，并没有一种很高兴去倡导旧化的积极冲动。尤其是他们自己思想的内容异常空乏，并不曾认识了旧化的根本精神所在，怎样禁得起陈先生那明晰的头脑，锐利的笔锋，而陈先生自然就横扫直撵，所向无敌了。"①

不仅如此，他所提出的文化立场也是"全盘西化"式的。

"第一，要排斥印度态度，丝毫不能容留；第二，对于西方文化是全盘承受，而根本改过，就是对其态度改一改；第三，批评的把中国的态度重新拿出来。"②

梁漱溟先生反对东西文化调和论，认为西方没有必要和东方文化调和，而东方文化因其所持的态度和路向而无法调和，因此东西方文化的调和是无法走通的。面对中国所遭受的国际国内的问题——"国际所受的欺凌，国内武人的横暴，以及生计的穷蹙"③，中国所采取的路向是全盘接受西方的文化，但为了克服西方文化带来的种种弊端，对其向前的态度要改作东方式的向前的态度，即"把中国原来的态度拿出来"。这个原来的态度，梁先生认为是孔子所提倡的"刚"。"刚"既是"一种奋往向前的风气，而同时排斥那向外逐物的颓流"④ 的态度，因而适合中国的发展前景，若中国人采用这种"刚"的态度，则能既解决中国国际国内所遭受的问题，又能避免西方化的种种弊端。当然，对于印度文化是必须排斥的，因为那只会使中国乱上添乱、病上加病。

梁漱溟文化观既反对调和派，又承认西方文化的先进性和全盘承受的必要性。但其魅力所在则是在这些认识的背后的不同"路向"的理论。这是而后所产生的新儒家的基本理论思维的范型，这种范型的要点在于用一种普遍主义和

① 梁漱溟：《东西文化及其哲学》，载《梁漱溟全集》第 1 卷，山东人民出版社 1989 年版，第 531—532 页。

② 同上书，第 528 页。王法周先生甚至认为梁先生所主张的就是"全盘西化论"，并指出在社会政治方面也是主张"全盘承受"的。王法周先生主张把西方近代的自由思想与宪政民主制度全部拿来。梁先生认为，"个人主义思想的兴盛与个性自由的伸展，是和社会政治、经济、文化等方面的种种自治团体的发达成比例的。西方社会不仅有'个性伸展的一面'，同时还有'社会性发达一面'。这是'一桩事的两面'，即'从组织的分子上看便为个性伸展，从分子的组织上看便为社会性发达。'西方国家的历史发展充分证明了这一点。西方国家从封建专制逐渐走上立宪共和之路，就伴随着人的个性伸展与社会性的双双发达。"见《"五四"保守主义社会选择的两种取径》，载郑大华等编：《思想家与近代中国思想》，社会科学文献出版社 2005 年版，第 347 页。

③ 梁漱溟：《东西文化及其哲学》，载《梁漱溟全集》第 1 卷，山东人民出版社 1989 年版，第 534 页。

④ 同上书，第 538 页。

特殊主义之间的角色调换①来断定西方文化所必然要经历的衰落和中国文化在未来所必然要承担的角色。他看到了 19 世纪末 20 世纪初欧洲非理性主义思想迅速蔓延。而尼采的"重估一切价值"的口号，柏格森的生命意志论等对中国的思想界影响巨大，梁漱溟认为，西方思想界的这种向人的精神生活的转向，恰好是与中国思想中注重生命体验和道德修养的趣向是一致的。他说："西方人两眼睛的视线渐渐乃与孔子两眼视线所集接近到一处。孔子是全力照注在人类情志方面的。孔子与墨子的不同处，孔子与西洋人的不同处，其根本所争只在这一点！西洋人向不留意到此，现在留意到了，乃稍望孔子之门矣！我们所怕者，只怕西洋人始终看不到此耳，但得他看到此处，就不怕他不走孔子的路。"②

但梁漱溟之对于中国文化的情感并没有掩盖他对于文化类型分析的理智态度，特别是他运用"普遍"和"特殊"的辩证思考来展现他对东方文化的关怀。他认为中国人之坚持东方文化并非是孤立的坚持，而是要发掘其中的世界性意义。因此，东方文化要"翻身"，"不仅说中国人仍旧使用东方文化而已，大约假使东方化可以翻身亦是同西方化一样，成为一种世界的文化——现在西方化所谓科学和'德谟克拉西'之二物，是无论世界上哪一个地方人皆不能自外的。所以，此刻问题直截了当的，就是东方化可否翻身成为一种世界文化？如果不能成为世界文化则根本不能存在；若仍可以存在，当然不能仅只使用于中国而须成为世界文化。"

梁漱溟则深刻感受到了文化之民族性和世界性之间的内在矛盾，他从文化是"民族生活的样式"这样的宽泛的定义来说明"理性"与"个人"是一种普遍的文化价值，而是通过借用柏格森的"意欲"概念来用"情感"代替"理性"。但在我看来梁漱溟是一个典型的折中主义者，因为他从"三个路向"和"三个阶段"来安排中国文化和印度文化的出路，并最终将中国文化看作是世界文化的未来。

他坚持东西文化本来没有什么好坏之分，只不过是西洋人走了第一条路

---

① "新儒家在文化立场上深深地陷入中心主义和多元主义的矛盾之中。首先中国近代以来的失败导致文化信心的丧失要求新儒家采取防御性的策略，即以多元主义的态度来强调不同文化中心主义观念（对于过去辉煌文化的坚强回忆）在新儒家身上体现出来的则是对于儒家思想观念的推崇和对于儒家普遍意义的彰显。我们可以套用列文森（Levenson）对于'五四'启蒙思想家的那个著名的评论来描述新儒家在文化立场上的困惑，即：新儒家在理智上倾向于文化多元主义，但在情感上则倾向于儒家文化中心主义。"见《从"良知坎陷"到"理一分殊"——新儒家文化立场的矛盾与转折》，载赵汀阳主编：《思想学术评论》第二辑，辽宁教育出版社 1994 年版。

② 梁漱溟：《东西文化及其哲学》，载《梁漱溟全集》第 1 卷，山东人民出版社 1989 年版，第498 页。

向，是合时宜的，而中国文化和印度文化，则是由于孔子和释迦牟尼两个天才，未得走第一路向，便走上了第二路向和第三路向，这是不合时宜的文化，也是早熟的文化。

尽管他承认要全盘承受西方文化，但如果从文化的高低看的话，那么印度文化是最高级的文化，其次是中国文化，而最低的是西方文化。从人生来看，首先是要解决人与自然的问题，然后是解决人与人的问题，最后是解决人与自身的问题——安顿情志的问题。他论述道："必要低的问题——生活问题——都解决了，高的问题才到了我们的眼前，所谓低的问题都解决的时候非他，即理想的改造社会也；到那时候人类文化算是发达的很高了，则其反面的出世倾向就走到了他的高处。……人类是先从对于自然界要求物质生活之低的容易的问题起，慢慢的移入到此一问题愈问愈高，问到绝对不能解决的第三问题为止。"①

在对中西印的文化作了比较之后，梁漱溟先生对世界文化的发展作了预测，提出了他的"世界文化三期重现说"："质而言之，世界未来文化就是中国文化的复兴，有似希腊文化在近世的复兴那样。……尤其是第一路向走完，第二问题移进，不合时宜的中国态度虽遂达其真必要之会，于是照样也拣择批评的重新把中国人的态度拿出来。……而最近未来文化之兴，实足以引进了第三问题，所以中国化复兴之后将继之以印度文化的复兴。于是古之希腊、中国、印度三派竟于三期次第重现一遍。"②

西方的向前的路向已经走到了尽头，病痛百出，因此不得不选择第二路向，即中国文化的意欲自为、调和持中为其根本精神的路向。这样，中国文化也会像西方文化一样，成为一种世界文化而大兴于世，而在未来却是印度文化的复兴，人类社会是走向第三条路向的。梁漱溟先生敏锐地意识到如果一种文化没有世界价值，那么它迟早会消亡。但在现代性的背景之下，如何将一种已然成为地方性知识的中国传统文化确立起普遍性的意义，始终是一个难以回答的问题。因而，即使是调和的立场，也很难摆脱以西方的反现代化思潮来作为中国思想价值的证明，学衡派便是一个最典型的例子。

四、学衡派：新人文主义，超越了民族主义的保守主义

与杜亚泉、梁启超不同的是，学衡派作为文化保守主义的一个重要的力

---

① 梁漱溟：《东西文化及其哲学》，载《梁漱溟全集》第 1 卷，山东人民出版社 1989 年版，第 439 页。

② 同上书，第 525—527 页。

量，其代表人物与新文化运动的代表人物在教育背景上，日益接近，他们所依据的均是西方的思想观念，所以钱穆在评论吴宓、梅光迪等人的《学衡》杂志时，一针见血地指出是"以西洋思想矫正西洋思想"。他说，这些人"隐然与北大胡、陈诸氏所提倡之新文化运动为对抗。然议论芜杂，旗鼓殊不相称"。在简述了"学衡派"的"人文主义"以后，钱穆也只是说："盖与前引二梁之书（梁启超之《欧游心影录》和梁漱溟之《东西文化及其哲学》）相枠鼓，皆对于近世思想加以针砭者也。惟学衡派欲直接以西洋思想矫正西洋思想，与二梁以中西分说者又微不同"。[1]

"学衡派"以《学衡》杂志为根据地，其主要的作者群是以东南大学核心，包括了梅光迪、胡先骕、吴宓、柳诒徵，还有王国维、陈寅恪、汤用彤等。《学衡》杂志创立的目标所指就是以陈独秀、胡适为代表的新文化运动。据吴宓自编年谱记载，1918年吴宓初入哈佛，就有人告诉他梅光迪正准备与胡适争论。"今胡适在国内，与陈独秀联合，提倡并推进所谓'新文化运动'，声势烜赫，不可一世。姑梅君正在'招兵买马'，到处搜求人才，联合同志，拟回国对胡适做一全盘之大战。按公之文学态度，正合于梅君之理想标准，彼必来求公也，云云。"[2] 所以，即使是最近依然有人将学衡与新文化运动之争看做是"意气用事"，或只是为了争夺"文化的权力话语"。[3]

1922年1月，《学衡》杂志正式创刊，其宗旨是"论究学术，阐求真理，昌明国粹，融化新知，以中正之眼光行批评之职事，无偏无党，不激不随。"

（一）学衡派的思想源头

与新文化运动直接继承欧洲的启蒙思潮不同，学衡派的思想基础是以白璧德为代表的新人文主义。所谓"新人文主义"是"以英国诗人和评论家 M. 阿诺德的文学和社会理论为基础于 1910—1930 年间在美国开展的一个评论运动。"[4] 他对当时的机械化大生产持批评态度，重视道德观念，重视继承优秀的人类文化传统。

---

① 钱穆：《国学概论·弁言》，（台北）商务印书馆1997年版，第1页。

② 郑师渠：《在欧化与国粹之间》，北京师范大学出版社2001年版，第61页。

③ 沈卫威说："现代文化保守主义者如梅光迪、吴宓敌视胡适等人的最直接的心理因素，是因为对方占据了文化要津，控制了知识的权力话语。于是他们（梅、吴）以文化守成自居，以旧抗新、拒新。明知守成得不到什么，（他俩也根本不守旧的礼教、道德，只是空喊给自己壮胆和装饰门面。这两位自我标榜反对新文化的急先锋，反倒是最积极、最坚决地响应新文化、新道德观，搞家庭革命，争取恋爱、婚姻自由的人——抛弃前妻），反而站在保守的一方，其目的无外乎是借助文化守成，争夺文化的权力话语。"见沈卫威：《回眸"学衡派"》，人民文学出版社1999年版，第76页。

④ 《简明不列颠百科全书》第8卷，中国大百科全书出版社1986年版，第643页。

吴宓等人在哈佛学习的时候，深受白壁德的影响，而白氏的人文主义，主要的攻击点是在以培根为始祖的科学主义和卢梭的浪漫主义，并提出实证的人文主义。他说：如果与这种人文主义相对照，"则彼科学及感情的自然主义之错误立见。盖其所主张，实证不足，又惑于想象，溺于感情，将旧传之规矩，尽行推翻，而不知凡个人及社会之能有组织，能得生存，其间所以管理制裁之道，决不可少。故今者既已将身外之规矩推翻，则必求内心之规矩以补其缺也。"①

完美的人文主义是"须融汇从古相传之义理而受用之，并须以超乎理智之上而能创造之知觉工夫，辅助其成。"② 他们反对那种泛滥的人道主义，而是站在精英主义的立场，试图从训诫和选择中确立人文主义的精神，即调停理智和浪漫，取得一种中道。在这种立场的影响下，学衡派反对启蒙的价值观和进步观，认为世界文化具有统一性，文化的历史统一性，"则今欲造成中国之新文化，自当兼取中西文明之精华，而熔铸之，贯通之。吾国古今之学术德教，文艺典章，皆当研究之、保存之、昌明之、发挥而光大之。而西洋古今之学术德教，文艺典章，亦当研究之、吸取之、译述之、了解而受用之。"③

学衡派特别强调文化发展中的选择原则。这种选择性主要是强调引入的文化必须要与中国当时的需要相结合，梅光迪说："其一是被引进之本体有正当之价值，而此价值当取决于少数贤哲，不当以众人之好尚为依归；其二是被引进的学说必须适用于中国，即与中国固有文化之精神不相背驰；或为中国向所缺乏，而可截长补短者，或能救中国之弊而有助于革新改进者。"④

按照这样的选择标准他认为，创造与自由，平民主义包括马克思主义，虽风靡一时，但并不具备本体的价值。显然问题的关键还在于如何才能判定一种思想是否适合于中国的需要，因为在梅光迪作出这个判断前后，马克思主义开始为知识界和更多的人所接受，而且实践也证明了其作用。因此说学衡派的贡献在于方法上的突破。"《学衡》派在继承传统的问题上以反对进化论同激进派和自由派相对峙，同时以强调变化和发展超越了旧保守主义，在引介西学方面则以全面考察、取我所需和抛弃长期纠缠不清的'体用'框架而独树一帜。"⑤

① 吴宓译：《白壁德之人文主义》，载孙尚扬编：《国故新知论——学衡派文化论著辑要》，中国广播电视出版社 1995 年版，第 3—4 页。

② 同上书，第 14 页。

③ 吴宓：《论新文化运动》，载孙尚扬编：《国故新知论——学衡派文化论著辑要》，中国广播电视出版社 1995 年版，第 88 页。

④ 梅光迪：《现今西洋人文主义》，《学衡》第 8 期。

⑤ 乐黛云：《世界文化对话中的中国现代保守主义》，载李继凯编：《解析吴宓》，社会科学文献出版社 2001 年版，第 16 页。

但令人深思的是一种合理的方法，并不必然带来合理的结果。政治永远不是文化的自然延伸。

（二）新旧问题与中国文化精神

五四运动的最典型的言说就是新旧文化之不能两立，进而将中西问题转变为新旧问题。对此陈独秀等人有许多经典性的论述，但最为简明扼要的还是汪叔潜的说法。"所谓新者无他，即外来之西洋文化也；所谓旧者无他，即中国固有之文化也。……二者根本相违，绝无调和折中之余地。……新旧之不能相容，更甚于水火冰碳之不能相入也。"①

学衡派对于新文化运动的反击中，新旧问题是一个重要的突破点，因为这也是人文主义与启蒙思潮的对立之处。吴宓说："何者为新？何者为旧？此至难判定也。原夫天理、人情、物象古今不变，东西皆同。……所谓新者，多系旧者改头换面，重出再见，常人以为新，识者不以为新也。……故论学应辨是非精粗，论人应辨善恶短长，论事应辨利害得失。以此类推，而不应拘泥于新旧，旧者不必是，新者未必非，然反是则尤不可。且夫新旧乃对待之称，昨以为新，今日则旧，旧有之物，增之损之，修之琢之，改之补之，乃成新器。举凡典章文物，理论学术，均就已有者，层层改变递嬗而为新，未有无因而至者。故若不知旧物，则决不能言新。"②

这也就是说文化之新旧并不是以时间之先后来划分的，更重要的是新和旧之间是一种层层递进的关系，所有的创造都是建立在传统的基础之上的。所以，学衡诸将认为新文化运动将新旧对立起来的做法，是政客而非学问家和教育家所应为，当然也算不上是创造，而是对文化的一种毁坏。

梅光迪认为，新文化运动的那些人"彼等非思想家，乃诡辩家也。……彼等非创造家，乃模仿家也。……彼等非学问家，乃功名之士也。……彼等非教育家，乃政客也。"③

胡先骕在《论批评家之责任》一文中，也认为新文化运动的提倡者以偏激来求得轰动效应是文化发展之祸。他说："今之批评家，犹有一习尚焉，则立言务求其新，务取其偏激，以骇俗为高尚，以激烈为勇敢。此大非国家社会之福，抑非新文化前途之福也。"④

---

① 汪叔潜：《新旧问题》，《青年杂志》第 1 卷第 1 号。

② 吴宓：《论新文化运动》，载孙尚扬编：《国故新知论—学衡派文化论著辑要》，中国广播电视出版社 1995 年版，第 80 页。

③ 梅光迪：《评提倡新文化者》，载孙尚扬编：《国故新知论—学衡派文化论著辑要》，中国广播电视出版社 1995 年版，第 72—75 页。

④ 孙尚扬编：《国故新知论—学衡派文化论著辑要》，中国广播电视出版社 1995 年版，第 285 页。

对此吴宓也认为专取一个流派的观念而作为西方世界的全部是不合适的。他说："近年国内有所谓新文化运动者焉，其持论则务为诡激，专图破坏。然粗浅谬误，与古今东西圣贤之所教导，通人哲士之所述作，历史之实迹，典章制度之精神，以及凡人之良知与常识，悉悖逆抵触而不相合。其取材则惟晚近一家之思想，一派之文章，在西洋已视为糟粕，为毒鸩者，举以代表西洋文化之全体。其行文则妄事更张，自立体裁，非马非牛，不中不西，使读者不能领悟。"①

吴宓认为，他之批评新文化运动，并不是因为新文化运动提倡革新，而是因为"新文化运动者反对中国的传统，但他们在攻击固有文化时，却将其中所含之普遍性文化规范一并打倒，徒然损害了人类基本美德与高贵情操。"② 就学衡派的基本理念"昌明国粹，融化新知"而言，是以昌明国粹来融化新知，还是通过融化新知来昌明国粹恐怕是一个不容忽视的问题。1927 年，他在与陈寅恪、楼光来的谈话中做了一个"二马之喻"。其间的矛盾和紧张跃然纸上。"言处今之时世，不从理想，但计功利。入世积极活动，以图事功。此一道也。又或怀抱理想，则目睹事势之艰难，恬然退隐，但顾一身。寄情于文章艺术，以自娱悦，而有专门之成就，或佳妙之著作。此又一道也。而宓不幸，则欲二者兼之。心爱中国旧日礼教道德之理想，而又思以西方积极活动之新方法，维持并发展此理想，遂不得不重效率，不得不计成绩，不得不谋事功。此二者常互背驰而相冲突，强欲以己之力量而兼顾之，则譬如二马并驰，宓以左右二足分踏马背而絷之，又以二手坚握二马之缰于一处，强二马比肩同进。然使吾力不继，握缰不紧，二马分道而本，则宓将受车裂之刑矣。此宓生之悲剧也。而以宓之性情及境遇，则欲不并踏此二马之背而不能。"③ 这不仅是因为吴宓性格中的矛盾因素，而且是中西文化在冲突中寻求协调本身的困境。汤用彤在解释这个问题的时候依然是模棱两可的，因为他认为调和的前提是两方思想的相同或相合，但如果是根本不相合那调和是否无从说起呢？"外来文化思想在另一地方发生作用，须经过冲突和调和的过程。'调和'固然是表明外来文化思想将要被吸收，就是'冲突'也是他将被吸收的预备步骤。因为粗浅地说，'调和'是因为两方文化思想相同或相合，'冲突'是因为两方文化思想的不同或不合。两方总须有点相同，乃能调和。"④

① 吴宓：《论新文化运动》，载孙尚扬编：《国故新知论—学衡派文化论著辑要》，中国广播电视出版社 1995 年版，第 78 页。

② 吴宓：《中国之旧与新》，《中国留学生月报》第 16 卷第 3 期。

③ 《吴宓日记》Ⅲ，三联书店 1998 年版，第 355 页。

④ 汤用彤：《文化思想之冲突与调和》，载《往日杂稿》，中华书局 1962 年版，第 123 页。

【中国哲学】激进与保守之间

无论如何，学衡派试图通过对"伦"的问题的阐发来解决国粹的问题，也就是说，寻找中国文化在新的情景下的立足点。

柳诒徵是学衡派中的史学大家，他认为中国之所以能在文明古国中持久存在，主要源于中国文化独具的精神，这个精神的实质就是人伦。"讲两个人的主义"，其中心是恕，"仆尝谓五伦为二人主义，二人主义者，即所谓相人偶也，相人偶者，由个人至大多数人之中，必经之阶级也。"因此不懂得五伦，也就不懂为人之道，"人必自五伦始，犹之算学必自四则始，不讲五伦，而讲民胞物与，犹之不明四则，辄治微积分，何从知为人之道哉。"①

而吴宓认为，人伦精神的中心在于"理想人格"，即中国古人所说的圣人、君子、士人、士。它包括这样一些内涵：（1）内圣外王，德行兼备；（2）诚意正心修身齐家治国平天下；（3）富贵不能淫，贫贱不能移，威武不能屈；（4）穷则独善其身，达则兼济天下。②

陈寅恪则有"独立之精神，自由之人格"的理想。郑师渠认为，"柳诒徵、吴宓、陈寅恪对中国文化精神的概括，正形成了一个宝塔式的递进序列：人伦道德—理想人格—独立的精神、自由的思想。它的基础是体认中国文化重伦理，以'人伦道德'为中心。"③

学衡派对中国文化精神的阐发自然是一个重要的工作，乐黛云先生说："《学衡》与五四前的国粹派已有显著不同：国粹派强调'保存国粹'，重点在'保存'。严复追求的是'保持吾国五、四千载圣圣相传之纲纪彝伦、道德文章于不坠'。《学衡》强调的却是发展。《学衡》的宗旨是'论究学术，阐求真理'，昌明国粹，融化新知，以中正之眼光，行批评之职事'，目的不只是'保存国粹'而是'阐求真理'，方法也不是固守旧物而是批评和融化新知，这就是发展。《学衡》派突破一国局限，追求了解和拥有世界一切真善美的东西，就更不是国粹派所能企及的了。"④

但似乎学衡派并没有真正解决融化新知和昌明国粹之间的有效联系，因为如何吸收西方的思想使国粹得到昌明，学衡派并没有作出真正有说服力的成果，而且无论在文化界还是对于政治操作实践的影响，学衡派恐怕都难以与国粹派相比，如何走出调和论本身的理论和实践的困境，张氏兄弟的综合创新可以算得上重要的理论突破。

---

① 柳诒徵：《孔学管见》，《国风》1932 年第 3 期。
② 参见吴宓：《悼柯凤孙先生》，《大公报文学副刊》1933 年第 297 期。
③ 郑师渠：《在欧化与国粹之间》，北京师范大学出版社 2001 年版，第 103 页。
④ 乐黛云：《世界文化对话中的中国现代保守主义》，载李继凯编：《解析吴宓》，社会科学文献出版社 2001 年版，第 14 页。

【西方哲学】

让-保罗·萨特和以赛亚·伯林的
"自由观"之比较

冯 俊

内容提要：让-保罗·萨特（Jean—Paul Satre，1905—1980）和以赛亚·伯林（Isaiah Berlin，1909—1997）这两位 20 世纪的伟大思想家都十分关心"自由"问题，"自由观"是他们哲学的中心。但是他们各自的哲学背景和理论出发点不同，思想风格迥异，伯林的自由观似乎是分析萨特自由观的一面镜子。伯林将自由分为"积极自由"即"去做……"的自由（free to do sth.）和"消极自由"即"免于……"的自由（free from doing sth.），他倡导后者而反对前者。伯林认为积极自由会导致个人自由的完全丧失，而萨特所追求的自由选择和自我造就恰好是伯林所反对的。对于两者的比较，会使我们看到两种自由观各自的理论得失，加深我们对于 20 世纪人类探索自由的成果的理解。

关键词：萨特、伯林、积极自由、消极自由、比较

让-保罗·萨特（Jean - Paul Satre，1905—1980）和以赛亚·伯林（Isaiah Berlin，1909—1997）生活在英吉利海峡两岸的这两位 20 世纪的伟大思想家，他们的学术理路不同，思想风格迥异，把他们放在一起来加以比较，看上去显得颇为奇怪和荒谬。

然而，他们确实有许多共同的地方让人们可以进行比较，最为突出的一点那就是他们都十分关心"自由"问题，"自由观"是他们哲学的中心；同时他们都是第二次世界大战的亲历者，他们的自由观是对纳粹德国的法西斯统治、第二次世界大战人类经历的深重灾难和苏联专制主义恶果的深刻反省，体现了生活在 20 世纪的西方人对于自由的渴望和思索，从不同的侧面体现了西方社会的主流意识形态。

更为有趣的是，伯林的自由观给我们提供了一个分析萨特自由观的独特视角，对于两者的比较，会使我们看到两种自由观各自的理论得失，加深我们对于 20 世纪人类探索自由的成果的理解。

一、共同主题，不同前提

"自由"是萨特和伯林哲学的共同主题和中心，但是他们各自的哲学背景和理论出发点不同。

"自由"是贯穿萨特哲学发展的一条主线，从 1943 年发表的《存在和虚无》，1946 年发表的《存在主义是一种人道主义》，再到 1960 年发表的《辩证理性批判》，萨特前后的思想发生了很大变化，但都是围绕"自由"问题而展开的，自由是萨特全部哲学的核心。

在早期著作《存在与虚无》中，通过对纯粹意识活动的分析得出自由概念，形成了关于自由的一些基本理论。首先，他把自为的存在即人的存在与自由等同起来，认为人的存在即自由，自由（存在）先于人的本质；自由就是个人自由地选择，自由地选择是绝对的、不受限制的。这里他关心的是人的个别性、单独性，宣扬的是个人的自由，自己对自己的行为负责，人是自己造就自己。其次，在这种个人主义的、唯我论的自由观受到来自各方面的非难和谴责后，萨特在《存在主义是一种人道主义》中对它作了进一步的修改和辩护，而强调人要献身于全人类的自由，为全人类负责，当你个人在作出选择时也就是为全人类选择，所有别人的自由是保证个人自由的必要条件，把存在主义作为一种人道主义。再次，在《辩证理性批判》中，萨特力图将他的存在主义和马克思主义结合起来，更多地考虑的是现实地实现自由的条件，认为不受限制的自由、彻底的自由选择是不存在的，只有消灭了经济匮乏和社会异化，才能实现真正的自由。主要考察的不是人的个别性和独立性，而是人们如何构成现实的集团关系。

伯林从 1958 年提出"消极自由"和"积极自由"的"两种自由的概念"，此后一直在不断地丰富和发展着他关于自由的思想，从"自由三论"、"自由四论"再到"自由五论"，伯林的自由观成为 20 世纪英美哲学界最有代表性的政治哲学理论之一，伯林的"消极自由"和"积极自由"的区分及他对消极自由的阐述，成为波普尔、哈耶克、罗尔斯和桑德尔等人关于自由问题讨论的出发点或整个英美政治哲学讨论的焦点。

萨特自由观的出发点是"现象学一元论"，企图运用从德国哲学家胡塞尔那儿借用来的现象学方法来超越传统主客、心物二元论，他把《存在与虚无》的副标题叫作"现象学的本体论"。萨特的存在主义是一种探索存在的本性的本体论学说，他本体论中的存在，是自为的存在、人的存在，因此他的本体论是一种探索人的存在意义和价值的学说，揭示出的是伦理学的意蕴。本体论学说同时也是关于自由的学说，关于道德的学说。

而伯林的自由观的出发点是起源于英国经验主义传统的政治自由主义。洛克是西方古典自由主义的首倡者，其理论基础是社会契约论和自然法理论，洛克的自由观影响了伏尔泰和卢梭等 18 世纪的启蒙哲学家；密尔是古典自由主义的集大成者，他是从功利主义的理论前提来论证自由主义的，法国的自由主义者本杰明·贡斯当也对古代人的自由和现代人的自由进行了深入地研究，为伯林提出"消极自由"和"积极自由"的概念提供了直接思想前提。伯林的自由理论尽管反对自然法理论，反对功利主义，反对理性主义和一元论的思维方式，但是，他的自由主义仍然是属于英国经验主义和政治自由主义的传统。

二、"消极自由"和"积极自由"

洛克所强调的自由是遵守法律的自由，在法律的范围内人享有绝对的自由。密尔认为自由是指个人对自己利益或幸福、功利的追求，是按照我们自己的道路去追求我们自己的好处的自由，它包括人的良心自由、言论自由和讨论自由；生活道路、个性和志趣的自由；个人之间相互联合的自由等。与他们不同的是，伯林将自由理解为不受奴役，不被强制。如果我受奴役，被强制，那就不自由。我本来可以以别的方式行事，但是由于别人故意的干涉，阻止了我达到某种目的，这就是说我受到了强制，因而我就缺乏自由。他将自由区分为两种，即"消极自由"和"积极自由"。

"消极自由"就是指，"我们一般说，就没有人或人的群体干涉我的活动而言，我是自由的。在这个意义上，政治自由简单地说，就是一个人能够不被阻碍地行动的领域。如果别人阻止我做我本来能够做的事，那么我就是不自由的；如果我的不被干涉地行动的领域被别人挤压至某种最小的程度，我便可以说是被强制的，或者说，是处于奴役状态的。"① 如果别人直接或间接、有意或无意地阻碍了我的愿望的实现，那就是我受压迫、受控制或受奴役。"在这个意义上，自由就意味着不被别人干涉。不受干涉的领域越大，我的自由也就越大。"②

"'自由'这个词的'积极'含义源于个体成为他自己的主人的愿望。我希望我的生活与决定取决于我自己，而不是取决于随便哪种外在的强制力。我希望成为我自己的而不是他人的意志活动的工具。我希望成为一个主体，而不是一个客体；希望被理性、有意识的目的推动，而不是被外在的、影响我的原因推动。我希望是个人物，而不希望什么也不是；希望是一个行动者，也就是说

西方哲学

让-保罗·萨特和以赛亚·伯林的『自由观』之比较

---

① 以赛亚·伯林：《自由论》，胡传胜译，译林出版社 2003 年版，第 189 页。
② 同上书，第 191 页。

是决定的而不是被决定的，是自我导向的，而不是如一个事物、一个动物、一个无力起到作用的奴隶那样只受外在自然或他人的作用，也就是说，我是能够领会我自己的目标与策略且能够实现它们的人。"① "此外，我希望意识到自己是一个有思想、有意志、主动的存在，是对自己的选择负有责任并能够依据我自己的观念和意图对这些选择做出解释的。只要我相信这是真是的，我就感到我是自由的；如果我意识到这并不是真是的，我就是受奴役的。"②

如果比较两种自由的异同，就会发现，"积极自由"是"去做……"的自由 (free to do sth.)，"消极自由"是"免于……"的自由(free from doing sth.)。③ "积极自由"要回答的问题是："什么东西或什么人，是决定某人做这个、成为这样而不是做那个、成为那样的那种控制或干涉的根源？"④ "消极自由"要回答的问题是："主体（一个人或人的群体）被允许或必须被允许不受别人干涉地做他有能力做的事、成为他愿意成为的人的那个领域是什么？"⑤ 为了获得独立和自由，"积极自由"采取的是自我实现或完全认同于某个特定的原则或理想的态度，"消极自由"采取的是自我克制的态度。⑥ "积极自由"回答"谁是主人？"这个问题，"消极自由"回答"我在什么范围内是主人？"的问题。⑦ 如果联系到社会政治问题来看，"积极自由"要回答的是"谁统治我？"的问题，而"消极自由"要回答的是"政府干涉我到何种程度？"的问题。⑧

如果把自由理解为一个人不被阻碍地行动，不受别人阻止和干涉地做他本来能够做的事，似乎是，如果不存在任何阻碍，那我们就是自由的；如果我们消除了自己的欲望，也就没有什么会阻止我愿望的实现，那么我也就是自由的；如果我没有能力做我想做的事，那就是不自由。但是，这些理解完全是错误的，伯林特别澄清以下几点：首先，自由并不等于不存在任何障碍或阻碍。自由并不是指我们的选择或活动不受任何阻碍、我们的行动不受任何挫折或我们前进的道路是平坦的大道。自由最终"取决于多少扇门是打开的，他们是如何打开的"，自由的缺乏要归咎于这些门的关闭或无法打开，或者是人类能动性作用的关闭。但是，只有当阻碍性行为被故意筹划、道路被故意地阻塞时，才能被称作压制或强制。其次，自由并不是要我们消除欲望。"我们可能受自

---

① 以赛亚·伯林：《自由论》，胡传胜译，译林出版社 2003 年版，第 200 页。
② 同上。
③ 同上。
④ 同上书，第 189 页。
⑤ 同上。
⑥ 同上书，第 204 页。
⑦ 同上书，第 41 页。
⑧ 同上书，第 198 页。

然规律阻止，受偶然事件、人的活动、人类制度的常常是无意的结果的阻止"，由于这些阻止和障碍，我们就变得不自由了，如果想要自由，似乎有一个办法，那就是"对于我不能肯定地得到的东西绝不强求。我绝不欲求自己得不到的东西。"退回到我内在的城堡，退回到我自己之中。这是一种禁欲主义的和寂灭论的、斯多亚派和佛教圣人的自我解脱或自我解救的做法。"他们借助某种人为的自我转化过程，逃离了世界，逃离了社会与公共舆论的束缚，这种转化过程能够使他们不再关心世界的价值，使它们在世界的边缘保持孤独与独立，也不再易受其武器的攻击。"① 这样他们似乎逃脱了被控制的奴役状态，因而，他们似乎是自由的。但是，伯林认为，这种退守内在城堡的禁欲主义绝不是自由，而无异于是自杀，把我自己收缩至更小的空间，我将因窒息而死，其逻辑结果就是自杀，这种自我解放只有通过死亡才能获得。② 再次，"没有能力做某事"不等于"缺乏自由"。例如，因为失明而不能阅读，因为穷困而买不起面包或不能进行环球旅行，这并不算缺乏自由，因为这里没有奴役和强制。只是当你由于别人的干预和阻挠而不能阅读、因别人压迫和剥削买不起面包、因某人的有意阻碍而不能去环球旅行，即你受到了强制和奴役时，这才能说你失去了自由。

伯林对"消极自由"和"积极自由"的区分，得益于密尔对于私人领域和公共领域的区分和贡斯当对于古代人和现代人的自由的研究。密尔和贡斯当认为，应该存在最低限度的、神圣不可侵犯的个人自由的领域，必须划定私人生活的领域和公共权威领域间的界线。"人类生存的某些方面必须依然独立于社会控制之外。不管这个保留地多么小，只要入侵它，都将是专制。"③ 洛克、亚当·斯密和密尔"他们相信社会和谐、进步，与保留国家或任何一种权威皆无法进入的大范围私人生活领域是能够相容的"④，就是要给个人保留一个免受他人干预的私人空间，保有最低限度的个人自由的领域，对自由的捍卫就存在于这样一种排除干涉的"消极"目标中，这就是"消极自由"。伯林认为，为个人保留免受他人（或团体和政府）干预的自由的空间的思想，是现代人的自由观，在古代世界不存在作为政治理想的个人自由，在希腊人和罗马人的法律概念中不存在个人权利的观念，个人自由观念在希腊文化中没有居于核心地位，在其他古代文明中，如在古代犹太人和古代中国人中同样不居于核心地位。古代世界假定生活是一个整体，法律和政府覆盖了生活的全部领域，没有

① 以赛亚·伯林:《自由论》，胡传胜译，译林出版社 2003 年版，第 205 页。
② 同上书，第 210 页。
③ 同上书，第 194 页。
④ 同上。

任何理由保护生活的任何一个角落不受监管。当人们尚处于穷困与受压迫的境地，衣食无着，没有起码的安全感时，是不会关心契约和出版自由的。个人自由是资本主义文明的最新成果，"不被侵犯的要求，被允许成为自己的要求，在个体和共同体两个方面都是高度文明的标志。"① 这种消极自由的观念首先起源于教会反对世俗国家干涉的斗争和国家反对教会的斗争，而最主要地是起源于文艺复兴和宗教改革后的资本主义的发展，也许是起源于私人企业、工业、商业反对国家干涉的要求。个人主义是资本主义"价值网络中的一个因素，这个价值网络包括个人权利、公民自由、个人人格的神圣性、隐私与私人关系的重要性等。"② 它们"在美国与法国各种各样的人权宣言中，在诸如洛克、伏尔泰、托马斯·潘恩、贡斯当和约翰·斯图亚特·穆勒等人的著作中，得到完整或部分地表达。"③ 伯林第一次将"消极自由"和"积极自由"区分开来，他本人大力倡导"消极自由"，而坚决反对"积极自由"，认为"积极自由"最终导致的是集权和威权的制度，而与自由的初衷相违背；相反，"消极自由"是现代人的自由观，倾向的是自由民主制度，更符合人道主义，更能体现人类价值的多元性、多样性。

三、用伯林之眼看萨特

"自由"是贯穿萨特全部哲学的中心问题，萨特自由观的许多命题是被人们所熟知的，并作为存在主义的基本原则而被许多人接受。但是，如果用伯林的和萨特的自由观做一比较，或者用伯林之眼来看看萨特，似乎就有很多问题值得怀疑和商榷的了。

(一) 自由选择和自我实现

1. 萨特

萨特认为，"人，不外是由自己造成的东西，这就是存在主义的第一原理。"④ 各种存在主义"共同的地方是：都认为存在先于本质，或者说，必须以主观性为出发点。"⑤ 主观性表明人高于物，突出了人的地位和尊严，突出了人的意志、自觉决定和自我实现。

---

① 以赛亚·伯林：《自由论》，胡传胜译，译林出版社 2003 年版，第 197 页。
② 同上书，第 38 页。
③ 同上书，第 322 页。
④ 参见萨特：《存在主义哲学》，商务印书馆 1963 年版，第 337 页。
⑤ 同上书，第 336 页。

萨特将存在区分成"自在的存在"和"自为的存在"。"自为的存在",就是指人的意识、人的自我。自为的存在不是一种确定的、不变的存在,而是一种不断追求和活动中的存在。人这个自为者从事什么职业,有着什么身份,这都是自己选择的,自己扮演的,他自己的选择造成了特定的世界,给予存在以特定的意义,这说明他是自由的,他对自己的存在是负有责任的。自为在追求完满性和整体性中所缺乏的东西,它表明人的实在的"尚未"实现,表明不断追求的开放性。自为在超越时总是向着一个目标、一个理想的自我,人的一切有目的的活动都是对"可能"的选择和追求,选择了什么样的可能,也就选择和创造了一个什么样的自我,人的存在的过程也是一个不断地选择可能,不断地自我设计和塑造的过程。

自为者,人,是一种永远缺乏、永不满足的存在,是一种能动性和趋向性,他在将自在虚无化,赋予世界以意义的同时将自己涌现出来,他在不断地超越和追求价值和可能性中创造着世界,同时也创造着自我,他是面向未来,永远在自我选择、自我设计、自我筹划。人的这种否定、超越和创造是无穷的。这一切说明人是自由的,自为的存在即人的存在就是自由,人注定是自由的。人不是选择成为自由,不是先存在,然后争取到自由,自由和人的现实存在是不可分的。人是被判定为自由、被处罚为自由、被投向自由、被抛入自由之中。人就是一个自由的主体,自由地行动和承担责任的主体。作为自由的主体,人的存在(即自由)先于人的本质。人与物不同,物是被动的、消极的、没有自由的,不能自己造就自己,它是本质先于存在。

可以看出,萨特认为,人是自由的,自由主要体现在自由选择,自我塑造,自我实现,自己造就自我的本质。

2. 伯林

伯林也反对把人看作是自然秩序中的客体、其活动服从于自然规律的观点,反对参照自然规律来理解人的本质和行为,也就是说他不愿意把人看作是自在的存在。他认为人是未完成的或未结束的,在本质上是自我改变的,没有共同不变的本质,因而类似于自为的存在,自己造就自己的本质。但与萨特不同的是,伯林认为,人部分地是自己创造自己,部分地是被决定的。人是自我改变的存在,能够创造出多种多样的本性和多元的人的概念,但是人又逃不脱他的文化,是被他所处的文化环境所决定的。在伯林看来,选择的自我作为选择活动的主体,在他作出基本选择的时候,他也不是一种不受任何妨碍的自我或抽象的自我;它是一种由对某种特殊民族的忠诚、文化传统和社区成员地位构成的自我,通过基本选择进行的自我创造也不是凭空进行的。个体身份和共同文化形式都不是意志行为随意创造的,因为个体以及民族的思想和情感都是既往的语言和实践的遗产，正是这些语言和实践的遗产以深刻、多样的形式形成和塑造了他们。

萨特的自我选择、自我控制、自我导向和自我实现在伯林看来恰恰是"积极自由"的表现，伯林认为积极自由常常会出现偏离，走向自由的反面，"开始是作为自由学说的东西结果成为了权威的学说，常常成为压迫的学说，成为专制的有力武器。"①

首先，在伯林看来，"积极自由"的自我容易导致人格的分裂，人与自身的分裂。人从自然和精神的奴役过程中，意识到一方面是一个处于支配地位的自我，另一方面是一个处于受支配地位的自我。一个是"高级的"、理性的、"真实的"和"自律的自我"；一个是"低级的"、经验的、非理性的和"他律的"自我；而这两种自我的分裂可以导致巨大的鸿沟。"就'积极的'自由的自我而言，这种实体可能被膨胀成某种超人的实体——国家、阶级、民族或历史本身的长征，被视为比经验的自我更'真实'的属性主体。但是事实上，作为自我控制的'积极'自由概念，及其所暗示的人与自身的分裂的含义，在历史上、学说上与实践上，很容易把人格分裂为二。"② 真实的自我有可能被理解成某种比个体更广的东西，被理解为社会的"整体"：部落、种族、教会、民族、国家等，这种比个体更大的实体被确认为"真正的"自我，把某种集体的意志强加于个体，以某种更高目标的名义对个体施加强制。并且我很容易相信：我对别人的强制是为他们好，出于他们的利益，甚至认为我比他们自己更知道他们需要什么。我就会"无视个人和社会的实际愿望，以他们的'真实'自我之名并代表这种自我来威逼、压迫与拷打他们"。③ 因此在这里就出现了一种矛盾或荒谬，如果为了他们好，满足他们的需要或出于他们的利益，那么就应该是合乎他们的意愿的，他们没有被强制，他们是自由的，可是为了他们的自由而强制他们，恰恰是他们失去了自由，这是与自由的初衷完全相违背的。

第二，自我实现的"积极自由"会导致理性主义。对于那些我没有认识的领域，我是不自由的，我所不熟悉、不了解的对象是我行动的障碍，对我是压迫性的，强制性的。而一旦我认识了它、掌握了它，理解了它、体认它，从而把它由自由活动的阻碍变成自由活动本身的一个要素，因而我的行动就得到了自由。这就是理性主义的"自由是对必然性的认识"的观点。对于必然性，"我将其吸收进我的本质中，就像我将逻辑学、数学、物理学规律、艺术法则，

① 以赛亚·伯林：《自由论》，胡传胜译，译林出版社 2003 年版，第 38 页。
② 同上书，第 203 页。
③ 同上书，第 202 页。

以及支配我所理解的所有事物的原则吸收到我的本质中一样；既然我不希望'应是'不同于'所是'，那么，我便要求理性的、我不会因之而受到挫折的目标。"① 伯林对于自由的看法与斯宾诺莎"自由是对必然的认识"的观点不相容的。

第三，自我导向、自我实现的积极自由会导致一元论、决定论。"那些相信自由即理性的自我导向的人们，或早或晚，注定会去考虑如何将这种自由不仅用于人的内在生活，而且运用于他与他的社会中其他成员的关系。"② 把个人的自我导向或自我实现推及他人、推及国家，认为所有有理性的人都会遵循同一个原则，对于任何问题，都存在一个唯一正确的答案，所有的真理都会被所有有理性的人完全接受。"根据这个假说，政治自由的问题，通过建立一种公正的秩序，是可以解决的；这种秩序能够给予所有理性的存在者都有资格享受的自由。"……"因此，公正的秩序从原则上说是可以发现的。在这种秩序中，规则使得产生于其中的所有可能的问题都有正确的答案。"③ 这种一元论存在乌托邦式的幻想，那就是他们假定，所有的人都有一个且只有一个目的，那就是理性的自我导向的目的；所有有理性的存在者的目的必然组成一个单一、普遍而和谐的模式；在完全理性的存在者那里，起源于理性和非理性的冲突原则上都可以是避免的；在本性上完全一致的理性的人恢复从出自他们自身的理性的规律，因此他们就成为完全服从法律的与完全自由的人。④ 这样，只有一条正确的生活道路，一部分人能够通过自我导向自觉地趋向于它，而另一部分人则要靠社会的高级部分、先知先觉者、英雄、受过教育的精英来利用各种社会手段例如教育、指导、命令、强制等引导向它，为了获得自由这个社会所期望的自由，后一部分人就要接受前一部分人的命令和强制。这样一来，"我们事实上已经远离了我们自由主义的出发点……一步一步地从个人责任与个人自我完善的伦理学说，转变为一种服从柏拉图式的守卫精英指导的集权国家理论。"⑤

（二）自由的绝对性和无条件性

1. 萨特

萨特把人的自由看做是绝对的、不受限制的。自由，就是自由地进行选

---

① 以赛亚·伯林：《自由论》，胡传胜译，译林出版社 2003 年版，第 214—215 页。
② 同上书，第 215 页。
③ 同上书，第 216 页。
④ 同上书，第 226 页。
⑤ 同上书，第 223—224 页。

西方哲学 让-保罗·萨特和以赛亚·伯林的「自由观」之比较

择、自己决定。人的自由就是意识对面临的各种可能性进行选择的自由、行动的自由。

首先，环境不能限制人的自由。自然环境看起来限制了我，但是这种限制是我自由选择的。家庭出身和阶级地位等社会环境也限制不了我的自由，虽然家庭出身是不能由我本人来选择的，但是它对于你到底就什么意义还是由你自己选择的。囚犯虽身陷囹圄，奴隶虽锁上了镣铐，但他们仍然可以在思想中自由地选择各种逃跑和对抗的办法。他们完全是自由的。其次，人的过去是不能限制人的自由的，人现在的自由选择、现在的存在不是由过去决定的，过去到底有什么意义，也是由我现在的自由选择所赋予的，因此，可以说我的自由选择先于过去，过去限制不了我的自由选择。人的死也限制不了人的自由，在死到来之前，我可以自由地选择死的方式和意义，当死来临之时，我已经不存在，它也不能限制我的自由了。

自由选择与成功与否无关。自由的绝对性和无条件性，并不意味着我总是事事如愿以偿，处处马到成功，不是指通过选择获得现实的政治自由或行动自由，而是指自己决定和自己选择。自由是指选择的行为本身，它与成功与否无关。它只意味着，无论你处于何时何地何种条件下，你面临各种可能性时总是可以在思想上自由地作出选择。"在某种意义上，选择是可能的，但是不选择却是不可能的，我总是能够选择的，但是我必须懂得如果我不选择，那也仍旧是一种选择。"① 我选择了不选择。所以自由选择是绝对的、无条件的。萨特的这种自由实际上只是人的主观心理上的自由、个人意识的自由，与现实的、具体的自由无关，因而有着强烈的主观唯心主义倾向。

在《存在主义是一种人道主义》一书中，萨特又把存在主义理解为一种行动哲学，自由就是指自由地行动。因为行动正是人自由的表现，用自己的行动造就自身，把人看作是自己行动的总和。"一个人不多不少就是他的一系列行径；他是构成这些行径的总和、组织和一套关系。"② "人只是他企图成为的那样，他只有在实现自己意图上方存在，所以他除掉自己的行动总和外，什么都不是。"③ 存在主义，"不能被视为一种无作为的哲学，因为它是用行动说明人的性质的；它也不是一种对人类的悲观主义描绘，因为它把人类的命运交在他自己的手里，所以没有一种学说比它更乐观的；它也不是向人类的行动泼冷水，因为它告诉人除掉采取行动外，没有任何希望，而唯一容许人有生活的就是靠行动。所以在这个水准上，我们所考虑的是一种行动的和自我承担责任的

---

① 萨特：《存在主义是一种人道主义》，上海译文出版社 1988 年版，第 24 页。
② 同上书，第 19 页。
③ 同上书，第 18 页。

伦理学。"① 因而他说自由就是行动的自由。

对于自由的绝对性和无条件性问题，伯林的看法与萨特的看法只有一小部分相同，而一大部分不同。

相同的是，伯林和萨特一样，认为人无法逃避选择，无法逃避选择是人类的状况，因为存在着多种可能的路径和值得过的生活方式，"在它们之间作出选择便是理性或能够作出道德判断的表现"②，另外，无法逃避选择的一个更为核心的理由是，人的目的是相互冲突的，人不可能拥有一切事物，所以必须作出选择。这就像萨特所说的，不选择是不可能的，如果我不选择，那仍然是一种选择，是我选择了不选择。这是承认选择的绝对性。

2. 伯林

与萨特不同的是，伯林不承认自由选择是无条件的。

首先，伯林认为，自由不是无节制的自由放任，不是不讲条件的。无条件的绝对自由实际上是对自由的破坏。"狼的自由往往是羊的末日"。自由选择不是无限制的，绝对的。"人们能够在各种可能的行动路线间自由选择的范围如果无限扩张，这很明显与其他价值的实现不相容。既然如此，我们就不得不调整要求，作出妥协，建立先后次序，从事那些社会甚或个人生活事实上总是需要的事实上的运作。"③ 现实的选择总会是根据实际情况不断地调整我们的目标和要求，作出更加符合实际的选择。同时，自由选择是有条件的，"消极自由"强调，必须要有一种社会和法律制度来提供个人和群体行使自由的最低条件，"而没有这些条件，这种自由对于那些在理论上拥有它的人来说，便根本没有任何价值。没有行使他们的能力，权利还有什么用呢?"④ 自由不能只是空想，不能是心理上的自由选择，说穷者和弱者享有按其意愿花钱或者选择他们喜欢的教育的法律权利，无异于一种恶毒的嘲弄。

其次，自由与自由的条件是不同的。"自由是一回事，自由的实现条件则是另一回事。"⑤ 伯林说:"在自由与行使自由的条件之间作出区分是重要的。如果一个人太穷、太无知或太软弱以致无法运用它的合法权利，那么这些权利所赋予他的自由对于他就等于无。但是这种自由并不因此就废止了。"⑥ 伯林注意的不是抽象的自由，而是注意现实的自由实现的条件，每个人都有自由，

---

① 萨特：《存在主义是一种人道主义》，上海译文出版社 1988 年版，第 21 页。
② 以赛亚·伯林：《自由论》，胡传胜译，译林出版社 2003 年版，第 49 页。
③ 同上书，第 60 页。
④ 同上书，第 43 页。
⑤ 同上书，第 51 页。
⑥ 同上。

都有同样的权利，但是如果没有实现这些自由的条件，自由实际上等于无。但是，反过来，也绝不能因为没有自由实现的条件而废止了自由。我们要积极地创造实现自由的条件和机会，尽管这样做不是促进自由本身，但是它们可以帮助自由更好地实现，而不是压制自由。

再次，自由与自由地行动是不同的。伯林认为，将自由等同于行动本身是一种误解。"我所说的自由是行动的机会，而不是行动本身。"① 行动的可能性不同于行动的动态实现。自由不是指自由地行动、有多少行动就有多少自由；自由是指行动的可能空间，在这种可能的空间中，即便我不行动，我也是自由的。

（三）自我与他人

1. 萨特

在自我与他人的关系上，萨特的思想经历了一个发展过程，前后有很大的变化。

在《存在与虚无》中讨论了"为他的存在"与"共他的存在"，认为人和人之间的关系是冲突，"他人即地狱"。

首先，萨特认为，"自为的存在"和"为他的存在"（L'être pour autrui）是我的存在的两个方面，我既是一种"自为的存在"，也是一种"为他的存在"。我不仅被外界事物所包围，我还被他人所包围，他人的存在也是非常实在的，我是生活在一个拥有其他自我，与其他自我发生关系的世界上。这种与他人相关的自我就是"为他的存在"。在"为他的存在"中就包含着"冲突"的根源。因为如果是他人注视我，他作为一个主体，把我当作客体，当作物，消灭了我的主体性；如果是我注视他人，我就作为主体，他人成为客体，被当作物，我就消灭了他的主体性。这是一种不可调和的对立关系，我们不可能同时互为主体。他人的存在对于我的主体性是一种威胁。萨特说，他和马克思一样，认为黑格尔说得很对，人的一切关系的基础是主奴关系。这样，彼此平等，尊重他人的自由也成为一句空话。我是主人，他人必然是奴隶，我的自由必然要限制他人的自由，反之亦然。即便我对别人宽容，也限制了他人的自由，剥夺了他自由地做某些事的权利。

其次，萨特讲完了孤独的自我、自我与他人的冲突和对立之后，还是谈到了"共在"或"共他的存在"（L'être avec l'autre）的问题，即我与他人或许多他人共存于一个世界中，处于一个共同团体中，从而构成"我们"。"我们"

① 以赛亚·伯林：《自由论》，胡传胜译，译林出版社 2003 年版，第 39 页。

这个共在体的形成是有条件的、相对的，它是以"为他的存在"为基础的，是为他存在的一种延伸或一种特殊的样式。这种"我们""既不是一种主体间的意识，也不是一个以社会学家们所说的集体意识方式作为一个综合整体超越并包括意识各部分的新存在。我们是通过特殊的意识体验到的；露天座上的所有顾客都意识到是我们，以使我体验自己是介入一个与他们共在的我们之中，这并不是必然的。"① 它不是自为的一种本体论结构，而是在特殊的情况下以他的存在为基础而产生的一种特殊经验或心理意识。这种"共在"的经验有两种情形：一种是"我们"作为主体即"我们—主体"，另一种是"我们"作为客体即"我们—客体"。无论"我们—客体"还是"我们—主体"，"共在"并没有消灭人和人之间的"冲突"这一主流。"共在"只能是一种临时状态或心理体验。

萨特在《存在主义是一种人道主义》一书中，他不再宣扬那种抽象的、绝对的、孤独的个人，主观心理上的自由和人与人之间的冲突和对立，而讲得更多的是"处境"中的自由，认为自我和他人是相互联系的、相互依赖的，存在着一个"交互主体性"的世界。首先，我的存在以及对我的存在的认识是离不开他人的。在"反省前的我思"中，我是当着别人找到我自己的，对于别人和对于我自己都是同样肯定的，并且发现别人是自己存在的条件。其次，由于人类"处境"的普遍性，自我和他人是能够相互理解的。虽然不存在"人性的普遍本质"，但是有一种"人类处境的普遍性"。由于人类"处境"的普遍性，自我和他人是能够相互理解的。每个人的生活处境是各不相同的，每个人的思想意图也各不相同，但这并不妨碍自我和他人之间相互理解。再次，我在进行自由选择时总是离不开他人，总是参照他人来进行选择的；我的自由是与他人相联系的，进行自由选择时不仅要自己承担责任，而且还要为他人、为所有的人承担责任。最后，自我的自由和他人的自由是紧密相连的。我们的自由完全离不开别人的自由，而别人的自由也离不开我们的自由。

2. 伯林

伯林是从"积极自由"最终导致对个人自由的毁灭的角度来讲个人和群体的关系的。伯林分析了"积极自由"最终毁灭个人自由的两种情形。

第一种情形是被人承认和群体认同。伯林认为，"积极自由"往往会给人一种错觉，即一个人需要被别人承认是属于某一群体（职业、阶级、民族、肤色、种族等）中的个体，即人的归属感，被人承认和群体认同，如果我被他人或某个团体所承认我就会获得自由。"唯一能够这样承认我并因此给予我成为

---

① 萨特：《存在与虚无》，三联书店 1987 年版，第 533 页。

某人的感觉的，便是那个从历史、道德、经济也许还有种族方面我感到属于其中的社会的成员们。我的个体的自我并不是某种可以从我与别人的关系中脱离出来的东西"，① 如果我不被承认，我将什么也不是。我认同于我自己周围人的意见，我是根据我与他人的关系、我在社会整体中的功能与地位来觉得自己是个人物或什么也不是。"在我没有被承认是自我管理的人类个体的意义上，我也许会感到不自由；但是当我被视为一个不受承认或者得不到充分尊重的群体的成员时，我也会感到不自由：于是我就想到解放我的整个阶级、共同体、民族或职业。"② 但是，被人承认与获得自由是不能等同的，对地位与承认的渴望并不等同于个人自由。更为严重的是，常常得到群体的承认是以牺牲个体的自由为代价的。我如此强烈地渴望得到承认，以至于我情愿被我自己的种族或社会阶级的某些人欺凌或不当管理，接受群体对我的控制和约束，甚至我的基本的人权遭到剥夺，我不得不屈服于寡头或独裁者的权威。而这种情形恰恰是我的消极自由的丧失，违背了我追求自由的初衷。伯林认为，"人们向某个群体要求承认，这个群体本身必须拥有足够的'消极'自由——免于任何外在权威的控制——否则，他的承认不会给予人们所寻求的地位以合法性。"③

第二种情形是集体自我导向。所谓集体自我导向是指把集体作为一个大我，个体在大我之中追求整体的某个崇高的目标。集体自我导向的"积极自由"的典型事例是法国大革命，特别是雅各宾党统治时期。当时法国人感到法兰西民族的解放，但是结果是许多人的个体自由得到了严重的限制。卢梭所说的公意（general will）、人民主权也是集体自我导向的一个表现，人民主权很容易摧毁个体主权，自由的法律可能比暴政的束缚更加严厉。伯林指出："卢梭所说的自由并不是在特定领域内不受干扰的那种'消极的'个人自由，而是社会中所有有完全资格的人（而不仅仅是某些人）共享一种有权干涉每个公民生活的任何方面的公共权力。"④ 密尔等19世纪的自由主义者们也指出，民主的自治政府也并不一定就是自由的，它不是"每个人管理自己"的政府，充其量是"每个人被每个人治理的政府"。因此，在他们看来，人民主权，民主自治政府不过是"多数人的暴政"、"流行情感和意见的暴政"，它们对于消极自由、私人生活的神圣界限的破坏与其他暴政没有任何区别。

---

① 以赛亚·伯林：《自由论》，胡传胜译，译林出版社2003年版，第228页。
② 同上书，第229—230页。
③ 同上书，第231页。
④ 同上书，第235页。

四、比较的启示

　　萨特和伯林之间没有就"自由"进行过任何讨论和论战，同时伯林提出"两种自由概念"也并非针对萨特，但是，把萨特的自由观和伯林的自由观放在一起进行比较，并非是无中生有或关公战秦琼。伯林的许多观点似乎就是针对萨特或批判萨特的自由观提出来的。在对两人自由观的比较中，可以看出西方自由观的不断发展和不断成熟，并且增进和丰富了我们对于萨特的自由观以及自由理论本身的认识。

　　我们可以看出：

　　（1）萨特和伯林生活在同一时代，它们两人都经历了第二次世界大战，在他们的自由观中都包含有他们对于 20 世纪上半叶欧洲人生存状况的思考，但是，萨特的自由更多的是意识的自由、抽象的自由或哲学的自由，而伯林的自由更多的是社会现实的自由、政治的自由。可以说，伯林讲的自由与《存在与虚无》中的自由差距很远，但是与《辩证理性批判》中讲的东西距离很近。萨特在 1960 年出版的《辩证理性批判》中不再讲抽象的自由或个人的自由选择，而是讲自由如何能现实地实现。因此，与萨特不同，伯林讲的自由不是绝对的无条件的，现实的自由都是有条件的。自由不是自由地行动，自由是一种可能的行动空间。在政治倾向上，萨特更为激进，属于政治上的"左派"；伯林比较保守，属于政治上的"右派"。

　　（2）伯林和萨特的最大的区别是，萨特所讲的个人的自由选择和自我导向、自我实现，在伯林看来是"积极自由"，而他本人所主张的是一种"消极自由"，这两种自由有很大的区别，甚至在一定范围内是对立的。伯林认为，"积极自由"最终会导致对于自由的扼杀、自由的毁灭，违背自由的初衷。在萨特看来是自由的东西在伯林看来则是反自由的。伯林认为，自我导向、自我控制的"积极自由"容易导致自我的人格分裂——高级的自我与低级的自我，控制的自我和受控的自我，小我和大我（阶级、政党、民族、国家等），最终会导致把某种集体的意志强加于个体，以某种更高目标的名义对个体施加强制，导致了家长制政府，导致了权威、压制和专制。伯林揭示出的"积极自由"的这种结果却是追求个人自由或绝对自由的萨特所始料不及的。在这里，伯林可能从希特勒的纳粹主义以及苏联的经验教训，给我们揭示出了这种自由的悖论——从追求自由出发，而以失去个体自由而告终，或者以获得整体的更大的自由为名，而以牺牲个体的自由为代价。而伯林主张的自由是"消极自由"，即一种不受干预的自由，一种不可逾越的私人空间。而这种个人不受干预的私人空间的设立或确定是一种现代自由观的表现，是比追求自我选择、自我导向、自我创造的自由更高级的一种自由境界。从这种意义上来看，萨特所追求的自由更接近启蒙的自由、革命的自由、解放的自由，而伯林的"消极自由"才是真正的个体自由。

（3）有趣的是，我们平常认为萨特的存在主义哲学是一种非理性主义的哲学，自然萨特的自由观也应属于非理性主义。然而，伯林认为"积极自由"是一种理性主义，是决定论和一元论。那么，这就会使人作出两种推理或两种理解：一种是推理，"积极自由"未必都是理性主义和决定论，起码存在像萨特所主张的那种自我实现的"积极自由"它是非理性主义的；同时它也是非决定论的，因为他主张没有任何先天的价值标准、任何普遍的道德准则能够指导人们应该怎样做，人们在具体境况下作出的实际的伦理选择一定是模棱两可的，这种"模棱两可的伦理学"实际上也是主张价值多元的，不可能是决定论或一元论的。另一种推理是，萨特的哲学或萨特的自由观未必就是非理性主义的，像这样一种积极行动、自我选择、自我塑造、自己造就自身、自己为自己画像，在选择时不仅为自己负责而且为全人类负责的哲学，说它是理性主义的，也是有道理的。

（4）在个人与他人、群体的关系问题上，尽管萨特和伯林讨论的问题相差很远，但是根本的一点是共同的，那就是，他们都认为自我与他人是对立的、冲突的。萨特从"自为的存在"和"为他的存在"，自我和他人的主奴关系、主体和客体的对立来得出"他人即地狱"的结论。冲突关系是本质性的关系，而与他人的"共在"只是一种临时的心理体验，而不是一种本体论的关系。伯林则从"积极自由"导致的两种结果——"被人承认的要求"和"集体自我导向"——来说明他人或群体的自由的目标最终会是对个体自由的毁灭，得到群体的承认是以牺牲个人的自由为代价的，无论是自由的法律，还是人民主权、民主自治政府都是对个人的"消极自由"的践踏和极大的破坏。由此可以看出，尽管伯林的自由观和萨特的自由观在许多问题上是相互对立的，但是它们两者都是追求极端的个人自由。萨特在《存在主义是一种人道主义》中多少还表现出了一种承认自我与他人的相互联系、相互依赖，而伯林对于"消极自由"的捍卫则是始终固守个人的自由，始终把个人的"消极自由"放在首位，凡是危害个人"消极自由"的各种社会制度和社会运作都是他要反对的，因此可以说伯林是一种彻底的个人主义。但是，伯林的个人又不同于古典自由主义的原子式的、抽象的个人，他所说的个人都是在一定的社会处境中、承载着一定的文化传统的个人，因此我们又不能把伯林看作是原子主义的极端个人主义。

（5）伯林是一位价值多元论者，萨特是一位价值相对论者。伯林认为有多种终极价值，它们之间是不相容的、不可通约的、不可公度的，不可能构成一个和谐的整体。人类的目标是多样的，它们之间往往是处于永久冲突的敌对状态，不可能用一把尺子来衡量这些价值，不可能用计算尺来计算这些价值。在伯林看来，价值的不可通约性和冲突性，决定了人们时刻面临着选择，并且必须去选择。"人的目的是多样的，而且原则上说他们并不是完全相容的，那么，无论在个人生活还是在社会生活中，冲突与悲剧的可能性便不可能被完全消除。于是，在各种绝对的要求之间作出选择，便构成人类状况的一个无法逃脱的特征。"① 伯林认为，价值多元论蕴涵着"消极自由"，因为它不会以一元的、决定论的价值标准（常常是以阶级、人民或整个人类的整体目标）来剥夺人们的生活必不可少的那些东西。因而，伯林认为，多元主义和"消极自由"比一元论和"积极自由"更人道。应该说，萨特的思想中也包含有价值多元的意思，但是说他是一位价值相对主义者更为合适一些。萨特说，当人进行选择时，人是孤立无助的，没有上帝来指引，没有任何价值体系或观念可以指导，因为现行的许多价值是相互矛盾的，人只有随时随地去自己选择、自己发明、自己创造。人们在具体境况下作出的实际的伦理选择一定要模棱两可。这种模棱两可的伦理学，尽管认为价值不是一元的，但是它并不承认有任何终极的价值和价值多元，认为价值都是相对的、不固定的。

通过对萨特和柏林这两位分属英美哲学传统和欧陆哲学传统的 20 世纪伟大的哲学家的自由观的比较，我们可以把伯林的自由观作为理解萨特自由观的一面镜子，使我们可以更加清楚地看出萨特自由观的特征和局限性，加深对于自由理论本身的理解。自由本身可能就有两面：积极的一面和消极的一面，即成就自我的自由和免受干扰的自由。积极自由和消极自由是互相限制、相互补充的，不能抑此扬彼、舍此弃彼。自由和责任也是分不开的，既要讲个人的自由，又要讲对他人的责任，无论是积极的自由还是消极的自由，都要和责任联系起来看，积极的自由在成就自己时不能损害他人的利益，不能忘记对他人的责任；消极的自由在追求免受他人干扰时也不能逃避对他人的责任，仅仅退缩到没有他人或无视他人的绝对私密的空间中，因为完全离开了他人的自由也是没有意义的。此外，萨特把自由选择绝对化了，把自由变成了一种抽象的自由；而柏林把积极的自由的负面作用夸大了，认为它必然导致极权主义或个人自由的完全丧失，这些都是有失偏颇的。

① 以赛亚·伯林：《自由论》，胡传胜译，译林出版社 2003 年版，第 242 页。

什么是赫拉克利特的逻各斯

聂敏里

内容提要： 赫拉克利特的逻各斯历来是研究者们讨论的一个热点，本文试图从一个全新的角度对这个概念作一番独特的诠解。本文的核心论旨是，同通常人们所理解的赫拉克利特对宇宙流变的强调不同，赫拉克利特更强调的实际上是寓于变化之中的一种更为微妙、更为内在、更具调节性的东西，这就是逻各斯。本文通过对赫拉克利特相关残篇的细致解读认为，赫拉克利特的逻各斯就是变化之几微，正是它内在制约着变化，使变化保持一种巧妙的平衡，并作为生活世界的真实图像显现出来。本文特别强调了赫拉克利特的逻各斯同古希腊神谕的联系，并且联系λογος一词的各种义项进一步论证了上述观点。

关键词： 逻各斯、流变、神谕、变化之几微、尺度

———

通常，人们认为赫拉克利特是一个主张绝对的动变和杂多的思想家。这种印象不仅被"一切皆流，无物永驻"、"人不能两次踏入同一条河流"这样的格言警句所加深和证明，而且更被公元前5世纪中期所谓的赫拉克利特派，例如克拉底鲁的哲学活动和哲学言论，以及柏拉图、亚里士多德所介绍、谈论和批判的所谓的赫拉克利特的思想所加深和证明。例如，克拉底鲁曾经推进了一种极端的相对主义，以至于认为人甚至连一次踏入同一条河流也不可能，因为万物在迅即地变化着、消散着、流逝着。很可能正是受到了流行的赫拉克利特派这一类言论的影响，无论是柏拉图在他的充满了调侃和讥讽的对赫拉克利特思想的指指点点中，还是亚里士多德在他看似一本正经的对赫拉克利特的思想根据逻辑矛盾律所进行的分析中，都无一例外地认定赫拉克利特是一种极端的相对主义和流变理论的主张者。而正是这一切使得赫拉克利特在后来的人们看来，全部哲学的特色就在于描述了一幅流变的宇宙论图景，强调了动变生灭。

但是，这是一个普遍的误解。这个误解来自于后来的人们已经丧失了赫拉克利特观察事物的那个独特的眼界，我认为，正是这个独特的眼界使得赫

拉克利特，当他沉浸于生活世界中无穷无尽的事件的川流和变化、纷争与对立之中时，才不仅体察到了这些变化，而且把握到了蕴藏于变化之中的一种更为微妙、更为内在、更为精深的东西，并把它当作根本重要的东西来予以反复地谈论。但后来的人们从这样的眼界中脱离了出来，从而只能外在地、表面地来理解赫拉克利特。例如，像斯多亚学派那样，从一种流变的宇宙论或自然哲学的角度来理解赫拉克利特的哲学，并把它引作自己的思想资源。

对于赫拉克利特来说，世界当然是处于变化、纷争和对立之中的，这是毫无疑问的，但是这并不是最重要的，最重要的是内在于世界的变化、纷争与对立之中并且驾驭着它的那个东西。① 那么，这是什么东西呢？我们说，这不是别的，就是赫拉克利特创造性地提出来的那个"逻各斯"。赫拉克利特在不同的地方曾经给过它以不同的称呼，例如"一"、"神"、"心灵"、"智慧"等。正因为对于赫拉克利特重要的不是变化，而是内在于变化之中的那个更为微妙的东西，所以，在面对以知识的杂多而著称的博学者时，赫拉克利特才说出了这样一句发人深省的话："博学并不教人有心灵②；因为（否则的话）它早就教会了赫西俄德和毕达戈拉斯，还有克塞诺芬尼和赫卡泰。"（残篇 40）这句话十分典型，它足以表明，对于赫拉克利特来说，把握到多并不是智慧，在多之中有更为重要的东西，只有把握住了这个，博学者才具有了心灵，或者换句话说，才开了窍。同样是这个意思，在另一处地方，赫拉克利特又说："不听从我而听从逻各斯，就会一致同意说，一切是一——这就是智慧。"（残篇 50）我们

---

① 参见残篇 41："智慧是一件事：认识到，万物如何通过万物被驾驭"。此条残篇，《西方哲学原著选读》翻译成："智慧只在于一件事，就是认识那善于驾驭一切的思想"（见北京大学哲学系外国哲学教研室编译：《西方哲学原著选读》，商务印书馆 1981 年版，第 26 页），显系误译和漏译；《古希腊哲学》翻译成："智慧就是一件事情：取得真的认识，即万物何以通过万物而被主宰"（见苗力田主编：《古希腊哲学》，中国人民大学出版社 1989 年版，第 47 页），其中"取得真的认识"显系参酌 *The Presocratic Philosophers*（第二版）（G. S. Kirk、J. E. Raven and M. Schofield, *The Prescortic Philosophers*, Cambridge University Press, 1983）中的"to be acquainted with true judgement"而成。但 επιστασθαιγυωμην 中的"γυωμην"，除非像斯多亚学派那样经过特殊理解把它理解成"神圣的逻各斯"，否则单从字面（字面意义为："知识"、"见解"、"判断"、"思想"等）上很难同"true judgement"建立联系。考虑到 επιστασθαιγυωμην 是为了引出下面的一个从句，即"万物如何通过万物被驾驭"，因此径直译成"认识到"已直接引出下面这个更为关键的从句似为更妥。

② 此处原文为 εχειν νους，我按 νους 的原义译成"心灵"，而不采用通常的译法将它译成"智慧"（参见北京大学哲学系外国哲学教研室编译：《西方哲学原著选读》，商务印书馆 1981 年版，第 26 页）或"思想"（参见苗力田主编：《古希腊哲学》，中国人民大学出版社 1989 年版，第 37 页）。*The Presocratic Philosophers*（第二版）将它译成 intelligence（G. S. Kirk、J. E. Raven and M. Schofield, *The Presocratic Philosophers*, Cambridge University Press, 1983, p.181），即"理智"，我亦不取。理由是，就汉语来说，"心灵"不妨碍我们达成智慧、思想、理智等的理解，但同时还具有远比以上诸义项更为丰富、灵动的意蕴。我认为，也许这更为契合赫拉克利特在这一残篇中所想要表达的东西，故译作"心灵"。

说，实际上，对于赫拉克利特来说，假如要将他的全部思想归结为一句话、一个精义的话，那么，就只能是这一句，"一切是一"。对于他来说，真正重要的不是一切，不是多，而就是这个执掌着众多的"一"。但什么是这个"一"呢？如果我们回答是"逻各斯"，这当然是一个正确的回答，但显然是一个没有增加我们任何理解的回答。所以，我们必须追问，什么是赫拉克利特的"逻各斯"？它作为"一"是不是像后来的形而上学所理解的那种世界统一的结构、规则、甚至要素呢？

我们注意到，在 *The Presocratic Philosophers* 一书中，他们就把逻各斯解释为万物的内在的、恒常的结构法则。[①] 这显然是一个不正确的而且过于主观武断的答案，赫拉克利特的逻各斯显然还不是这样一种高度抽象、高度概括的有关世界结构的形式法则。一个最为明显的理由就是，对于赫拉克利特来说，如果万物在这样一个层面上是同一的，是取消了一切差别和对立的，那么，在他的残篇中所列举的如此众多的关于事物对立统一的例子和相关论述就失去了意义。因为，所有这些例子告诉我们的是，事物并不存在这样一种取消了一切差别的抽象的同一性，相反，一个看上去是单一、单纯的事物，实际上却是把对立的因素包含在自身当中，并且只是在对这种对立因素的巧妙的维持中才成其为自身的。例如，海水究竟是洁净的还是肮脏的呢？一条路到底是向上还是向下的呢？假如海水仅仅是洁净的，那么也就没有海水了，同样，假如道路仅仅是向上的，也就没有道路了，只是将不同的因素保持在一种微妙的对立之中，才有了我们日常所见的海水、道路之类的事物，而这是符合我们的生活经验的。但是，显然，按照形式逻辑成熟后的同一性思维（这是巴门尼德以后的思维），一个事物不可能同时既是这样又是那样，从而世界在这种同一性思维的作用下，一切异质性就被消除了，世界变得抽象起来，被统一在一个严格意义的、同质的形式结构之中。我们说，这就是一切形而上学思想体系极想成就的。但赫拉克利特的思维显然和这种"更为高级的"形而上学思维格格不入。

对于赫拉克利特来说，在同一中看出差异，看出对立与斗争，看出对立与斗争的巧妙维持与相互转化，这才是真正的智慧。相反，单纯地认定一个事物是什么，而排斥其内在的纷争、歧异和变化，却恰恰是不智的表现。正因为此，他才说了这样一段极其精妙的话："神是昼也是夜，是冬也是夏，是战也

---

① 参见 G. S. Kirk、J. E. Raven and M. Schofield，*The Presocratic Philosophers*，Cambridge University Press，1983，p. 187、p. 188。

是和，是饱也是饥［一切相反对，这就是精义］①；它变化自己，如同［火］②在和香料混合时根据每一种气味命名自己一样。"（残篇67）这段话非常精妙，它的精妙之处就在于，它极其精妙地表达了蕴于变化之中的那极其微妙的东西，使得变化不仅仅是变化，而是比变化更为丰富的某种东西。为什么这样说呢？我们可以看到，在这段话中，赫拉克利特一个最明显不过的意思就是说，神是一切，但又不是一切，它变化自己，使自己是这个但又是那个，就像是混合着香料的火一般，随着火焰温度的变化和香料的变化而随时变化出各种幽微的、不同的气息。那么，是否因此神就是不可认识的，就是一种绝对任意的、毫无限制的变化呢？却又不是。我们看到，赫拉克利特同时还谈到了命名，他说，"它变化自己，如同［火］在和香料混合时根据每一种气味命名自己一样"。这样，对于赫拉克利特来说，对神的认识就像是对香料在火焰中燃烧时所散发出来的各种不同的香气的认识一般。我们知道，在火焰中变化的香气是幽微的，是稍纵即逝的，面对这样迅即变化的事物，感觉的稍微的凝滞、阻塞或者放纵、任意，都将失去对变化的香气的精确把握。从而，一个善于品味香气的人，他的精妙之处就在于他能够随着香气的微妙变化、不凝滞而富有极高艺术性地识别出香料随着自身和火的温度的不断变化而散发出来的各种不同的香气。同样，神在一切事物中变化自身，它既是昼也是夜，既是冬也是夏，既是战也是和，既是饱也是饥，总之，它可以是一切，但又不是任意地一切，而是在这一切的转化中保持着一种内在的微妙性，借助这种微妙性，它使自身在万物之中变化而从不越出神圣性的维度，而万物也凭借这种微妙性的保持而成为神圣。显然，只有切中了这种微妙性，我们才可以对神有正确的言说，而这也就是命名，通过这种命名，事物的神圣性就被显明出来。

由此可见，对于赫拉克利特来说，真正的智慧就是对内在于事物变化之中的那种变化之精微性的考察，只是在对这种变化之精微性的把握中，事物才作为其自身被显露了出来，向我们展现其内在的最为丰富而生动的意蕴。显然，

① 方括号中的文字为后来注释家所添加的诠释性文字。北京大学哲学系外国哲学教研室编译的《西方哲学原著选读》按 Diels 和 Kranz 的 *Fragmente der Vorsokratiker* 不取这句话，故未译。苗力田主编的《古希腊哲学》按 *The Presocratic Philosophers*（第二版）增加这句话，译为："一切相对立，这就是思想"。其中"思想"是对希腊文 νους 的翻译。但 νους 除"心灵"、"思想"等含义外，还可以指一个字或一句话的意思。*The Presocratic Philosophers* 即据此译为 the meaning，以同这句话出自注释家的解释相照应，甚确，故这里我把这句话意译为"精义"。

② 方括号中的"火"为 Diels 所增补，以充当这个从句的主语。这一增补为绝大多数残篇编纂者所接受，但 Kahn 不取，理由是在神的变化和火与香料的混合之间不存在可比性（参见 Charles H. Kahn, *The Art and Thought of Heraclitus*, Cambridge University Press, 1979, p. 280）。但我认为，火通过与香料的混合而发散出不同的香味，而正是这种香味的变化同神在昼夜、冬夏、战和、饱饥之间的变化具有可比性。故采取通行的校释。

161

这是一种极高的智慧，一种常人往往不具备的智慧，因为人们常常不能把握事情内在的精微变化的机理，相反，总是或者固执于一端，或者随心所欲。由此，他们也就将自己抛在一种极其外在的、疏离的生存状态之中。所以，类似地，在《中庸》中，孔子这样说："道也者，不可须臾离也，可离非道也。是故君子戒慎乎其所不睹，恐惧乎其所不闻，莫见乎隐，莫显乎微，故君子慎其独也。"又说："喜怒哀乐之未发谓之中，发而皆中节谓之和，中也者，天下之大本也，和也者，天下之达道也。致中和，天地位焉，万物育焉。"又说："中庸其至矣乎？民鲜能久矣。"在这里所讲的实际上都是对变化之中那个精微东西的把握。

如果我们回答了赫拉克利特的智慧是什么，那么，赫拉克利特所说的那个"一"，那个逻各斯也就昭然若揭了。假如我们借用《周易》中的一个与变化之精微相关的特殊的概念来表达它，那么，这不是别的，就是事物内在变化的几微①。事物就是以此方式发生着微妙的变化，并且由此相互维持一种巧妙的平衡，而正是在这种巧妙的平衡中才有真实的生活世界的图像显现出来。那么，有没有旁证来进一步说明这一点。有的，这就是赫拉克利特的逻各斯同古希腊神谕传统的内在联系。

二

研究者公认，赫拉克利特的逻各斯作为"话语"同古希腊传统的神谕具有一种内在的联系②。这不仅是因为他的文体的风格使人们普遍感到具有神谕的特征，而且是因为他自己就公开地把他的逻各斯同神谕联系在一起。最著名的当然就是残篇93，在那里，他这样说："那位在德尔菲发神谶的大神不明言，也不隐瞒，只是暗示。""不明言，也不隐瞒，只是暗示"，这就是赫拉克利特自己的文体的风格，同时又是他的逻各斯的特征。因为，关于这个逻各斯，他在许多地方这样来描述它，例如，在残篇1中，他说："对那永恒存在着的逻

---

① 《易·乾文言》："知至至之，可与言几也。"《系辞下》："子曰：'知几其神乎！……几者，动之微，吉之先见者也。君子见几而作，不俟终日。……'"由此可知，"几"为变化之精微，与吉凶相伴，知几可称之为神。又，《系辞上》："夫《易》，圣人之所以极深而研几也。唯深也，故能通天下之志；唯几也，故能成天下之务；唯神也，故不疾而速，不行而至。""极未形之理则曰'深'，适动微之会则曰'几'。"《正义》："言《易》道弘达，故圣人用之所以穷极幽深而研几微也。"《说文》："几，微也。"由此可见，"几"即"微"，"微"即"几"，均与事物变化精微之理相关。故此处以"几微"成词，以表示极精极深、变化精微之理，以见赫拉克利特逻各斯之深意。知者明之。

② 参见 W. K. C. Guthrie, *A History of Greek Philosophy*, vol. 1, Cambridge University Press, 1962, pp. 413-415.

各斯，人们总不理解，无论是在听到之前还是初次听到之时。因为尽管万物根据这逻各斯生成，但对于它，人们却仿佛是全无经验的人一般，甚至当他们经验了我所讲过的话和事情之时，而我已按照自然①分别了万物并且指明了这是如何。至于其余的人，他们不知道他们醒时所做的一切，正像他们忘记了睡时所做的一般。"而在残篇 72 中又说："对那个他们最常打交道的东西，他们是格格不入的，而那些他们每天碰到的东西，在他们看来是生疏的。"在残篇 34 中又说："他们听却不理解，恰如聋子一般；对他们有谚语为证：在场却不在场。"在残篇 56 中又说："人们在对清楚明白的事情的认识上被欺骗，就像荷马一样，他曾是所有希腊人中最智慧的。因为正在杀虱子的孩子们欺骗他说：我们看见并且抓住的，我们把它们丢掉；但是我们没有看到也没有抓住的，我们却带着它们。"这些残篇都最充分地说明了，赫拉克利特的逻各斯正具有神谕的特点，它既不隐瞒，但又不明言，像神谕一样，把某种隐秘的消息向人们透露。

那么逻各斯所透露的是怎样的隐秘的消息呢？对于这个问题，我们现在已经有了充足的理由可以换一个问法，这就是，神谕向人们吐露的是什么隐秘的消息呢？因为，根据赫拉克利特的逻各斯和希腊神谕在风格和形式上的内在的一致性，我们可以期望对后者的理解能够使我们对前者的理解有所启发。我们说，古希腊的神谕向人们吐露的是人世祸福的隐微变化，是一环连着一环的因果递嬗。它向人们预言过去未来之事，而且所预言的事情祸福交织，但人们对此却总是不能正确地领会。对此，我愿意举一个例子来说明，这就是记载在埃斯库罗斯的悲剧《阿伽门农》中的一个神谕。神谕是这样的：阿伽门农即将率领希腊联军出征特洛伊，这时有两只猛禽飞到了王宫旁边，它们栖息在显著的地方，啄食一只怀胎的兔子。于是，军中的先知就对这一上天降示的神谕进行了解释。他认识到在这一征兆中蕴涵着一连串的祸福的递嬗。首先，这两只猛禽代表着率领希腊联军攻打特洛伊的阿伽门农兄弟，而怀胎的兔子则象征着特洛伊，从而，神谕的第一层意思就是，希腊联军必会攻陷特洛伊。但是，先知立刻见到，残忍的杀戮，尤其是残杀一只怀胎的兔子，必定会引起神的怨恨，从而狩猎女神阿尔忒弥斯将给联军制造阻碍，并且以此来要求阿伽门农为他的罪孽作出补偿。这是神谕的第二层意思，它应验在联军在出征途中，由于暴风的关系被长时间地困处在海湾之中，而为了攘除这一灾难，阿伽门农不得不杀死了他的女儿作为牺牲，但由此就为进一步的灾难埋下了祸根。这样，先知就指出了神谕的第三层意思，这就是这种不合法的牺牲将引起家庭间可怕的争

---

① Φυσις。这里，我没有按照流行的译法译成"本性"，而是按照其本义将其译成"自然"。这不仅是因为"自然"比"本性"要古老，而且是因为我认为它内在的意蕴更丰厚。

吵，使妻子不惧怕丈夫。这就预言了阿伽门农的妻子克吕泰墨斯特拉将要谋杀阿伽门农。这就是埃斯库罗斯的《阿伽门农》一剧中所记载的一个神谕的三层内涵。显然，这一神谕正是关于人世的祸福的，而这些祸福不来自于外，而就隐含在人的行为之中，人的行为中就暗藏着祸福的变化，正如阿那克西曼德所早已指出的，按照时间的秩序，万事万物为它们的不正义而彼此交付补偿、接受惩罚。它们彼此相连，一个接着一个，一件事情的过渡，就必然要以别的事情来作出补偿。但是人们却沉浸在自己所做的事情中，对自己行为之中祸福转化的这一微妙的机制全不认识，即便是人们向他们揭示了，他们也不能理解，这就是人们对待神谕的态度。而这也正合于赫拉克利特所描述的人们对逻各斯的态度。

这样，我们就知晓了，如同神谕一样，赫拉克利特的逻各斯所向人们揭示的正是有关人世变化、宇宙生灭的内在精微的机理，这就是那"一切是一"的一，它构成了人们的命运，而人们对此却全然不能理解。从而，全部智慧就在于理解事物这一内在转化的幽微的机理，能够正当其时地将其识别出来。这就是智慧，这显然是一种真正的实践智慧，它远胜过博学多知。

三

只是在对赫拉克利特的逻各斯有了这样一层哲学的领会之后，我们才可能对λόγος这个希腊词的语言意义来作一番审视，看看它们到底和赫拉克利特的逻各斯有什么内在的联系。显然，在这里我们特别要注意，千万不要把一个词的语言意义和它的哲学意义相混同。哲学家当然是在使用和人们日常所用的相同的词在讲话，但是，当他对一个词特别予以运用，把它卷入到专属于他自己的独特的语言游戏之中时，那么，这个词就超出了它日常的语用，被赋予了新的意义。所以，我们绝对不能把对一个词的哲学意义的考察用对这个词的语言意义的考察来代替，在这方面，我们无论搞得如何清楚，但很可能我们对这个词的特殊的哲学意义仍然无所领会，相反，我们只有在充分领会了一个词在哲学家那里的特殊的哲学意义后，我们才可能对这个词的语言意义有更为深入的理解，认识到它们和这个词的哲学意义之间可能的内在联系。对于这里的λόγος也是一样。只是在我们对这个词在赫拉克利特那里可能的独特的哲学意蕴有所领会之后，我们才可能来考察它的语言意义，并且通过这一考察来加深我们对它在赫拉克利特那里的独特意义的理解。

那么，λόγος在日常的语用中具有哪些意义呢？Guthrie 在他的 *A History of Greek Philosophy* 第一卷中曾经对λόγος在公元前 5 世纪所具有的各种语义进行过一番梳理，概括出了它的十种语用^①：

（1）所说或所写的话、言。在这一意义上，λογος是一个用法相当多样的词，举凡一切与话、言有关的东西，都可以作为λογος的内涵。例如：故事，消息，演讲，谈话，报告，谣言，提及，甚至契约，协议，账目，章节，等等。

（2）价值，名声，名誉，评价，等等。这是从上面"提及"的义项而来的，因为被提及的总是那些值得注意的，由此就合理地引申出了价值等义项。

（3）作为"话"、"言"，λογος又可以指自己同自己说的话，而这实际上就是一个内在的思想过程，所以，λογος又具有了思想、推理、盘算等义项，由此又可以引申出"观点"的意思。

（4）从"话"、"言"中又可以引申出原因、理由、根据等义项。

（5）与"空洞的言辞"相对，当特意指出λογος是真实的λογος时，λογος又有了事情真相的意思。

（6）"尺度"。

（7）"对应"，"关系"，"比例"。

（8）普遍的原则或者规则。

（9）推理的能力。这是一个在公元前4世纪发展出来的义项。

（10）在公元前4世纪，λογος还有一个常用的意义，即"定义"。

那么，在这些用法中，哪一种和赫拉克利特的"逻各斯"概念具有内在的联系呢？如果从词源上加以考察，那么，λογος这个词来自于动词λεγειν。λεγειν当然有说话、讲话的意思，但是它还有一层原始的意义，这就是挑选、采集。例如αιμασιας λεγων，"挑选、采集造墙用的石头"。按照海德格尔的意见，这就是λογος的原始含义。^② 他这样说："λογος在此的意思既不是意义，也不是词，也不是学说，甚至不是'一个学说的意义'。而乃是：经常在自身中起作用的原始地采集着的集中。"^③ 我同意这一观点。这样，λογος首先就表现为一种聚集的力量，它把不同的东西聚集在一起。但是，这又不是一种不加区别地杂乱地堆集，λογος作为采集不是这样一种毫无原则地聚集，相反，它是建立在一种精挑细选和细心鉴察的基础上的。这样，λογος作为聚集就具有一种特殊的灵敏性在内，它灵巧地活动在不同的事物之间，按照一种内在的需要或者说尺度将它们聚集在一起，并且维持在一个特定的限度之内，只是这样，

---

① 参见 W. K. C. Guthrie, *A History of Greek Philosophy*, vol. 1, Cambridge University Press, 1962, pp. 420-424.

② 参见海德格尔：《形而上学导论》，商务印书馆1996年版，第124页以下。

③ 同上书，第129页。

这些事物才真正作为事物自身呈现了出来，例如宏伟建筑中的石头，精彩演讲中的词语等，才具有特定的生动的意蕴。

这样，逻各斯就表现为多样性之聚集与分别，它把不同的东西聚拢在一起，但是又将它们细心地区别开来，它就是在这样一种既聚集又分别之中保持一种内在的微妙的张力。所以，可以这样说，逻各斯是一种既聚集又分别的力量，它内在地贯穿着一种灵活的尺度，而我们生活的世界便由此敞亮开来。正是在这个意义上，赫拉克利特才说，"因此，应当服从那共同的东西，逻各斯就是那共同者，但许多人活着仿佛有个别的心智。"（残篇2）这里讲的就是逻各斯聚集的力量，因为，ξυνον 作为共同者，不能被在抽象的共性的意义上来加以理解，而应当从聚集为一个共同体的角度来理解。同时，我们还记得在上面所引的残篇1中赫拉克利特又曾经说过："我已按照自然分别了万物并且指明了这是如何"，这里讲的就是逻各斯的分别的力量，它将聚拢的东西各自分别开来，而不归于单调的一致。而在残篇51中，赫拉克利特又谈到了这种分别和聚集的统一性。他说："他们搞不懂分别者如何统一于自身①；拉紧的②和谐，正像弓和琴一样。"在这里，聚集与分散相互贯通，既对立又统一，彼此限制，从而将各自保持在一个微妙的、不可随意逾越的度中，而正是在这样一种对立与统一的内在的巧妙关联之中，形成了一个和谐的整体。由此，赫拉克利特才说："看不见的和谐胜过看得见的。"（残篇54）因为，事物的最生动、最真实的意蕴就在于这种最内在的和谐之中。

只是在把握了 λογος 这样一层内在的本源的含义之后，我们才可能进一步

---

① 此句《西方哲学原著选读》译为："他们不了解如何相反者相成"（见北京大学哲学系外国哲学教研室编译：《西方哲学原著选读》，商务印书馆 1981 年版，第 24 页），显系意译。《古希腊哲学》译为："他们不理解分散和集合何以是同一的"（见苗力田主编：《古希腊哲学》，中国人民大学出版社 1989 年版，第 41 页），将动词 ζυμφερεται（"统一"）理解为名词，显然有误。

② "拉紧的"是对 παλιντονος 翻译，这是依照出自普鲁塔克和波菲利的版本。通行的出自希波吕特的版本不作 παλιντονος，而作 παλιντροπος，若依此，则应译为"回转的"。The Prescoratic Philosophers 取 παλιντονος，认为与弓、琴的喻意更契合（见 G. S. Kirk、J. E. Raven and M. Schofield，The Prescoratic Philosophers，Cambridge University Press，1983，第 192 页以下），而 Guthrie 则倾向于 παλιντροπος（W. K. C. Guthrie，A History of Greek Philosophy，vol. 1，Cambridge University Press，1962，第 439 页以下注释 3）。G. Vlastos 曾专门撰文为 παλιντροπος 辩护（American Journal of Philology，76（1955），第 348 页以下）。这里我采用 The Prescoratic Philosophers 的意见。因为直译是"反向拉紧"的意思，它在荷马那里是一个与弓联用的熟语，指"张紧的弓"。因为，荷马时代的弓是这样的，当下弦时弓臂是弯向与上弦时相反的方向，此时，弓臂和弓弦都处于一种松弛的状态。而当上弦时，弓臂是反向弯转过来，从而，弓臂和弓弦就保持在一种饱满的张力之中。从而，对于弓来说，只有反向弯曲才可能有射击所需要的张力，从而才有真正的和谐，相反，顺向上弦则弓没有张力，从而也就没有所谓的和谐。显然，这种处于张力之中的和谐，正是赫拉克利特运用弓和竖琴的意象所想要表达的。北京大学哲学系外国哲学教研室编译的《西方哲学原著选读》对此译为"对立的统一"，显系意译，苗力田主编的《古希腊哲学》译为："相反的力量造成和谐"，亦有意译的成分，未得其妙处。

对逻各斯更为日常的语用，即"话语"的意义加以考察。我们说，从根本上来理解，话语正是表现为一种将多样性聚集在一起又将其有条理地加以分别的能力。一个擅长讲话的人，正是一个精于选择词汇并且精于组织词汇的人，而这在日常语言中就被描绘为"字斟句酌"，这四个字准确地传达了话语的这种特殊的功能。而这样表达出来的话语，就具有巨大的力量，什么力量？控制人心的力量。所以，正是由于话语的这样一种力量，古希腊人才特别重视说话的艺术，把它作为人性的内在素质。而赫拉克利特在残篇 19 中也曾明确地表达了对说话艺术的这样一种高度的认识，他指责那些愚蠢的大众说："他们既不懂得听，也不懂得说。"这表明，听和说都是一种艺术。所以，逻各斯作为话语，它更为根本的意思毋宁是指讲话的艺术，而古希腊人认为，这种讲话的艺术主要是和政治有关。这里我们一定要认识到，话语的这种政治的用途并不是它的多种可能的用途之一，相反，是它的唯一的用途，这也就是说，政治不是一种外在于话语之外、把话语作为自己的其中一个工具来运用的东西，政治内在于话语，话语在本性上就是政治的。因为，政治不是别的，就是聚集和分别，它通过将人们聚集起来形成一个共同体、又将人们分别开来形成彼此之间的差异，从而实现自己作为政治的功能，而话语正是政治的这种功能的具体体现。在任何一个人的讲话中，都蕴涵着某种权力的策略，都包含着利益的分配、权利的归属、秩序的安排、范围的划分。即便一个人认为自己是超政治的，讲的是超政治的话语，例如纯然的风花雪月，它依然是政治的。因为，话语预设了一个交往的共同体。即，一个人只要在说话，他就必定在设定一个共同体，这就是说话的双方，从而他就不仅把自己而且把别人都纳入到了这个共同体之中，而且同时对这个共同体的功能、范围、内容都进行了划定。即便一个人和自己说话，和上帝说话，也依然如此。总之，逻各斯，当它体现在我们的语言之中，作为话语，它同样是一种既聚集又分别的力量，它把人和万物还有众神置于一个生活的共同体中。

但是，如上所说，这不是一种无原则的聚集和分别，它在聚集与分别之中贯穿了一种巧妙的灵活性，具有某种内在的原则性。我们说，正是这一点，使得逻各斯具有了尺度的内涵，它是万物聚集在一起的内在尺度，万物正是依赖它才形成了一个彼此交织又彼此分别的共同体的。而这个尺度，赫拉克利特就表达为 $\mu\varepsilon\tau\rho\alpha$，他说："这个一切同一的宇宙既不是任何神也不是任何人创造的，而永远过去是、现在是、将来也是一团活火，在一定的分寸燃烧，在一定的分寸熄灭。"（残篇 30）值得注意的是，在这里，对于"分寸"这个词，赫拉克利特使用的是复数，这就表明，它不是一种单一的尺度，而是多种尺度的同时运用，而只是这样，世界才呈现为一个丰富多样的共同体，才维持在一种富有活力的张力之中。而我们说，这里的这个分寸，正是上面所说的万物变化

之几微。从而，在根本上，赫拉克利特的逻各斯的哲学含义是和它的"尺度"的含义联系在一起的。但这不是一种抽象的尺度，而是体现在万物细微的变化之中的那种具体的、特殊的、灵活的、精微的分寸感。

这样，"话语"、"尺度"，只是由于它们同变化的精微性内在相关，才内在地归属于赫拉克利特的逻各斯概念，成为它内在的义项。而显然，作为核心和关键的始终是对变化的精微的审查，正是这个是赫拉克利特逻各斯概念的精髓，它使他从单纯而表浅的对世界之流变的观察中超脱出来，深入到生活的内在机理当中，把握住生活的真谛。

论《美诺篇》中"回忆说"的认识论背景与特点

林美茂

内容提要："回忆说"是柏拉图哲学认识论的重要组成部分。柏拉图认为，所谓学习，就是对忘却了的东西的回忆。这是针对当时社会上流行的否定人的探索可能性的论调而提出来的一种学说，同时也是对于苏格拉底本质追问的一种理论性总结。《美诺篇》中的"回忆说"是通过回忆的实验来论证认识论上这一种立论的合理性的，以此证明每一个人的灵魂中都有"正确臆见"内在其中，通过"问答法"的巧妙使用，可以使人之内在的"正确臆见"得到重新把握（回忆起来）。然而，由于这种内在的"正确臆见"的来源问题，决定了灵魂的先在与不死是"回忆说"得以确立的前提条件。但是，柏拉图最初在《美诺篇》中提出了"回忆说"，却回避有关灵魂不死问题的逻辑论证。尽管如此，这个对话篇已经充分揭示了"回忆说"作为认识论问题的基本特点和性质，成为柏拉图哲学的重要文献之一。

关键词：回忆、德性、灵魂、先在、不死、正确臆见

在柏拉图哲学中，虽然我们不会认为"回忆说"与"相论"占有同样重要的地位，但是"回忆说"作为"相论"得以确立的一个重要理论支柱是任何人都不得不承认的事实。"回忆说"不仅对于"相论"的确立是如此的重要，在柏拉图哲学认识论的形成中也是不可缺少的组成部分。乍一看，这是一种多少带有虚构性、故事性（mythos，神话、故事）色彩的思想，但是，在这个富有神秘性思考的深处，却流淌着希腊人特有的逻各斯（logos）精神的本质。

"回忆说"最初是在初期对话篇《美诺篇》中提出来的。之后，在《斐多篇》中，作为一种完整的学说得以完成。本文中笔者将以《美诺篇》为主要研究对象，分析柏拉图的"回忆说"是在怎样的认识论背景下提出来的，究竟是如何进行逻辑性展开的，其作为一种学说要怎样才能得以理论性地确立等问题，以此揭示《美诺篇》的论证背景与论述特点，把握柏拉图哲学中关于这一学说的思考足迹。

一、从本质的追问到"回忆说"的提出

平时，我们要学习（mathesis）什么，一般都认为那是自己不知道的东西通过学习而达到了知道的状态。但是，针对人的这种常识性认识，只要我们进一步思考，就会发现其中存在非常不合理的因素。试想一想，如果人对于某种存在完全不知道的话，那么对于这个人来说，那种东西就与不存在无异，根本不会产生获得这种东西的欲望，自然就不可能会有探索或者学习这样的行为产生。比如，没有见过也没有听说过电脑游戏机的孩子不会缠着要父母买；没有见过也不知道冰激凌为何物的孩子不会产生想吃冰激凌的愿望……这些生活中司空见惯的事情，与上述的学习问题道理是一样的。如果小孩缠着父母要买电脑游戏机，想吃冰激凌的话，那么肯定在其提出这种要求之前，即过去的某个时候、以某种方式已经知道了这些东西的存在。只有这样，在道理上才讲得通。

然而，人在学习某种东西的时候，一般情况下都是要学习、探讨自己不知道的东西，或者说正是因为不知道才需要学习。可是，不知道的东西究竟该如何探索呢？人要进行探索、研究却不知道其探索、研究的对象，这是不可能的事情。不过话说回来，人如果已经知道了其所要探索的对象，也就没有再进行任何研究的必要了。就这样，人无论知道还是不知道其所要学习、探索的对象，学习、探索都是不可能或者不必要的。柏拉图在《美诺篇》中提出"回忆说"的根本出发点，就在于驳斥这种有关学习、探索的问题在逻辑上存在的两难（dilemma）论调。也就是说，柏拉图通过"回忆说"，揭示了在人的"知道"和"不知道"这两种认识状态之间，还存在着"忘却"的认知状态，以此来克服这一逻辑困境。简单地说，那就是过去曾经知道了的东西，在现在这个时间点上却忘却了，那么，通过学习就可以重新获得关于那种东西的知识，这就是学习。因此，所谓学习，并不是以完全不知道的东西为对象，而是以过去曾经知道，而现在已经忘却了的东西为对象。所以，学习就可以定义为是对于忘却了的东西的回忆。

> 探索也好、学习也罢，实际上总体说来就是回忆。（《美诺篇》81d）

柏拉图提起这样学说的直接目的，就在于克服上述关于探索的逻辑两难论调，但其根本的意图却在于揭示苏格拉底的本质追问（追求真知）的意义。其实，在《美诺篇》中，苏格拉底和美诺之间所进行的关于德性问题的讨论，就是苏格拉底"本质追问"的最具代表性的例子。

人类的德性这种东西，究竟是能够教给人的东西呢？还是根本就不能教授，而要经过训练才能掌握的呢？或者即使训练、学习也无法获得的，人类所具备的德性，是天生的素质，或者是通过其他的、别的什么办法而获得的东西呢？（《美诺篇》70a）

　　《美诺篇》就是以这样的内容开始展开讨论的。"德性究竟是否可教"这一问题，是当时哲学讨论的核心问题。柏拉图的《普罗泰格拉篇》就是以这个问题为中心，展开了苏格拉底和普罗泰格拉之间的激烈辩论。

　　苏格拉底在把握这个问题的时候，具有他独特的提出问题的方法。那就是他认为，在质问"德性究竟是否可教"之前，首先必须关注的是"德性是什么"这一问题。为什么呢？因为如果连那种东西"是什么？（hoti estin）"都不知道的话，就不可能知道那是"怎么样？（poion estin）"的。那么，讨论那种东西"究竟是否可教"的问题根本就是不可能的。

　　但是，社会上一般在考虑"德性究竟是否可教"这一问题的时候，总是深信自己已经知道了德性是什么。例如，在《美诺篇》中出现的对话主人公美诺，他对于苏格拉底的"德性是什么"的提问，充满自信地列举出了男人的德性是什么、女人的德性是什么，甚至还有小孩的德性以及老人的德性等。但是，他自认为知道了的那些有关德性问题的答案，只不过是德性的一部分属性而已。很明显是在回答"德性是怎么样的"这一属性，并没有回答苏格拉底所要求的"德性是什么"这一本质。之所以可以这么说，那是因为男人的德性、女人的德性、小孩的德性以及老人的德性都只是德性的一个实例，换句话说，都只是限定在男性或者女性这一特定领域中的德性形态，即属于"德性"的某种现象而已。

　　例如，对于"X是什么"这一问题，回答"X是p"、"X是q"等是可以的。但是，p或q都只是在回答X"是怎么样"的问题。也就是说，是关于属性问题的说明，并非对于X本质的回答。为什么可以这么说呢？因为如果"X是p"属于本质的回答，那么，也可以说"p就是X"，那么X和p就是等价的、等置的，即X≡p这一完全等式是成立的。但是，如果X≡p这一等式成立，那么"X是q"，即X等于q就不可能成立。因此，如果可以说"X是p"、还可以说"X是q"……，那么我们就不得不认为p、q等都只是关于X的所附带的属性说明。而属性p、q是依存于X才能得以存在的东西。为此，要想认识p、q，就必须知道其所归属的X本身是什么的问题。比如，对于"肉体是什么"这一提问，回答那是眼睛或者是手，这样的回答属于不正确的回答是一目了然的。因为眼睛、手等只是肉体的一部分、并不是全体肉体的本身。所以，可以说"肉体是像眼睛、像手那样的东西"、或者"眼睛、手是肉体的一

【西方哲学】论《美诺篇》中"回忆说"的认识论背景与特点

部分"，却不能说"肉体是眼睛"或者"肉体是手"。上述美诺的回答就与这样的例子无异。但是，苏格拉底所要求的回答是："那些德性（的现象）所具有的一个同样的形相（eidos）"① 究竟是什么的问题。所谓的苏格拉底本质的追问，就是寻求内在于诸多现象中共同的形相是什么的这一问题的质问。不仅德性问题的讨论是如此，对于其他所有的知识，苏格拉底思考问题的根本也都是这样的②。

但是，苏格拉底所追求的德性的共有之"形相"，并不是这个现实世界中所表现出来的男人的德性、女人的德性等这些我们在经验上能够把握的东西，也就是说不是有关德性的各种实例。对此，美诺陷入了回答的困境（aporia）。那么，苏格拉底如果不能克服这种困境，即如果不能证明这样的"形相"在什么地方存在着，而我们使用某种方法能够对其进行探索、研究的话，既不能说服以美诺为代表的对于探索的怀疑者们，其所进行的本质的追求也就失去了理论基础。"回忆说"就是为了解决这些难题而被提出来的一种学说。

前面已经说过，根据"回忆说"的观点，所谓学习其实就是回忆。这一认识体现了苏格拉底对于世间一般所理解的"教育"、"学习"是具有批判性的思想。苏格拉底强调，教育者不可能给予被教育者知识，教育者充其量只是帮助被教育者通过自己的力量，重新使自己内在于灵魂的知识回忆起来。所谓"接生术"③ 就是立足于这种思想的。苏格拉底针对当时社会上人们对于学习的看法，多以讽刺或者调侃的表现予以批判，这种叙述在柏拉图的对话篇中随处可见④。

"回忆说"就是以上述知的追求为背景，出现在柏拉图哲学从初期到中期过渡时期的对话篇中。那么，在柏拉图哲学中，"回忆说"究竟是如何得到理论性展开的呢？在这里笔者通过其所涉及的两个主要对话篇，即《美诺篇》和《斐多篇》，探讨柏拉图思考的轨迹，把握"回忆说"得以确立的理论依据。

二、"回忆说"要得以确立的基本条件

所谓"回忆（anamnesis）"，顾名思义就是"回想起来"的意思。柏拉图

① 《美诺篇》72c。

② 除了《美诺篇》之外，比如说《拉凯斯篇》、《卡尔米德斯篇》、《欧绪弗罗篇》等，苏格拉底对于思虑、勇敢、虔敬等问题的追问，都与这里所讨论的关于德性问题一样，要求对于诸多现象形态背后的所共有的本质之一者的把握。

③ 《泰亚泰德篇》149a—151d，苏格拉底把自己的问答法比喻成"接生术"。具体内容请参照该对话篇。

④ 请参照《泰亚泰德篇》161a、《会饮篇》175d，etc.。

把它定义为"自己自身再次掌握知识"①。对于这种自身再次掌握（analamba-no）自己内在知识之回忆，在中期对话篇的《斐多篇》中，柏拉图做了以下两种界定。

> 人在被提问的时候，如果那种提问的方法巧妙，那么被问的那人，对于所有的事情的真实情况，都可以自己进行描述。（《斐多篇》73a）

> 我们说，人在看、听、或用其他感觉来捕捉别的什么东西的时候，如果不仅只认知（gnoi）（诉诸于感觉的）那个东西，与那个知识不同的、别的知识也成为其认知的对象，在想象中对其进行描绘的话，那么，他就是回忆起了那个东西。（《斐多篇》73c）

在上述的两个界定中，显示了"回忆说"成立的三个前提（必须）条件：
（1）知识内在的必要性。这个问题无论在《美诺篇》、还是在《斐多篇》，柏拉图都做了反复的强调和论证。在《美诺篇》中，苏格拉底对美诺带来的童奴进行测验，以此证明作为人无论是谁，都有"正确的臆见（orthe doxa）"内在其中。但是，人类究竟是在何时、何地、如何获得到这种臆见的呢？又是何时何地丧失的呢（为此，处于现在必须对其回忆）？这些疑问都成为问题。为了论证这些问题，关于灵魂不死的探讨就不可避免。

读过柏拉图哲学的人都知道，《斐多篇》有一个副标题，那就是"关于灵魂"。在这个对话篇中，围绕灵魂不死的问题展开了苏格拉底行刑前的最后一场精彩的讨论。《美诺篇》是以"德性"问题为讨论的中心，但是，在"回忆说"理论提出之际，人在此生以前，就必须以某种形式知道了其回忆的对象。为此，这种理论的成立，就必须以认知主体之灵魂在此生之前已经存在着为前提才能讲得通。不过，在《美诺篇》中，柏拉图只是提到了灵魂是不死的，在其每一次轮回②的过程中获得了所有的知识，把这个问题的叙述以这种故事

---

① 《美诺篇》85d。

② "轮回"（梵语，samsara）在古代印度的传统思想中是用来表现灵魂不死的语言，犹如车轮转动不停，灵魂向着来世无限生死轮回。公元前8—7世纪前后的印度哲学思想中展开了各种各样的轮回学说。后来这种思想被佛教所继承，主张所谓"六道轮回"，那么，脱离轮回成为佛教的最高追求。在西方，公元前6世纪前后，活动在南部意大利的毕达哥拉斯教团以"复苏（再生，anabiosis）"作为其主要的信仰，在这种信仰中主张灵魂不死，从而体现了与东方相同的"轮回"思想。这个教团的灵魂不死的思想对于古代希腊世界的世界观的形成具有划时代的意义。而柏拉图受到这个教团思想的影响是巨大的。这个教团的灵魂观对于柏拉图哲学具有不可替代的意义。

性、神秘性的形式敷衍了事。只有到了《斐多篇》，才对灵魂为什么是先在的、是不死不灭的问题展开应有的逻辑论证。

总之，"回忆说"的理论要得以确立，灵魂的先在及不死都是不可或缺的前提条件。"先在"可以为灵魂获得那种内在知识提供逻辑上的时间性依据。而只有"不死"才能为灵魂具备有关所有事物的知识提供可能的条件。

(2) 人的那种内在的知识究竟是怎样的知识必须界定。还有，为什么可以说那种知识是必然存在的问题也应该在逻辑上予以论证。在《美诺篇》中，这种内在的知识被称为"正确的臆见（orthe doxa）"①，与此相对，在《斐多篇》中，柏拉图却称之为"正确的逻各斯（orthe logos）"②。在希腊语中"臆见"与"逻各斯"是不能混淆的概念。"臆见"的原义为"主观的想法、考虑、判断"，由此引申出"推测、臆断"等意思而被使用。由于"臆见"也是一种人的判断，所以必然包含着"正确（真，orthos）"和"错误（伪，pseudes）"的两种可能性。在柏拉图哲学中，不用说"臆见"本身不可能是"知识（episteme）"。而即使是"正确臆见"，也不是"知识"，必须与"知识"严格区别开来的。那是因为柏拉图认为，所谓"正确臆见"那只是人的某种"臆见"偶然地拥有正确的结果而已，其所拥有的正确性的结果并没有稳定性的保障。也就是说，"正确臆见"之中不具备其达到正确结果之依据的说明（aitias logismos）③。但是，"逻各斯"则不同，常常是指称基于客观性的思考、推理、原理等的语言。"逻各斯"是达到把握知识的方法，也是知识形成的根本基础。当然《斐多篇》中所谓的"正确的逻各斯"，可能与苏格拉底所提倡的具有积极的、指向真知意义上的"逻各斯"④ 有所不同，如果是相同的，那就没有必要对"逻各斯"以"正确的"这一形容词来限定。因此，这里所谓的"正确的逻各斯"只是"正确的说明"的含义，与《美诺篇》中所说的"正确臆见"在本质上并没有区别。这种"正确臆见"也好，"正确的逻各斯"也好，只有经过严密的逻辑论证，始终保持其不可改变的正确性的前提下，才能承认它是知识。总之，不管是《美诺篇》，还是《斐多篇》，虽然其中所论述的回忆的程序有所不同，但两者都是以与真正意义上的知识不同的"内在的知识"，即"正

---

① 《美诺篇》85c。

② 《斐多篇》73a。

③ 《美诺篇》（97a—b）中，对于"知识"与"正确臆见"的区别，苏格拉底以"通向拉里萨的道路"来比喻两者的不同。在知道路该怎么走的人引导下到达目的地和不知道路该怎么走而只是靠边猜测边走，偶尔也正确地到达目的地这两者之不同，正是"知识"与"正确臆见"之不同。在别的对话篇还有以盲人走路来比喻说明两种认识状态的不同。

④ 《斐多篇》76b 中谈到的人对于自己知道的事情可以"赋予逻各斯（echein didonai logon）"之"逻各斯"就拥有这种意义。

确臆见"或者"正确的逻各斯"为前提的。在《美诺篇》中，把这种认识比喻成可以通过提问使之清醒，并逐渐发展成为现实中真正知识的一种"梦"的状态①。

（3）要促成或者说使人引起"回忆"的状况必须有以下两种类型：

（A）在受到某种好（巧妙）的提问的时候，人将被那种提问所引导，内在于其灵魂中的正确臆见就会像从梦中苏醒那样被唤醒②。也就是说，由于被他人提问而产生回忆。

（B）人在看、听或者通过各种各样的感觉器官来捕捉某种事物的时候，其在认知（面前的）那个事物的同时，与那个事物的知识相关的其他知识的对象也会（在脑海中）浮现③。也就是说，人可以通过自己积累的感觉经验引起、产生回忆。

人在产生回忆时的上述两种状况，乍一看会觉得不太一样，但实际上可以看出其共同的特点。那就是不管引起回忆的状况是如何地不同，回忆始终是回忆者本身，不可能是他者的行为。也就是说，回忆来自于自己自身的行为这一点是相同的。当然，根据个人、或者事态的不同，使人达到重新拥有（把握）知识的状态的回忆过程或快或慢，回忆的能力存在着个别性差异。根据柏拉图的理解，这是由于灵魂在前世学习、观照本真的过程中存在着差别，从而导致灵魂素质不同的结果而致。也就是说，柏拉图把这种能力的差异完全归结到灵魂的素质（physis）。关于灵魂素质的优劣，在对话篇《斐德罗篇》中，柏拉图以神话叙述的方式描绘了灵魂素质的起源。简单地说，那就是与神同在的灵魂们，在与众神一起前往天国之外观照那里的本真（真实）世界的时候，根据灵魂平时努力的不同而产生的本质之优劣，有的灵魂能够长时间地观看本真世界，有的灵魂却只能观看一点点时间，而有的灵魂甚至只能够看上一眼④。不过，对于灵魂问题的这种叙述方法只是一种神话式、虚构性的说明，在逻各斯的世界中，由于这样的说明不拥有丝毫的逻辑自洽性，也就不具备任何的说服

---

① 参照《美诺篇》85c。

② 《斐多篇》73a，《美诺篇》85c。

③ 《斐多篇》73c。

④ 在《斐德罗篇》中，柏拉图描述灵魂观照本真世界时还谈到，其实有的灵魂连一眼也没有看到本真（真理）的原野时就在拥挤的过程中由于折断了翅膀下坠进入轮回。不过，这种灵魂一定不会是人的灵魂。虽然柏拉图在这里没有直接谈及此事。我们可以从他的其他论述中获得这种答案。比如在249b—c的一段叙述中提到，人的灵魂曾经与神一起观看本真世界时已经见到过"形相（eidos）"。我们理性的作用就是通过思考回忆起那种存在。试想一下，如果人的灵魂连一眼都没有看过"真理的原野"，那么，其就不可能拥有内在之"正确臆见"，回忆是不可能的。只要柏拉图承认无论是谁都拥有回忆的能力，那么，那种一眼也没有观看过本真世界就下坠的灵魂不可能是人的灵魂。人的灵魂肯定是观看过本真世界的灵魂，哪怕只有一眼。

力。但是，笔者在这里却明知故犯地以其中叙述为论据，那是因为笔者认为，我们至少可以从柏拉图的这种说明中领会到，他是如何理解灵魂素质不同的起源这个问题。在这个对话篇中，柏拉图把人类的灵魂分为九个等级①，这种认识也是研究柏拉图哲学的一个不可忽视的问题。

三、《美诺篇》中"回忆说"的提出和展开

《美诺篇》中提出"回忆说"，是以针对下述美诺的质疑，苏格拉底对此论调进行反驳性的回答开始的。

> 嗨！苏格拉底，如果你完全不知道那是什么，那你究竟打算如何对那种对象进行探索呢？也就是说，在你完全不知道的事物当中，究竟该以什么事物来确立自己的目标，然后对其进行探索呢？即使你很幸运，探索过程中找到了那个对象，你凭什么可以知道那就是自己要探索的那种存在呢？——因为你本来就不知道那究竟是什么嘛！（《美诺篇》80d5）

美诺的疑问，代表着在当时的希腊社会，存在着那种不追求真知，只以驳倒对方为目的的智者（历史上曾被成为诡辩家）们所热衷的一种立论方式（这种辩论，潜在着一种不可知论的观点，以及把雄辩者当作"智者"的社会背景）。在此，苏格拉底针对美诺的论调，指出了这种立论的根本逻辑所在。

> 无论是自己知道的东西，还是不知道的东西，人都是不能进行探索的。也就是说，首先，不会有人探索已经知道的东西吧。为什么呢？因为既然已经知道了，也就没有让人探索的必要。其次，可以说也不会有人会想探索不知道的东西吧。为什么呢？因为在这种情况下，自己应该探索什么也是不知道的（《美诺篇》80e）。

这种观点，乍一看似乎是十分合乎逻辑的。那是因为，我们总认为对于某种事物，要么"知道"要么"不知道"，只有其中的一种情况存在。除此之外，就不可能有其他的可能性。而这两种情况不管是处于哪一种，按照上述逻辑都不可能进行探索，那么，关于人的探索本身的可能性就不可能存在了。正因为如此，从形式上来看，美诺的观点是一个相对完整的推论。但是，究竟能不能

---

① 详细内容请参照《斐德罗篇》246a—249d。

说这是一个严密的推论呢？这还是一个必须深入思考的问题。那是因为，在我们现实生活中是否存在着认知的真空状态的问题是值得怀疑的。而即使说"知道"了，那么，那种所谓的"知"是否是完全无误的呢？这也是值得斟酌的。当然，上述的立论并不会是这么简单就能够被驳倒的。要消除被这种持论所迷惑的人们所面对的认识困境，也就是说，为了对深信自己已经知道了，所以不需要探索的人，指出其所拥有的知是否属于真知还有进行推敲、检验的必要；对于认定不知道的事物无法进行探索，从而放弃探索的人，为其提供探索可能性的理论依据。在此，柏拉图必须把"回忆"，这样一种作为人谁都有经历过的知性现象，放在哲学方法的基础上进行揭示与把握了。

美诺的立论方法在逻辑学上属于"两难（dinemma，双刃论法）"的典型例子。那就是，因为人的认识状态要么知道要么不知道。如果知道的话，就没有必要进一步探索；如果不知道的话，也就无法探索。所以，无论知道还是不知道人都不会（不必要）探索。

但是，只要分析一下这种立论的"双刃"，我们就会发现"双刃"之间存在着一条可以穿过其中的通道。因为在人的认识中，除了"知道"与"不知道"之外，还有一种很容易被人们忽略的认知状态，那就是"忘却"的状态。就是说，对于某某事物本来已经知道了，却由于某种原因把其忘却了。人处于这种认识状态，似乎就与不知道的状态是一样的。但是，这种认知状态不能和不知道的状态混淆起来。因为这种状态，只要有某种契机就能够再次恢复认识的。而完全的不知道（无知），即知的真空状态是不可能做到这一点的。"过去拥有，但是丧失了"，这样一种知的忘却状态，并不是完全的无知，只是处于一种让过去所知道的东西沉入到记忆的大海深处的状态而已。正因为如此，苏格拉底在这里把所谓的不知道的状态改称为"还没有想不起来（me memnemenos）"的状态①。换句话说，苏格拉底能够这样改变他的表现方式，完全是以这种认识为前提的。柏拉图为了反驳上述的关于否定人的探索可能性的持论，就在人的"忘却现象"中唤醒人们的注意力。也就是说，他提醒人们关注，在"知道"与"不知道"之间，还存在着"忘却"这一认知状态。也许，他自己也是由于对于这一容易被人们忽略的认知状态的发现，从而开始在哲学上论证"回忆"这一认识现象的。

就这样，既然承认在知与不知之间存在着忘却的状态，也就是说，承认人的认识中存在着一种通过提问，能够在现实中作为知而苏醒的臆见的状态。那么，即使是属于所谓的"不知道"的状态，也不能断定说那就是"无知"。倒不如说，既然能把某个事物作为问题提出，因为对于那个事物已经付诸了自己

① 《美诺篇》86b。

的关心，所以就不能说是完全不知道的。正因为如此，苏格拉底说："在不知道事物的人当中，不管其所不知道的是什么，而他对于自己所不知道的那个事物，都会有正确的臆见内在其中的"①。那么，究竟凭什么可以说，无论是谁对于其不知道的事物，都会有相关的知识内在其中的呢？对此，柏拉图必须拿出能够说服美诺的论据。在《美诺篇》中，这个论据的提供是通过当场的实验得以进行。

为了证明无论是谁，知识都是内在其中的，苏格拉底用美诺带来的童奴做了现场的回忆实验②。其实验的内容大致如下：

接受实验的童奴是在美诺的家中出生的奴隶的孩子。苏格拉底在实验开始之前，首先确认了这个少年从来没有学过几何学。而他在苏格拉底巧妙的提问的引导下，自己学习掌握了几何学知识。那就是知道了面积为边长2普斯正方形两倍的正方形，是以边长2普斯正方形的对角线为边长的正方形。

整个实验的过程是苏格拉底在地面上一边画图一边提问进行的。图示如下。

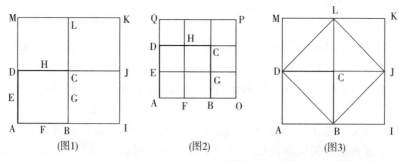

(图1)　　(图2)　　(图3)

图1的ABCD是苏格拉底最初画的正方形。首先确认正方形的各个边是相等的，接着连接对边中点的连线EG、HF，并让童奴注意到那也同样是相等的。这个时候如果一边长是2普斯（1普斯相当于现在30厘米）的话，那么这个正方形的面积应该是多少？在童奴回答之前，苏格拉底努力通过提问促使少年注意到，如果一边是边长是AD的一半AE的话，那么出现的长方形ABGE的面积就是2普斯。由此，少年就认识到正方形ABCD的面积是4普斯，自己找到了正确的答案。

在此，苏格拉底继续提问少年，面积为这个正方形两倍的，更大的另一个正方形的边长应该是多长？这样一问，少年就回答说是AB或AD的两倍长。为此，苏格拉底接下来就把最初画的正方形的边AB、AD延长两倍，画成了

①《美诺篇》85c。

②《美诺篇》82b开始，请参照阅读。

正方形 AIKM。这样的话，少年就注意到，把正方形的边 AB、AD 延长两倍，以此为边长所形成的正方形，是由与 ABCD 相等的四个正方形组成的。在此，少年就回答了苏格拉底的提问，发现这个正方形 AIKM 的面积不是 ABCD 的两倍，而是四倍，是 16 普斯。

至此，苏格拉底并不停止提问，他还在促使童奴继续回忆，让那少年发现他们所寻求的正方形，一定会比正方形 ABCD 大，比正方形 AIKM 小。此时，童奴觉得其所寻求的正方形的边长应该是 3 普斯，所以他就这么回答苏格拉底。也就是说，他认为如果把 2 的 2 倍 4 作为边长太大的话，那么就只有把 2 和 4 之间的 3 作为一边的长度才行。对于这个没有受过教育的少年来说，能用整数来理解边长已经是尽其所能了，他这样的思考是非常自然的。针对这个回答，苏格拉底又画了图 2，也就是把边长 AB、AD 各延长一半，形成了一边为 3 普斯的正方形，这个正方形就是 AOPQ。然后，把这个正方形等分为边长为 1 普斯的 9 个正方形。这时少年发现自己回答的这个正方形依然不是正方形 ABCD 的两倍。至此，他对于苏格拉底的提问只回答说"不知道"。到此为止，这个少年本来以为自己的各种臆见，也就是他所回答的两倍、3 普斯等答案是正确的，所以他就这么回答。但是，他在苏格拉底的提问过程中，一个一个的臆见都被排除，最后就陷入了无法回答的境地（苏格拉底认为，这是人进入"自知其无知"状态的开始）。

从这里开始，回忆实验进入核心部分。苏格拉底画了一个与图 1ABCD 相同的正方形（参照图 3），也就是首先画出 ABCD，接着再加上和它相同的正方形 BIJC、DCLM、CJKL，然后让少年看由各个正方形的对角线围起来的正方形 BJLD，并提醒他这四条对角线分别把各自的正方形分成了一半。在此，少年就注意到正方形 BJLD 是 AIKM（16 普斯）的一半，是 ABCD 的两倍，由此认识到比正方形 ABCD 大两倍的正方形的边长是这个正方形对角线的长度。

上述的这个实验的全过程可分为两个阶段，第一阶段主要让童奴注意到他各种想法的错误，从而排除那些原有的臆见。第二阶段是不断提供与正确答案相关的暗示，由此引导童奴自己找到正确的答案。

在这个实验过程中，主要有以下三点必须引起我们的注意。

（1）以几何学为例进行实验。在知识中，再没有像数学这样简洁明了的知识了。对于 1 加 2 等于 3 是没有人怀疑的。对于实验中出现的 4 普斯的正方形的两倍是 8 普斯，这也是谁都不得不承认的。美诺质问中谈道："即使你很幸运，探索过程中找到了那个对象，你凭什么可以知道那就是自己要探索的那种存在呢？"这一种担心，在这样数学的例子中是很容易消除的。柏拉图特别钟爱几何学，传说他在阿卡德摩学园的门口竖立一块牌子，上面写着："不知道几何学者不得入内"。而在《理想国》中谈到相问题的时候，他使用了线段的比喻。在这一比喻中，数学知识被置放在可知界，与可视界的事物区别开来。这些事例充分体现了在柏拉图看来，数学知识是比其他感觉性事物的知识具有更为确定性的存在。

（2）提问的善导性与巧妙性，然而答案是由被问者自己想出来的。在童奴陷入回答困境的时候，如果苏格拉底没有为他画出辅助线，不改变提问方法，那么，那孩子恐怕就不能自己找出正确答案。虽然给出答案的终究还是回答者本身，但是要让回答者自己独立找到答案，或者提问如果不够巧妙，那么，要使回答者达到可以解答的程度，将会需要更多的时间和能力。可以说，这些都说明了提问者高明引导的重要性。与此同时，也说明了要达到正确的回忆，有时仅凭个人的力量是不行的。

（3）因为被提问的童奴，在那之前从来没有受过任何教育，所以对于几何学是一无所知的。但是，他却能够自己找到几何学的正确答案。那么，理所当然这就成为任何人都有"正确臆见"内在其中的有力证据。当然，仅凭这些还不能使"回忆说"达到完整的论证。那是因为，那孩子出生之后，尽管从来没有受过教育，却有"正确臆见"内在其中。那么，其内在"正确臆见"究竟是什么时候获得的呢？这一问题还没有在理论上得到解决。为此，苏格拉底就进一步指出这种问题的所在。

> 这个孩子所拥有的各种各样的臆见，如果不是在此生获得的话……那就是在此生之外的其他什么时候，就已经拥有了这些，学习了这些。（《美诺篇》86a）

所谓"此生之外的其他什么时候"，我们只能考虑那是在灵魂进入人的肉体之前，也就是在这个孩子"作为人还没有出生的时候"便获得了这些内在的东西。至此，我们自然就可以得到一个这样的结论，那就是灵魂的先在（先于肉体而存在）的问题在逻辑上是必然的。苏格拉底的这种回忆实验的逻辑论证，具有神话式描述（mythos）所不可能达到的说服力，这是逻各斯（logos）所特有的理论效果。

四、"回忆说"中"先在"和"不死"的问题

一般我们都认为，如果是"先在"就意味着是"不死"的。灵魂的"先在"问题就是包含在"不死"的概念之中。也就是说，如果一方成立，另一方也必定是成立的。但是，在逻辑上，"先在"与"不死"是不同的。关于这个

问题，以具体的例子提出质疑的是《斐多篇》中的克贝斯。在《斐多篇》中首先记载了当时人们对于灵魂归宿的不安心情。那就是人们认为，灵魂脱离死人肉体的同时，就会像气息、烟雾一样随风飘散、消失得无影无踪[①]。而具体的是克贝斯以织布师和衣服关系的比喻向苏格拉底的先在论证提出质疑[②]。这些内容体现了当时的人们除了要求对灵魂的先在性作出论证之外，还要求论证灵魂在肉体死后仍然存在的不死不灭性问题。也就是说，当时的人们并不把"先在"和"不死"作为同样的意义来理解。这就意味着，对希腊人来说，即使灵魂"先在"，也不能因此就可以说灵魂是"不死"的。那是因为，灵魂在无数次寄居于人的肉体进行轮回之后，没有任何东西可以保证它不会与最后的肉体一起消失灭亡的。换句话说，灵魂即使是"先在"的，也未必会永远持续存在着。但是，如果是"不死"的话，那其"先在"就是理所当然的了，因为"先在"是包含在"不死"之中的。

那么，如果就这样只证明灵魂的"先在"，不证明灵魂的"不死"，灵魂在进入肉体之前"见过所有的事物"这一论断就不能成立了。固然灵魂的"先在"可以为人作为人而存在之前已经获得了知识问题提供逻辑上的可能性，但是，却不能说灵魂获得了所有的知识，因为如果不证明灵魂是不死的话，这个疑问永远存在。当然，关于这一点柏拉图是不可能意识不到的。为此，柏拉图在这个对话篇中，不得不结论性地表明了自己是承认灵魂不死的主张的。

> 因为灵魂是不死的东西，是经过无数次轮回转世而来的东西，并且不管是这个世间的事物还是冥界的事物，所有的一切事物它都观看过了，所以说，灵魂还没有学到的东西是一件都不会有的。（《美诺篇》81c）

在《美诺篇》中，"回忆说"问题论述之前，柏拉图以神官或者诗人的证词为依据，叙述了自己的灵魂观。但是，这里所提供的灵魂不死的思想，并没有逻辑上自洽性的任何论证。为什么这么说呢？因为神官或者诗人的证词是没有任何理论根据的，也就是说，属于神话式、虚构性想象的产物，那只是一种

[①]《斐多篇》70a。

[②] 在《斐多篇》86b中，克贝斯以织布师比喻灵魂，以布（衣服）比作肉体。灵魂与肉体的关系，犹如织布师与衣服的关系。织布师一生织了很多衣服，那些衣服一件一件都穿坏腐烂消失了而织布师还活着。可是，由于长年劳作，织布师慢慢年迈衰老，在他织完最后一件衣服时，那件衣服还没有腐烂消失而织布师却已经死去了。也就是说，灵魂在经历无数次轮回后其纯粹性不断减弱，也许会在离开最后一次轮回的肉体时，在肉体还没有腐烂时就烟雾般消失。也就是说，即使比肉体先在并且长寿，但是最终也会死去消亡的。

主观的信仰而已，并没有获得那种基于理性精神的哲学思考之绝对的客观性。尽管如此，苏格拉底还是评价其为"真实的、美丽的故事"①。这意味着什么呢？学术界一般认为，"回忆说"理论要得以成立，灵魂不死的问题是一个基本条件。如果灵魂不是不死的存在，那么"回忆"这一现象就失去了其根源性的依据。但是，在《美诺篇》中，"不知道的东西"是否可以探索；怎样做才可以探索的问题是其讨论的中心问题。作为证明这种探索之可能性以及如何探索的手段，柏拉图提出了回忆的现象来进行论证。因此，在此只要能把讨论的焦点集结在关于"学习、探索就是回忆"的逻辑阐明这一问题之上，就达到了目的。也就是说，这里"回忆"实验的目的只是为了证明：无论是谁，对于任何事物，都拥有"正确臆见"内在其中，通过适当的方法，就能使那种内在的"正确臆见"在现实中苏醒过来。只要能够通过实证来证明这一立论，从而让美诺承认任何事物都有探索的可能性就足够了。此时，作为"回忆说"前提的灵魂不死的思想，只是其主题以外的问题而被置放在论证之外。为此，在论述的展开过程中，关于这个问题只停留在简单地引用当时社会上人们所熟悉的神官和诗人们的思想作为论据。然而笔者认为，除了上述原因之外，还有一个更重要的原因潜在其中。其实在写作《美诺篇》阶段的柏拉图，关于灵魂不死的问题之所以没有给予逻辑上的理论展开，主要是因为其自身对于灵魂不死的问题还没有确切的充分的理论自信。

其实，关于灵魂不死的问题究竟在什么时候让柏拉图获得充分的自信我们并不十分清楚，而学术界对于这个问题的专门研究论著并不多见。但是，西方学术界对于这一问题的看法基本存在两种倾向。一部分学者认为，苏格拉底对于灵魂的存在已经有明确的认识，所以才会反复强调"关心灵魂"的呼吁。比如，美国学者马克·L.马可菲冉认为，对于苏格拉底来说，灵魂（psuche）是道德的判断、选择、行为的主体，在《申辩篇》（40c—41b）、《克里托篇》（54b—c）等对话篇中，已经明显体现出其高于肉体的存在性认识②。然而，另一部分学者却反对这种看法，认为初期对话篇出现的灵魂，虽然拥有高于肉体的特性，但是，那里所强调的只是活着的人的意识和理性，灵魂与这些作用的关系比较模糊，具有与身体不可分离完全的因素。英国古典学者康福德在《从宗教到哲学》中指出：柏拉图在苏格拉底死后数年，由于到了南意大利接触了毕达哥拉斯教团，从而认识到苏格拉底所追求的"形相"并不是非实体的亡灵，而是具有实质性存在意义的灵魂，实现了他对于神秘主义的皈依③。这

---

① 《美诺篇》81a。
② 马克·L.马可菲冉：《苏格拉底的宗教》，法政大学出版局，第305—307页。
③ 康福德：《从宗教到哲学——欧洲思维的起源》，剑桥大学出版社1972年版，第288—289页。

个观点说明了，柏拉图最初无法理解苏格拉底的追求（因为苏格拉底自身也不明确），只有接受了新的灵魂观之后，才重新对苏格拉底的追求产生共鸣。

笔者认为康福德的看法更具有说服力。其实，马克·L. 马可菲冉的观点，混淆了苏格拉底与柏拉图的区别。他所列举的《申辩篇》、《克里托篇》的相关叙述，只要细读就不难发现，苏格拉底在那里所表达的内容，并没有灵魂死后一定会存在的自信，所以才会出现要么是永远的睡眠，要么是灵魂的迁居这样的选择性表现。西方的一部分苏格拉底研究者，对于苏格拉底的研究存在着一个共同的误区，那就是把柏拉图哲学中的对话主人公苏格拉底当作苏格拉底来把握，忘记了那只是柏拉图、色诺芬、阿里斯托芬笔下的苏格拉底，如何从哲学思想的角度分析、区分出柏拉图与苏格拉底不同的问题总是被回避。之所以笔者接受康福德的观点，是因为在柏拉图的初期对话篇，苏格拉底对于灵魂问题的发言总是很暧昧的，缺乏自信的（正因为如此，初期对话篇中，"相"与"感觉事物"的关系也是内在与离在模糊不清）①。《美诺篇》中的下面一段话可以为我们提供论据。

> 关于其他各种各样的问题，为了这一学说，我并不想以充分的自信予以断言。但是，人在面对不知道某种事物的时候，与其认为不知道的事物既不能发现，也不应该探索；倒不如说认为一定要探索的这一想法，能够使我们成为更为优秀的存在，更加富有勇气，懈怠之心变得更少。关于这一点，如果我能做到的话，那么不管是在语言上还是在实际行动上，我都会想非常强硬地坚持这样的主张。（86b—c）

苏格拉底的这段话，已经充分表明了当时的柏拉图的心境。"这一学说"指的是灵魂不死的故事以及与此相关的"回忆"之可能性的依据问题。所谓"其他各种各样的问题"是指围绕灵魂的各种各样的问题，比如，灵魂的本质、属性、功能等问题。而"为了这一学说，我并不想以充分的自信予以断言"等，在这里很清楚是在表明，正因为苏格拉底对于灵魂的存在并不具有十分清晰的认识，在柏拉图哲学的初期阶段，即所谓的"苏格拉底式对话篇"的写作时期，柏拉图深受苏格拉底的影响，对于灵魂的存在问题也无法作出明确断言的自信。由于这些原因，在此时提出的"回忆说"，与其进一步详细说明、展开关于与这个学说相关的灵魂问题的讨论，倒不如把重点放在其目的之上。那

---

① 与灵魂问题相关的 ieda、eidoa、ousia 的存在问题也同样，初期对话篇中只是作为事物内部的本质性存在来认识，并没有像中期那样，完全作为独立于事物的离在性存在进行把握。关于这个问题的具体论述，请参照罗斯的《柏拉图的相论》。

就是苏格拉底论证"回忆"的目的，是向人们揭示关于对不知道的事物，也就是根据感觉经验无法获得的即先天存在的认识的可能性，给予人们以探索的勇气，并激发、鼓舞人们的探索热情。那就是以此赋予人们以下的希望：如果能够毫不懈怠地坚持探索，无论对于什么都可以通过回忆，重新掌握那些曾经拥有过的知识。

五、《美诺篇》中"回忆说"的特点及其存在的问题

通过上述几节的分析，可以说"回忆说"在《美诺篇》中的论述特点以及存在的问题已经得到了比较明确的展现。

对于柏拉图来说，与社会上所谓的"知识"其作为知识的资格需要严密的推敲、检验的问题并列，阐明不知道的事物也拥有探索、研究可能性的问题是《美诺篇》的根本着眼点。也就是说，"不知道"这种情况，并不是处在与知识完全隔绝的状态，而是以"臆见"的形式潜藏于人的意识之中。把它作为"还没有想起来的状态"、即其作为现实中的知识还没有得到苏醒的状态，通过对于这种状态的存在论证，从而达到使这种立论得以成立的目的。在这里的有关"回忆"问题的论述，其作为一种完整的学说还没有完成。那是因为，在这个对话篇中，具有明显的逻辑论证的只有那通过童奴所做的回忆实验的内容而已。而这个实验的结果所能提供的论据，仅仅只停留在证明了无论是谁都有"正确臆见"内在其中；无论是谁都能够通过回忆重新把握知识这样一种结论的层面。对于前面归纳过的"回忆说"要得以确立，必须具备的三个前提条件，其中除去第二个条件之外，第一个条件和第三个条件从以下的理由来看都是不完善的。

首先，灵魂的先在和不死这一条件，《美诺篇》的实验只在理论上证明了一半。关于"先在"，出生之后虽然没有受过任何教育，却可以自己想出正确答案的那个童奴，承认他在出生之前就已获得了那种知识，这在理论上是成立的。但是，我们不能以这样的"先在"结论，作为灵魂是"不死"的逻辑保障。如果没有灵魂是不死的这个前提，那么"因为……所有的一切事物它都观看过了，所以说，灵魂还没有学到的东西是一件都不会有的"这一立论就不成立。也就是说，关于所有的事情的"正确臆见"都是内在的立论就得不到保障。当然柏拉图也注意到这个问题，正因为如此，他在提出"回忆说"之前就先谈到"灵魂是不死的存在"①。但是，我们不能把在神话、故事的土壤中栽培出来的花草，原原本本地移植到逻辑、理性的田园中去。因为神官和诗人们

---

① 请参照《美诺篇》81c。

的证言不需要客观的妥当性，那是主观想象的产物，所以其本质上缺少哲学所追求的逻辑的自洽性内涵。

其次，"回忆说"的第三个条件，也就是在什么情况下引起回忆，即回忆所必须具备的条件问题，在这里的叙述也是不完整的。《美诺篇》中只谈到了"提问所引起的回忆"这一种类型。"回忆说"中这一种类型是与所谓的苏格拉底的"接生术"问题相对应的。关于"接生术"，前面已经提到过，在这里有必要稍做详细一点的说明，以便明确两者之间的关联性。

"接生术"问题主要在《泰亚泰德篇》中做了详细的叙述。在这里苏格拉底把自己与人问答的方法以"接生术"来比喻。接生婆一般都是上了年纪的女性。也就是说，她一定经验丰富然而自己已经不再怀孕生子了。接生婆的工作首先是识别女性是否怀孕。然后就是对孕妇投药、念咒来激发阵痛。而根据需要对于有的孕妇减轻其阵痛，帮助难产的孕妇能够顺产，对于未成熟的婴儿帮助流产，等等。在有些时候还帮助辨别"怎样的女人与怎样的男人结合可以生出最好的孩子"而充当"结婚的媒人"。但是，对于接生婆来说其"最大最美"的工作就是判别孕妇生下来的孩子究竟是否健全（真伪）的问题。如果是健全的婴儿就养育，不健全的婴儿就遗弃（这种事情在今天的社会是犯罪，而在当时据说遗弃不健全虚弱婴儿的风俗在社会上很普遍）。苏格拉底首先把接生婆的工作与自己的"问答法（dialektike）"相对应，以此说明自己所采用的这种方法的性质特点。与世间接生婆不同的是"问答法"不是帮助女性，而是为了男性的"精神助产"。所谓"精神助产"，指的是识别男性们灵魂中"美好的东西"（在《美诺篇》中被称作"正确臆见"），通过苏格拉底"提问"的帮助，男人们自己把这种内在之"美好的东西"在太阳光下生出来。而苏格拉底与接生婆一样，因为自己是"不能生出智慧的人"，所以从不提供自己的答案。他只是一味地"提问"，对于想生的男人通过质问识别其灵魂中究竟是否怀有"灵魂的婴儿"，然后通过进一步质问激发"阵痛"，或者缓和"阵痛"。最后通过检验其"回答"来判别生下来的"婴儿"健全与否，真伪如何？如果"回答"与正确的逻各斯不相符，那么只有下狠心让"婴儿"与"母亲"分开，只承认正确的"回答"。这种被比喻成"接生术"的苏格拉底的问答法，在《理想国》第六卷中被作为最大的学问，探索、发现真理的唯一方法被置于柏拉图哲学的中心地位。

从上述内容可以看出，"接生术"与"回忆说"的结构基本是相同的。两者的关联性对应图示如下：

不过在此，我们必须明确，对于这种关联，与其认为"回忆说"和"问答法"如出一辙，倒不如说通过"回忆说"揭示了作为探索真知唯一方法之"问答法"其探索真知的可能性。通过这种方法，人类内在的"正确臆见"，"虽然是像梦一样，还处在（再次）刚刚被唤醒的状态。但是只要有谁，对于与这同样的事情，多次以各种各样的方法询问，其最终这个孩子对于这样的事情就会拥有不输给任何人的正确知识"①。在此，必须注意的是柏拉图使用了"被唤醒（kekinentai）的状态"这一被动式的表现方式。人从梦中苏醒一般是自己的力量所致，但在这里使用的是被动表现，说明了这种"醒"是需要外部条件的。如果没有被"提问"，那种内在的"正确臆见"可能永远会处于睡眠的状态。因此，在这里论述的"回忆"问题中，虽然自己的"怀孕"，"正确想法"这一"灵魂的婴儿"的内在，与自己"生出来"（回忆起来）这些事情都是以"自己"作为最基本的前提，但是，为了让这"婴儿"平安地"生出来"（回忆起来），绝不能忽视"助产"这一"提问"的作用。也就是，自己之所以能够从自身当中再次获取知识，在某种程度上可以说是被提问的结果。或者可以认为这里所论述的"回忆"是由于提问所导致的结果。在《斐多篇》中我们可以找到关于这一点的确认性叙述。

　　人在被提问的时候，如果那提问的方法得当的话，被提问的那人对于所有的事物，自己自身都能说出其真实的情况。（《斐多篇》73a6—8）

《斐多篇》的这段话就是在确认《美诺篇》中回忆的实验内容。很明确，在这段话里"提问方法"得当、巧妙与否是十分重要的，是引导被问者"自己

_____

① 《美诺篇》85c。

自身说出"这一结果不可或缺的条件。如此强调提问者的作用，表明了要回忆，有时他者（如果素质高、思维能力强的人，这种"他者"也可以是另一个自己。为了简化论述，在这里只以"他者"来表现）的存在是极其重要的因素。

其实，如此重视"提问"作用的理由，来自于《美诺篇》中论证"回忆"所拥有的目的。《美诺篇》的讨论重点是对于"不知道的事物是否可教"这一命题的证明。为了证明这个命题成立，苏格拉底利用童奴做实验。按美诺所说，这个少年从来没有受过任何教育。当然，实验中出现的有关几何学的问题也应该是什么都不知道。这正是苏格拉底所说的"不知道的人"，那么"几何学"（对这个少年来说）就是"不知道的事情"。但是，如前所述，苏格拉底想证明的就是即使不知道事物的人，"正确臆见"也会内在其中。为了"诊断"（这当然是通过"提问"进行的）是否怀有这个"正确臆见"（灵魂的婴儿），"接生婆"无论如何都是必要的。但是"接生婆"不仅仅只诊断是否"怀孕"，还要通过"助产"（不言而喻就是"提问"）让这少年生出"灵魂的婴儿"，使这婴儿显露于阳光之下。因此，在《美诺篇》中的"回忆说"特别强调"提问"的作用，其原因就在于此，绝不是仅仅只是为了强调作为他者存在的"提问"问题。

在提问引导之下，使内在的"正确臆见"重新得到把握的回忆，只表现了被提问情况下的回忆。而对于在"被提问"这一外部要素不存在的时候，是否可以回忆的问题《美诺篇》中没有任何的涉及。那么，这就明显留下了：如果可以回忆的话，那么在什么样的情况下是可能的，这一问题还没有被提出来探讨。

综上所述，柏拉图在《美诺篇》中，通过"回忆的实验"证明了人的学习掌握知识并不是由他人所教的，而是自己的回忆。自己之所以能够回忆，是因为作为人无论是谁，关于所有事情的"正确臆见"都是内在的。就连出生之后没有受过任何教育的少年（奴隶）都会拥有"正确臆见"，那么其他人就不可能会没有的。更进一步来说，人不仅"正确臆见"是内在的，而且"无论是谁"都能够回忆。当然，为了自己再次掌握那种"正确臆见"，有时根据人或事情的不同需要外在力量的帮助。但是，无论借助什么样的手段，回忆始终是回忆者自身，他人并不能代替自己回忆。这就是《美诺篇》中"回忆说"的基本特点和性质，也可以说是柏拉图哲学认识论的基础。

但是，"回忆说"作为柏拉图哲学中重要的学说，在《美诺篇》中的论证还不够完善。关于灵魂不死的逻辑论证明，以及揭示能够引起回忆的所有的情形等问题，在此都尚未得以完成。换一种说法，《美诺篇》中讨论的"回忆说"给人的印象是，它就像一个演员登上哲学的舞台，只是说了个开场白，表演了

"能否探索不知道的事物"这一命题证明的一幕就匆匆退往幕后不见了。如何把自己的存在上升到作为戏剧的主角地位，表演出更为丰富而完整的内容，在这个对话篇中却没有给予充分的台词。那么，完成这一演出任务的，只有等待着在《斐多篇》里这一主角的丰满登场了。

参考文献

1. *Platonisopera* (oxford classical texts).

2. プラトン：《プラトン全集》，岩波书店 1976 年版。

3. F. M. Conford，*From Religion to Philosophy—A Study in the Origins of Western Speculation*，Cambridge，1972.

4. マーク・L・マックフェラン：《ソクラテスの宗教》，法政大学出版局 2006 年版。

5. W. D. Roos，*Plato's Theory of Ideas*，2nd ed. Oxford，The Clarendon Press，1953.

个体的起源与本质

——试论克里普克的"起源"概念

周 濂

内容提要：本质理论在解释共相概念时取得了一定的成果，但对殊相/个体概念的解释却始终不令人满意。究竟如何才能确定个体的本质属性，这个问题一直困扰着本质主义者。克里普克提出"起源"是单个个体的本质属性之所在，本文认为克里普克的"起源"概念本身是含混不清的，并且将"起源"作为个体的本质属性虽然在形而上学的层面上部分解决了这个问题，但其理论效力却是乏善可陈。

关键词：个体的本质、普遍的本质、起源

语言哲学中，专名（proper name）问题一直处在核心的位置。在罗素看来——或许还有密尔——专名的问题主要体现在，除了通过亲知的方式（by acquaintance），我们似乎无法确定专名的指称为何物。罗素提出的解决方式是通过所谓的描述语理论（description theory）取消专名和限定描述语（definite description）之间的区别，从而将限定描述语作为确定专名的指称的一种方式。① 打个比方，我们除了可以面对面指着亚里士多德说"喏！这就是亚里士多德"之外，还可以通过"亚历山大大帝的老师"这样的描述语来确定亚里士多德的指称。罗素的这个主张招致众多的反对意见，比如我们满可以想象这样一种可能：亚里士多德在历史上根本就没有教过亚历山大大帝，这样一来，"亚历山大大帝的老师"所指称的就不是亚里士多德，而是某个其他的古希腊哲学家。后来的哲学家们如维特根斯坦、塞尔提出所谓的不定簇理论（cluster theory）试图弥补罗素描述语理论的不足。

维特根斯坦在《哲学研究》第 79 节说："我们可以跟着罗素说：'摩西'这个名称可以由各种各样的描述来定义。例如定义为'那个带领以色列人走过荒漠的人'，'那个生活在彼时彼地、当时名叫摩西的人'，'那个童年时被法老的女儿从尼罗河救出的人'等等。我们假定这一个或那一个定义，'摩西没有

---

① 汉语学界一般将 description theory 译为"摹状词理论"，本文从陈嘉映在《语言哲学》一书中的翻译，将之译为"描述语理论"。

存在过'这个命题就会有不同的意思。"① 不定簇理论的意义在于，通过多个描述语的逻辑总和与内涵析取来确定专名的指称，比如，对于亚里士多德，我们可以列举出"柏拉图的学生"、"亚历山大大帝的老师"、"《形而上学》的作者"、"雅典最伟大的哲学家"等一系列的描述语，从而确定亚里士多德这个专名的指称。

但是正如克里普克所指出的，虽然维特根斯坦/塞尔的不定簇理论看似有助于解决这个疑难，但究其实，不定簇理论不过是描述语理论的"升级版本"，它与罗素的描述语理论的要害均在于它们并不能独一无二地成功捕捉个体 (pick out the individual uniquely)。克里普克指出，我们今天通常归功于亚里士多德的那些伟大成就和事迹都只是偶然的事实。② 换言之，我们完全可以想象在某一个可能世界里面，亚里士多德不拥有我们今天认为的他在现实世界里所拥有的诸种性质："柏拉图的学生"、"亚历山大大帝的老师"、"《形而上学》的作者"、"雅典最伟大的哲学家"，但他依然是亚里士多德。克里普克的这个想法一方面与他的可能世界理论以及专名是严格的指示词想法相关联，另一方面又与一个古老的哲学命题——本质理论相关联。按克里普克的观点，描述语理论和不定簇理论所给出的关于亚里士多德的所有性质都只是亚里士多德之为亚里士多德这个个体的"偶然属性"，而不是"本质属性"。显然，从以上分析我们看到，从专名问题可以直接回溯到本质属性与偶然属性的区别问题，尤其是个体的本质属性与偶然属性的区分问题。

亚里士多德是西方哲学史上第一个系统地提出本质理论的哲学家。他对本质特性的具体定义如下："本质特性被设定为与其他所有事物相关且又使一事物区别于其他所有事物的东西。"③ 亚里士多德举例说人的本质属性就是："能够获得知识的那种有死的动物"。但是这个例子中的"人"只是一个类概念，它并没有解释具体的某个人，比如说亚里士多德这个个体的本质属性究竟是什么，显然，"能够获得知识的有死的动物"只是标示出亚里士多德作为"人"的本质，而没有标示出"亚里士多德之为亚里士多德"的本质属性，换言之，"能够获得知识的有死的动物"只是亚里士多德之为亚里士多德的必要条件，而不是充分条件。

晚近的哲学家特伦斯·帕森斯 (Terence Parsons) 充分认识到这个问题，他将本质属性区分为两类：其一是个体的本质 (individual essence)，其二是

---

① 维特根斯坦：《哲学研究》，陈嘉映译，上海人民出版社 2001 年版，第 79 节。

② Saul kripke, *Naming and Necessity*, Oxford 1980, p. 75. 译文有参考克里普克：《命名与必然性》，梅文译，上海译文出版社 1988 年版。

③ 参见苗力田主编：《亚里士多德全集》第一卷，中国人民大学出版社 1990 年版，第 358 页。

普遍的本质（general essence），两者的差别在于，普遍的本质只是使这个个体成其为该个体的必要条件（比如"能够获得知识的有死的动物"），而个体的本质则是使这个个体成其为该个体的充分条件。帕森斯指出"个体的本质"是一个比莱布尼茨的"同一体不可区别性"（indiscenability of identicals）更强的一个主张。其理由如下：首先，"个体的本质"排除了两个有着不同的偶然属性但却共享本质属性的客体共存的可能性；其次，"个体的本质"宣称，如果在一个可能世界中 b 拥有和 a 相同的个体的本质，那么在那个可能世界中 b 就是 a。①

克里普克在《命名与必然性》中提出他的"本质理论"。他提出以下两个论点：其一，认为一个个体的起源（origin）（或它由以构成的材料 substance）对于该个体是本质的；其二，认为一类个体的本质是那个种类里的一切个体所具有的内在结构，它使得那个种类的成员资格在本质上依赖于具有这种适当的内在结构。很显然，克里普克的第一个论点就是针对"个体的本质"而提出来的。

克里普克的基本观点很明确："任何来自另一来源的事物都不会成为这个对象"。② 也就是说，起源是单个个体的本质属性之所在，对于每一个个体而言，正是因为它所拥有的独一无二的起源使得它能够与其他个体区分开来，如果没有这种起源该个体也就不再成其为这一个体。J. L. 麦基（J. L. Mackie）非常中肯地把克里普克的这个理论归结为起源的必然性 VS 过程的偶然性。③ 很显然，这里的关键词是起源（origin），也正是因为克里普克对"起源"这个概念的解说语焉不详，导致了克里普克的"个体的本质"理论一问世就遭到了各方的质疑。

克里普克对起源概念的理解至少包括两个层面：其一，指单个人的起源或出身（以下简称 O1 理论）；其二，指单个事物所由以构成的质料（以下简称 O2 理论）。

我们先来考察 O2 理论。克里普克指出，如果一张给定的桌子是由木头制作而成的，那么这张桌子本质上就是起源于木头，即使它后来转变为其他的某种物质（比如说，银）。此外，克里普克还指出，我们可以设想用另外一块木料甚至是用冰来制作一张桌子，即使它的外表特征和前面那张桌子一模一样，

① Terence Parsons, "Essentialism and Ouantified Modal Logic", in *Reference and Modality*, ed. by L. Linsky, pp. 72-73. 转引自 Husain Sarkar, "Origins and Identities", *Australasian Journal of Philosophy*. 1982，p. 60.

② Saul kripke, *Naming and Necessity*, Oxford 1980，p. 113.

③ JL Mackie, "De What Re Is De Re Modality", *The Journal of Philosophy*, September 1974, p. 552.

它也不等同于我们先前所说的那张桌子。M. 斯劳特（M. Slote）对上述提出质疑。他举例说，假定一张桌子 t 起源于一块木头 w，在被制作成 t 之前，这块木头 w 曾经"稳定而又合法地"先变成一块银子而后再变成木头。这样一来，下述可能性就是存在的：即桌子 t 有可能是在 w 变成银子的阶段由 w 制作而成的，然后，它作为 t，又变成了木头。如果是这样的话，那么 t 就只是偶然地起源于木头，并且由此我们可以一般地得出如下结论：至少某些东西有可能偶然地是由从起源上看它们实际上由以构成的那种材料所制成的。①

再看 O1 理论。以伊丽莎白女王为例，克里普克认为虽然我们可以假定伊丽莎白女王的一生可能与现实世界的经历完全不同，比如她是一个贫儿，比如她的王室血统根本不为人所知，比如她从来就没有成为女王，等等，但是只要假定她是由她的生身父母所生，而不是由别的父母例如杜鲁门夫妇所生，那么伊丽莎白就必定是她自己。

针对 O1 理论，一个自然而然的疑问是，这里所谓的"起源"究竟指的是伊丽莎白的亲生父母，还是那颗后来发展成为伊丽莎白的"受精卵"？对此克里普克本人并未给出清晰的回答，后来的研究者如科林·麦金（Colin Mcginn）则认为一个个体的起源至少可以存在于三种可能的联系之中：第一，受精卵与其后必然长成的具体的那个人的联系；第二，精子和卵子（配子 the gametes）与受精卵的联系；第三，父母与他们的配子之间的联系。② 麦金的结论是，由于这三种联系之间存在着一种所谓的"d 连续性"③ 的关系，因此，这三种联系一道构成了一个个体的起源。

我认为麦金的观点值得商榷。

我们先来看第三种联系，即父母与他们的配子之间的联系是个体的起源之所在。从《命名与必然性》的文本上看，克里普克似乎也倾向于这一观点。但是我们完全可以想象在一个可能世界里面，存在着伊丽莎白的父母，但他们并没有生出伊丽莎白，也就是说，存在伊丽莎白的父母只是存在伊丽莎白的必要条件而不是充分条件。因此，这第三种联系并不能构成个体的本质属性。此外，即使我们退一步承认这第三种联系构成了个体的本质属性，那么根据 d 连续性原则，伊丽莎白的祖父母们似乎也应该是她的本质属性，由此将导致无限

---

① A. C. Grayling：《哲学逻辑引论》，牟博译，中国社会科学出版社 1990 年版，第 120 页。

② Colin Mcginn, "On the Necessity of Origin", *The Journal of Philosophy*, March 1976，p. 131.

③ 所谓 d 连续性原则，Mcginn 是这样表述的："正如你必然地来自于你所来自的那个受精卵——因为你与那个受精卵的关系是历时性的和发展性的连续，所以你也必然地来自于你所来自的那对配子，因为你同样与它们保持着连续性。"他认为，关于 d 连续性的直观乃是建立在一个事物必然地来自于另外一个事物的观念上，而后一个观念所赖以成立的基础则是建立在发展生物学所研究的法则之上。Ibid，p. 133.

倒退。

再看第二种联系，即个体的真实的配子和他/她的真实的受精卵之间的联系。麦金认为我们不能仅仅将起源的追溯停留在受精卵这一阶段，因为这颗受精卵似乎在本质上必然地源出于它的配子。对此，H. 萨克（H. Sarkar）提出反对意见。他假设了如下两种可能世界（由于他是以罗素为例，因此以下的阐述依循他的表述，以罗素为例而不是以伊丽莎白女王为例）：

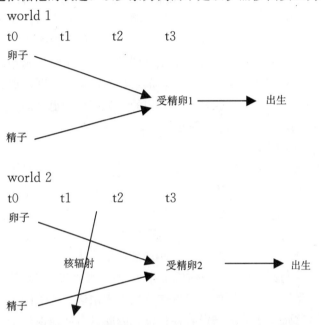

world 1

t0   t1   t2   t3

卵子 → 受精卵1 → 出生

精子 →

world 2

t0   t1   t2   t3

卵子

核辐射 受精卵2 → 出生

精子

萨克假设在可能世界 2 中，卵子与精子在结合的过程中受到了核辐射，结果可能世界 1 中的受精卵 1 发展成为了罗素本人，而可能世界 2 中的受精卵 2 则发展成为了一个芭蕾舞女演员。我们在直觉上显然会认为，罗素不可能是一个女人，也就是说受精卵 1 不等于受精卵 2——虽然它们都来自于同样的精子和卵子。[1] 萨克因此质疑起源的必然性：为什么同一个配子——精子与卵子——不能发展成为不同的受精卵并因此而发展成为不同的人？我认为，萨克对第二种联系的反驳是令人信服的，配子与受精卵之间的同一性关系的确存在可疑之处。

现在我们考察第一种联系，也即受精卵与其后必然长成的具体的那个人的联系。为了证明第一种联系，麦金认为，必须先假定两个前提：（1）该个体与

① Husain Sarkar, "Origins and Identities", *Australasian Journal of Philosophy*, 1982, p. 144.

【西方哲学】 个体的起源与本质

那颗受精卵是同一的；（2）跨时间的统一性是必然的。[①] 他认为第二个前提无须过多讨论，令人费解是第一个前提：一个成年人如何与一颗细微的受精卵相同一？麦金给出的解释是，成年人与他曾是的儿童相同一，儿童与婴儿相同一，婴儿与胎儿相同一，胎儿与受精卵之间相同一，这里存在着一系列的连续性，"任何打断这种显而易见的生物连续性的企图都必定是武断的"[②]。在我看来，麦金的这个论断恰恰是相当武断的一个说法，这是因为"跨时间的同一性"本身就是一个需要论证的问题，而不是不言自明的定论。我们可以想象这样一个世界，在其中，某一颗受精卵发展成为这样一个人，他的每个生活阶段都和萨达姆·侯赛因的实际生活的相应阶段毫无分别；并且假定萨达姆在那同一个世界中的受精卵的发展状况和小布什的实际发展情况毫无分别，那么现在，究竟是哪一个人更有资格作为萨达姆呢？我们的直觉似乎会更倾向于前者而不是后者。[③] 这个例子似乎说明，起源的必然性、或者生物学上的延续性并不可以令人满意地用来确定同一性。

虽然关于"起源"概念存在着诸多不清楚的地方，但是在一定意义上，我愿意相当保守地承认克里普克的起源本质说是成立的，即原则上每一个个体都有他/她独一无二的起源，并且这一起源构成该个体的本质属性，但我们要对这样的结论抱以非常谨慎的态度，事实上，克里普克本人也承认要对个体的本质属性这个问题作出充分的讨论是非常困难的，并且他也不认为自己所给出的解答是充要的，在《命名与必然性》一书中的脚注中他明确指出："我并不认为只有起源和基本构造是本质的。例如，如果这一块用来做这张桌子的木料被改作成一只花瓶，那么这张桌子就从来没有存在过。因此（粗略地说）是一张桌子看来就成为这张桌子的一个本质属性。"[④]

我之所以对起源的本质理论持保留意见，原因在于，首先，起源作为个体的本质属性在某种意义上毋宁说只是一个形而上学的事实，很多时候我们并不能在经验领域中确证它；其次，用起源作为个体的本质属性，这一看似与直观相悖的主张乃是将理论逼到极致所产生的结论，由此导致的后果是遗忘了理论最初所勾连的自然困惑，即个体的同一性问题。众所周知，"个体的同一性"问题在西方哲学传统中——无论是形而上学、知识论，还是当今的"显学"伦理学与政治哲学——都处于核心的位置，许多现代哲学问题比如正义、安乐

---

① Colin Mcginn, "On the Necessity of Origin", *The Journal of Philosophy*, March 1976, p. 132.

② Ibid, p. 132.

③ P. Johnson 在 "Origin and Necessity" 一文提出过类似的例子。参见 *Philosophical Studies*, Vol 32, 1977, p. 414。

④ Saul kripke, *Naming and Necessity*, Oxford 1980, p. 115. footnote 57.

死、民族主义最终都或直接或间接地与同一性（或者换种表述：身份认同）问题发生关联。用起源的必然性原则来解释个体的同一性问题，虽然在形而上学的层面上似乎有所言说，但究其根本，我没有看到它对上述现代哲学问题有任何启发和推动，克里普克的起源本质理论在面对个体同一性问题时所发挥的作用是不能令人满意的。这种从生物学的起源来解释个体的同一性问题的做法有为解决问题而解决问题的嫌疑。

事实上，如果我们联想起在本质理论的始作俑者亚里士多德那里，ousia同时具有"本质"与"实体"两层含义，我们就会意识到，在克里普克的起源本质论中，本质与实体似乎又有合二为一的趋势：克里普克的"起源"就像是洛克意义上的神秘实体，我们无法真正确证它，换句话说，起源的本质属性更像是一个徒具"理论效力"的"理论假设"。

【马克思主义哲学】

关于辩证唯物主义、
历史唯物主义体系的几个问题

安启念

内容提要：辩证唯物主义、历史唯物主义体系的建立是十月革命后苏联社会理论斗争和社会主义改造的产物。在建立过程中，米丁和斯大林起了关键的作用。这一体系的基本精神是弘扬科技理性。在今天看来，它的基本思想并未过时，但马克思、恩格斯还有许多重要哲学思想没有被它包括在内。适应以人为本，建设和谐社会和整个时代的需要，重建马克思主义哲学体系，是当务之急。

关键词：体系、社会主义改造、创新

20 世纪 80 年代以后，实践唯物主义的兴起引发了围绕作为一个体系的辩证唯物主义、历史唯物主义理论的争论。这一争论涉及马克思主义哲学的许多重大问题，至今未能取得一致意见。进入新世纪，随着生活实践的发展，这一争论越发显示出它的重要意义。真理越辩越明，认识总是在讨论中发展的。本文拟追本溯源，比较深入具体地对该体系的形成作一番探讨，并进而对它与马克思、恩格斯哲学思想的关系、它的当代价值等，略作考察，以就教于各位方家。

一

辩证唯物主义、历史唯物主义体系不是马克思、恩格斯本人建立的，而且他们从未使用过辩证唯物主义、历史唯物主义概念，这一点学术界没有争议。不仅如此，他们没有建立过任何的哲学体系。他们的战友和学生倍倍尔，当马克思和恩格斯还在世时，在一封信中说："我不研究……拉萨尔和马克思的哲学体系。对于他们两位，我应该顺便指出，他们在任何时候都没有产生过要建

立哲学体系的念头。"① 我们在他们的著作中也的确找不到任何成体系的哲学理论。马克思、恩格斯有辩证唯物主义、历史唯物主义思想，但把它们建构成一个体系的，是苏联哲学家米丁。这一体系的创建，经历了一个比较漫长的过程。

在十月革命以前，已经有为数不多的阐述马克思主义哲学的专门著作问世。十月革命后，世界上出现了第一个由马克思主义政党领导的国家——苏联，学习马克思主义在这里成为热潮。为了适应学习的需要，马克思主义哲学著作大量出版。一直到20世纪20年代末，这些著作大多数以历史唯物主义命名，② 为数不多的以辩证唯物主义命名的著作，主要出版于1922年列宁的《论战斗唯物主义的意义》发表以后。在这部著作中，列宁号召党内外的唯物主义哲学家与自然科学家结成联盟，向宗教唯心主义发起进攻。这一号召被称为列宁的哲学遗嘱，激起了学习和研究辩证唯物主义的兴趣。在此之前，以辩证唯物主义命名的著作，迄今有案可查的只有一本，即由普列汉诺夫作序，1916年出版的德波林的《辩证唯物主义哲学导论》。③ 这些著作，或者以辩证唯物主义为名，或者以历史唯物主义为名，把这两个概念结合在一起概括马克思、恩格斯哲学思想的著作，无论在苏联，还是在其他国家，尚未出现。

除此之外，这些著作在内容上也非常不规范，十分庞杂。以辩证唯物主义为名的著作包含历史唯物主义的内容，反之也一样。不论以什么为名，基本上都包括哲学史、苏联党和政府的政治主张、某些社会学方面的内容，甚至还有对领袖的赞颂，等等。各种内容缺少内在联系，杂乱地堆砌在一起。我们试以几本有代表性的著作的目录为例：

A. 德波林：《辩证唯物主义哲学导论》，1916年初版，1922年再版，内容未变。第一章，培根；第二章，霍布斯；第三章，洛克；第四章，贝克莱的现象主义；第五章，休谟；第六章，先验方法；第七章，辩证方法和辩证唯物主义；附录：再论辩证唯物主义；第八章，新休谟主义；第九章，马赫主义与马克思主义；第十章，辩证唯物主义与经验符号论；第十一章，实用主义与唯物主义。全书附录：一，A 波格丹诺夫：经验一元论；二，Л·阿克雪里罗德：哲学概论。

---

① *A. Бебел*：Христианство и социализм. Переписка между священником Гогофом и социал—демократом Августом Бебелем（1873 — 1874）. С. 9. 转引自 Проблемы идеализма, С. 108, М., 2002。

② 参见 История философии в СССР том 5, часть1, С. 25. М., 1985. 认为历史唯物主义是马克思、恩格斯最主要哲学贡献的思想由来已久，最早源于马克思、恩格斯的"战友和学生"梅林、考茨基、拉法格、拉布里奥拉等人的著作。

③ 在此之前，德波林曾于1909年发表题为《辩证唯物主义》的论文。

B. 萨拉比扬诺夫:《历史唯物主义》, 1925 年第 7 版。第一章, 社会科学研究概况; 第二章, 什么是历史唯物主义; 第三章, 作为统一体的世界; 第四章, 为什么我们的方法被称作唯物主义的; 第五章, 需要的作用; 第六章, 理性的作用; 第七章, 国家、法、个人; 第八章, 种族——民族; 第九章, 地理环境; 第十章, 社会关系; 第十一章, 上层建筑对基础起作用吗; 第十二章, 辩证法; 第十三章, 从辩证法出发理解的相互作用; 第十四章, 技术; 第十五章, 马克思《政治经济学批判》的序言; 第十六章, 我们自己在创造历史; 第十七章, "归根结底是……";[①] 第十八章, 辩证法和自然知识; 第十九章, 质。

C. 沃里弗松:《辩证唯物主义》, 1922 年 10 月初版, 1929 年修订第 7 版。这是苏联高校第一本辩证唯物主义教材, 1922 年出版后受到广泛好评。[②] 第一部分: 第一章, 古代的唯物主义; 第二章, 中世纪的反唯物主义; 第三章, 唯物主义的再生(培根、霍布斯、洛克、斯宾诺莎); 第四章, 十八世纪唯物主义; 第五章, 从形而上学唯物主义到辩证唯物主义。第二部分: 第一章, 马克思的发现的社会前提; 第二章, 马克思和恩格斯; 第三章, 马克思主义的理论认识论; 第四章, 辩证法; 第五章, 决定论; 第六章, 从对历史的唯心主义理解到对历史的唯物主义理解; 第七章, 生产力。基础与上层建筑; 第八章, 主体与历史过程; 第九章, 阶级与阶级斗争。第三部分: 第一章, 家庭与婚姻; 第二章, 法与国家; 第三章, 道德; 第四章, 宗教; 第五章, 艺术。

由上所述可以看出, 虽然马克思主义哲学在苏联得到前所未有的重视, 相关著作大量出版, 被广为学习和宣传, 但人们对它的认识, 意见极不统一, 从名称到内容都有很大分歧, 对马克思主义哲学的理解与阐述尚处于起步阶段。

在马克思主义哲学体系的形成历史上具有里程碑意义的, 是 20 世纪 30 年代初主要由 M. 米丁主持编写的《辩证唯物主义历史唯物主义》一书。经过 1930 年对德波林学派的批判, 在斯大林的支持下, 米丁取代德波林成为苏联哲学界的领袖。该书在米丁的领导下由当时苏联共产主义科学院哲学研究所集体编写, 供全苏各级党校和普通高校马克思主义哲学教学使用。其内容为:

第一卷, 辩证唯物主义(M. 米丁主编, 1933 年出版, 352 页): 第一章, 马克思列宁主义——无产阶级的世界观; 第二章, 唯物主义与唯心主义; 第三章, 辩证唯物主义; 第四章, 唯物辩证法的规律; (内容包括三大规律和 11 个

---

① 参见恩格斯 1890 年 9 月 21 日致约·布洛赫的信。他在信中说:"历史过程中的决定性因素归根结底是现实生活的生产和再生产。……"

② 前后担任莫斯科大学哲学系副主任、主任长达近 40 年的俄罗斯著名哲学家 A. 科西切夫, 在与本文作者的谈话中对此书予以高度评价, 认为它实际上是辩证唯物主义、历史唯物主义体系的雏形。

范畴——本文作者）第五章，哲学中的两条战线的斗争；第六章，辩证唯物主义发展中列宁阶段的基本问题。

第二卷，历史唯物主义（**М. 米丁、И. 拉祖莫夫斯基**主编，1932 年出版，504 页）：第一章，辩证唯物主义对历史的唯物主义理解；第二章，关于社会经济形态、生产力和生产关系的学说；第三章，资本主义生产体系与社会主义生产体系；第四章，关于阶级和国家的学说以及资本主义社会的阶级斗争；第五章，无产阶级专政和过渡时期的阶级斗争；第六章，社会意识形态的作用与意识形态斗争的形式；第七章，作为战斗无神论的马克思列宁主义；第八章，马克思列宁主义关于革命的学说；第九章，马克思主义，修正主义，社会法西斯主义。

与以往的类似著作相比，本书有三个突出特点：

第一，第一次建立了一个完整的马克思主义哲学的体系。该书明确把马克思主义哲学分为两个相对独立的部分，通过把历史唯物主义解释为"辩证唯物主义对社会的认识"，使两者成为一个有机整体，[①] 并首次使用"辩证唯物主义历史唯物主义"概念来概括马克思主义哲学。[②] 每一个部分内部，理论内容也具有了系统性，建立起一个完整的结构。

第二，对马克思主义哲学具体内容的理解比较准确和成熟了，以往的相关教科书中有很大一部分不属于辩证唯物主义、历史唯物主义核心思想的内容，除了明显具有当时政治斗争需要痕迹的内容之外，被剔除出去。

第三，影响巨大。该书奉苏共中央之命编写，由当时哲学界的领导人物主持，供全国高校统一使用，是具有权威性的马克思主义哲学理论的样板。该书第一版便发行 10 万册，对哲学著作而言，前所未有。直到 20 世纪 80 年代，该书建立的马克思主义哲学体系，包括基本框架、基本观点以及名称，为苏联及世界许多国家的马克思主义者普遍接受。

米丁的体系并非凭空而来。它是数十年间俄罗斯马克思主义哲学家研究、总结马克思、恩格斯哲学思想并力图对它加以系统阐述这一努力的集大成，尤其与沃里弗松的成果有着明显的继承关系。它产生于 20 世纪 20 年代苏联哲学家开始的出版马克思主义哲学教科书的热潮之中，可以说是苏联哲学家的集体成果。之所以提出"辩证唯物主义历史唯物主义"这一概念来概括马克思主义

---

① 参见 **М. Митин**，Диалектический и исторический материализм，2часть，стр. 3. **М.** 1932。

② 参见 **К. Н. Любутин，В. М. Русаков**：Отечественная философия совестского периода. ч. 1. стр. 302 - 303. Екатеринбург，2001. 该书明确指出，是米丁主持的这部著作首次把"辩证唯物主义、历史唯物主义"概念引入马克思列宁主义哲学。该书称，米丁曾自豪地对《辩证唯物主义历史唯物主义》的一位作者说："我把马克思主义哲学分为辩证唯物主义和历史唯物主义，而这一分法还被人们接受了"（详见该书 303 页）。

哲学，是因为，如列宁所说，辩证唯物主义和历史唯物主义是"一块整钢"，在此前的十几年间许多人已经尝试单独使用"辩证唯物主义"或"历史唯物主义"来称呼马克思主义哲学，但事实证明，不管用什么名称，内容都必然既包括辩证唯物主义思想，也包括历史唯物主义思想，因而显得名实不符。

辩证唯物主义、历史唯物主义体系在米丁的著作中已经形成，但它得到最后确认，或者说最后完成，是在斯大林《联共（布）党史简明教程》1938年问世之后。该书的"四章二节"对马克思主义哲学做了权威性的阐述，阐述中沿用了米丁使用的"辩证唯物主义历史唯物主义"概念，理论体系的结构与主要观点也与米丁相同。米丁建立的体系与斯大林无人可及的政治上、理论上的绝对权威结合在一起，观点更为鲜明，语言表述也更为精练，影响力陡增，立即在全世界流行开来。①

二

辩证唯物主义、历史唯物主义体系在20世纪30年代初的建立及其得到承认并迅速在世界各地传播，不是偶然的，不能仅仅用米丁，或者再加上斯大林的个人因素来解释。就直接的层面上看，体系的出现是苏联马克思主义哲学研究与教学实践发展的必然结果。十月革命后苏联各级党校和高校开展了大规模的马克思主义哲学教学，相关教材大量涌现。大家都讲马克思主义哲学，但内容、名称互相有很大区别，理所当然地会出现建构一个理论界普遍接受的统一体系的要求。多年的研究和教学也使得对马克思主义哲学的理解不断深化，为消除分歧建构体系创造了条件。体系的出现，水到渠成。然而仅仅这样理解辩证唯物主义、历史唯物主义体系的形成与传播是远远不够的，无法解释它的意义与特点。

这一体系在苏联的建立，背后有着深刻而广泛的社会背景、历史背景。对此我们可以从四个方面来看。

第一，建立马克思主义哲学体系是苏联马克思主义哲学研究与教学实践发展的必然结果，而这样的研究与教学本身又是十月革命后苏联社会理论斗争的迫切需要。十月革命后最初几年，唯心主义占据着苏维埃俄罗斯和苏联的哲学舞台。大学的哲学系或哲学教研室主任主要由反对布尔什维克革命和马克思主义的唯心主义哲学家担任。这些人手中控制着《哲学、心理学问题》、《俄罗斯思想》等5种最具影响力的哲学刊物，另有数十种文学、艺术、法学刊物刊登

---

① 该书首次印刷600万册，不到一个月全部售完，后两次加印，每次200万册。按照苏共中央的命令，一个半月内译为16种外文出版。1938—1953年累计在全世界发行6千多万册。

203

他们的文章。直到 1922 年，莫斯科有私人出版社 220 家，彼得堡有 99 家。哲学学术机构主要由他们把持，而且活动频繁。仅隶属于彼得堡大学的哲学学会，在 1921 年一年就举行了 14 次学术活动。为占领意识形态舞台，捍卫革命成果，列宁和苏维埃政府采取了一系列措施。1918 年组建"社会科学社会主义科学院"，下设马克思、恩格斯研究所；同年大学取消入学考试，向工人、农民开放；1919 年开始组建党校和共产主义大学；1921 年组建"红色教授学院"，这一年的 3 月，列宁亲自签署法令，一切大学都必须开设政治课，包括：历史唯物主义、社会形态的发展、无产阶级革命史、俄罗斯社会主义联邦政治制度、俄罗斯社会主义联邦的生产与分配；1922 年，在列宁的推动下，160 多名反对苏维埃政权的知识分子，包括大多数唯心主义哲学家，被驱逐出境。大规模的马克思主义哲学学习与教学活动，就是在这样的基础上展开的。

第二，这一体系的建立是出于苏联社会主义实践的迫切需要。这里涉及以下两个问题：

首先是社会主义革命的合理性问题。社会主义革命与以往任何一次革命都有重大不同：它不是新的生产关系及相应的思想观念在旧的制度中已经成熟以后水到渠成的社会变革，而是先有关于未来社会主义社会的基本设想，然后马克思主义者运用在革命中夺得的政权，人为地把这一设想变为现实。能不能从理论上为革命的合理性、正当性作出令人信服的论证，是全部马克思主义理论的生命所在。论证的主要依据，不是别的，是唯物史观。恩格斯在《社会主义从空想到科学的发展》、《在马克思墓前的讲话》等著作中一再强调，正是由于唯物史观和剩余价值的发现，社会主义不再是道德诉求，成为历史发展的必然，由空想变为科学。

其次是社会主义制度的合理性问题。不论是马克思、恩格斯，还是列宁、斯大林，都把无产阶级专政、生产资料公有制、计划经济，视为社会主义制度的基本特征。斯大林建成的社会主义制度更是实现了共产党对全部社会生活的高度的集中领导。为什么人们应该接受这种集中领导？苏联共产党的回答是：因为社会发展是有规律的，马克思主义揭示了这一规律，共产党是用马克思主义武装起来的，因而共产党的集中领导，包括它制定的经济计划，是客观规律的体现。服从共产党，就是服从客观规律，而规律是不可抗拒的。这里所体现的也是唯物史观。

历史唯物主义涉及的只是人所面对的外部世界的一部分，它应该与一个宏大而完整的世界观相一致，这一世界观就是辩证唯物主义。因此，以强调世界的客观性、规律性、可知性为特征的辩证唯物主义、历史唯物主义，是全部马克思主义和社会主义实践的理论基础。从一定意义上可以说，科学社会主义实践就是"替天行道"：马克思主义者掌握了社会历史规律，自觉地创造条件使这一规律发挥作用，从而促使社会主义、共产主义早日实现。斯大林在他的《论辩证唯物主义历史唯物主义》中说：

> 既然我们关于自然界发展规律的知识是具有客观真理意义的、可靠的知识，那么由此应该得出结论：社会生活、社会发展也同样可以认识，研究社会发展规律的科学成果是具有客观真理意义的、可靠的成果。
>
> 这就是说，尽管社会生活现象错综复杂，但是社会历史科学能够成为例如同生物学一样的精密的科学，能够拿社会发展规律来实际应用。①

可见，建立辩证唯物主义、历史唯物主义体系，也是苏联整个社会主义实践的迫切需要。

第三，这一体系的建立本身就是苏联社会社会主义改造的重要组成部分。从 1917 年布尔什维克夺取政权，到 1936 年第一部社会主义宪法颁布，是苏联社会的社会主义改造时期。与政治、经济领域消灭政治反对派、消灭生产资料私有制，建立起了党的集中领导权相一致，在意识形态领域，各种得不到苏共中央和斯大林认可的思想观念也一概遭到批判否定。在哲学领域，经过把反对苏维埃政府的唯心主义哲学家驱逐出境、批判机械论派、批判德波林，哲学成为接受党的领导的一条战线。批判唯心主义和为党的方针政策作论证是哲学的使命。为此，马克思主义哲学必须有统一的立场与完整的理论，这一理论就是辩证唯物主义、历史唯物主义体系。显然，马克思主义哲学体系的建立，只是社会主义改造的一个具体环节而已。

第四，这一体系的建立也和马克思、恩格斯哲学著作的出版情况有关。研读马克思、恩格斯的哲学著作是建构马克思主义哲学体系的前提和基础，但在苏联哲学形成时，已经公开出版因而人们所能见到的主要是恩格斯的哲学著作，其中人们最熟悉的是《反杜林论》。马克思最具特色的哲学著作《1844 年经济学哲学手稿》虽然 1932 年已经在苏联以德文全文发表，但是除语言障碍外文字晦涩难懂，其中的思想对于米丁等红色教授学院毕业的学生来讲是不可能在短时间内掌握的，即使是斯大林也不具备领会马克思早期思想的哲学素养。他们只能通过《反杜林论》等恩格斯的著作了解马克思主义哲学，而《反杜林论》的基本内容，如所周知，主要是辩证唯物主义和历史唯物主义。至于列宁，部分地也包括普列汉诺夫，更是只能以《反杜林论》等作为自己马克思

---

① 《斯大林选集》下卷，人民出版社 1979 年版，第 435—436 页。

主义哲学思想的来源。

在辩证唯物主义、历史唯物主义体系的形成过程中，上述背景至关重要。① 这一体系能够为各国的马克思主义者所接受，上述背景在各个社会主义国家具有普遍意义是主要原因。②

三

辩证唯物主义、历史唯物主义体系是否全面、准确地概括和反映了马克思、恩格斯的哲学思想？现在看来，实事求是地讲，这个问题还需要讨论。在对苏联哲学的批评中，西方学者提出，这一体系反映的是恩格斯的思想，"见物不见人"，而马克思是人道主义者。他们还借此制造马克思和恩格斯哲学思想的对立。这种说法是完全错误的。因为辩证唯物主义、历史唯物主义思想绝非恩格斯所独有，在马克思那里也可以见到（恩格斯一再指出，唯物史观主要是由马克思创立的），《反杜林论》的哲学观点曾得到马克思的赞同；同时，马克思《1844年经济学哲学手稿》中体现人道主义精神的思想，也得到过恩格斯的肯定，在恩格斯的著作中也有。③ 但是，马克思、恩格斯都没有系统地阐述过他们的哲学思想，有关的论述都是适应一定的实践需要从某个特定的角度出发的。从总体上看，马克思的哲学著作主要写于早期，与费尔巴哈划清界线是其哲学思想成熟的主要标志，因而他突出强调了人的主体性；恩格斯的哲学创作主要在19世纪70年代之后，与自然辩证法研究以及对杜林等人的唯心主义的批判相关，因而更多地强调世界的物质客观性、物质世界的辩证运动规律等。如前所述，辩证唯物主义、历史唯物主义体系的创立者囿于实践需要和马恩著作出版情况的限制，主要依据的是恩格斯的著作，而且还不是其思想的全部，因此这一体系不可避免地带有时代的局限性，没有把马克思、恩格斯的一些重要哲学思想概括进来。简略地说：

首先，在自然观上，这一体系中的辩证唯物主义着眼于与人无关的物质存

---

① 1985年莫斯科出版的《苏联哲学史》（5卷本）这样说："对马克思主义哲学的兴趣的增长和马克思主义哲学发展的内在逻辑，使得对哲学知识加以最大程度的系统化成为不可避免的事情。"（第5卷上册，25页）米丁在《辩证唯物主义历史唯物主义》上卷指出："党中央……把编写马克思列宁主义哲学方面的教科书这一任务摆在了哲学战线工作者的注意力的中心"。（第5页）当代俄罗斯著名哲学家 M. 马斯林主编的《俄国哲学史》更是明确地说：米丁的书是"根据党中央的决议写成的"。（见 M. Маслин：История русской философии. стр. ，591. М. 2001.）

② 西方发达资本主义国家不具备这样的背景，因而那里的马克思主义者对马克思、恩格斯的哲学思想作出另一种解读，拒不接受辩证唯物主义、历史唯物主义体系。

③ 参见安启念：《新编马克思主义哲学发展史》，中国人民大学出版社2004年版，第113—120页。

在，用物质解释人及人的意识，没有涉及马克思的实践唯物主义思想，看不到"人化自然"的存在。辩证唯物主义所讲的辩证法是自然辩证法，是"对立统一"等三大规律及若干范畴，概括地说，是作为规律的辩证法，可以简称为规律辩证法。这是恩格斯在《自然辩证法》中对黑格尔辩证法思想的概括。黑格尔本人并没有对辩证法做过这样的论述。他的辩证法体现在自我意识的发展过程之中，是指自我意识基于自己的外化和对外化的克服而不断自我发展，最后达到绝对观念的高度这一过程。简言之，是过程辩证法，即作为过程的辩证法。马克思的辩证法思想，除了自然辩证法以外，最具特色、最重要的是他的实践辩证法。这是对黑格尔思想的唯物主义改造——把黑格尔的自我意识理解为人，把自我意识的外化及对外化的克服理解为人的实践。① 马克思正是用实践来解释自然界、人类社会以及人的发展的。这些发展由实践活动所引起并规定，其中体现的是基于实践的辩证法。它不是与人无涉的自然辩证法，而是有作为主体的人参与的辩证法。马克思的这一重要思想在辩证唯物主义、历史唯物主义体系中是见不到的，它只反映了世界辩证运动的规律，忽视了运动的重要动力——人的实践活动。

其次，在社会历史观上，这一体系中的历史唯物主义对马克思的相关思想也有重要遗漏。主要由马克思创立的历史唯物主义，内在地包含有人、人的主体性和人的解放问题。历史唯物主义把物质生活资料的生产作为历史发展的动力，这是对人追求物质欲望的满足和现世幸福所作的高度肯定，是文艺复兴运动中兴起的人道主义的体现。历史唯物主义把生产力作为社会发展的最终决定因素，而生产力是在人的实践活动中发展的，因此这也是对实践活动的重要性进而对人和人的历史主体地位的肯定。按照马克思的说法，物质生产的决定作用只适用于经济社会形态，而经济社会形态的发展将以资本主义社会而告终，随后而来的是共产主义社会，即人类的自由王国。显然，这表明历史唯物主义是与人的自由和解放密切相关的。可见，人、人的主体性和人的自由与解放，是历史唯物主义题中应有之义。这些思想在马克思关于历史唯物主义的论述中看得十分明显。但在恩格斯那里，它们只是间接地有所涉及。出于实际需要，恩格斯对历史唯物主义的论述，突出强调的是历史的辩证法，即历史发展是有不依人的意志为转移的客观规律的，合乎科学理性的。这些论述显然对作为历史运动的主体的人及其实践活动的意义未予足够的重视。辩证唯物主义、历史唯物主义体系把恩格斯的论述与唯物史观画上等号，把问题大大简单化了。

最后，马克思不仅用实践解释自然界和人类社会，而且指出，人自身，他

---

① 参见马克思在《1844年经济学哲学手稿》中关于共产主义和对黑格尔辩证法以及一般哲学思想的论述。

的身体、需要、观念、情感、能力等，都是实践活动的产物，都有历史性。他还提出，在可预见的将来，人类将获得彻底解放，进入真正的自由王国。人自身的存在与发展，与社会历史的发展一样，也是困扰人类的千古之谜，是唯心主义的重要舞台。只有马克思的上述实践人类学思想才揭开了人类发展的秘密，建立了科学的人类学思想。实践人类学的意义绝不亚于唯物史观。在今天，它尤其重要。遗憾的是，辩证唯物主义、历史唯物主义体系把它也遗漏了。

马克思在《关于费尔巴哈的提纲》第一条中说："从前的一切唯物主义（包括费尔巴哈在内的唯物主义）的主要缺点是：对对象、现实、感性，只是从客体的或者直观的形式去理解，而不是把它们当作感性的人的活动，当作实践去理解，不是从主体方面去理解。"① 用实践解释现实世界是马克思哲学思想最基本的特点，然而通过以上论述可以看出，辩证唯物主义、历史唯物主义体系恰恰没有把它反映出来。当然，这一体系实现了唯物论与系统的辩证法理论的结合，包含了对社会历史的唯物主义理解，这些都是以往一切唯物主义理论不可企及的。但是如果以马克思的这段话来衡量，应该承认，辩证唯物主义、历史唯物主义与"从前的一切唯物主义"还是有某些相似之处的。

四

自辩证唯物主义、历史唯物主义体系问世，在西方国家批评意见便不绝于耳。苏联解体后，俄罗斯哲学界也对它作了全面的否定。在我国，随着实践唯物主义思潮的兴起，在对它的评价上也形成了两种截然不同的意见，而且似乎正面的评价越来越不容易听到了。我认为，对它全面肯定或全面否定，都不可取。这里需要的是具体问题具体分析的方法和实事求是的态度。

事物总有两面性。从积极方面看，首先，它是现有的唯一为人们提供完整世界观的具有广泛影响的哲学体系。"世界的本质"问题是典型的形而上学问题，已被许多哲学家所抛弃。但这一问题并不因此而不再存在，它依旧困扰着无数的人，使他们的灵魂不得安宁。在当今世界，只有辩证唯物主义针对这一问题为人们提供了一个完整的哲学世界观。这一世界观遭到了无数人的批判反对，但至今任何人也无法最终使之证伪，相反，现实生活正在为它提供越来越多的支持。马克思的实践唯物主义也是以承认物质世界的先在性为前提的。在这个意义上它没有过时，而且永远也不会过时，其积极意义是不能否认的。

其次，对于俄罗斯和中国这样的后发展国家，这一体系的出现及其广泛传

---

① 《马克思恩格斯选集》第 1 卷，人民出版社 1995 年版，第 54 页。

播具有重大的启蒙意义。这一点非常重要。对任何事物的评价都必须把它放到一定的具体历史环境中进行，抽象的评价没有不片面、不走样的。我们说辩证唯物主义、历史唯物主义体系基本上属于"从前的一切唯物主义"，与 18 世纪法国唯物主义类似，就是说它只强调了世界的物质客观性及其运动规律的必然性，也即科学理性的重要意义，没有对人的精神、意志、主体性的重要作用予以足够重视。但我们知道，正是这种片面夸大科学理性的作用的 18 世纪法国唯物主义，向法国人民灌输了科学理性精神，进行了思想启蒙，为法国的科学技术，并进而为它的工业化，奠定了必不可少的思想基础，有力地推动了法国的现代化进程和历史进步。20 世纪 30 年代诞生的辩证唯物主义、历史唯物主义体系，相对于早已实现现代化的英国、法国、德国以及其他先进资本主义国家而言，它已经不再是社会进步的迫切需要，但相对于俄罗斯和中国这样具有浓厚东方色彩的落后国家来说，则是社会进步的急需。因为这些国家思想上反封建的斗争尚未结束，在生活中树立科学理性的权威还是有待完成的任务，而不完成这一任务，就不可能有科学技术和整个工业文明的发展，就没有社会的现代化。这一点已经在苏联和中国的历史中得到证明。在中国，尽管"五四"新文化运动已经是对封建文化的有力冲击，但真正把科学理性精神灌输到中国人心中的，是 1949 年以后以各种形式进行的学习马克思主义哲学，即辩证唯物主义、历史唯物主义的运动。今天活跃在中国科技舞台上的知识分子，其科技理性精神，都是来自自然科学和马克思主义哲学的教学，这是事实。

这一体系是时代的产物，它在今天显示出来的消极、不足的方面，与时代的变化直接相关。科学理性任何时候都必不可少，但理性启蒙并非任何时候都是社会的中心任务。经过对马克思主义哲学的长期学习，科学理性在中国早已深入人心。1978 年以后中国社会也发生了很大的变化。计划经济凸显经济规律的重要性，市场经济则不断呼唤人的主体性。在市场经济建设的推动下，20 世纪 80 年代以后中国出现了弘扬人的主体性的实践唯物主义思潮。进入新的世纪，市场经济迅猛发展中逐渐积累的环境、资源以及与分配有关的各种问题又催生了科学发展观、以人为本和建设和谐社会等新的理论。这些问题关系党和国家的生死存亡，其意义不言而喻，但其哲学精神和辩证唯物主义、历史唯物主义体系之间有着明显的差别。辩证唯物主义、历史唯物主义体系的基本精神是强调世界的客观性、必然性、可知性，是科学理性、实事求是。以人为本等问题的解决当然离不开对客观规律的认识，仍然需要坚持实事求是，但它们还涉及人与自然、物质与精神等方面的一系列价值判断和人的主体性，涉及马克思主义的人道主义精神和人的全面发展等，而这些是辩证唯物主义、历史唯物主义体系无法涵盖的。一句话，这些问题涉及的是辩证唯物主义、历史唯物主义体系建构时忽略或舍弃掉的那些重要思想。正是这些思想在今天成为时代的迫切需要。

时代的变化没有否定辩证唯物主义、历史唯物主义，但是使这一体系显示出了自己的历史局限性。站在今天的高度，建构一个能够既包含辩证唯物主义、历史唯物主义理论，又反映时代精神的新的马克思主义哲学体系，是马克思主义者面临的历史性任务。如果马克思、恩格斯的著作中没有建构这样的体系所需要的思想材料，那就意味着马克思主义哲学不可能成为现代哲学了。但事实上他们的著作中是有这样的思想材料的，而且非常丰富，现在只是需要我们通过艰苦努力去发掘、研究并使之系统化而已。

论马克思的个人观及其当代意义

陈世珍

内容提要：马克思的个人观不同于马克思主义的个人观，其是我们建构当代马克思主义个人观的理论资源。马克思的个人观以"现实的个人"为前提、出发点和核心内容，展望了个人发展的理想境界，具有辩证性和现实性。马克思的个人观为我们开辟了理论研究和实践探索的巨大空间。

关键词：马克思的个人观、马克思主义的个人观、现实的个人

中国的社会转型，说到底是人与人关系的转变。将个人从传统的计划经济与高度集权的行政管理的社会纽带下解脱出来，并重新编织以市场经济与民主政治为期待的社会关系网络，使个人生活在新的人文社会环境下，这种改革早已经展开，但是远没有完成。无论是从旧的社会关系纽带中被剥离出来，还是被编织到新的社会关系网络中去，个人都要经历阵痛、选择、适应乃至重新创造的过程。哲学以反思为特点，以提供人文关怀为价值旨归。因此，反思社会实践的运行，建构健康向上的个人观，对处于如此境界中的社会成员予以关注，给他们提供精神慰藉和理论指导，是哲学不可推脱的责任。在当代中国，我们建构的当然是马克思主义的个人观，以此来反思、体现和慰藉当代中国社会的每一个社会成员的人生诉求，并鼎力于和谐社会的建立。梳理马克思的个人观的理论形成过程、基本内容、理论特色和价值诉求，就是审视我们已经拥有的理论资源，为建构当代中国的马克思主义的个人观进行必要的理论储备。

一、马克思的个人观与马克思主义的个人观

马克思的个人观与马克思主义的个人观是两个不同的概念，具有不同的内涵。

因为马克思主义哲学自创立以来，已经成为复数的存在。一般地说，马克思主义哲学以唯物史观为内容，以指导无产阶级革命和建设实践为现实使命，以实现全人类包括每个个人的自由和解放为价值追求。马克思主义哲学的这一理论特质在其诞生以后，被历时性地展现为几种特殊性的存在形态：（1）原生形态的马克思主义哲学，即马克思、恩格斯创立并阐述的马克思的马克思主义

哲学；（2）次生形态的马克思主义哲学，在这一形态下，又出现了两大分支：以列宁、斯大林、毛泽东等人的理论发展与创新为代表的东方马克思主义哲学和以卢卡奇、葛兰西等人的理论研究为代表的西方马克思主义哲学；（3）再生形态的马克思主义哲学，这一形态的马克思主义哲学正处于建构之中，中国当代马克思主义哲学无疑是其中的最有典型性、最有资源和最有前途的分支。

具体到个人问题上，马克思文本著述中所阐发的思想内容与后来东方国家社会主义革命和建设探索时期所实践的个人理念是有所差别的。

马克思不仅在早年期待人的自由个性发展，而且，后来，在对近代历史上有关人性发展的抽象理论进行批判的基础上，从"现实的个人"出发，阐述了历史发展的必然规律，因而建构了唯物史观理论。在这里，马克思、恩格斯重点研究了"个人"与"虚幻共同体"以及"个人"与"真实的集体"之间的不同关系，历史地分析了"个人"发展与社会进步同步前进的三个阶段，集中批判了资本主义社会作为"虚幻共同体"对于人的个性的压制和摧残，箴言式地阐述了在社会发展的三个阶段中人的个性发展的状态和特点，论证了在未来的社会，出现的将是"自由人的联合体"。马克思对作为"真实的集体"——"自由人的联合体"的预期是："代替那存在着阶级和阶级对立的资产阶级旧社会的，将是这样一个联合体，在那里，每个人的自由发展是一切人的自由发展的条件。"①

马克思的所有这些论述，在强调人的社会关系的本性以及有阶级社会以来个人隶属于阶级的同时，特别强调个人的个性自由和发展与社会进步的同步性，但是，对于个人如何发展问题，不是马克思理论分析的主要内容，关于个性发展的理想远景设置更带有理论发布的色彩。比如，马克思关于个人在自由人的联合体中的生活方式有过这样的描摹和刻画："在共产主义社会里，任何人都没有特定的活动范围，每个人都可以在任何部门内发展，社会调节着整个生产，因而使我有可能随我自己的心愿今天干这事，明天干那事，上午打猎，下午捕鱼，傍晚从事畜牧，晚饭后从事批判，但并不因此就使我成为一个猎人、渔夫、牧人或批判者。"② 这个刻画常常被人们看作是乌托邦，看作和"太阳城"乃至"上帝之国"同一性质的东西，事实上，这是脱离马克思的整个理论逻辑和理论体系而产生的错误的理解，这种误解的发生不是没有原因的。

与马克思理论地批判现实，建构理想远景的个人观不同，东方马克思主义者则要现实地处理个人与集体的关系，他们面临着与马克思当年不一样的历史

---

① 《马克思恩格斯选集》第 1 卷，人民出版社 1995 年版，第 294 页。
② 《马克思恩格斯全集》第 43 卷，人民出版社 1965 年版，第 37 页。

使命。无论是苏联布尔什维克，还是中国共产党，他们带领人们进行革命和建设的实践都是在东方大国，不仅苦于资本主义的发展，而且苦于资本主义的不发展。在这里，流淌在悠久历史里的观念是君权神授观念下的政治集权与文化集权，个体生命价值、个人权利尚且没有得到认可，更遑论现代个性自由和个性发展问题。受近代西方文化影响而崛起的知识精英与社会贤达，虽然意识到是人而不是神是社会的主体，但是，他们心目中的社会主体仍然只是少数"社会精英"而不是人民大众中的每一个个人。东方马克思主义者接手东方民族的社会改造和民族独立与自主的时代课题，切入点就是要帮助人民群众提高觉悟，使他们懂得：工农阶级作为劳动大众是革命和建设的主力军；每个成员从属于阶级；阶级性在阶级社会里是人的本质属性。

着力于群体，而不是诉之于少数个体，在当时的时代背景下，对于打破少数精英的狭隘局限，扩大无产阶级革命和建设事业的群众基础，调动社会一切可以调动的资源，消除专制文化的影响和精英文化的孤立意识具有积极的意义。到无产阶级建立起新的国家共同体以后，按理应该大力发掘并进一步探索研究马克思理论文本中个体发展与"真实的集体"之间的关系、个性自由与发展等理论话题，并结合新的历史条件研究和探索切实可行的实践方案。但是，我们已经习惯于在战争年代形成的高度军事化和群众运动化的社会活动方式以及相应思维方式。在哲学上，个人被消融在普通个人这样的抽象的语词符号之中，比如，通常的说法是"为人民服务不是为你个人服务"等，只讲群体性，不讲个体性。这不仅造成了社会主义建设中有关个人的理论枯竭，而且在现实实践中出现普通个体缺失，对领袖人物的个人崇拜兴起的双重效果。

东方马克思主义者艰难的实践探索和理论建构的不足之处，成为西方马克思主义理论家们的矛头所指。比如，尽管存在主义马克思主义的代表人物萨特非常谦虚地认为，存在主义仅仅是寄生在马克思"哲学"之上的"思想体系"，但是，他毫不客气地指责，马克思的思想被东方马克思主义者们洗了"硫酸澡"，患上了"贫血症"，理论上出现了"人学的空场"。萨特指出，对于后来的马克思主义者而言，他们只看到历史普遍性，看不到具体的特殊性。比如说，人生活在社会中，人的属性因此具有阶级性、时代性，但是，人还有属于自己的个性，人与人之间的关系除了生产关系、经济关系或者说阶级关系以外，还有很丰富的其他关系。后来的马克思主义者就懒惰地将经济关系看成是人与人之间的所有关系，以为对人物进行阶级分析，只要简单地、生硬地指出某人属于某某阶级，就万事大吉了。那么，这样一来，人就变成了普遍意义上的抽象符号，人失去了作为人的生动性、丰富性，失去了存在的价值和意义。人类漫长的历史长河就变成了抽象的概念骸骨的垃圾场，除此之外，什么都没有了。萨特说："这样一来，马克思主义者就倾向于把一个行动和一个思想的实在内容当做一个假象，而当他把个别消融于普遍的时候，就踌躇满志地认为他已经把假象还原为真理了。"①

不能说萨特的指责是完全属实的。例如，恩格斯的言论也成为他批评的对象。事实是，恩格斯在晚年还力图消弭经济决定论思想的理论倾向，试图用"合力论"的思想，贯彻他和马克思在《德意志意识形态》中从"现实的个人"出发来理解人类历史发展规律的思想原则，阐释对唯物史观的科学理解。但是，也不能说萨特的指责没有一点警醒作用。把集体主义与个人利益简单对立，因为强调集体精神而忽视个性解放、个人的自由发展等要求，这样的观点和做法实际上在东方国家社会主义革命和建设探索中是出现过的，而且有很深远的现实影响。

正因为这样，东方马克思主义者与西方马克思主义者长期处于互不承认对方，"老死不相往来"的格局下，他们共同地把马克思主义哲学看成是单数的存在，自认为自己是正统的马克思主义者，而否认对方的理论研究和探索。他们之间的关系三言两语不能够说清楚，还需要进一步研究和探索。但是，他们之间的相互拒斥，恰好反映了他们分别在原生形态的马克思哲学那里读出了不同的理论内涵来，这更提醒我们有进一步梳理和挖掘原生形态马克思主义哲学个人观的必要。

二、马克思个人观的核心概念、价值诉求和理论特色

"现实的个人"是马克思个人观的核心概念。这是马克思、恩格斯在对旧的历史观所设定的历史前提进行批判的时候提出来的，也是马克思唯物史观的理论出发点。在马克思之前，历史领域成为唯物主义转向唯心主义的活动翻版，正因为这样，尽管唯物主义早就诞生在自然领域，但是总是不彻底，唯物主义自然观与唯物主义历史观有着"咫尺天涯"的悖论关系②。在马克思之前，人们对历史的认识已经取得了长足的进步，猜测到了历史发展的规律性，在不断排除神学历史观影响的过程中，论证历史的属人性。但是，如何从人出发，说明历史发展的规律性，却是没有解决的问题。关键在于，尽管从古希腊开始，人们就在践履着"认识你自己"的使命，但是，人们总是在两条思路上迷茫徘徊。"西方从古希腊起就关注的对人的认识，大体上分成两个思路：一个是把人主观化，包括理性主义的'理念人'（柏拉图主义）、'知识人'（笛卡尔主义）和非理性主义的'孤独的人'（存在主义）等；另一个是把人客观化，

① 萨特：《对于一种方法的探求》，1963年纽约版，第35页。
② 参见陈先达：《走向历史深处》，上海人民出版社1989年版。

包括费尔巴哈的'自然人'、亚当·斯密的'经济人'、孔德的'实证人'等"①，从他们所理解的人出发，历史或者被抽象地看成"是一些僵死的事实的汇集"，或者被理解成"想象的主体的想象活动"②。

与之前的理论家不同，马克思、恩格斯把"现实的个人"作为考察历史的出发点，他们说："我们开始要谈的前提不是任意提出的，不是教条，而是一些只有在想象中才能撇开的现实前提。这是一些现实的个人，是他们的活动和他们的物质生活条件，包括他们已有的和由他们自己的活动创造出来的物质生活条件。因此，这些前提可以用纯粹经验的方法来确认。"③ 从"现实的个人"出发，马克思、恩格斯确定人类创造历史的第一个活动就是生产满足现实的社会成员的吃、喝、住、穿等需要的物质生活资料，即生产物质生活本身。正是在分析物质生活条件的生产和再生产的发展过程中，马克思、恩格斯找到了人类历史发展的奥秘。由此，他们发现并阐述了唯物史观的基本内容。

由此可见，"现实的个人"在整个马克思的理论体系中处于极其重要的核心地位，马克思的个人观理论也因此并非是可有可无的，并非像有些人所认为的那样，一旦着力开发挖掘马克思个人观理论，就会遮蔽人们对唯物史观的精髓和重要性的认识。事实恰好相反，只有着力挖掘马克思的个人观，才能完整全面地理解他的唯物史观。

问题是，如何理解"现实的个人"？在马克思、恩格斯看来，现实的个人，是有前提的，这个前提需要也可以用经验的方法加以确认。构成"现实的个人"的前提有两个：一个是"自然前提"，就是马克思、恩格斯一再强调的"有生命的个人"，即人的个体存在。另一个是"历史前提"，即人的社会历史存在。因为"现实的个人"不是"处在某种虚幻的离群索居和固定不变状态中的人，而是处在现实的、可以通过经验观察到的、在一定条件下进行的发展过程中的人。"④ 因此，逻辑地说，马克思个人观着力阐释两个问题：第一，人的个体自然生命如何成为"现实的个人"存在？第二，"现实的个人"如何在时代进步中实现自我的发展？

相比较而言，对这两个问题，马克思、恩格斯着力研究的是第二个问题，即"现实的个人"如何在时代进步中实现自我的发展？马克思总是把个人的发展与整个社会的进步联系起来加以阐述，在马克思看来："只有在集体中，个

【马克思主义哲学】 论马克思的个人观及其当代意义

---

① 侯惠勤：《马克思主义的个人观及其在理论上的创新》，《马克思主义研究》2004年第4期。

② 《马克思恩格斯选集》第1卷，人民出版社1995年版，第73页。

③ 同上书，第66—67页。

④ 同上书，第73页。

人才能获得全面发展其才能的手段，也就是说，只有在集体中才可能有自由。"① 而个人随着社会集体的发展经历了："人的依赖关系（起初完全是自然发生的），是最初的社会形态，在这种社会形态下，人的生产能力只是在狭窄的范围内和孤立的地点上发展着。以物的依赖性为基础的人的独立性，是第二大社会形态，在这种社会形态下，才形成普遍的社会物质变换，全面的关系，多方面的需求以及全面的能力的体系。建立在个人全面发展和他们共同的社会生产能力成为他们的社会财富这一基础上的自由个性，是第三个阶段。"② 我们一般把这段论述看成是马克思对人类社会发展作出了三个阶段的划分。其实，马克思关于人类社会发展三个阶段的划分同时也指明了现实的个人随着时代进步而实现自我发展的过程与路径。在马克思看来，在第一个阶段，个人的发展没有超越"人的依赖性关系"约束，个人隶属于自然形成的共同体，没有独立性。在这个状态下，"无论是个人还是社会，都不能想象会有自由而充分地发展，因为这样的发展是同（个人和社会之间的）原始关系相矛盾的。"③ 在第二个阶段，个人生活在"物的依赖性关系"中，个人因此获得了相对于原始共同体而言的独立性。在这个阶段，发达的分工使得每个人都处于片面发展状态，但是，从全社会来看，由于普遍的社会物质交换、全面的关系、多方面的要求以及全面的能力的体系在不同的个人那里被得到体现和发展，相对于个人而言，这些存在于自己之外的，以社会的形式存在的物质交换，全面的关系、多方面的要求以及全面的能力体系，是以异己的力量支配着每一个个人，因此，个人发展感受到异己力量的压迫和束缚。马克思说：在这个社会阶段，在产生出个人同自己和同别人的普遍异化的同时，也产生出个人关系和个人能力的普遍性和全面性。从而为第三个阶段的来临创造条件。在第三个阶段，个人的全面发展阶段。在这一阶段，社会关系和社会财富都不再作为异己的力量支配人，而是被置于人们的共同控制之下。人们将在自觉、丰富和全面的社会关系中获得自己自由、全面的发展，成为具有自由个性的个人。

因此，马克思的个人观论证了个人发展的理想未来，这实际上就是马克思个人观的价值诉求。在马克思看来，理想的未来不仅是个人的，同时也是社会集体的。这个理想的未来，对于个人来说是获得人的全面的丰富性，是自身的全面发展，是自由个性的实现。对于社会集体来说，是由"虚幻的共同体"向"真实的集体"的转变。马克思认为，"从前各个个人所结成的那种虚构的集体，总是作为某种独立的东西而使自己与各个个人对立起来；由于这种集体是

① 《马克思恩格斯选集》第1卷，人民出版社1995年版，第84页。
② 《马克思恩格斯全集》第46卷（上），人民出版社1979年版，第104页。
③ 同上书，第485页。

一个阶级反对另一个阶级的联合，因此对于被支配的阶级来说，它不仅是虚幻的集体，而且是新的桎梏。"① 在这种集体中，即使是处于支配的阶级中的个人，也常常是隶属于阶级的。"某一种阶级的个人所结成的、受他们反对另一阶级的那种共同利益所制约的社会关系，总是构成这样一种集体，而个人只是作为普通的个人隶属于这个集体，只是由于他们还处在本阶级的生存条件下隶属于这个集体；他们不是作为个人而是作为阶级的成员处于这种社会关系中的。"② 相反，"在真实的集体的条件下，各个个人在自己的联合中并通过这种联合获得自由。"③ "在控制了自己的生存条件和全体社会成员的生存条件的革命无产者的集体中，情况就完全不同了。在这个集体中个人是作为个人参加的。它是个人的这样一种联合（自然是以当时已经发达的生产力为基础的），这种联合把个人的自由发展和运动的条件置于他们的控制之下。"④

由此可见，马克思的个人观具有以下的特点：（1）立足于现实。对个人进行哲学关注，马克思不是第一个，也不是最后一个哲学家。近代唯物主义哲学家们立足于原子式的经验个人，构筑人类自由、平等、博爱的理想蓝图；唯心辩证法大师黑格尔让个人变成了思辨精神的载体和工具，思辨地看待个人；现代西方人本主义哲学家们又纷纷感兴趣于心理学意义上的非理性的个人。与他们不同，马克思坚持以"现实的个人"为理论核心，把个人放在物质生产创造的历史进程中去加以经验地考察，不仅论述个人的现实的创造历史的活动对于社会进步的伟大意义，而且说明在现实地创造历史活动过程中，个人的发展与社会进步之间的辩证统一。（2）辩证地分析。在每个个人身上，都交集着"历史与现实"、"感性与理性"、"现实的特殊性"与"未来的超越性"、"理性与非理性"、"个体与类"、"个体与集体"等一系列的矛盾。马克思辩证地思考了这些矛盾，从个人的现实的创造历史的活动出发，分析了这一系列矛盾双方之间的对立与统一。比如，对于"个体与集体"这对矛盾来说，马克思反对压制个人发展的虚幻的不现实的共同体，但是绝不认为，个人脱离集体能够得到发展，相反，马克思着力分析批判了在资本主义的生产与生活方式下，由于对于人与人之间关系的扭曲与阻隔，而造成的对个人发展的损害。因此，绝不能把马克思的个性自由的观点，等同于只讲个人自由，反对一切社会秩序的个人主义。

---

① 《马克思恩格斯全集》第 3 卷，人民出版社 1965 年版，第 84 页。

② 同上书，第 84 页。

③ 同上。

④ 同上书，第 84—85 页。

三、马克思的个人观给我们留下的理论探讨与
实践发展的空间

正像马克思、恩格斯自己一再声明的那样，他们的理论创造与阐释，没有也不可能穷尽所有问题，没有也不可能穷尽后人的发展道路。在个人观上，马克思给后人留下了理论研究和实践探索的空间，这恰恰是马克思的个人观的当代价值。

从理论上看，对于"现实的个人"的深入思考，势必要研究在特定的时代，作为自然的生命的个体，如何发展成为"现实的个人"这样的理论问题？这个问题在当年马克思为了发现整个人类历史发展规律而进行理论思考的时候，并不是特别急迫。因此，在马克思、恩格斯著述的文本中，没有集中阐释。但是，这不等于说，马克思、恩格斯一点也没有察觉到这个问题。马克思曾经指出："人是一个特殊的个体，并且正是他的特殊性使他成为一个个体，成为一个现实的、单个的社会存在物，同样他也是总体、观念的总体、被思考和被感知的社会主体的自为存在，正如他在现实中既作为社会存在的直观的和现实享受而存在，又作为人的生命表现的总体而存在一样。"① 在每一个个人身上，内在地存在着自然肉体、社会关系与精神观念的多重存在，这多重存在的辩证统一构成了个人的总体存在。但是，实际上，肉体自身、社会关系和精神观念不是同时注入到个人名下的。相反，各个方面都要随着个体创造历史同时也创造自己的过程而展开、发展和结合。在这个过程中，肉体个人的成长，遵循着生物学的遗传规律，个人的社会关系的形成遵循着社会组织的发展规律，而精神观念的发育却遵循着心理发育的规律，因此个人是不断生成的，不是一蹴而就的。这里，就产生出了一个新的话题：个体生命如何发展为社会性的个人存在？在马克思当年，由于生理学、教育学、社会行为学、组织行为学以及心理学的发展远没有现在发达，理论研究与实践运作的需要也没有把这个问题提到议事日程上来，因此，马克思没有对这样的问题着力研究和思考。这恰恰是我们现代人所应该加以深入探索和研究的问题。对这个问题的科学结论不仅有助于马克思主义个人观理论体系的丰满和完善，而且更主要的是有利于在现实的社会主义建设实践中健全与完善个体发育成长的社会人文环境，有利于尊重个人生命的价值观在东方社会主义国家得以生成和建立。

从实践的角度看，马克思为我们描画了个人发展的理想未来。问题是我们怎样应对现在？马克思对资本主义现实弊病的分析与批判，不能也不应该使我

---

① 《马克思恩格斯全集》第 42 卷，人民出版社 1979 年版，第 123 页。

们重新回到资本主义之前的社会。市场经济是我们为了加快社会发展而选择的经济运行机制，民主政治是我们理想的政治期待，但是，如何消除在资本主义社会出现的市场经济与个人发展之间的悖逆，怎样培养社会主义民主政治所需要的个人素养？我们不仅需要进行专门的有针对性的理论研究，而且需要通过实践摸索，找到前进的方向和有效的解决方案。因此，在个人解放乃至获得个人自由的话题下，我们的理论研究和实践探索将不断开辟着新的研究视点和话题。总之，马克思的个人观对于我们而言，仅仅是理论研究与实践探索的起点，而不是终点。

【美学研究】

李渔《闲情偶寄》的美学体系

张 法

内容提要：本文对李渔《闲情偶寄》的体系作了详细的梳理，指出其在主旨上的调和新旧趣味的内在意义，是一种适应时代的新型美学。整个体系一方面以闲情为核心突出了主体在审美中的重要作用，另一方面也重视使审美得以实现的存在于生活各方面的客体结构，是清代生活美学的集大成者。

关键词：李渔、闲情、慧心、创乐、得乐、生活美学

在中国美学史上，李渔（1611—1680 年）的《闲情偶寄》在建构理论体系方面具有重要的意义。《闲情偶寄》从生活出发，从人情立论，对鲜活的生活样态进行总结，让宋代以来的文化转型中的新领域得到了一个体系性的总结。《闲情偶寄》包括词曲部、演习部、选姿部、居室部、器玩部、饮馔部、种植部、颐养部八个部分。围绕着人的生活，是一部生活美学，从现代的学术分类来说，里面有三个部分属于艺术，词曲部和演习部是戏曲，居室部是建筑。然而，居室部讲建筑，不管宫殿陵寝等制度性建筑，而只是生活型的个人家居建筑。词曲和演习两部的戏曲，也是从个人的家中享乐角度讲的。元明清戏曲大盛，戏曲既是公共艺术，又属个人生活。明代封王，从明初到明末，都有家乐戏班，享受着娱乐新潮，一般的仕宦豪门，同样养家乐戏班，欣赏着流行趣味，富商大贾，也养家乐戏班，追逐着时髦新潮。清代前期的南季北亢，前者是官僚，家有女乐二部，仅服饰花费就是白银万两，后者是富商，在家中演《长生殿传奇》花白银 40 余万两。转型期的艺术还有话本小说，但话本小说作为书籍形式时一般不识字的大众看不了，作为说话形式时，又是娱乐场所的公共艺术，已经不在个人生活范围之中了，因此不在《闲情偶寄》范围之内。李渔虽然熟悉小说，但是《闲情偶寄》以个人生活之乐为逻辑来建构体系，小说不好进入。《闲情偶寄》没有小说，同样没有妨碍其达到了一种美学的高度和广度。

一、《闲情偶寄》的美学新型

李渔的《闲情偶寄》作为一个转型时代的美学体系，作者当然具有巨大的

理论勇气，自云："知我、罪我、怜我、杀我，悉听世人，不能复顾其后矣"（《词曲部上·结构第一》）。但李渔并不是把自己的理论与文化整体对立起来，而是将之放进以古典思想为主体社会整体的整合过程之中。以个人性的生活为出发点，《闲情偶寄》强调的是人情，即人在娱乐、居家、赏花、玩器、饮食中的日常生活之情。但这种对人性的高扬，并不是要与现存的政治制度对立，而是认为，在男女饮食日用平常中的人情正是现存政治制度的基础。在余怀无怀氏为《闲情偶寄》作的序中，提出了"王道本乎人情"。两者不是对立的，而是统一的。进而言之：

> 古今来大勋业、大文章，总不出人情之外。其在人情之外者，非鬼神荒忽虚诞之事，则诗张伪幻猗獶之辞，其切于男女饮食日用平常者，盖已希矣。（《闲情偶寄》序）

但日常生活之情，无论怎么说，也是一种与主流意识形态不一样的闲情。《闲情偶寄》于是强调，这种闲情不是与主流意识形态相对立的，而是与之一致的。转型时期如果从宋算起，已经有 700 多年了，社会心态已经是"喜读闲书，畏听庄论"。既然大家都不爱听正正经经的思想品德教育，那么，就谈日常生活的闲情，但把思想道德教育暗含在里面不是更好么？李渔在《闲情偶寄》前面的"凡例"中说，自己这本书，就是这样的：

> 是集也，纯以劝惩为心，而又不标劝惩之目，名曰《闲情偶寄》者，虑人目为庄论而避之也，劝惩之语，下半居多，前数帙俱谈风雅，正论不载于始而丽于终者，冀人由雅及庄，渐入渐深，而不觉其可畏也。劝惩之意，绝不明言，或假草木昆虫之微，或借活命养生之大以寓之者。

在这些冠冕堂皇的话里，包含着很丰富内容，在形式上和在核心上不完全符合实际，但在两种不同趣味的沟通和整合上，又确些道出了一些实情。《闲情偶寄》是属于转型潮流的，正如"凡例"中说，它"喜新而尚异"。但李渔说自己这本书"新之有道，异之有方"，虽然"皆极新极异之谈，然无一不轨于正道。"这正如金圣叹的小说评点，虽然讲了极多不同于古典美学的理论，但"是非皆不谬于圣人"。

《闲情偶寄》要与主流思想整合，但又是站在自己的美学立场上的，它关注自己的兴趣领域，并通过对古典美学中美感的重释而形成了自己的体系核心。中国型的美感"乐"成了《闲情偶寄》一以贯之的基础。中国美学的美感是一个整合性的"乐",这个整合性的"乐",从远古到宋,都是以神圣性(礼)和艺术性(文)为主要内容,宋代以后,一方面士大夫发展出一种高风绝尘的"出污泥而不染"的纯洁之美,另一方面市民趣味扬起了乐的世俗一面,这两方面的"乐"经历几百年的相互斗争、相互解构、相互渗透,不断地整合。《闲情偶寄》就是这一相互渗透和相互整合的一个成果。让人们从生活中去发现美,去得到乐。这里的乐,是紧贴着日常生活的,要把日常生活的每一部分都变成快乐,让人们享受生活,体验快乐。正因为与生活连在一起,中国美学中作为整合性的乐,在这里是以快感为主的,并在快感中得到统一的。只有以快感为主,才能把戏曲、女人、居室、器玩、花草、饮食,一句话,把生活中的每一个方面用"乐"统一起来。

要达到"乐",需要的是两个方面:一是客体的对象如何达到能使人"乐"的客观要求,这关系对客体的选取和创新;二是主体如何转变自己的心态使自己能够欣赏对象的乐,这关系到主体心理的审美转换;最后,当客观条件使人苦的时候,如何让自己通过心理调整达到乐。头两点贯穿到《闲情偶寄》的前面七部,而最后一部则与第三点相关。从今天的美学理论来说,最后一点不属美学,但从中国古代美学"乐"的整合性来看,又是一以贯之的。李渔认为,他这本《闲情偶寄》不但要使贵人富人乐,也要使常人穷人乐。因此,在日常生活中获得"乐",是《闲情偶寄》的一大主题。怎样才能获得乐呢? 正如书名"闲情"所示:

二、闲情:创乐之主体因素

乐贯穿于《闲情偶寄》全书,但作为一种系统的"乐"的理论,则主要体现在四个方面:一是从戏曲得到的艺术之乐,二是从建筑中通过心理距离获得变现实之心为审美之心的乐,三是从花木欣赏中通过移情心理得到的审美之乐,四是在现实中通过心理调整而得到的人生颐养之乐。综合这四方面,既呈现出了李渔"闲情"的基本结构,又可以比较古今审美理论之间的差异。

在戏曲里,因为戏曲是艺术,本就与现实拉开了距离,使人的心从现实进入艺术,乐的获得是明显的:

> 予生忧患之中,处落魄之境,自幼至长,自长至老,总无一刻舒眉,惟于制曲填词之顷,非曲郁藉以舒,悒为之解,且尝僭作两间最乐之人,觉富贵荣华,其受用不过如此,未有真境之为所欲为,能出幻境纵横之上者。(《词曲部下•宾白第四》)

艺术中的"幻境"让人享受到人现实中由种种原因享受不到的体验，实现了在现实中实现不了的愿望：

> 我欲做官，则顷刻之间便臻荣贵；我欲致隐，则转盼之际又入山林；我欲做人间才子，即为杜甫、李白之后身；我欲娶绝代佳人，即作王嫱、西施之元配；我欲成仙作佛，则西天蓬岛即在砚池笔架之间，我欲尽孝输忠，则君治亲年，可跻尧、舜、彭篯之上。（《词曲部下·宾白第四》）

作者进入创作犹如进入梦境，"想入云霄之际，作者神魂飞越，如在梦中，不至终篇，不能返魂收魄"（《词曲部上·结构第一》）。如果说，从现实到审美需要一个心理距离，那么，艺术本身就构成了这样一个距离，作者提笔之时，观者入座之际，创造和欣赏的环境就提供了这一距离，人从现实中抽身出来，进入艺术之"幻境"，一种审美之"乐"就由此开始了。

如果说在戏曲中李渔已经完全把握住了心理距离的现象，但还未从心理距离这一理论来理解这一现象，那么，在《居室部》中，讲到窗的妙用的时候，就完全进到这一理论的场域之中：

> 向居西子湖滨，欲购湖舫一只，事事犹人，不求稍异，止以窗格异之。人询其法，予曰：四面皆实，犹虚其中，而为"便面"之形。实者以板，蒙以灰布，勿露一隙之光；虚者用木作匡，上下皆曲而直其两傍，所谓便面是也。纯露空明，勿使有纤毫障翳，是船之左右，止有二便面，便面之外，无它物矣。坐于其中，则两岸之湖光山色，寺观浮屠、云烟竹树，以及往来之樵人、牧竖、醉翁、游女，连人带马，尽入便面之中，作我天然图画。且又时时变幻，不为一定之形。非特舟行之际，摇一橹变一象，撑一篙换一景，即系缆时，风摇水动，亦刻刻异形，是一日之内，现出百千万幅佳山佳水，总以便面收之。（《居室部·窗栏第二》）

船上之窗，使人对现实的感受发生了变化，不将之看成现实之实景，而将之感受为艺术画境。"此窗未设之前，仅作事物观，一有此窗，则不烦指点，人人俱作图画观矣"（《居室部·窗栏第二》）。窗起到了心理距离的作用。中国美学一旦领悟出心理距离，就会把自己整个体系的特点带进去。从窗得出了心理距离的作用之后，李渔立即对这一理论加上了美学特点。窗即为距离，就不是对窗内一方起作用，而是对窗内窗外双方都起作用，中国建筑美学一直就有的"互看"观点在这里自然带出：

> 此窗不但娱己，兼可娱人。不特以舟外无穷之景摄入舟中，兼可以舟中所有人物，并一切几席杯射出窗外，以备往来游人之玩赏。何也？以内视外，固是一幅便面山水，而从外视内，亦是一幅扇头人物。譬如拉妓邀僧，呼朋聚友，与之弹棋观画，分韵拈毫，或饮或歌，任眠任起，自外观之，无一不同绘事。(《居室部·窗栏第二》)

窗能使人把现实之景变成艺术画景，这变不是现实本身之变，而是一种心理上的变化。心要能够变，窗才能使之变。一旦心通过窗感受到了能变，那么，没有窗一样也可以变。窗通过距离使人从现实之心变成了审美之心，从现实之眼变成了审美之眼，那么，重要的不是窗，而是人本身的审美之心和审美之眼。因此，李渔说：

> 若能实具一段闲情，一双慧眼，则过目之物，尽在图画，入耳之声，无非诗料。(《居室部·窗栏第二》)

这"闲情"就是审美之情，这"慧眼"就是审美之眼。闲情不同于现实之情，没有了现实的功利计较，忘却了日常的打算心思，而以一审美情调面对外物。如果说，窗是有形的审美距离，闲情则是无形的审美距离，它让人从现实之景进入审美之境。

有闲情，现实之物转成艺术画境，人方可以赏其美。审美距离以闲情而生，闲情为审美之所必有。《闲情偶寄》各部，无不寄寓闲情于其中，最明显的是《种植部》，作者对木、藤、草、花卉、竹木中的每一类，都怀着闲情赏之。如《芍药》一节：

> 芍药与牡丹媲美，前人署牡丹以"花王"，署芍药以"花相"。冤者！予以公道论之：天无二日，民无二主，牡丹正位于香国，芍药自难并驱。虽别尊卑，亦当在五等诸侯之列，岂王之下，相之上，遂无一位一座，可备酬功之用者哉？历翻种植之书，非云："花似牡丹而狭"，则曰："子似牡丹而小。"由是观之，前人评品之法，或由皮相而得之。噫！人之贵贱美恶，可以长短肥瘦论乎？每于花时莫酒，必作温言慰之曰："汝非相才也，前人无识，谬署此名，花神有灵，付之勿较，呼牛呼马，听之而已。"予于秦之巩昌，携牡丹、芍药各数十本而归，牡丹活者颇少，幸此花无恙，不虚负载之劳，岂人为知己

者死，花为知己者活乎？

这一段可以看到，闲情不在于排除认知、逻辑、理路，而在于有无心怀一种对于对象的深情，也就是宋词中的"自是人生有情痴"之"痴"。有此痴情，则无论感受、知觉、情绪，还是认知、逻辑、理智，都能为之服务。而且，看到李渔与芍药对话的一段，已与西方审美心理学中的移情理论相暗合，花已如人一般有生命，有性灵，有情感，当然在内容上，又有与西方的移情理论大有差别，而具有中国美学闲情的特色。闲情之"痴"，就是从现实理路转为审美理路的心理完型。完型一转，一切皆转。情痴之至，就如《水仙》一节所言：

> 水仙一花，予之命也。予有四命，各司一时：春以水仙、兰花为命；夏以莲为命；秋以秋海棠为命；冬以腊梅为命。无此四花是无命也。一季缺一花，是夺予一季之命也……记丙午之春，先以度岁无资，衣囊质尽，追水仙开时，则为强弩之末，索一钱不得矣。欲购无资，家人曰："请已之，一年不看此花，亦非怪事。"予曰："汝欲夺吾命乎？宁短一岁之寿，勿减一岁之花。且予自他乡冒雪而归，就水仙也，不看水仙，是何异于不返金陵，仍在他乡卒岁乎？"家人不能止，听予质簪珥而购之。予之钟爱此花，非痴癖也。其色、其香、其茎、其叶，无一不异群葩，而予更取其善媚。妇人中之面似桃、腰似柳、丰如牡丹、芍药，而瘦比秋菊、海棠者，在在有之；若如水仙之淡而多姿，不动不摇，而能作态者，吾实未见之也。以"水仙"二字呼之，可谓摹写殆尽。使吾得见命名者，必颡然下拜。

这就是一种审美心怀，以此心怀面对一切，一切无非转成审美对象。再来看《闲情偶寄》中的目录，就可以从某种程度上理解，何以这些物和这些事都能呈"乐"，都能成为审美对象。比如饮食，我们也可以看到与面对花草时一样的心态：

> 予于饮食之美，无一物不能言之，且无一物不穷其想象，竭其幽渺而言之。独于蟹螯一物，心能嗜之，口能甘之，无论终身一日不能忘之，至其可嗜、可甘与不可忘之故，则绝口不能形容之。此一事一物也者，在我则为饮食中之痴情，在彼则为天地间之怪物矣。予嗜此一生，每岁于蟹之未出之时，即储钱以待；因家人笑予以蟹为命，即自呼其钱为"买命钱"。自初出之日始，至告竣之日止，未尝虚负一夕，缺陷一时。同人知予痴蟹，招者饷者，皆于此日。予因呼九月十

月为"蟹秋"。虑其易尽而难继，又命家人涤瓮酿酒以备糟之醉之以为用。糟名"糟蟹"，酒名"蟹酿"，瓮名"蟹瓮"，向有一婢勤于事蟹，即易名之为"蟹奴"，今亡之矣。蟹乎！蟹乎！汝于吾之一生，殆相终始者乎？……蟹之鲜而肥，甘而腻，白似玉而黄似黄金，已造色香味三者之至极，更无一物可以上之……凡食蟹者，只合全其故体，蒸而熟之，贮以冰盘，列之几上，听客自取自食。剖一筐，食一筐，断一螯，食一螯，则气与味纤毫不漏。出于蟹之躯壳者，则入于人之口腹，饮食之三味，再有深入于此者哉！凡治他具，皆可人任其劳，我享其逸，独蟹与瓜子、菱角，必自任其劳。旋剥旋食则有味，人剥而我食之，不特味同嚼蜡，且似不成其为蟹与瓜子、菱角，而别是一物者。此与好香必自焚，好茶必自斟，童仆虽多，不能任其力者，同出一理。（《饮馔部·肉食》）

这里，从对蟹的痴迷，理蟹的过程，吃蟹的方式，对蟹的态度，无一不与对花相同，美花之于目与美味之于口是相同的，最重要的是对待美花与美食的心态是相同的。然而，当李渔的乐进入颐养之时，古代之乐与现代美感的一致与差别就显示出来了。《颐养部》中各色人等，贵人、富人或贫贱人，各种地点，家庭或道途，要行乐，主要的是一种心态的转换。"乐不在外而在心，心以为乐，则是境皆乐，心以为苦，则无境不苦"（《颐养部·贵人行乐之法》）。而得乐心态的核心，在于三点：一是从宇宙人生的根本上认识，二是对个人境遇的独特性认识，三是比坏不比好的知足常乐。先看第一点：

> 伤哉！造物生人一场，为时不满百岁。彼夭折之辈无论矣，姑就永年者道之，即使三万六千日，尽是追欢取乐时，亦非无限光阴，终有报罢之日。况此百年以内，有无数忧愁困苦、疾病颠连、名缰利锁、惊风骇浪阻人燕游，使徒有百岁之虚名，并无一岁二岁享受生人应有之福之实际乎？又况此百年之内，日日死亡相告，谓先我而生者死矣，后我而生者死矣，与我同庚比算、互称弟兄者又死矣。噫！死是何物？而可知凶不讳，日令不能无死者惊见于目，而恒闻于耳乎！是千古不仁，未有甚于造物者。虽然，殆有说焉，不仁者，仁之至也。知我不能无死，而日以死亡相告，是恐我也。恐我者，欲使及时行乐，当视此辈为前车也。康对山构一园亭，其地在北邙山麓，所见无非丘陇。客讯之曰："日对此景，令人何以为乐？"对山曰："日对此景，乃令人不敢不乐"。（《颐养部·行乐第一》）

虽然在这一议论和举例中，有一丝世俗的浅薄在其中，但知生命之有限和生命之不易，而可以让人以乐眼看世界这一思想还是表达得比较清楚的。在此基础之上，进入第二点，世上之人，特别是帝王公卿、富商地主，处在自己的社会地位，处于一个独特的人生经历，虽然责任重大，百事缠身，但只要以自己所在之地、所处之位为一独特的境界，多少人想为之而得，这样去做，就会不以为劳，而以为逸，就会以自己所做之事为乐。这一点是适合于一切人的，不过对于平凡之人、贫贱之辈，困苦之时，第三点更有效，这就是"退一步法"，我穷还有人比我更穷，此时苦，还有更苦之时，"以此居心，则苦海尽成乐地"（《颐养部·贫贱行乐之法》）。往坏比，人心不但平静，而且自慰，进而自乐。不但困苦当时可以为乐，以后这一困苦也成为乐的资源。

> 即此一身，谁无过来之逆境？大则灾凶祸患，小则疾病忧伤。"执柯伐柯，其则不远。"取而较之，更为亲切。凡人一生，奇祸大难非特不可遗忘，还宜大书特书，高悬座右。其裨益于身者有三：孽由己作，则可知非痛改，视作前车；祸自天来，则可止怨释尤，以弭后患；至于忆苦追烦，引出无穷乐境，则又警心惕目之余事矣。（《颐养部·贫贱行乐之法》）

以上三点，人生有限，我之特独，退一步法，共同构成了人心之中转忧为乐和转庸为乐的心理机制。虽然整个《颐养部》所涉的内容，离美学较远，但这三点又确与人心中"闲情"的形成相关。当以"乐"为线索将这些内容组合成《闲情偶寄》的整体时，对美学的复杂性和丰富性的认识又并非没有帮助。

三、慧心：得乐的客观因素

主体有了审美的"闲情"，不但使乐事乐景成乐，还可使庸物苦事悲景转乐。但对于人来说，最好的是如何让自己所处生活世界按照人的乐的需要构成，这就需要人的慧心。《闲情偶寄》的主要内容，就是按照人在日常生活中的美的要求去组织一个乐人生活世界。用一句现在的话说，就是使日常生活审美化或艺术化。《闲情偶寄》的目录就提供了这样一个美的日常世界的基本结构：

卷一　词曲部上
结构第一（诫讽刺、立主脑、脱窠臼、密针线、减头绪、诫荒唐、审虚实）

词采第二(贵浅显、重机趣、诫浮泛、忌填塞)

音律条三(恪守词韵、凛遵曲谱、鱼模当分、廉监宜避、拗句难
好、合韵易重、慎用上声、少填入韵、别解务头)

卷二　词曲部下

宾白第四(声务铿锵、语求肖似、词别繁减、字分南北、文贵洁
净、意取尖新、少用方言、时防漏孔)

科浑第五(诫淫亵、忌俗恶、重关系、贵自然)

格局第六(家门、冲场、出脚色、小收煞、大收煞)

填词余论

演习部

选剧第一(别古今、剂冷热)

变调第二(缩长为短、变旧为新)

授曲第三(解明曲意、调熟字音、字忌模糊、曲严分合、锣鼓忌
杂、吹合宜低)

教白第四(高低抑扬、缓急顿挫)

脱套第五(衣冠恶习、声音恶习、语言恶习、科浑恶习)

卷三　声容部

选姿第一(肌肤、眉眼、手足、态度)

修容第二(盥栉、薰陶、点染)

治服第三(首饰、衣衫、鞋袜)

习技第四(文艺、丝竹、歌舞)

卷四　居室部

房舍第一(向背、途径、高下、出檐深浅、置顶格、甃地、洒扫、
藏污纳垢)

窗栏第二(制体宜坚、取景在借)

墙壁第三(界墙、女墙、厅壁、书房壁)

联匾第四(蕉叶联、此君联、碑文额、手卷额、册页匾、虚白匾、
石光匾、秋叶匾)

山石第五(大山、小山、石壁、石洞、零星小石)

器玩部

制度第一(几案、椅杌、橱柜、箱笼箧笥、骨董、炉瓶、屏轴、
茶具、碗碟、灯烛、笺简)

位置第二(忌排偶、贵活变)

卷五 饮馔部

蔬菜第一（笋、蕈、莼、菜、瓜茄瓠芋山药、葱蒜韭、萝卜、芥辣汁）

谷食第二（饭粥、汤、糕饼、面、粉）

肉食第三（猪、羊、牛犬、鸡、鹅、鸭、野禽野兽、鱼、虾、鳖、蟹、零星水族）

种植部

木本第一（牡丹、梅、桃、李、杏、梨、海棠、玉兰、辛夷、山茶、紫薇、绣球、紫荆、栀子、杜鹃、樱桃、石榴、木槿、桂、合欢、木芙蓉、夹竹桃、瑞香、茉莉）

藤本第二（蔷薇、木香、酴醾、月月红、姊妹花、玫瑰、素馨、凌霄、真珠兰）

草本第三（芍药、兰、蕙、水仙、芙蕖、罂粟、葵、萱、鸡冠、玉簪、凤仙、金钱、蝴蝶花、菊、菜）

众卉第四（芭蕉、翠云、虞美人、书带草、老少年、虎刺、苔、萍）

竹木第五（竹、松柏、梧桐、槐、榆、柳、黄杨、棕榈、枫、柏、冬青）

卷六 颐养部

行乐第一（贵人行乐之法、富人行乐之法、贫贱行乐之法、家庭行乐之法、道途行乐之法、春季行乐之法、夏季行乐之法、秋季行乐之法、冬季行乐之法。

附随时即景行乐之法：睡、坐、行、饮、谈、沐浴、听琴观棋、看花听鸟、蓄养禽鱼、浇灌竹木）

止忧第二（止眼前可备之忧、止身外不测之忧）

调饮第三（爱食者多食、怕食者少食、太饥勿饱、太饱勿饥、怒时哀时勿食、倦时闷时勿食）

节色欲第四（节快乐过情之欲、节忧患伤情之欲、节饥饱方殷之欲、节新婚乍御之欲、节隆冬盛暑之欲）

却病第五（病未至而防之、病将至而止之、病已至而退之）

疗病第六（本性酷好之药、其人急需之药、一心钟爱之药、一生未见之药、平时契慕之药、素常乐为之药、生平痛恶之药）

最后的《颐养部》内容与美学的关系不大，但考虑到好的身体和好的心态是审美闲情的基础，而且作为日常生活的一个部分，占据一个美学与生活相交的场地，对于李渔的体系又是必须的。《闲情偶寄》的前面七部分，充满了李渔的创新思想，且围绕着一个主题，如何让客观的事物使人更心旷神怡。

卷一词曲部上和卷二词曲部下之演习部，戏曲作为《闲情偶寄》之首，代表了明清时期家庭享乐的最高形式，又关联到了古代文化中美学主潮的转变，"历朝文字之盛，其名各有所归，'汉史'、'唐诗'、'宋文'、'元曲'，此世人口头语也"（《词曲部上·结构第一》）。戏曲包含了多方面的美学因素。从这两部分的内容细目来说，李渔对戏曲的每一个细部都作为一个美的要素进行着推敲，力求完美，从而达到了明清戏曲理论的高峰。在与时代主潮的关联上说，李渔一是讲戏曲包含了具备了以前文艺门类所有的东西，二是讲又具有以前文艺门类所没有的新东西，由于有旧于其中，它与传统并不构成对立，但更在于有新，提供了一种新的审美形式。兼顾二者，弘扬新质，构成了李渔戏曲论的特点。求新意识是李渔戏曲论的第一个亮点，《词曲部上·脱窠臼》说：

> 新也者，天下事物之美称也。而文章一道，较之他物，尤加倍焉。戛戛乎陈言务去，求新之谓也。至于填词一道，较之词赋古文，又加倍焉。非特前人所作，于今为旧，即出我一人之手，今之视昨亦有间焉。昨已见而今未见也，知未见之为新，即知已见之为旧矣。古人呼剧本为"传奇"者，因其事甚奇特，未经人见而传之，是以得名，可见非奇不传。可见，新即奇之别名也。

这里的"新"是从广泛的文章（词赋古文）角度来说的。当然也是从审美的陌生化原则来说的。前人未道，是为新，前人已道，而我以新的方式道之，叫"尖新"。"同一话也，以尖新出之，则令人眉扬目展，有如闻所未闻；以老实出之，则令人意懒心灰，有如听所不必听。白有尖新之文，文有尖新之句，句有尖新之字，则列之案头，不观则已，观则欲罢不能；奏之场上，不听则已，听则求归不得。尤物足以移人，尖新二字，即文中之尤物也"（《词曲部下·意贵尖新》）。从戏曲的整体作为新来说，其写作在要求和难度上都比诗词要高，句、字、声、韵、平仄，都有一定之格，不像诗词可以有一定的活用，诗词赋文，由于少受形式牵制，七分好处可以做到十分，戏曲因为受到形式的严格规定，做到十分"即可敌他种文字二十分"。这既增添了戏曲在艺术门类中的珍贵，同时为戏曲的审美快感加上了一种分量，"千古上下之题品文艺者，看到传奇一种，当易心换眼，别置典刑，要知此种文字作之可怜，出之不易"（《词曲部上·音律第三》）。

戏曲之新，更在于其与诗词赋文不同，这就进入了李渔的第二个亮点，戏曲要叙事，因此《词曲部》是"结构第一"，叙事要有人物，因此结构中先讲立主脑，"一人一事，即作传奇之主脑也"（《词曲部上·立主脑》）。史传中也写人写事，但那是实事，传奇既有实事，也有虚构，从这方面说，戏曲兼有两者，既有古之所有，又有古之所无。更主要的是，戏曲写实事，要按照戏曲的艺术形式来写，戏曲的审美要求加入进来，形成一种新的艺术美感。这些在"小说戏曲美学"一章中已讲，从略。正因为戏曲有如是的求新优点，李渔在谈到戏曲的结构时，将之与《艺概》中各艺的谈结构的言论比较，奇与新的特点得到了更大的突出，而且紧紧扣住美感之乐立论，是这样的特点使人获得美感：

> 开卷之初，当以奇句夺目，使之一见而惊，不敢弃去，此一法也；终篇之际，当以媚语摄魂，使之持卷留连，若难遽别，此一法也；收场一出，即勾魂摄魄之具，使人看过数日，而犹声音在耳，情形在目者，全亏此出撒娇，作"临去秋波那一转"也。（《词曲部下·大收煞》）

在生活中，除了戏曲用艺术的形式，把各门艺术都综合于其中，纳旧又出新，使人得到最大的快乐外，其次就是女色了。因此《闲情偶寄》姿容放到第二。中国文化是一个男权文化，女人是作为男人的欣赏对象和快乐对象而出现的。因此《声容部》开张明义：'食色性也'……我有美妻美妾而我好之，是还我性中之所有，圣人复起，亦得我心之同然……人处得为之地，不买一二姬妾以自娱，是素富贵而行贫贱也。"在这一部分，李渔按照明清的审美观，对构成女人之美的因素一一作了理论分析，选姿方面，重在四点：肌肤、眉眼、手足、态度；修容方面，重在三点：盥栉、薰陶、点染；治服方面，也是三点：首饰、衣衫、鞋袜；习技方面，还是三点：文艺、丝竹、歌舞。以上四个方面十二因素构成了女人之美的客观条件。某一方面具备了，在相同的心境下，人就会多一分美感之乐。谈论女人之美，已经是明清理论的一个公共话题。这里李渔虽然也讲出了自己的真知灼见，但从美学而言，还不如卫泳《悦容编》更为精深。《悦容编》除引言外有：随缘、葺居、缘饰、选侍、雅供、博古、寻真、及时、悟对、钟情、借资、招隐、达观，共13篇短文。将美人的身体条件，环境布置，精神情调，这些使人产生美感的具体因素一一涉及。如《寻真》中，谈美人有态、有神、有趣、有情、有心。美人之态有六：喜、怒、泣、睡、懒、病：

> 唇檀烘日，媚体迎风，喜之态；

星眼微瞋，柳眉重晕，怒之态；
梨花带雨，蝉露秋枝，泣之态；
鬓云乱洒，胸雪横舒，睡之态；
金针倒拈，绣屏斜倚，懒之态；
长颦减翠，瘦屑消红，病之态。

美人之情有五：

惜花踏月为芳情，
倚栏踏径为闲情，
小窗凝坐为幽情，
含娇细语为柔情，
无明无夜乍笑乍啼为痴情。

美人之趣有三：

镜里容，月下影，隔帘形，空趣也；
灯前目，被底足，帐中音，逸趣也；
风流汗，相思泪，云雨梦，奇趣也。

美人之神有五："神丽如花艳，神爽如秋月，神清如玉壶冰，神困顿如软玉，神飘荡轻扬如茶香，如烟缕，乍散乍收。"这些，"皆美人真境。然得神为上，得趣次之，得情得态又次之。至于得心，难言也。"得神为上，重在一种精神境界，在《借资》中认为，对女人的欣赏可以达到一种与艺术和哲学一样高的境界：

美人有文韵、有诗意、有禅机。非独捧砚拂笺，足以助致，即一颦一笑，皆可开畅元想。彼临去秋波那一转，正今时举业之宗门。能参透者，文无头巾气，诗无学究气，禅无香火气。

话说回来，卫泳是从一个纯雅人的角度上去讲女人之美的，而李渔的《姿容部》与其他各部一样，是从雅人与俗人的共识上去讲女人之美的。而这种共识上运用到女人之美正是其弱项。

居室在人的生活中既日常又重要，《闲情偶寄》中居室部和玩器部构成人的家居环境。从整体的基本的空间分割，到每一部分的屋内装饰，到具体的细致的玩器用物，怎样的建造设置、安排才能使人舒适、愉快、赏心、悦目，李渔——作了极有创意的论述。《闲情偶寄》关于这两部分的目录，只是列出居家在需用上的必需，怎样使这居家环境从内到外达到美学境界，李渔提出了几点原则：第一是空间尺度要与人的尺度相合；第二是居室要显出主人的性情；第三是不落陈套，具有创意；第四是经常变化，常呈新感。

《居室部》开篇，就区别了宫殿与居室的不同，居室是人生活于其中的，一定要"房屋与人，欲其相称"。在这基础之上，从居室到园亭，从门窗的设置，到室内器物，园中山池花石，都要"位置得宜"，显出主人的性情和趣味。因此，李渔讲，设计居室，就像作文、就如绘画、还如书法，一再把居室与文、书、画相提并论，相互比喻，都是为了说明，居室就是艺术，就是审美，所谓"创造园亭，因地制宜，不拘成见，一榱一桷，必令出自己裁，使经其地入其室者，如读湖上笠翁之书"（《居室部·房舍第一》）。最怕的就是二点：一是堆砌富贵，搞些画栋雕梁，琼楼玉栏；二是模仿别人，这里按某家格式，那里照某家的样板。因此，在这一里，李渔展示了自己的一系列设计创意。从大的方面讲，房舍是固定的，但除了在空间分割上按照园林的美学原则进行，显出灵性之外，还在门窗上进行创新：

> 凡作窗棂门扇，皆同其宽窄而异其体裁，以便交相更替，同一房也，以彼处门窗挪入此处，便觉耳目一新，有如房舍皆迁者；再入彼屋，又换一番境界，是不特迁其二，且迁其二矣。（《居室部·贵活变》）

在园与屋的连接上，创造了一种假山石洞与居屋相连的形式：

> （假山石洞）与他屋连之，屋中亦置小石数块，与此洞若断若连，是使屋与洞混而为一，虽居屋中，与从洞中无异矣。洞中宜空少许，贮水其中而故作漏隙，使涓滴之声从上而下，旦夕皆然。置身其中者，有不六有生寒，而谓真居幽谷者，吾不信也。（《居石部·石洞》）

从细的方面说，装饰形式和器物样式，都要具有创意，如窗栏，就创了纵横格、欹斜格、屈体格；如便面，自创了窗外推板装花式、窗花卉及虫鸟式多种。如匾联，自创了蕉叶联、此君联、碑文额、手卷额、册页额、虚白匾、石光匾、秋叶匾……总之无一物不从审美的角度使之出以新意。这里且举两例。一是巧用窗而成的真假合一之境：

设此窗于屋内，先必于墙外置板，以备成物之用。一切盆花笼鸟，蟠松怪石，皆可更换置之。如盆兰吐花，移之窗外，即是一幅便面幽兰；盎菊舒英，内之牖中，即是一幅扇头佳菊。或数日一换，或一日一更，即一日数更，亦未尝不可。但须遮蔽下段，勿露盆盎之形，而遮蔽之物，莫妙于零星碎石。（《居室部·取景在借》）

二是床内生花。对床的创新，李渔讲了四种，另三种是帐使有骨、帐宜加锁、床要着裙。床内生花，最为别致，其目的是要晚上也闻花香：

于床帐之内先设托板，以为坐花之具。而托板又勿露板形，妙在鼻受花香，俨然身眠树下，不知其为妆造也者。先为小柱二根，暗钉床后，而以帐悬其外，托板不可太大，长止尺许，宽可数寸，其下又为小木数段，制为三角架子，用极细之钉，隔帐钉于柱上，而后以板架之，务使极固。架定之后，用彩色纱罗制成一物，或象怪石一卷，或作彩云数朵，护于板外以掩其形。中间高出数寸，三面使与帐平，而以线缝与上，竟似帐上绣出之物，似吴门堆花之式是也。若欲全体相称，则或画或绣帐俱作梅花，而以托板为虬枝老干，或作悬崖突出之石，无一不可。帐中有此，凡得名花异卉可作清供者，日则与之同堂，夜则携之共寝。即使群芳偶缺，万卉将穷，又有炉内龙涎，盘中佛手，与木瓜、香橼等物可以相继。若是则身非身也，蝶也，飞眠宿食尽在花间；人非人也，仙也，起行坐卧无非乐境。予尝于梦酣之睡足，将觉未觉之时，忽嗅腊梅之香，咽喉齿颊尽带幽芬，似从脏腑中出，不觉身轻欲举，谓此身必不复在人世间矣。（《居室部·床帐》）

这就是生活的审美化。从以上事例，可以知道《闲情偶寄》对生活方方面面展开来的基本原则，在客观因素上，尽量从文化和时代的审美标准予以美的创新。在饮馔部，是如何把各种饮食朝着有益于人的健康和美味方面思考，在种植部，是如何把各类木、藤、草、花按照朝有利于人的感官、思想、象征方面安排。有客观方面的基础，再加上主体心态上，时常具备可进入闲情的灵活转换，一个日常生活美学的理论就形成了。有了这从主客两方面相互配合为用的结构，无论生活世界的结构怎么变换、发展、转型，都可以此类推地进行体系的扩展和转换。

时间意识与中西文化

牛宏宝

内容提要：一种文化中的时间经验知觉模式对该文化如何塑造世界模型、如何将民族和个体的生活纳入到一个可依托的形式建构之中，具有根本的意义。欧洲的时间观经历了自古希腊的变的世界到柏拉图时代永恒时间与现象世界的时间的对立、再到由基督教而发展来的现代性线性的和进化的时间观的漫长演变。古希腊和犹太教、基督教等都通过设立永恒概念以对抗现象世界的时间消逝性和侵蚀性，以赋予人的生存以某种确定的性质，并以此来建立人的自我确证。而近代随着个人主义以及人的主体性的崛起，欧洲文化中的时间意识经历了一个内在化和生命化的过程，并最终发展出了进化的、线性的时间观，其赋予了现代人以生成的、绵延的和自由创造的生命整合形式，将时间中的生命展开纳入到了一个强有力的生展形式中，彻底摆脱了决定论、宿命论和时间伤感。但中国传统文化中的时间观，主要受历法天文学循环论、《易》循环论以及诸子思想的塑造，形成的是"生生不息"的循环论时间经验模式。中国传统文化没有发展出永恒概念以对抗时间恐惧，发展出的是循环论的"守常"和"三不朽"以及寻求获得"与道为一"、"与道推移"的超越方式来对抗时间流逝和恐惧。但这三种克服时间恐惧的道路本身有一个共同的特点：它们本身就在时间之中。这也就形成了中国传统文化独特的时间敏感和从时间感悟中获得哲思与智慧的倾向。时间感悟、历史陈述以及"与道推移"成了中国传统文化的核心精神。但这也就将中国人的生活完全抛入到了时间流变的洪流之中。

关键词：时间意识、中国传统文化、欧洲文化、永恒、循环论、自我确证的形式

一种文化体如何对时间进行表象是该文化体最基本的组成部分，时间意识的结构和被标注、被陈述的样式反映出标志社会和文化进化的韵律和节奏。时间的感觉和知觉方式揭示了一文化体和社会以及组成社会的群体和个人的许多根本趋向。时间和其他构成"世界模型"的要素，如空间、原因、变化、数、感觉世界与超感觉世界之间的关系、普遍与特殊的关系、部分与整体的关系、命运和自由的关系等一起在塑造某一既定文化特征的"世界模型"中占据着一

个突出的地位。① 时间意识在文化模型形成中居于非常重要的地位，而这却常常被忽视。本文的目的在于，通过将中国传统文化中的时间意识纳入到与西方文化中的时间意识的参照之中，从而把握中国文化的时间意识的独特性和它对中国文化模型的塑造意义。

一、中西文化在时间问题上的撞击

一种特定文化模式中的时间意识，是由许多不同方面构成的，其中最重要的方面就是历法与纪年。因为历法和纪年，不仅涉及生活于一特定文化模式中的人们的时间秩序和历史叙述的秩序问题，也涉及按时间序列安排生活节奏的巨细无遗的微观领域。

中国传统文化中的历法和纪年，从《春秋》开始，即形成了"立正朔"和"王年"的体例，谓"始终授首之际"，必立其正。②《易·革·象》曰："泽中有火，君子以治历明时。"就历法言之，中国古代的历法（阴历）自上古时代即具雏形，《尚书·尧典》曰："乃命羲和，钦若昊天历象日月星辰，敬授人时。"这种历法是以日月星宿运行周期来确定年、月、日的，同时辅以四时之循环。因此，这种历法本身就蕴藏着一种无法取消的循环论。后来在这种历法中又加进了"甲子"标定，形成了六十年一甲子的循环秩序，使其中的循环论底蕴更为彰显。就王年纪年言之，《春秋公羊传》曰："缘民臣之心，不可一日无君。缘始终之义，一年不二君。不可旷年无君。"此即意味着，有王，才有时间之正始。否则，是"乱"。到了汉武帝时，"王年纪年"转变成了"王号纪年"。这样的纪年方式，构成了中国传统社会的时间秩序和自《春秋》以后历史叙述的主要方式，同时"立正朔"和"王年纪年"或"王号纪年"，也清晰地昭示出中国古代的时间意识充斥着时间的政治化，也就是说时间之标定，在中国古代是一种政治和权力的符号。这种政治化和权力化的时间标定，在塑造中国人的时间意识上所起的作用，是再怎样高估都不为过的。但这一社会和历史叙述时间之标定的方式，在 20 世纪被彻底改变了。首先，1949 年 9 月 27日，中国人民政治协商会议第一届全体会议通过的四项决议的第二项就是：中华人民共和国的纪年采用公元。③ 这是西方纪年方式在中国第一次合法化，以

【美学研究】　时间意识与中西文化

---

① 参见 A. J. 古列维奇：《时间：文化史的一个课题》，载（法）路易·迪加等：《文化与时间》，浙江大学出版社 1988 年版，第 313 页。

② 《春秋》的历史陈述是一种编年体，一种把历史事件与"王年""系"在一起的时间陈述。它成了中国传统历史陈述的一种基本体例，与此相对的是"纪传体"。

③ 参见《人民日报》1949 年 9 月 28 日。

政府颁布的形式成为一种公共制度。① 中国传统的"帝王纪年",即"王年"彻底终结。

其次,中华书局 1956 年初版《资治通鉴》点校本时,将其中的帝王纪年与西元的对应纪年合在了一起。作者是容肇祖等 12 人。此一行为意味着西元纪年成为中国现代知识体系中的重要方面,即历史知识的基本概念和中国历史秩序的基本构架。这是现代性进程中,西方知识普世化的又一例证。②

不过,对于具体生活中的人来说,虽然"王年"或"王号纪年"的帽子脱掉了,但从此以后,中国人就生活在了甲子(阴历)纪年和"公元"纪年的双重时间模式之中。政府机关、学校和城市生活在"公元纪年"标定的时间秩序之中,可中国广大的农村地区却依然生活在甲子(阴历)纪年标定的时间秩序之中。可以说,"公元纪年"与传统的甲子(阴历)纪年事实上的并行,造成了中国人实际生活中时间秩序标定中的尴尬、不适与混乱。

西学东渐之后,西历与中国历法和纪年方式,是中西文化冲突的一个重要方面,这种文化冲突突出了中西不同的时间意识之间的差异。这种冲突第一次爆发是从明天启年到清康熙年间。耶稣会士德国人汤若望于明天启年间(1626)到北京,因为他懂天文学,因此供职于钦天监,清顺治元年(1644)获得信任,任钦天监监正。他按西方历法修订了历书。历书出版时封面上印有"依西洋新法"五字。汉人杨光先上书顺治,认为历书上不应该有这五字。康熙四年(1665),杨光先又上书指责汤若望的历书推算错误,汤若望被判刑下狱。杨光先接任监正,又使用旧历。康熙七年(1668),因为推闰失误,杨光先被判刑,初论死罪,遇释放归。杨光先将前后中西历法的辩论汇集为《不得已集》,其中曾说:"宁可使中夏无好历法,不可使中夏有西洋人。"第二次冲突则形成于清末戊戌维新运动前后。它肇端于康有为首倡用孔子纪年来取代西历的耶稣诞生纪年。1895 年,康氏在沪办的《强学报》曾以"孔子卒后二千四百七十三年"作纪年。这不独遭到正统派奉今王为正朔的非议,甚至连思想较为开通的张之洞也为之震骇。梁启超于 1898 年年底特作《纪年公理》一文,

---

① 在中国出现最早的西元纪年,是在传教士到中国后出版的中文报刊中同时标定西元纪年和中国的帝王"王号纪年"而出现的。但这并没有获得合法依据。中国人自己采取西元纪年与中国"帝王王号纪年"并行的,是戊戌维新期间办的《时务报》。但是,中华民国成立后,确立了另一种纪年方式,即中华民国 X 年。这应该看做是"王年"纪年与西历纪年结合的变体。台湾至今仍然把西元纪年称作"西历",而不使用"公历"这个称呼。这明显是一种中西有别的思想。

② 将西历的时间标定用来对应中国历史的"王年",当然并不是到 20 世纪 50 年代才开始的,传教士东来之后,就已经开始。到 19 世纪末中国学者也主动采用西历来重新标定中国史书上的"王年"的时间序列。这在"五四新文化运动"中就已经成了中国现代性知识的一部分。但这并没有取得政治话语的合法化。

刊于次年《清议报》，他一方面指出"《春秋》曰：'诸侯不得改元，惟王者然后改元'"的古训，同时又指出，纪年只是"设记号"，以淡化纪年的政治和权力含义。他认为各国相通后，应有统一的纪年。最重要的是，梁启超强调，中国不应再以历代帝王之年号为纪年，应"归于一"："中国之种，使从此灭绝为奴，不自立则已耳，犹自立，则纪元必归于一。"他觉得中国亦宜归于一教主，但不可归于耶稣。中国可法其生，不法其死，"以孔子卒纪，不如以孔子生纪"①。同时他又认为，世界各国交通以后，全球万国应归于一。归于谁呢？这里遇到了世界主义与国家主义、普遍主义与民族主义的冲突。他认为这一问题有待世界各国开大会来定夺，最终定一符合"公理"的纪年法则。面对中国国情与国际惯例的冲突，梁启超在 1901 年发表的《中国史叙论·纪年》及 1902 年的《新史学·论纪年》中均主张以孔子生年为纪年，同时将历代帝王年号及西历分注于其下。

显然，西历纪年的采用，不单纯是一个纪年的问题；也不单只是使纪年变得简单和容易记诵而已。从一个更深湛的层面上看，它彻底改变了中国的文化对时间知觉的塑形模式。这就是中国传统文化的循环时间知觉塑形，被拉直，循环时间变成了线性时间。这是中国现代性知识的重要一方面。也就是说，西历的采用，从根本上改变了中国人的时间意识和时间感知模式。这一点，我们可以从第一个采用西历来标定时间的梁启超的身上发现此一深刻的变化。

戊戌政变后，流亡日本的梁启超于 1898 年年底创办了《清议报》。在该报的《叙例》中，梁启超第一次使用了"世纪"二字："中国自古以来未有因变法而流血者，此国之所以不昌也。有之请自嗣同始，……自此以往，其必有仁人志士，前伏后起，以扶国家之危于累卵者。安知二十世纪之支那，必不如十九世纪之英、俄、德、法、日本、奥、意乎哉？"这是汉语语境中"世纪"一词的最早出现。用"世纪"一词多少意味着接受以耶稣纪年这一事实，这无疑犯了中国历来以帝王纪年之大忌。至此，在梁启超那里，以西历纪年及"世纪"一词实际上已取得了合法的地位。梁氏在世纪之交前夕第一次使用"世纪"一词，即坦露了心中的世纪关怀和中国关怀。这即是标定时间的纪年方式的改变所带来的时间意识的改变：中国人突然间出现了"世纪关怀"这一独特的现象。而这在传统的王年纪年中是不可能的。

纵观古代中国文化，你会发现，有谈"大同之梦"者，也有构想"桃花源"、"华胥国"之乌托邦者，更有感触生命之流逝而"伤春悲秋"者，但是却从未有构想未来者。因此，对传统中国文化而言，其时间意识或时间知觉模式

---

① 无论是康有为的孔子死年起纪，还是梁启超的孔子生年起纪，表面上是用孔子对抗耶稣，但其实是西历纪年的一种中国化模仿。

缺乏一个重要的维度——未来。但是，随着西元纪年以及进化论思想的引入，中国的时间意识或时间知觉模式发生了一次根本的变化。这亦首先出现在梁启超的意识中。1899—1900年新旧交替之际，梁启超做了一次太平洋之旅，自日本横渡太平洋，经檀香山到北美。"素不能诗"的梁启超在旅途中忽发诗兴，而这些诗具有一个非常独特的主题：对世纪交替的感怀和对新世纪的想象。这同样在传统的时间观中是不可能出现的。第一次出现"世纪"二字的诗作是《壮别》："极目览八荒，淋漓几战场，虎皮蒙鬼蜮，龙血混玄黄。世纪开新幕（此诗成于西历1899年12月27日，去二十世纪仅三日矣），风潮集远洋（泰西人呼太平洋为远洋，作者今日所居之舟、来日所在之太平洋，即为二十世纪第一大战场也）。欲闲闲未得，横槊数兴亡。"① 《二十世纪太平洋歌》是梁启超在1900年1月30日（阴历腊月三十半夜时分）的作品。他忽然想起此时此地"乃是新旧二世纪之界线，东西两半球之中央，不自我先不我后，置身世界第一关键之津梁，胸中万千块垒突兀起，斗酒倾尽荡气回中肠，独饮独语苦无赖，曼声浩歌歌我二十世纪太平洋"②。我们不能不说，这是以新的时间意识为契机而产生的情怀。梁启超在檀香山之旅中写成的《爱国歌四章》，以对未来时间的畅想确信："二十世纪之中国，必雄飞于宇内，无可疑也，虽然，其时机犹在数十年以后焉。"1902年梁启超特作《新中国未来记》（政治小说），以主人翁"孔觉民"之口，"讲中国何以能维新自立之原因"，在"楔子"中梁启超预言20世纪后半期，中国将跻身世界强国之列，成为国际舞台上重要的一极。由于"自我国维新以后，各种学术，进步甚速，欧美各国皆纷纷派学生来游学"，世界列强将"皆有头等钦差代一国表贺意，都齐集南京，好不匆忙，好不热闹"③。

那么，是什么因素促成了梁启超如此这般的时间想象呢？梁启超的这种近乎乌托邦的思想，得力于实证的根据者少，而得力于进化论的时间观者多。只有在线性时间观和进化论的时间知觉的模塑下，梁启超才能进行这样的想象。很显然，这样的想象，在传统的循环论时间观之下，是不可能的。进化论在中国是通过严复于1896年翻译的赫胥黎的《进化论和伦理学及其他》——即《天演论》而全面介绍到19世纪末的中国的。当时的中国第一代现代知识分子梁启超、严复、王国维以及"五四"一代知识分子鲁迅、胡适、陈独秀等，均受到了进化论的巨大影响。就进化论而言，它不仅包含了一种关于物种起源、物竞天择、社会竞争等思想，在更为深邃的意义上，它包含着一种历史观，即

---

① 汪松涛编注：《梁启超诗词全注》，广东高等教育出版社1998年版，第31页。
② 同上书，第42页。
③ 见《饮冰室合集》第11册，中华书局1998年版，第2页。

无限进步、扩展和发展的历史观。这样的历史观中，孕育着一种现代性的时间观：进步的线性时间观。这即是说，进化是一个线性的扩展和发展的观念。反过来说，进化论的思想，只有在现代性的历史观和时间观的建构模式下，才能被塑造。所以，它并不是一种单纯的自然科学问题。

梁启超是中国第一个系统地以进化论的历史观来做史学的学者。他在1923年写的《中国历史研究法》里，明确地指出："孟子说：'天下之生久矣，一治一乱。'这句话可以说是代表旧史家之共同观念，我向来最不喜欢听这句话，因为和我所信的进化主义不相容。"[1] 梁启超在下面的一段话中表现了一种全新的历史观："历史是人类社会之赓续活动"。"……则史也者，人类全体或其大多数之共业所构成，故其性质非单独的而社会的也。复次，言活动而必申之以'赓续'者，个人之生命极短，人类社会之生命极长，社会常为螺旋形的向上发展，隐然悬一目的以为指归。此目的地辽远无垠，一时代之人之进步，譬犹涉涂万里者之仅跬一步耳。于是前代之人恒以其未完成之业遗诸后代，后代袭其遗产而继长增高焉。如是递遗递袭，积数千年、数万年，虽到达尚邈无其期，要之与目的地之距离必日近一日。含生之所以进化，循斯轨也。"[2] 梁启超同时亦受柏格森影响，认为，历史没有决定论，或宿命论，因果律不能用来研究历史，因为，"史迹是人类自由意志的反影，而各人自由意志之内容绝对不会从同"，"人类的自由意志最是不可捉摸的。他从这方面创造又常常引起（或不引起）第二、第三……个创造。"[3] 梁启超还认为，历史是"一趟过"，既不能回头再来，也不能重复。这是一种柏格森式的"创造的进化论历史观"和时间观。

在梁启超此一时期的历史观以及其在接受西方历法时形成的时间观中，深蕴着进化论与时间的可能性视阈之间的关系。就严复将"evolution"翻译为"天演"而言，显然他正是通过传统的、特别是《易》中的阴阳两翼"生生不息"来接受"进化论"的。19世纪与20世纪之交，中国人接受进化论是对古代正统的循环论的一个重大突破。但当时中国知识分子都用《周易》的"生生不息"之类去接纳进化论。进化论与《周易》相关的传统历史观和时间经验知觉之间有可衔接之处。但进化不是天演。因为其对变异的理解，周易是以阴阳刚柔相推说为基础的，讲阴阳相易，往复循环，而不是讲更新。这是受到筮法自身的局限。《易传》关于盈虚消长的论述，始终没有突破循环论。所以1905年王国维就在《论新学语之输入》一文进行了批评。而当时日本将"evolu-

① 梁启超：《中国历史研究法》，华中师范大学出版社1995年版，第180页。
② 同上书，第2页。
③ 同上书，第178页。

tion"翻译为"进化"。所以，梁启超、王国维均用进化论来表述 "evolution"。用"进化"取代"天演"来翻译"evolution"，意味着一种新的历史观和时间观的形成。而进化论是一种线性发展的历史观，在以周易为基础的接受中，进化论也会受到一定的扭曲。这就使中国的进化论在一些人那里变成了一种进化论与循环论的混合物。①

综上所述，西元纪年方式与进化论的历史观的结合在进入中国之后，彻底改变了中国几千年来形成的循环论的时间观和历史观，其要旨在于在中国人的意识中注入了向着未来开放的、无限展开的线性时间观和进化论的历史观，使中国传统趋于封闭的循环论时间观和历史观转变成了一种向着未来无限展开的进化的和可能性的时间视阈。而这样的进化论与可能性的时间视阈，对于形成中国"五四新文化运动"及以后的文化激进主义、"时间乌托邦"②等，都起到了巨大的模塑作用。甚至可以说，如果没有这样深湛的现代性时间意识作底蕴，鲁迅《野草》中的著名篇章《过客》就是不可能被写就的。

二、时间与文化的时间经验知觉模式

但是，历法、纪年等时间秩序的标定方式，只是体现一种特定文化之时间意识的一个方面，潜藏在中国古代历法、纪年中的循环论时间观，只能说明中国古代时间意识的某部分特征，但却不是全部。为了能够更深入地揭示一种特定文化的时间意识以及其在该文化内部的塑造作用，我们需要对时间本身及文化中的时间意识做更深入的了解。

那么，什么是时间？亚里士多德把时间界定为"变化的数"。这样的定义表明时间是与变化的刻度相关的。而我们日常经验到的时间，其实均为一种被标定或被刻度的时间。如年、月、日、时、刻、分、秒等，手表和日历上的时间均只是被刻度或被标定的时间。它其实是一种空间化的时间，柏格森称之为"机械时间"。这种被刻度、被标定的时间，均不是时间的本源现象。也就是

---

① 最典型的就是熊十力《新唯识论》提出的"进化与循环互涵"的理论。他说："吾言进化，义主大易。"他批评过去循环论只是单纯地看待万象周而复始。"循环法则，实与进化法则，交相参，互相涵。道以相反而相成也。""循环之理，基于万象本相待而不能无相复。进化之理，基于万象同出于生源动力，而创新自不容已。进化之中有循环，故万象虽瞬息顿变，而非无常规；循环之中有进化，故万象虽有往复，而仍自不守常故。"（熊十力：《十力语要》卷1，辽宁教育出版社1997年版，第10—11页）有学者认为，熊先生的观点，与其文化守成主义的立场，即"于变异而见真常"的宗旨相统一，现代观念与古典智慧融合为一。

② 我们可以把"乌托邦"的想象分为两种：一种是"空间乌托邦"，另一种是"时间乌托邦"。前者是一个不受时间变迁左右的纯粹封闭的理想空间，如陶渊明的"桃花源"、《圣经》中的"伊甸园"等；后者则是受时间支配的救赎和拯救之时间。

说，被刻度、被标定的那个时间本身，才是时间的本源现象。本源时间从何而来呢？本源时间起源于人的存在之展开的过程现象。也即是说，生成的历史是时间的源始。这层意思，正是海德格尔在他的《存在与时间》中所揭示的。这种本源时间又可称作"内在时间"，它构成人去把握、揭示外在时间的最内在的根据和基架，所以，康德称其为时间的先验范畴。这样的本源时间具有如下特性：生展、绵延（endure，duration）和创造。

这样的时间，对个体来说，是他的生命之展开过程或海德格尔所谓的"to be"构成的。因此，从最基本的存在上说，一个人存在，只意味着他有时间。除此之外，别无他者。但这种展开并不是无限的，而是"向死而生"。这个"向死而生"对任何民族、任何个体都是最基本的。所以古希腊最早将世界上的事物区分为"必有一死的"和"不死的"。人是"必有一死的"。这个"去……死"是谁也无法替代、无法消除的内在经验。死……必有一死，构成了个体时间经验的无法消除的芒刺，它在每一瞬间、在每一场合出场。这种经验奠定着时间经验的河床，时间经验正是基于此而形成的。从个体层面说，生存的展开过程构成了本源时间的源始现象，它具体由生命事件及其整合——个体生命记忆构成一个连续的整体；而在类存在的层面上，其生存的时间展开则会形成族类记忆，这就是历史事件及其整合——历史叙述。也就是说，族类的时间展开构成了历史。因此，历史叙事是一种特定文化体时间意识的表现核心。

从这个意义上说，时间或时间意识是任何个体或族类都无法从他们的具体生存中排除出去的。但这也并不是说，在任何文化中，本源时间会以其本源性直接显现于个体的或族类的意识之中。相反，任何文化对这样的时间本源现象都具有重新模塑作用，并通过一系列独特的标定、陈述、遮蔽或转换的方式，对本源时间进行塑造，从而形成特定文化体独特的文化时间经验知觉模式。为了更为精细地将人们带入到这一领域的深湛、奥妙之处，让我们从两个具体的文本说起。这两个有趣的文本，一个是奥地利精神分析学家弗洛伊德的《论短暂》，另一个是苏东坡的《前赤壁赋》。

说起苏轼《前赤壁赋》，相信许多人都能熟练背诵，但如果说《前赤壁赋》的核心主旨是时间问题，可能许多人都有些纳闷。此赋第一段是即事、即景、即时的描写，属词结句之美妙，使这篇赋几乎称得上是千古一文。但正是在这"月出于东山之上，徘徊于斗牛之间。白露横江，水光接天。纵一苇之所如，凌万顷之茫然"中，与苏轼同游赤壁的吹箫者，却在别人沉浸于美的享受之时，吹出了"如怨如慕，如泣如诉"的绵长悲音。苏轼即问吹箫者何以如此呢？吹箫者的回答核心涉及两个方面：一方面是赤壁怀古发"遍地英雄下夕烟"的"逝者如斯"之慨，另一方面则是就人生之短暂、美不长久发出哀叹：

"寄蜉蝣于天地,渺沧海之一粟。哀吾生之须臾,羡长江之无穷。挟飞仙以遨游,抱明月而长终。知不可乎骤得,托遗响于悲风。"① 而苏子的回答则与吹箫者的态度形成了鲜明的对比,这种对比阐释出了两种截然不同的时间观。"苏子曰:客亦知夫水与月乎?逝者如斯,而未尝往也。盈虚者如彼,而卒莫消长也。盖将自其变者而观之,则天地曾不能以一瞬。盖自其不变者而观之,则物与我皆无尽也,而又何羡乎?且夫天地之间,物各有主。苟非吾之所有,虽一毫而莫取。惟江上之清风,与山间之明月。耳得之而为声,目遇之而成色。取之无禁,用之不竭。是造物者之无尽藏也,而吾与子之所共食。"②

　　这里,吹箫者与苏子的态度体现了两种完全不同的时间观以及与时间观相关而形成的世界观。吹箫者明显是一种纯然个体的时间经验,他体验到的是个体在时间和空间中的渺小、短暂和脆弱,因此他既不能为皓月当空的美所陶醉,也不能将自己彻底融入到天地之间,只能沉浸于短暂、脆弱和无常的伤感之中。也就是说,在吹箫者这里,时间便是腐蚀性的和消逝性的时间。吹箫者的这一时间经验使我们想起了与苏轼在词风上完全不同的李清照。李清照的全部词可以说有一个核心母题,这就是时间的流逝性和对个体生命的侵蚀性。当然李清照的独特之处恰在她将这种消逝性的、侵蚀性的时间体验转化成了敏锐的诗性感悟。而苏子的时间经验,却是一种通过转换而将短暂化入恒常的方式,他一方面承认世间万物有短暂的一面,就连天地也"曾不能以一瞬",但另一方面,苏子又通过化瞬间于恒常之中,从"不变"来体验时间。更重要的是,苏子的时间体验中有一种"化"的功夫,这就是将自己融入到世间万物之中,如《庄子·齐物论》所说"天地与我并生,万物与我为一",不再有物与我之分,不再有恒常与偶在之别。这样,苏子就克服和超越了吹箫者的那种个体偶在的脆弱性和短暂性,而获得了一种稳定的、恒常的时间存在。很显然,苏子的时间经验是与老庄一脉的思想结合在一起的,它既不是儒家的时间意识,也不是历法的时间意识,而是一种体现了中国古代思想中最深刻、也是最独特的时间经验。

　　无独有偶,1918 年精神分析学家弗洛伊德写了一篇《论短暂》(On Transience)。③ 文章中写道:在一个美丽的春天,作者与一名年轻诗人(传记作家认为是著名诗人里尔克)到一处风景美丽的地方散步,那里万花盛开,百彩争妍。可是一路上,年轻的诗人却情绪消沉,一言不发,很是悲哀。弗洛伊德就

---

　　① 《苏轼文集》第一册,中华书局 1996 年版,第 6 页。
　　② 同上书,第 6 页。
　　③ 关于这篇文章要说明的是,弗洛伊德在这篇文章中处理的并不单纯是时间问题,他是要从心理分析的角度,来阐明脆弱的个体偶在的时间经验,如何在个体与母亲的关系中形成。

问诗人为什么会这样。诗人回答说，这些美的事物都会消逝，它们是短暂的、易逝的，所以他高兴不起来。接着，弗洛伊德从诗人的情绪开始分析。他认为，对待瞬间即逝的现象，有两种态度：（1）消沉以待之；（2）或者在观者直觉选择的维度上，它是永恒不朽的。弗洛伊德本人认为，对待这种短暂性的一个可解决的办法，就是"世界上的对象在推想中是稳定的和可信的"。也就是说，事物虽然都有最终消亡的命运，但又都在不同的片刻凝聚为一个整体，来对抗着那灾难性的毁灭。在那短暂的片刻，它们聚合为一体，并发挥着作用；它们在那一片刻，是无时间性限度的凝固之物。

　　显然，《论短暂》中也有两种时间经验：一种是诗人的那种对短暂、易逝、脆弱的时间体验，他的时间经验与《前赤壁赋》中吹箫者的是一致的。另一种则是以一种选择的维度来处理，这就是化瞬间为永恒，将事物在瞬间的凝固状态看做是不变的、不在时间流逝之中的。就这第二种态度而言，它与苏子的态度看似相似，其实差距很大。这差异可分析为两个方面，其一，苏子的时间转换中的核心是将个体融合到大千世界之中，获得"万物与我齐一"的状态，从而克服和超越个体偶在的短暂、易逝和脆弱。但在弗洛伊德的选择性维度上，所做的并不是这种"万物与我齐一"的融合，而是将瞬间所具有的恒定性就当作永恒不变的本质。其二，在苏子的态度中，他所获得的"天地与我并生，万物与我为一"并不是取消时间，而是与更大的实体"道"一致，从而获得"与时推移"的更高统一性。相反，弗洛伊德所说的第二种态度，并不是"与时推移"，而是超越走向永恒从而取消时间。这正是中西文化在时间经验模式上的最大差异之一。

　　从这两个有趣的文本中，我们可以清楚地看到，本源时间并不是以其本源性现象直接进入到人们的意识中，而是以不同的方式被体验、被意识、被标注、被刻度和被陈述的。而这种不同的体验、意识、标注、刻度和陈述，不仅不同的个体是有差异的，尤其是在不同文化中会有极大的差异，甚至在同一文化的不同历史阶段中，都会采取不同的方式。这就是文化为时间这个本身无形的东西塑形。这即是说，我们实际有的时间经验，是通过不同的体验、标注、刻度和陈述而经验到的。这体验、标注、刻度和陈述的模式，就成了不同文化为时间塑形的模式。

　　这些体验、标注、刻度和陈述时间的模式，构成了不同文化中的时间经验知觉模式，同时也构成了把握时间，甚至控制时间的方式。所以，刻度、标注和陈述时间，并不单纯是为了记录时间，而是一种控制的方式。这里所说的控制，并不是说那种可以改变时间的控制，而是一种通过命名的掌握。庄子说："道行之而成，物谓之而然。"标注和刻度以及对时间的陈述，就是一种命名的控制。

这些体验、意识、标注和刻度时间的模式作为时间塑形的方式，是要满足人类生活的哪些迫切的而不可回避的需要呢？首先，通过刻度时间，来把握生活中的变化，以获取某种可遵循的规律，从而保证人的生活处于有法可依的范围之内，并据此以调节和控制人的生活节奏。所以在古代"历"亦是"法"。其次，克服时间恐惧。时间恐惧应该是人类诸多恐惧中最基本的恐惧。海德格尔在《存在与时间》中所揭示的此在在世存在的基本本体论中所说的"怕"，就与这种难以摆脱的时间恐惧有关。同时，时间恐惧并非单纯地与死亡恐惧相关，而是与本源时间的变易、流逝、消亡以及如何在时间的变易、流逝和消亡中获得自我确证有关。因此，一个文化体中形成的时间经验知觉模式深蕴克服时间恐惧的基本理论和原则，它涉及的核心是个体或族类的自我确认和自我关怀，以及如何将人的生存（时间展开）整合和纳入到一个稳定的、有意义的形式之中。譬如阿拉伯有这样的谚语："人恐惧时间，时间恐惧金字塔"。石头的金字塔的意义就此显露出来。再次，体验、意识、标注和刻度时间的方式，是人形成自我意识的基本途径。因为时间奠基于人的生存展开的过程之中，通过建构时间模式，人类也就形成了一种自身存在的解释或叙述。这也就是为什么世界上所有的神话，都有起源神话的缘故。因为"起源"是一种时间叙事。而所有的神话的核心就是时间意识，并通过时间叙述而建立民族或个体的自我确认。

这些标注、刻度和体验时间的方式包括了这样的几个方面：（1）刻度、标注时间的具体方式，这其中就包括了纪年；季节：四季和节气；记时（滴漏、钟表等）；甚至还包括教堂和钟楼的钟声、节日等。（2）记忆与叙述：它包括了个体记忆与叙述以及族类记忆与叙述。族类记忆与叙述即为历史。个体记忆与叙述则隐含于个体生活之建构中，它也可能通过非族类记忆和叙述的方式得到展现，譬如个体的命运感①。但个体记忆与叙述常常是混杂于族类记忆与叙述之中的。要强调的是，无论是个体记忆与叙述，还是族类记忆与叙述，它们都深刻地包蕴着人们的时间意识和时间知觉模式。（3）无论是在刻度、标注和把握时间的具体方式中，还是在记忆与叙述的方式中，都渗透着文化处理时间的基本程序，而在这些程序中，无处不渗透着权力的影子和符号。也就是说，

---

① 个体的命运感是个体时间意识的重要方面。譬如，《史记·白起传》中叙及秦著名将帅白起因功高震主，被丞相谗害而发配边地，他走到云阳时，曾自问一生不曾打过败仗，不曾犯过错误，为什么会落到今天这个地步？他身边的随从说，你在长平大战之后无故坑杀赵国降卒40万，是损阴德的，今天落到这个地步，应是报应。那么在白起的自身追问与随从的解释中，都涉及一种纯粹个体的记忆与叙述所构成的命运感。而此中关涉的核心是个体的时间意识以及由此而来的自我意识。

在文化中，时间是政治化和权力化的。① 西历的耶稣诞辰纪年与中国的王年纪年，就是明显的说明。（4）虽然时间是任何事物都无法摆脱的，但在文化的时间描述中，却始终存在着一个被设定的超时间的维度，即"永恒"，一种不为时间流逝所销蚀的恒定存在。它成了不同文化陈述时间的一个绝妙的对境。譬如宗教中神的无时间性、永恒性，正与世俗时间的销蚀相对而构成一种绝对。表面上看来，"永恒"是超时间、无时间的，但其实"永恒"是一种时间标定方式，它仍然是一个时间概念。以此论之，在把握一特定文化体的时间知觉模式时，永恒时间之设定就成了一个不可回避的维度。

就这些方面而论，不同的文化以种种的方式，不仅把握时间，将流动的、川流不息的时间置于可掌握的维度上，而且赋予时间以某种可陈述的可能性。因此，虽然本源时间的川流、绵延构成了时间的河床，但在文化的时间经验知觉模式中，川流、绵延的本源时间则总是与具体的文化标定、刻度和陈述时间的方式纠结在一起，而柏格森所企图进入的纯粹绵延只是哲学家的理想设定②。由于不同文化对时间采取了不同的刻度、标注和陈述的文化模式，这就形成了不同的时间经验知觉模式，即时间被感知的模式：它或者是循环时间，或者是永恒时间，或者是衰退和腐蚀的时间，或者是线性时间，或者是这多种时间知觉模式的混合。据此，不能说一种文化体只有以上所述的某一种模式，一种文化体对待时间的经验知觉模式可能是多元的。

三、中西文化中的时间经验知觉模式

上一节的分析，使我们明确了不同文化体在刻度、标注和陈述时间的具体方式，在克服时间恐惧，在如何处理个体和族类的记忆与叙述，在权力如何介入时间刻度和标定的具体层面，以及在如何设定超时间领域从而把握世俗时间的销蚀等方面，会采取完全不同的模式，这样就形成了不同文化体的时间知觉模式之间的差异。那么，中西文化在这些方面又有何不同呢？

列文森在《儒教中国及其现代命运》中对儒教与基督教作过这样一段比较："从哲学上来看，没有上帝也就意味着没有'开端'，因而也就没有时间的进化观念，而这种进化观念能对儒家的和谐思想构成威胁，或能打破与之相联系的儒家的绝对的历史观。它在政治理论中的必然结果，是产生了这样一种儒

---

① 说起这种时间标定和刻度与政治和权力，有一个非常有趣的例子。前几年我到昆明，与几个同行者去参观西南联大的旧址，看到了闻一多先生的墓碑，竟发现闻一多先生的墓碑上说闻先生生于"民国前××年"。这个"民国前××年"不就是清朝光绪某年么？为什么在这里要回避呢？

② 参见柏格森：《时间与自由意志》，商务印书馆1958年版。

家理想，即一位帝王应将美德传播四方，并相应地将和谐投射到社会，而不是在逻辑上干预它，从而使它发生变动。帝王应当以同情的态度去维持一种永恒的和谐。这种和谐绝不是以前创造出来的，它也绝不应受到一些模仿超然的世俗统治者的新损害。因此，具有其'五行'理论的汉代儒学，赋予那些处于一个和谐的相互作用之世界中皇帝以循环的角色，在这个和谐的相互作用之世界中，自然过程和人类事件被联系在一起。这与一种先验论者的体系是多么的不同。例如断定有一个非生非死的上帝的犹太教，在与各种自然的、循环的宇宙论的永恒对照中得到了发展，并且它对大卫王的崇拜功能也因此而受到了严重的削弱。"① 列文森的这段分析，向我们展示了儒教与基督教中的时间问题的这样几个方面：第一，基督教的上帝必然意味着一种"起源"、"开端"等时间因素，它不仅会孕育出基督教朝着最后"拯救"去的"进化论"时间观念，而且会对任何非生非死的绝对者构成威胁；第二，儒家的和谐思想中蕴涵着的是天地人之间相互作用（天人合一）和谐，是一种循环论的"永恒和谐"，这样的时间意识是与进化的时间相对立的；第三，儒家的"永恒和谐"的循环论时间观蕴涵着一种历史决定论。应该说，列文森的这个分析基本上是正确的，对我们进一步分析中西文化中的时间经验知觉模式，具有很大启发性。

（一）西方文化中的时间经验知觉模式及其演变

但是西方文化中的进化的和线性的时间观，并不是自古就有的。自古希腊到现代，西方文化中的时间经验模式，经历了从变的世界到永恒时间制约世俗时间销蚀的二元论时间观、再到线性进化的时间观的漫长变迁。从尼采对希腊酒神崇拜时代的追溯，以及对赫拉克利特所说的"一个人不可能两次踏入同一条河流"所表述的变化的确认，我们知道在公元前 5 世纪以前，古希腊人并没有形成永恒占据主导地位的时间观。甚至在对变的确认中，米利都学派的泰勒曾说过："最智慧的是时间，因为它发现一切。"在这个阶段，古希腊有一种将时间看做"万有之父"思想。② 在这样的时间意识中，孕育了早期希腊思想中的因季节循环而形成的循环论时间观和时间是一种不可逆的、易逝的衰退过程的时间观两者并行的时间意识。③

不过，在古希腊的神话、荷马史诗中，很早就孕育着超越时间流逝的概念——永恒。在古希腊神话中始终存在着神的非时间性与人的时间性（倾向于

---

① 列文森：《儒教中国及其现代命运》，中国社会科学出版社 2000 年版，第 227—228 页。
② G. 劳埃德：《希腊思想中的时间观》，载迪加等：《文化与时间》，浙江人民出版社 1988 年版，第 155 页。
③ 同上书，第 153 页。

消逝）之间的对立。而在荷马的史诗叙述中，也存在着明显的对时间的有意忽略。最著名的就是《奥德修记》中奥德修斯在特洛伊战争之后，经过了漫长的苦难漂泊终于回到家里，他走时养的狗竟然认出了他。科学证明狗最长只能活15年。荷马的这一时间错误，曾在"古今之争"中受到人们的嘲笑。尤其是奥德修斯在漫长漂泊中没有任何性格和心理上的变化。劳埃德说："在荷马的时代，几乎没有任何涉及世界起源的系统化思想。广义地说，在荷马的史诗中，时间不是被视为很少带有具体质量的抽象的连续统，也不完全作为具有强烈情感色彩的现象。"① 但是，史诗的叙述却植根于时间感。任何叙事，无论是史诗叙事，还是历史叙事，或虚构叙事，都是如此。只是在荷马时代，这种植根于时间经验的叙事，还被表现为外在的东西，尚未内在化为人的生命现象。

到了公元前 5 世纪前后，古希腊思想中的时间意识发生了一个重大的突变，这就是哲学对永恒时间的塑造。巴门尼德被认为是从哲学上表述永恒概念的第一个人。与赫拉克利特相反，巴门尼德认为变是不可能的，同时他将不变的存在与变的现象世界对立。他认为前者需要理性的思考去领悟。在巴门尼德之后，则是芝诺著名的"追龟辩"、"飞矢辩"。芝诺通过这样的方式取消了运动的绝对性，而把不变看成了绝对，从而向人们证明了事物本质的绝对性。这是超越和克服时间恐惧而走向本质的绝对性以及关于永恒概念的重要步骤。② 有趣的是，伴随着对超时间的永恒绝对的设定，时间在古希腊人的思想中的"名声"也变"臭"了，它不再是"万有之父"和"最智慧的"，而是一个"破坏性的因素"。毕达哥拉斯学派的潘朗曾说：时间是最愚笨的，因为万物皆被遗忘在时间之流里。③ 亚里士多德认为潘朗的观点是对的，因为他认为时间是"破坏性的因素"。亚里士多德在《物理学》中专门讨论了时间。他说："时间本身主要是一个破坏性的因素。它是运动的数，而运动危害着事物的现状。显然，永恒的事物不存在于时间里，因为它不被时间所包括，它们的存在也不是由时间计量的。可以证明这一点的是：这种事物没有一个会受到时间的影响。这表明它们不存在于时间里。"④ 同时亚里士多德认为，变化是事物外在或偶然的因素。⑤

当然，在古希腊思想家那里，非时间的永恒世界的首要设计者，是柏拉

---

① G. 劳埃德：《希腊思想中的时间观》，载迪加等：《文化与时间》，浙江人民出版社 1988 年版，第 147 页。

② 同上书，第 170—175 页。

③ 参见亚里士多德：《物理学》，商务印书馆 1997 年版，第 134 页。

④ 同上书，第 130—131 页。

⑤ 同上书，第 134 页。

图。他通过设定"理念世界"这个绝对的本质世界，并将"理念世界"与世俗的、现象的世界对立起来，而构建了超时间的理念——永恒、无时间的理念。只有这个理念才是不变的，不会受时间腐蚀、磨灭、损坏和死亡的东西，是理念世界构成了世界万物的永恒的、绝对的、恒定的本质。而人就是要回到这个理念的世界，才能获得真理。亚里士多德虽然是世界哲学史上第一个全面建立时间哲学的哲学家，但在他把时间与运动、与变化、与生成等关联在一起的同时，他也设定了一个不在时间之中的、不动的原动者——"第一动因"。这就是神。①

虽然在公元前 5 世纪到公元前 3 世纪这段古希腊的黄金阶段中，循环论时间观、关于时间是一种破坏的、销蚀的因素等思想，仍然存在，但是由哲学家所表述和确立的超越时间之流而恒定存在的永恒理念世界，确实突破和超越了人类生活的经验世界，只有高超的理智才能认识。它摆脱和超越了时间因素所导致的变化、不确定、相对而繁复的现象，而将人的活动导入到了一个绝对本质的世界，在那里，人们会获得绝对的真。柏拉图在《大希皮阿斯篇》中对他所不知道的"美本身"的寻求，在《会饮篇》中对真的寻求，都体现了这一点。因此，绝对本体论的形而上学之确立，与摆脱和超越时间有着直接的关系。甚至，我们在欧几里得几何学，在古希腊公元前 4 世纪到公元前 3 世纪的大理石建筑和雕刻中，也能具体而微地领会到这个超越时间的绝对本质在建筑、雕刻和几何原理建立中的巨大作用。它们仿佛是存在于时间之外，并以其自明性和永恒的确定性而矗立于世界之中，时间的风雨好像对它们已经没有意义。应该说，这种对永恒时间的享有主导了古希腊人的生存样式，在这种样式的设定和规范下，希腊人和以后的欧洲人通过追求绝对而获得内在的平静，对时间不再具有强烈的情感体验。

此后在普罗提诺的思想中，则将柏拉图的理念世界与世俗时间世界之间的对立更为完善地表述了出来。他明确了永恒的概念，认为"永恒"不在时间之中。"如同巴门尼德所说的'统一的存在'和柏拉图所说的'理念世界'，普罗提诺指出我们既不能用'过去是'，也不能用'将来是'，而只能用'现在是'论及永恒。因为永恒是完整无缺的现在，是没有变化的生命，它永远留驻，一如其自身。"② 在普罗提诺看来，理念原则（逻各斯）虽然如同一颗种子一样发芽并扩展自己，但它却不在时间之中，因此它并不生成和变化。时间则是现象世界模仿理念世界时才产生，这样现象的感觉世界就被时间所统治，时间也

---

① 关于柏拉图和亚里士多德的时间观，这里只能简要论及。

② G. 劳埃德：《希腊思想中的时间观》，载迪加等：《文化与时间》，浙江人民出版社 1988 年版，第 188 页。

就取代了永恒。[①]

　　劳埃德总结说："希腊人对时间作形而上学思辨的一个重要母题是在无时间性的永恒理念存在与暂时的感觉存在之间进行比较。我们发现一个又一个哲学家对静止和稳定优于运动和变化这一观念作了不同的表述。"[②] 就古希腊思想的围绕时间问题而形成的这一时间模式而言，我们发现了文化处理时间的核心主题之一：任何文化都面临时间问题和时间恐惧，因此，文化的原创性力量之一，就是如何超越或克服时间恐惧。这也就形成了文化选择的基本张力：在变化与恒常（永恒）之间激荡。也就是说，任何一种文化都不可能将自身完全沉没于时间的"变"之中，也不可能完全将世界固定于永恒之中。但不同文化对"变"与恒常（永恒）的张力的处理，却是不一样的。

　　就中国公元前 5 世纪到公元前 3 世纪的思想家对时间问题的处理而言，他们显然没有选择与古希腊思想家相同的道路和方式。譬如中国思想家从来就没有形成过永恒这个概念；同时，古希腊时间观的形成受到历法的影响也远没有中国此时期的那么大。但古希腊思想家对绝对理念世界的设定，也导致了一种哲学后果：逻各斯的非时间化：一种超越时间的纯逻辑推演。这不仅使希腊思想不能够把握生成这一重要的哲学命题，同时也使得逻各斯不能陈述历史。19世纪以前西方历史学的贫乏和历史哲学的肤浅，与此有深刻的关系。这一时间模式对欧洲人的影响一直到斯宾诺莎那里还存在，因为他还企图通过一种类似于几何学的证明方式来陈述伦理学。这也就为以后西方哲学的发展带来了一个具有根本性的问题：逻各斯如何与时间相关？

　　那么，西方现代性的线性的、进化的时间观，是如何克服古希腊思想家所设定的永恒而最终形成的呢？这中间的桥梁是基督教，是基督教将时间因素引入了西方文化的核心，并对形成线性的时间观起到了重要的作用。就基督教之前的犹太教而言，则犹太教坚守着神和律法的超时间的、非生非死的特质。因为任何时间因素的渗入都会威胁到神的权威性和无所不能的地位。但到了基督教，基督的"道成肉身"，结束了上帝的永恒时间，而将"神"投入到了变的时间的旋涡。同时，基督教中蕴涵的"弥塞亚拯救"对最后审判、基督复活和拯救，提出了一种时间预期。这种时间预期虽然屡屡落空，给基督教义的信度带来了不小的尴尬和损害，但是这样一来，基督教也就将最后拯救置于了无限的未来时间之中。拯救的乌托邦随之也就被时间化了。公元 6 世纪左右，欧洲国家普遍采用了基督诞辰起始的序数纪年，这也就结束了古希腊、犹太教所形

---

　　①　G. 劳埃德：《希腊思想中的时间观》，载迪加等：《文化与时间》，浙江人民出版社 1988 年版，第 188 页。

　　②　同上书，第 193 页。

成的"永恒时间"的独断地位，而进入到了进化时间之中。正如罗伯特·皮平所指出的：

As it often pointed out, Judaism and especially Christianity, by their very nature, helped promote such a general historical or "epochal", revolutionary consciousness, and this by virtue of their very unGreek notions of eschatological time, a God beyond or outside of nature, involved in the history of people or mankind, and especially by virtue of the Christian notion of the Incarnation, a decisive, revolutionary moment in time, before and after which all was different. Such a general view of things was bound to make it easier to think in an epochal or revolutionary way, to foster some general sense of unacceptable or unredeemed nature of the present, of the need for salvation and a hope for the future's redemption of present, and to create the intellectual problem of what to say about the period and peoples who lived before this decisive event; especially, for Christians, about the Jews and pagan antiquity. ①

皮平认为，基督教正是因为这种对拯救的时间预期，而将一种线性的、未来论的、进步的和革命的时间概念注入了西方文化，并认为现在人们所做的一切都是为最后拯救的决定性时刻做准备的。

但是，现代性的线性的、进化的时间经验知觉是一种世俗化的时间观，基督教的拯救时间预期却是宗教的。因此，这中间有一个转换的过程。这个转换的核心则是文艺复兴及其以后个人主义的发展所形成的自我意识和人的主体意识。此一过程的总背景是西方世界的世俗化、宗教衰微和个人自我意识及主体意识的逐渐增强。在文艺复兴时期，欧洲的文学作品中的个性描写以及性格命运的把握，如在薄加丘《十日谈》、莎士比亚的悲剧和塞万提斯的《堂·吉诃德》中的描写，意味着一种深刻的变化，这就是时间的内在化；性格就是命运。而性格，按照英国经验主义思想家洛克的定义，就是一个人的经验记忆。这个变化的深刻性在于，在此之前，时间，无论是历法时间、历史叙事中的记忆与时间，还是永恒时间，时间总体是被看做外在于人的，而到了文艺复兴之后，西方文化中的时间被内在化为人的最本己的性质，它成了建构每个个体自我的核心。人们开始逐渐认识和体会到，时间既不像古希腊哲学对永恒的设想那样，可以被克服；也不像宗教和一般历法所规定的那样，时间仅仅是一种自然现象或外在于人的生命的现象；同时，人们也发现，族类的历史根本不可能取代个体的时间展开，也不能消除个体时间的特性。时间开始变成了每个个体生命展开、生成的基本事实。这就是时间被内在化为人的生命现象。同时，随

———————

① Robert Pippin, *Modernism as a Philosophical Problem*, Basil Blackwell, Inc, 1991, pp. 17-18.

着社会劳动方式的变化和现代技术的发明，也加强了这种时间内在化的进程。首先，是随着资本主义的发展，劳动雇佣方式从原始的人头制，转变向了记时制，而记时制就是按照个体的时间度量来雇佣劳动。马克思在对劳动的分析中，将劳动的本质分析为劳动时间的投入，就深刻地揭示了这种新的劳动雇佣方式的本质。时间在这里被简约为最内在的、不可再化约的基本元素，并成为度量和结算的最基本单位。而这在原始劳动的人头制中是不可能出现的。其次，钟表的发明与个体的时间度量之间的关系。钟表不仅把时间的刻度从原来的天、时、刻细化到了分秒，更重要的是它使时间的度量更加内在化。通过日出日落来度量时间，或听滴漏来度量时间，这样的方式告诉人们的是，时间仍然在人之外。但是钟表却把时间与人的存在之绵延紧密地关联了起来。所以，西方的一位科技史家认为钟表的发明比蒸汽机的发明在改变人的生活方面，更为重要。再次，则是印刷术发明。印刷术出现以前，人们主要是通过声音来了解诸如《圣经》等经典文献的，但是印刷术则削弱了耳朵的功能，将获取知识的过程强化在了眼睛的观看上，同时它使阅读变成了一种纯然个体的线性的阅读时间体验，因为印刷术带来了一种私密的、个体的时间体验——内在时间的川流随阅读沿印刷的线性排列而趋向深处。[1]

当西方现代哲学的开启人物笛卡尔在他的《第一哲学沉思》中，确立了"我思故我在"这一现代性根基的时候，时间与思维着的我的内在生命的时间展开之间的关系，就已经蕴涵其中了。当笛卡尔在"第二个沉思"中确信"现在我觉得思维是属于我的一个特性，只有它不能跟我分开。有我，我存在就是靠得住的；可是，多长时间？我思维多长时间，就存在多长时间；因为假如我停止思维，也许很可能我同时就停止了存在"[2] 时，思维这个存在的唯一根基就已经蕴涵了一种与内在时间的同一性。

由此我们发现，时间的内在化和线性化是紧密关联在一起的。也就是说，只有当时间内在化地与生命存在的展开结合为一的时候，时间才能被看做是线性展开的。伴随着这一进程的深化，终于在西方的启蒙时代出现了时间与逻各斯结盟，从而改变了西方非时间的逻各斯的命运：历史与逻辑的统一成了西方启蒙思想的核心。这样，逻各斯被注入了时间的因素，使逻各斯具有了变的动力机制。由此，逻各斯就被用来建构历史。这在黑格尔的历史哲学以及他所构想的"绝对精神"的自我运动（《精神现象学》）中，达到了颠峰。[3] 哈贝马斯

---

① 关于印刷术带来的阅读变化和阅读的时间体验，参见阿尔维托·曼古埃尔：《阅读史》，商务印书馆 2002 年版。甚至我们可以在西方诸如伦勃朗等人的绘画中看到个体阅读的经典描绘。

② 笛卡尔：《第一哲学沉思集》，商务印书馆 1996 年版，第 27—28 页。

③ 关于时间与逻各斯的同一的具体思想史考察，尚需要更精细的工作。这是另一篇文章的事。

在讨论到黑格尔的现代性观念时指出："黑格尔不是第一位现代性哲学家，但他是第一位意识到现代性问题的哲学家。他的理论第一次用概念把现代性、时间意识和合理性之间的格局凸显出来。"① 在解决了时间与逻各斯的同一性之后，一个自笛卡尔之后就潜伏的问题也终于成了最重要的问题，这就是时间与自我的同一性问题，也即时间成了自我确证的根本道路。时间与自我的同一性问题就成了现代性哲学的最高命题。卡里涅斯库说："时间与自我的最新认同，构成了现代主义文化的基础。"② 这一命题从笛卡尔开始，中间经过康德、谢林、费希特、黑格尔、尼采、柏格森和胡塞尔，最后在海德格尔的《存在与时间》中得以最终完成。因为海德格尔将时间与此在存在的展开最紧密地同一化了。③ 伴随着逻各斯与时间的结盟的，则是 19 世纪以后西方史学和历史哲学的突飞猛进的发展。

随着这种时间与逻各斯、时间与自我的同一，现代性的时间观基本形成，它包括了这样几个方面：1. 时间是线性地展开的；2. 它向着未来无限延伸和扩展；3. 线性发展的、进步的、目的论的历史观；4. 时间是人作为主体内在展开的产物，因此，自我的时间展开也同时间一样，是无限的、线性的、进化的。在这样的情况下，历法、季节等形成的对时间的循环论刻度和标注也就在现代人的时间观形成中，失去了力量。5. 时间与自我的同一，不仅意味着时间是自我确证的唯一道路，而且意味着时间作为人的存在的生成展开，它是生成、绵延和创造，其中孕育着不可化约的自由。也就是说，西方现代性的时间观虽然把人的生命展开投入到了时间的川流之中，但却没有陷入流逝的、侵蚀性的时间形式中，而是通过生成、绵延和自由创造以及由此而来的自我确证，而使现代人获得了强有力的生命时间的整合形式。这正是西方现代性时间观所蕴涵的文化精神。

重要的是，这种时间观和历史观直接参与了现代人生活样式的模塑和设定，同时，这样的时间观强化了现代人的自我意识和自我确证的独特形式——自由发展和自我扩展，并使现代人获得了一种独具现代性的时间情感体验。对此丹尼尔·贝尔指出："资本主义因其旺盛的生命力获得了自己的特征——这就是它的无限发展性。在技术强有力地推动下，没有一种数学上的渐进线来限定它的指数发展，毫无局限，无所神圣。"④ 现代性所孕育的无限的自我探索，正与这样的时间观有重要的关系。这样的生命形式体验和情感不仅在中国传统

① 哈贝马斯：《现代性的哲学话语》，译林出版社 2004 年版，第 51 页。
② 迈塔·卡里涅斯库：《现代性面面观》，Indiana University Press, 1977，第 5 页。
③ 参见海德格尔：《存在与时间》，三联书店 1987 年版。
④ 丹尼尔·贝尔：《资本主义文化矛盾》，三联书店 1989 年版，第 31 页。

时间意识中不可能出现，就是在古希腊和基督教统治下，也不可能出现。现代小说、音乐的基本形式均采取了线性的发展的样式。这里，大家想一下旋律音乐的样式，想一下现代小说中人物性格的探索性历程，就可以清晰地看出。如浮士德式的人：就是不断地发展自身。因此，在浮士德的身上，经典地体现了现代人自我的时间样式。① 反过来说，没有现代性的时间观以及时间与自我的高度同一性，就不可能有浮士德这样的人物被叙述出来，不会有贝多芬的交响曲，也不会有普鲁斯特的《追忆似水年华》和乔伊斯的《尤里西斯》。

当然，当这样的现代性时间观形成之日，西方思想界就有批评的声音，认为进化的、无限展开的、向着目的拓展的时间观和自我意识，只是一种骗局，并导致了诸多现代性的问题。从尼采、索雷尔到晚期海德格尔和福柯，对现代性时间观的批判不绝于耳。甚至中国的一些学者在进化论进入中国不久，就发出了批判的声音，比如章太炎。但我们还是要承认，这样的时间观在建构人的生活和存在的形式上巨大的进步作用，以及它对于宿命论、循环论和决定论的彻底颠覆作用。

（二）中国传统文化的时间经验知觉模式

中国传统文化中的时间经验知觉模式，应该说在春秋战国时代就已经基本定型，并一直延续到 19 世纪末西方现代性时间观和西历进入中国，才方告有了变化。对中国传统文化的时间经验知觉模式起到模塑作用的，主要是这样几个方面：首先是古代的历法天文学。虽然中国古代的历法，据说在颛顼、尧的时代就已具备雏形，但基本的定型应在西周。从《诗经·豳风》中的《七月》就清晰地显示了古人农耕生活与历法之间的契合。这在《管子·四时》、《礼记·月令》中也得到了更完善的表述。其核心精神是顺天时来调节人的生产和生活活动。顺天时则生福，违则生祸。其次是集中体现在《易》中的宇宙观对时间经验知觉模式的塑造。《易》是中国先民几千年卜筮之术的系统总结，它集中体现了先民逐渐形成的宇宙观和时间观。受筮法推算方式本身的限定，《易》虽主阴阳交互作用生生不息之义，并贯通着"变"的思想，但它的"变"和"生"却不是线性的时间展开，而是循环论的。《易》曰："日中则昃，月盈则食，天地盈虚，与时消息。"在"四书五经"中，对中国传统文化模式的塑造之作用无过于《易经》者。《易》的循环论时间观和变化观，以及天、地、人之间的动态平衡——交互作用、相生相克的和谐，至今仍然在中国文化中起着潜移默化的作用。再次，则是诸子百家从思想维度上所阐发的世界观和宇宙

---

① 对此，请参见马歇尔·伯曼的《一切坚固的东西都烟消云散了》（第一章："歌德的《浮士德》，发展的悲剧"），商务印书馆 2003 年版。

观对时间经验模式的塑造。就先秦诸子的论著而言，他们的世界观和宇宙观均起源于传统的历法天文学和总结于《易》中的来自几千年的卜筮之术，以及三代以来的历史经验陈述。所以，他们基本上都将"道"作为本体，但是无论是儒家的道、老庄的道，还是法家的道或阴阳家的道，都是在循环中运动起作用的。《老子》说："大曰逝，逝曰远，远曰返。"虽然儒家的"道"更多地是讲"人文之道"，而老庄则讲"自然之道"。甚至他们在陈述历史的时候，也会把这样的循环论时间观强化到对历史的描述之中。比如儒家对"道统"盛衰五百年一个周期的描述，就是非常典型的体现。与以上三个方面的时间观相关，则是在中国传统文化中形成了一种基于循环论、道自身自然运作和维持自然平衡的总体历史观，这种历史观中有着强烈的决定论的和宿命论的思想。

相较于古希腊同一时期的时间经验模式的发展，我们会发现，古希腊也有循环论，时间意识的形成也同样与历法天文学有着密切关系，也同样把时间与政治、权力和道德、吉凶等关联在一起。但是，先秦时期中国的时间观与古希腊的时间观也存在根本性的差异：其一，中国在这个时期没有形成真正的永恒概念。虽然中国也形成了"道"这个本体，但中国传统文化中的"道"本身就具有时间性。它不像柏拉图的"理念"、亚里士多德的"第一动因"或犹太教、基督教的"上帝"，被置于超时间的绝对性之中。甚至直到魏晋时期的民间神话传说中，"天国"也在时间之中。如"时间棋局"①。其二，因为中国传统时间经验的知觉模式中，缺乏永恒这个维度，也就没有在传统中国文化中制造本体的本真世界与世俗的时间之间的对立。传统中国人的生活和存在样式就被限定和模塑为一种实际经验的范围内。所以，当明末西方传教士将基督教传播到中国人中间时，发生的争议中最明显的就是中国人对处于时间之外的上帝的怀疑。② 其三，这也就形成了中国人文化生活中最独特方面：他们执著于"道"（自然）的时间变化中的一切，并在时间的变化中汲取诗性的感悟和哲思。对时间的敏感，一直是中国文化和士人获得感悟的主要来源，并使中国传统文化中的时间经验知觉模式始终与强烈的情感体验纠结在一起。这恰是中国传统文化和传统艺术最敏锐的部分。孔子的"川上之叹"，中国传统艺术中盛行不衰的"伤春悲秋"意识，一直在激发着中国人的灵感和神经。其四，与这种对时间的执著相关，中国传统文化中形成了强烈的历史意识和记忆，它是中国传统

---

① "时间棋局"是这样一个传说，说一个年轻樵夫上山砍柴，在山上遇到了两个老者在对弈。等两个老者对弈结束，飘然而去，这个樵夫才发现自己带来的斧头柄已经腐烂。等他回到家里，已经没有人认识他了，已经过了几代了。可谓"天上才一日，人间已千年"。这说明，在中国人传统的思想中，"天国"也是不可能逃离时间之矢的。所以苏轼也会问"明月几时有，把酒问青天，不知天上宫阙，今夕是何年？"

② 参见谢和耐：《中国与基督教》（增补本），上海古籍出版社 2003 年版。

文化的主要精神。这正好与古希腊传统由于逻各斯不具有时间性而造成的西方史学的贫乏，形成了鲜明对比。在中国传统文化中，不仅自西周开始就有历史"癖"，而且在任何层次的决策上都形成了所谓的"史鉴模式"。中国人的灵魂不在天国，而在他们的历史记忆和陈述之中。这是西方文化在 19 世纪以前所不具备的。

但是，正如我们前面所分析的，任何文化体都会通过刻度、标注和独特的陈述时间的方式，来克服时间恐惧，以将人的生存过程整合为一个稳定的形式并以此获得自我确证。那么，执著于时间变化中的一切的中国传统文化，在没有设定永恒的情况下，又是如何克服时间的流变和恐惧并由此整合他们的生存形式的呢？总结起来说，有这样三个方面：

第一，通过对时间流变的循环论刻度、标注和陈述将时间之流控制在可预见、可把握、可掌控的范围之内。这就是为什么从《易》到孔子、到老子，都那么喜欢"复"的原因。老子说："万物并作，吾以观其复。"因此，对中国传统文化来说，"时间"之变，并非是进化之变，而是一种循环式的恒定之变。也就是说，中国传统文化是将时间本身的变通过循环标注而转换为恒常。《老子》的"守常"，既不是超越时间走向绝对，而是走向"道"的变化的常轨。《老子·第十六章》说："归根曰静，静曰复命，复命曰常，知常曰明。……知常容，容能公，公能王，王能天，天能道，道能久，没身不殆。"[①] 这就集中体现了这一思想。《管子·形势篇》说："天不变其常，地不易其则，春秋冬夏不更其节，古今一也"[②]，此即是守变之常。要强调的是，这种循环论的"守常"中蕴涵着历史决定论和命定论。这种历史决定论和命定论当然也能给人一种稳定性，以克服时间恐惧，但它也就淹没了自由。

第二，通过追求"不朽"而获得一种基本的自我确证。从《春秋》起，中国文化就树立了独特的中国传统式的"永恒"——"不朽观"，即"三不朽"，所谓"立德、立功、立言"。但细究起来，这"三不朽"并没有超越和克服时间，像古希腊的"理念"、犹太教的上帝那样，而是仍然在时间之中，是属于时间记忆的持住性和抵抗销蚀的稳定性。这就是中国传统文化的主要追求——"名垂青史"。中国传统文化中的"经"，也仅具这样的特性而已，并不具有绝对性的永恒特质。陆士衡的《长歌行》非常经典的体现了这一时间忧虑和"名垂青史"的追求之间的对应关系："逝矣经天日，悲哉带地川。寸阴无停晷，尺波岂徒旋。年往迅劲矢，时来亮急弦。远期鲜克及，盈数固希全。容华夙夜零，体泽坐自捐。兹物苟难停，吾寿安得延？俯仰逝将过，倏忽几何间。慷慨

① 朱谦之：《老子校释》，中华书局 1984 年版，第 66—67 页。
② 颜昌峣：《管子校释》，岳麓书社 1996 年版，第 19 页。

【美学研究】 时间意识与中西文化

亦焉诉,天道良自然。但恨功名薄,竹帛无所宣。迨及岁未暮,长歌承我闲。"① 在陆士衡的这首诗中,前 16 句全是在描述时间的流逝性和对人的腐蚀性,甚至人安坐在那里也会受到侵蚀,所谓"体泽坐自捐"。② 没有办法,也无告解之处,因为"天道"如此。唯一能消除这种时间忧虑的是自己的功名能够通过"竹帛"而传之于后,可是自己的"功名"太薄。这样,就剩下及时行乐一途了。这也成了中国传统文化对待时间侵蚀和流逝的典型模式。

第三,通过内在的修养,获得"与道为一"、"与道推移"的最高境界,而克服时间恐惧。孔子说:"朝闻道,夕死可矣。"《庄子·齐物论》中则主张齐生死、去分别、忘物我、无是非,而达到"旁日月,挟宇宙,为其吻合,制其滑涽,以隶相尊。众人役役,圣人愚芚,参万物而一成纯。万物尽然,而以是相蕴"③。这一方式可以说召唤了中国传统社会中的许多士子。我们在前面讨论《前赤壁赋》时所见的苏子的态度,就是与老庄所表述的"与道为一"、"与道推移"相关联的一种处理时间恐惧的态度。西方有位艺术史家在讲到裸体画时说,裸体画是纯粹西方的现象,西方人在裸体画中寄托了他们审美上的极致,但许多其他的民族文化,并没有发展裸体画,譬如中国传统文化是将其审美极致寄托于自然山水。这种将自然山水作为审美极致的取向,与中国传统文化发展出的将"与道为一"、"与道推移"以解决时间恐惧和终极关怀有深刻的关系。

但是,中国传统文化发展出来的超越和克服时间恐惧的三种方式,却都是在时间之中,它们都没有彻底摆脱时间之流的冲刷和侵蚀,像古希腊和犹太教所发展出的彻底摆脱时间的永恒概念。这样,中国传统文化所设定的克服时间恐惧的方式,就难免本身也受到时间之流的侵蚀。这就给中国传统文化和中国人的生活带来的某些根本性倾向。这就是中国传统文化中独特的时间感悟的敏锐和时间流逝的侵蚀性体验,以及由此而来的脆弱的、侵蚀性的时间观在整合生存形式时的断裂感、脆弱感和颓落感。也就是说,中国传统文化中形成的时间经验模式虽然孕育了传统文化对时间的独特敏感,但同时也孕育了依据这样的时间经验模式而产生的对生存形式(无论是个体的还是族类的)整合上的断裂感、脆弱感和颓落感。中国传统文化所形成的时间经验模式无法将人(个体的或族类的)整合为一个强有力的连续展开形式。对此,法国学者谢和耐做过这样的比较:"在欧洲一方,继希腊与基督教传统结合起来之后,在感性与理

---

① 转引自萧统:《文选》第三册,上海古籍出版社 1998 年版,第 1307 页。
② "体泽坐自捐"的思想,在 19 世纪欧洲的梅特林克的存在悲剧观中才被有力地阐述出来。参见梅特林克的《日常生活的悲剧》。
③ 陈鼓应:《庄子今注今译》,中华书局 1985 年版,第 85 页。

性之间却出现了原则性的差异：对于现象之外的永久现实存在的信仰；消失于几何般的推论中；对于创造和支配世界的至尊的上帝的信仰，是其能够对完美的和不变的法则进行研究的所有信仰。在中国一方，继《易经》的中国传统与从印度传入的内容结合之后，便是一种根本性的不稳定和无定的宇宙变化之永久变化的思想，一种时空相对性的思想，一种对仅有的感性材料之明显不信任。这些观念在中国一直活跃到19世纪。"①

对于时间的敏感和感悟，以及将时间之流体验为一个流逝的、不断消逝并不断侵蚀人的生命实在的力量，一直构成了中国传统文化的重要母题。同时，这也导致中国传统文化比古希腊及以后的欧洲文化更早地使时间从外在时间转化为内在时间体验。这甚至在《诗经》中就出现了。《诗经·唐风》中的《蟋蟀》一诗被认为是"感时惜物诗"的最早肇端。② 当孔子发出川上之叹"逝者如斯夫，不舍昼夜"时，我们其实很难将这样的时间流逝之体验，完全体会为仅是川在流水在逝的外在时间感，而是将内在时间流逝的体验与外在时间流逝混合在了一起。而在老子、庄子的思想中，人生如"白驹之过隙，忽然而已"的经验，人生存的有限性与知识的无限性（生也有涯与知也无涯）的对比，以及对于"长生久视"的追求，都将一种独特的时间主题注入了中国传统文化之中。《淮南子》所谓"圣人不贵尺之璧，而重寸之阴，时难得而易失也"的思想，在欧洲恐怕要到很晚才产生。

中国传统文化的这种时间敏感，在东汉时获得了新的演进，并强化了中国传统文化的时间流逝性和侵蚀性的母题。这就是东汉时期形成的"苦恼意识"。东汉时期形成的"苦恼意识"是先秦时期形成的思想和信仰体系崩溃的结果，也是人的自我认识觉醒的结果。这种"苦恼意识"集中表现为对人生无常、生命短促和不稳定性的强烈意识。这种"苦恼意识"不是一般意义上的死亡恐惧，而是时间恐惧在人的心灵深处的刺痛：短暂的生命的在世存在的无根性和偶在性芒刺在每一时刻、每一场合都刺激着当时人们的神经。"苦恼意识"一方面是人的自我意识，人摆脱了原始的普遍性同一，而清晰地意识到了自身是一个在过程中的生命；另一方面，则发现这种在过程中的生命是偶在的，不仅没有任何普遍者的庇护，甚至是在过程中倾向于消亡的，抓不住任何可靠的东西抵挡这种消亡，以便自我确证。③ 东汉时期的"苦恼意识"，我们可以在当

① 谢和耐：《中国与基督教》，上海古籍出版社2003年版，第300—301页。
② 姚际恒在评《蟋蟀》时说："感时惜物诗，肇端于此。"载陈子展：《诗经直解》，复旦大学出版社1994年版，第342页。
③ 关于"苦恼意识"，参见黑格尔：《精神现象学》上卷，商务印书馆1987年版，第132—152页。

时盛行的"谶纬术"的普遍流行中见出，也可以在《古诗十九首》以及大量流传下来的乐府诗中领会到。《古诗十九首》中的一首是这样的：

> 驱车上东门，遥望郭北墓。
> 白杨何萧萧，松柏夹广路。
> 下有陈死人，杳杳即长暮。
> 潜寐黄泉下，千载永不寤。
> 浩浩阴阳移，年命如朝露。
> 人生忽如寄，寿无金石固。
> 万岁更相送，圣贤莫能度。
> 服食求神仙，多为药所误。
> 不如饮美酒，被服纨与素。①

在这首诗中，人生的短暂性因死亡的不可回避而变的异常尖锐，生命就像"朝露"那样脆弱和稍纵即逝，就连圣贤也不能例外，而求仙服长生之药，也只能"误"了命。于是又剩下"不如饮美酒，被服纨与素"的及时行乐一途。这其中的"人生忽如寄"、"年命如朝露"等思想，在古乐府和古诗十九首中频繁出现，甚至到了魏晋时期，亦是最基本的母题。就连曹操这样的"极目览八荒"的乱世英雄，也慨叹"对酒当歌，人生几何？譬如朝露，去日苦多……"我们在魏晋时期的留下来的佛教造像中也同样能够发现这种"苦恼意识"如何凝固在了造像的形式中。

对待这种伴随人的自我意识的觉醒而来的"苦恼意识"，最好的解脱就是宗教。佛教的东传和被中国接受也恰与东汉至魏晋时期的"苦恼意识"有着深刻的关系。但是，佛教在时间观上恰不能克服和超越时间的侵蚀性。为了将人们从这种不能自拔的对个体偶在的苦恼中救拔出来，多数人走的却是服药求仙的道路。当然最终是以失败而告终了。与此同时，在中国文化的内部则是出现了魏晋玄学。魏晋玄学是把先秦作为百家之一的老庄思想变成了一种普遍的社会信仰——对自然之道的顺应、契合，成了一种中国式的终极关怀和体验。晋孙绰的《游天台山赋》清晰地显示了玄学如何将与自然之道契合转化为一种最高的终极体验的。在游历了天台山的胜景后，赋中说："于是游览既周，体静心闲。害马已去，世事都捐。投刃皆虚，目牛无全。凝思幽岩，朗咏长川。……散以象外之说，畅以无生之篇。悟遣有之不虚，觉涉无之有间。泯色空以合迹，忽即有而得玄。释二名之同出，消一无于三幡。恣语乐以终日，等

---

① 萧统：《文选》第三册，上海古籍出版社 1998 年版，第 1348 页。

寂寞于不言。浑万象于冥观，兀同体于自然。"① 在克服和摆脱"苦恼意识"的这三种方式中，求仙服药很快就失败了，佛教信仰和由玄学而来的上承于老庄思想的与自然之道契合的追求，却为中国传统文化在克服时间恐惧上注入了新的力量。尤其是与自然之道的契合为一，成了中国传统文化克服时间恐惧的最重要的方式。这就是为什么在魏晋时期中国发展出了山水田园诗和山水画，并成了中国传统文化成就审美极致的核心，因为"此中有真意"。老庄思想变成了一种满足终极关怀的信仰，同时也成了中国传统审美文化和意蕴来源的核心。

但是，这样的方式既没有彻底克服时间恐惧，也没有建立永恒绝对的依托，而是让人就生存于生生不息的时间之流中。把玩时间流变的敏感和敏锐就这样被培养起来，同时在这种把玩中承受着时间流变所带来的脆弱、短暂、断裂和流逝的破坏性侵蚀，也就成了中国传统文化给人们塑造的一种生命过程的体验方式。于是，中国传统文化中有了"目感随气草，耳悲咏时禽"② 的"感时惜物"母题，有了"人生天地间，忽如远行客"的匆匆过客之心，有了"恐美人之迟暮"的爱怜，有了"物是人非事事休"的脆弱，更有"绿肥红瘦"的自然之变被体验为惊心动魄的事件传咏千古。

总而言之，中国传统文化所模塑的时间经验模式，无法将作为生命展开过程或生成过程的时间绵延，整合为一个强有力的、连续展开的形式，更不可能把时间纳入到线性展开的、进化的样式中，也没有发展出永恒绝对以对抗时间的流逝，而是将人带入到时间的流变之中，虽然这样形成了中国传统文化独特的时间感悟和由于时间体验而带来的非凡思致，但也使中国传统文化赋予生活于这种文化中的人以不稳定、脆弱、短暂、无所庇护的生存形式。几千年来，在中国传统文化中，时间始终对中国人来说被体验为一种无法摆脱的、无法超越的侵蚀性的、流逝的、损害性的、衰退性的力量，并无时无刻不销蚀着生命中的一切，无从逃逸。时间这个本源于生命展开过程而形成的生成性力量，在传统中既不能为其文化承担者提供时间展开的可能性视阈的无限前景——未来，也不能使他们从时间中探知生命的自由，而是在一滴秋雨、一片落花、一片黄叶、一字秋雁、一缕华发中，体会到生命随时间而流逝。"这次第"，真可谓"怎一个愁字了得"。

---

① 萧统：《文选》第二册，上海古籍出版社 1998 年版，第 499—500 页。
② 萧统：《文选》第三册，上海古籍出版社 1998 年版，第 1308 页。

【逻辑学研究】

逻辑的非形式转向

陈慕泽

内容提要：逻辑转向这一概念的意义，在于强调逻辑学对其他大学科在全局性、根本性层面上的重大应用价值，以及此种应用对自身发展的深刻影响。逻辑的非形式转向，指的是在西方被称为"新浪潮"的"批判性思维运动"。这一转向的目标，是有效地发挥逻辑在素质教育中的作用。逻辑的非形式转向为推进和优化我国的逻辑教学，为推进我国的素质教育提供了不应忽视的机会。

关键词：逻辑转向、逻辑的非形式转向、批判性思维

一、什么是逻辑的转向

本标题最容易产生的误解是，逻辑的发展方向，由主要是形式的，转为非形式的。这一误解不是本文所要表达的意思。

那么，什么是逻辑的非形式转向？它所要分析和概括的是何种事实？提出这一概念并作相应的分析概括有何种意义？

一般地，什么是逻辑的转向？提出这一概念并作相应的分析概括有何种意义？

逻辑学的总体目标是研究推理和论证。这一总体目标决定了逻辑学发展的主流，决定了逻辑学和其他学科，包括一些相邻学科的界限。逻辑学的这一总体目标，是不会改变的。否则，逻辑学就不是逻辑学了。

这里所说的逻辑转向，包括三个意思：第一，促使逻辑学在某一阶段发展的动力，有别于上述总体目标；第二，逻辑学在此种转向目标的推动下，取得了长足的实质性的进展；第三，此种进展不但对实现其转向的目标，而且对实现逻辑学的总体目标有重要的意义。

19 世纪中期以来逻辑学所经历了四次重要转向，即数学转向、语言转向、认知转向和本文所要讨论的非形式转向。这些转向，对数学、哲学、计算机和人工智能以及素质教育的理念和实践产生了重大影响，同时在一些方面深刻地改变了逻辑学自身的面貌。

说到逻辑的数学转向，自然会想到由传统逻辑向数理逻辑的发展。但是，由 17 世纪莱布尼茨发端的传统逻辑向数理逻辑的转变，不是这里所说的逻辑的数学转向。作为数理逻辑产生标志的莱布尼茨的通用语言和思维演算的思想，无非是要用数学的工具取代传统的工具，用更精确严格的形式来研究推理和论证，这里没有目标的转向。

逻辑的数学转向的目标是数学基础的研究。1901 年，罗素发现了"集合论"悖论，使得试图通过证明集合论一致性来证明欧氏几何、自然数算术等一系列数学系统一致性的努力落空了。这导致了所谓的第三次数学危机。因此，逻辑的数学转向，就是数学求助于逻辑，试图用逻辑的方法研究和解决数学基础问题。具体地说，就是要用数理逻辑的工具重新表达和构造数学系统，并证明它们的一致性，以及另外一些重要的元性质。这是一个巨大的挑战和艰辛的探索。在这一转向中，数理逻辑自身得到了长足的发展，取得了形式化的成熟形态。可以这么说，仅沿着莱布尼茨思维演算的思想，逻辑学是衍生不出形式系统和元逻辑的思想和形态的，正是这种理论形态，标志着传统逻辑向现代逻辑转变的真正完成。这里，我们看到了逻辑应用对逻辑发展的重大意义。

同样，说到逻辑的语言转向，自然会想到语言逻辑的兴起。语言逻辑是逻辑学的一个分支，它的发展同样不是这里所说的逻辑的语言转向。语言逻辑从语形、语义和语用（语境）的角度分析自然语言，研究自然语言所表达的推理和论证。这里没有目标的转向。

从 19 世纪中期开始，一批对数理逻辑的发展有杰出贡献或在这个领域中有相当造诣的哲学家，最著名的如弗雷格、罗素、维特根斯坦和卡尔纳普，试图运用已经臻于成熟的数理逻辑的工具，通过对语言的精确而严格的逻辑分析，从概念、命题、理论和方法各个层面上澄清充斥于哲学中的歧义、含混和荒谬，并试图用一种全新的方法来阐述哲学。

这就是逻辑的语言转向。这种转向，实际上是逻辑学发展过程的一种哲学转向。这一转向的目标，是试图为哲学的精确化提供一个平台，而构造这个平台的工具是现代数理逻辑。这一转向产生了现代西方哲学的一个重要流派，即分析哲学。分析哲学家确信，哲学正处在最后的彻底转变之中；哲学领域内一些无结果的争论终于可以结束了，数理逻辑的方法使得每一个这样的争论在原则上成为不必要；莱布尼茨当年的设想已部分地成为现实：两个哲学家争论不休，数理逻辑学家说，让我们坐下来算一算吧。

分析哲学应当引起关注的真正价值，不在于它的某些具体的哲学见解与结论，而在于它在哲学研究中提倡一种科学精神，在于它所提倡的有别于传统思辨的分析方法。这种分析方法有两个重要特点：第一，它在逻辑上是精确的、严谨的；第二，更重要的是，这种精确与严谨是可判定的。思辨是一种必要的甚至是不可完全取代的哲学方法。但思辨方法的合理性一般地说是不可判定的。即不存在一种无歧义的确定的标准或程序来判定此种合理性。这就是为什么哲学家往往第 100 次地宣布驳倒了对方，但 101 次地仍在继续驳斥。

笔者忍不住在这里插一段有点离题的话。理解和评价分析哲学的前提是熟悉数理逻辑。为了应对生机勃勃的维也纳学派用数理逻辑公式所提出的哲学挑战，西方传统的哲学界不得不熟悉这门技术性很强的学科。这对逻辑学的主流发展本身是件很有意义的事情。在这点上，中国的情况曾经是个例外。中国的哲学界曾以自己特有的角度和方式拒绝过分析哲学，但与西方的传统学派不同，这种拒绝是基于对数理逻辑的基本无知。

这里，我们同样看到了逻辑应用的重要价值。

逻辑转向，是对业已发生的事实的概括，而不是一种纯概念演绎；这一概念的意义，在于强调逻辑学对其他大学科在全局性、根本性层面上的重大应用价值，以及此种应用对自身发展的深刻影响。

逻辑有什么用？有一种见解认为这至少是一个浅薄的问题。逻辑转向的提法和此种见解直接相左。

二、什么是逻辑的非形式转向

逻辑的非形式转向，指的是在西方被称为"新浪潮"的"批判性思维运动"。这一转向的目标，是有效地发挥逻辑在素质教育中的作用。如果说逻辑的数学转向深刻地影响了数学，逻辑的语言转向深刻地影响了哲学，逻辑的认知转向深刻地影响了计算机科学和人工智能，那么，逻辑的非形式转向深刻地影响了教育学。逻辑的这一转向之所以称为非形式的，因为批判性思维实质上是一种非形式的日常逻辑思维。

"批判性思维运动"开始于 20 世纪 70 年代的美国，它的影响很快遍及北美和欧洲，在 20 世纪末通过能力型考试的模式影响到中国。这场运动深刻地影响了西方的教育理念和教育模式。关注和研究这场运动，是在我国发展素质教育的一个重要课题。这里，逻辑学工作者担负着重要的责任。

问题开始于美国这个公认的教育大国对自己教育模式所存在缺陷的警觉。研究数据显示，和以前相比，一方面，现在的美国学生在课堂上所学的知识更多更新；但另一方面，他们解决问题（problem solving）的思考能力明显低于其他工业化国家，并有继续弱化的趋势。如果把现代社会的运作比作一架傻瓜相机，美国人发现，他们的教育确实培养了足够的能熟练操作这架相机的人，但其中能发明新相机或改进旧相机的人却越来越少。对优化社会有决定性意义的，不是对相机的操作能力，而是相机的发明和改进能力。具备后面这种能力的佼佼者，美国人称之为"科学知识分子"（scientifically literate），这是一个甚至可作量化分析的精确概念。美国人非常关心这批人在美国总人口中的比例，并认为这是综合国力的一项实质性指标，正是这批人决定着美国社会优化发展的进程。一项在 20 世纪 80 年代作出的研究统计显示，"科学知识分子"在美国总人中的比例，从 20 年前的 5％。下降到当时的 3％。正是美国教育包括高等教育的缺陷，使美国丧失了数百万社会栋梁！

问题是如何产生的？美国人这样总结自己的教训："我们应当教学生如何思考，但我们只是教学生思考什么"。（"We should be teaching students how to think. Instead，we are teaching them what to think."）教学生思考什么，是传授知识；教学生如何思考，则是培养思维能力，即能有效地理解、评价和运用知识的能力。这种能力，就称之为批判性思维能力。

上述这场"批判性思维运动"，在美国产生了两个重要结果：第一，在高等教育中，出现了一门以教学生"如何思考"，即以培养训练学生的批判性思维能力为主要目标的基础课程：批判性思维。目前，全美上千所高校开设这门课程，不同版本的教科书多达数百种。全美成立了"批判性思维"学会。国际批判性思维学术研讨会每年举行一次。第二，出现了一种全新的能力型考试模式，如 GMAT（工商管理硕士入学考试）、SAT（大学本科入学考试）、LSAT（法学硕士入学考试）等。不同于一般知识型考试模式，能力型考试模式的测试虽然也涉及知识，但其主要目标是考生的批判性思维能力。如上述这些能力型考试中的逻辑部分，并不测试逻辑学专业知识，而是测试考生运用、评价日常推理和论证的逻辑思维能力。

20 世纪末，美国的上述这场运动及其批判性思维的理念通过能力型考试模式影响到中国。这种影响体现在两方面：第一，从 1996 年起，比照美国GMAT 考试模式，中国开始实施工商管理硕士全国联考。这种全新的考试模式一经在中国出现，立即产生了巨大影响。目前，这种能力型考试已从 MBA扩展到 MPA（公共管理硕士）和 GCT（一般职业硕士，如工程、农林、会计、教师等）的全国联考。全中国每年有近 20 万人通过这种类型的考前准备包括考前辅导经受着批判性思维的强化训练。这种考试对于选拔高素质的能力型人才已经起到的很好的效果，正在积累重要的经验。第二，能力型考试模式一传入中国，中国的学者就敏锐地感觉到，这种考试模式的背后，存在着一种深刻的理念。目前，批判性思维已为我国学界，特别是逻辑学界关注。一些高校已相继开设批判性思维课程。相关的正式教材已有问世或正在编撰中。

"批判性思维"理念关注的核心问题是知识和能力之间的关系，其中自然包括逻辑知识与逻辑思维能力之间的关系。

显然，任何有成果的思维离不开知识。但是，掌握的知识越多，是否意味着思维能力越强？特殊地，掌握的逻辑知识越多，是否意味着逻辑思维能力越强？承载各种不同知识内容的具体思维中所体现出来的思维能力之间，是否具有一般的可比性？是否存在一种相对独立于各种专门知识，包括逻辑专门知识的逻辑思维能力？这种能力，如果存在的话，是否与生俱来存在差异？后天可否训练？这种能力的差异是否可测试？人的素质，主要由什么决定？知识还是能力？

相应于上面这些问题，批判性思维的理念有如下要点。

第一，批判性思维就是日常逻辑思维。

首先，批判性思维是逻辑思维。批判性思维强化训练或测试的内容，主要是运用和评价推理和论证，其前提是理解和处理文字信息，其中最基本的自然是准确把握概念。这些都是逻辑思维。这就是为什么批判性思维能力的测试，通常称为逻辑测试。

其次，批判性思维是日常逻辑思维，它和科学家例如逻辑学家在作专业研究时所进行的逻辑思维有所不同，后者必须依据专业知识的有意识运用，前者则不。

事实上，批判性思维是个极其普通的概念。人人都在进行批判性思维，除了睡觉，人几乎时时都在进行批判性思维。说一个人批判性思维能力强，无非就是说他聪明，头脑好使。

问题是，什么是聪明？如何使人聪明？如何辨别一个人是否聪明？在这些问题上，批判性思维的理念向某些传统的见解提出了挑战。

第二，批判性思维能力和知识的掌握不呈必然的正相关。也就是说，知识的积累，不会自然地导致批判性思维能力的提高。或者说，知识掌握得较多的人，批判性思维能力不一定较强。这一特点是成立的，否则就不会出现上文所提到的美国的研究数据。

上述特点所言及的知识，自然包括逻辑知识；而批判性思维能力，是一种日常逻辑思维能力。因此，上述特点蕴涵着一个重要的意思：日常逻辑思维能力和逻辑知识的掌握不呈必然的正相关。也就是说，逻辑知识的积累，不会自然地导致日常逻辑思维能力的提高，或者说，逻辑知识掌握得较多的人，日常逻辑思维能力即批判性思维能力不一定较强。这一含义是挑战性的，对于理解批判性思维的理念具有重要意义。

关于逻辑知识和批判性思维能力间的关系，不妨比较下面三个实例：

［例1］马季是曲艺演员；马季又是相声演员。所以，相声演员都是曲艺演员。

以下哪项对上述推理的评价最为恰当？

A. 推理正确。

B. 推理错误。犯了中项两次不周延的错误。

C. 推理错误。犯了小项不当周延的错误。

D. 推理错误。犯了大项不当周延的错误。

E. 推理错误。犯了四词项错误。

答案是 C。

一个考生，如果不了解相关的逻辑知识，即使日常逻辑思维能力再强，也不可能理解正确答案；而只要掌握了上述相关知识，哪怕此种掌握依赖于死记硬背，哪怕日常思维能力事实上很弱，也非常可能选择正确答案。这里测试的不是批判性思维能力。

〔例 2〕在一次对全省小煤矿的安全检查后，甲、乙、丙三个人员有以下结论：

甲：有小煤矿存在安全隐患。

乙：有小煤矿不存在安全隐患。

丙：大运和宏通两个小煤矿不存在安全隐患。

如果上述三个结论只有一个正确，则以下哪项一定为真？

A. 大运和宏通煤矿都不存在安全隐患。

B. 大运和宏通煤矿都存在安全隐患。

C. 大运存在安全隐患，但宏通不存在安全隐患。

D. 大运不存在安全隐患，但宏通存在安全隐患。

E. 上述断定都不一定为真。

答案是 B。条件是，三人的断定只有一真。如果丙真，则乙真，因此，丙不可能真。即事实上大运或宏通存在安全隐患，可推出甲真，则乙假，即事实上所有小煤矿都存在安全隐患。因此 B 项一定为真。

此题涉及词项逻辑的对当关系和命题逻辑的德摩根律。但是，两个同样掌握相关知识的考生，完全可能在解题的准确和敏捷方面存在差异，甚至是质的差异。这种差异，就是批判性思维能力的差异。甚至，一个并不熟悉相关知识的考生，完全可能准确地解答此题。他所显示的，就是批判性思维能力。

作为日常逻辑思维，批判性思维当然会涉及逻辑知识。但和专业逻辑思维不同，后者涉及的许多知识必须通过专门学习才能把握，而前者所涉及的大多是最基本的常识。一个人的批判性思维能力越强，则把握这些常识的直觉就越准确与敏锐。

例 2 和例 1 不同。后者仅测试知识，测试不了能力；前者尽管涉及知识，但测试的不是知识，而是批判性思维能力。

〔例 3〕一个密码破译员截获了一份完全由阿拉伯数字组成的敌方传递军事情报的密码，并且确悉密码中每个阿拉伯数字表示且只表示一个英文字母。

以下哪项最无助于破译这份密码?

A. 知道英语中元音字母出现的频率。

B. 知道英语中绝大多数军事专用词汇。

C. 知道密码中奇数数字相对于偶数数字的出现频率接近于英语中 R 相对 E 的出现的频率。

D. 知道密码中的数字 3 表示英语字母 A。

答案是 C。A 项有助于破译。因为这就有助于推测,如果密码中某些数字出现的频率接近已知的元音字母出现的频率,它们表示的英语字母就可能是元音字母。B 项有助于破译。因为这份密码传递的是军事情报。D 项显然直接有利于破译。如果确认 C 项有利于破译,实际上就是推测密码中的偶数表示 R 而奇数表示 E。如果这一推测成立,则这份密码破译后通篇只包含两个字母 R 和 E,显然不能承载任何内容。因此,C 项无助于破译。

解答该题的思考过程,无疑是个逻辑推理过程。既然是推理,逻辑学家总可以从知识层面讲出一些道理。但是,解析该题的实际思考过程,和这些逻辑知识无关。这里受到挑战的,纯粹是批判性思维能力。如果说逻辑学家在解答例 2 时的优势部分地得益于他的专业知识的话,那么,这种情况在解答例 3 时是不存在的。平庸的逻辑辅导老师希望批判性思维的试题都是例 2 型的,这是因为他们对自己的批判性思维能力缺乏自信。对于例 2 型试题来说,对相关知识的把握可以使辅导者具有某种优势,但这种依赖知识的优势对于"无规无矩"的例 3 型试题来说是不存在的。但真正具有对批判性思维能力区分度的,恰恰是例 3 型的试题。

第三,人的思维素质,主要地是由其批判性思维能力确定,而不是由其所掌握的知识确定。

"有学问"(即有知识)一直是素质评价和选拔人才的尺度。但是,首先,随着知识信息总量的爆炸和知识更新的加速,这个概念的实际含义发生了质的变化。今天已经不是"史记"的时代,那时,记载古人知识的就那几本经典,能背下来自然就有学问,而今再有学问的人,他的知识显然只是沧海一粟,且今天的知识,明天就可能过时。其次,人的素质,主要体现于提出问题和解决问题的能力,这种能力,最基本的是思维能力。正如上面已经分析的,知识的积累,不会自然地导致批判性思维能力的提高。说白了就是,有学问的人未必聪明,而高素质的人必须聪明。

一个自然的问题是:不聪明的人何以能有学问?

首先,必须肯定,不聪明乃至迂腐的学问人大有人在,这就是所谓书呆子。

其次,一般地说,逻辑学家的批判性思维能力自然高于一般人,对此合理的解释是，把握逻辑学专业知识特别是其中艰深部分的过程，有力地提高了批判性思维能力，而不是这些知识本身自然地导致批判思维能力的提高。否则就不能解释，为什么具备与哥德尔相同知识背景的人成百上千，而只有他发现并证明了哥德尔不完全性定理。可以这么说，能够把握某些艰深知识的人一定聪明，这不是因为这些知识使其聪明，而是如果不足够聪明就把握不了这些知识。

第四，批判性思维能力具有一般可比性。

第五，批判性思维能力可测试。

应试教育未必没有注意到知识和能力的差别，未必没有注意到能力对于素质的意义。应试教育最可能的思路是，学生的知识差别可以测试，具有一般可比性；而能力的差别至少难以测试，不具有一般可比性。

批判性思维理念的一个极有价值的结论是：批判性思维能力具有一般可比性。能力型考试所设计的批判性推理（Critical Reasoning），成为测试批判性思维能力的有效方式，这是美国人的一大发明。批判性推理取自日常生活，内容涉及各个领域，是非形式的逻辑推理。当这种推理进入逻辑的教学领域，一下让人感到一种令人振奋的清新和活力！

第六，批判性思维能力先天存在差异，后天可训练。但批判性思维能力的实质性提高，不可能是短期行为的结果。

美国的院校有两种训练批判性思维的思路：一是采取有效方式，在课程中把知识传授和能力训练结合起来，强调和突出能力训练；二是开设以训练能力为目标的专门课程"批判性思维"。

我国高校的逻辑教学有两大任务：一种传授逻辑的知识和技术，用于培养专门的研究人才；二是进行逻辑思维能力的训练，提高受教育者的思维素质。完成第一个任务的逻辑基础课程应是数理逻辑（一阶逻辑），要数理逻辑在高等教育中担负第二个任务是不适当的。完成第二个任务的课程应是批判性思维。这两门课程作为我国高等教育中的逻辑基础课程，是一种合理的结构。笔者认为，作为我国高校中的一门逻辑学基础课程，批判性思维应当体现上述美国院校训练批判性思维的第一种思路，即批判性思维首先是一门逻辑课，而不是一般的思维训练课，这门课程要把传授逻辑学的基础知识（主要是普通逻辑或逻辑导论中的基础知识）和批判性思维能力的强化训练有效地结合起来。这门课程应当产生两个效果：第一，使学生掌握与日常思维密切相关的逻辑学基础知识；第二，批判性思维能力受到有效的强化训练。笔者在自身和同行数年教学实践的基础上，正致力于推出这样一部教材。

我国教育制度本质上一直是一种应试教育。美国人所感觉到的教育学生"思考什么"和"怎样思考"的反差，在我国要尖锐得多。推进我国的素质教育，逻辑学工作者责无旁贷。逻辑的非形式转向为推进和优化我国的逻辑教学，为推进我国的素质教育提供了不应忽视的机会。

最后想强调，逻辑的本质是形式的。如果不是亚里士多德引进变项对推理作形式的考察，就不会有逻辑学。由这一本质所决定的逻辑学的主流方向是不会改变的。如果有人问，对于逻辑来说，哪一个是最重要的关键词？我的回答和王路一样："必然地得出"，尽管日常逻辑思维是非形式的，其中充满了不确定性和非必然性。

参考文献

1. "Core Concepts of Critical Thinking". Contributed by Lauren Miller and Michael Connelly, Longview Community College, Last modified：03/02/04. on line.

2. Diane F. Halpern, "Critical Thinking Across the Curriculum", *Lawrence Erlbaum Associates*, 1 Sep. 1997.

3. Diane F. Halpern, "Thought and Knowledge", *Lawrence Erlbaum Associates*, 1 Jul. 2002.

4. 王路：《逻辑的观念》，商务印书馆 2000 年版。

论墨家逻辑的对象逻辑和元逻辑

杨武金

内容提要：元逻辑是关于逻辑的逻辑。逻辑可以是形式的，也可以是非形式的。通过建立形式系统，可以更好地研究逻辑的元性质。墨家逻辑虽然没有建立形式系统，但还是有其对象逻辑的。这种对象逻辑类似于目前在西方兴起的非形式逻辑或批判性思维。墨家逻辑的元逻辑正是以其批判性思维为对象所进行的元研究。墨家逻辑的主要缺陷不是对论式研究过少，而是没有研究这些论式背后所隐藏的推理形式。正由于此，墨家最终没能建立逻辑形式系统，因而其元逻辑研究不可能以形式化的逻辑为对象逻辑，而只能以批判性思维为对象逻辑。

关键词：墨家逻辑、对象逻辑、元逻辑、批判性思维

我这里所说的墨家逻辑是指在人类历史的"轴心时期"——中国先秦战国时代的墨家学派所创立和发展起来的系统逻辑学说。中国古代本没有"逻辑"这个词，更没有逻辑这个概念，如果要寻找类似的表达，则可以在墨学原典中找到"辩"这样的称呼。整个来看，墨学原典包含深厚逻辑思想，墨家确实提出并试图建立类似"逻辑"这样的学问。本文所要考察的就是，墨家逻辑究竟具有怎样的性质和特征，我们今天到底应该怎样科学地来认识墨家逻辑的现代价值。

一、墨家逻辑以批判性思维为对象逻辑

墨家逻辑是由对象逻辑和元逻辑两个层次构成的一个有机理论整体。其对象逻辑相当于墨学原典中如何"以实取名"、"以实定名"、"谈辩"等，《墨子·小取》对之进行了系统总结；其元逻辑则相当于墨学原典中关于推理和论证的根本要求和原则的讨论。

元逻辑是关于逻辑的逻辑。逻辑可以是形式的，也可以是非形式的。在现代逻辑中，通过建立形式系统，可更好地研究逻辑的元性质。墨家逻辑虽然没有建立形式系统，但还是有其对象逻辑的。这种对象逻辑是一种非形式逻辑，但又不同于一般的非形式逻辑。一般的非形式逻辑主要以不构造形式系统等为

主要特征，墨家的对象逻辑则不仅如此，它在本质上更类似于目前西方兴起的批判性思维、非形式逻辑或论证逻辑。墨家的元逻辑正是以其批判性思维为对象所进行的元研究。

"批判性"这个词的英文是"critical"，它有两个希腊词根：一是"kriti-cos"，其意指"判断"；二是"kriterion"，其意指"标准"。合在一起的意思是：基于标准的、有识别能力的判断力。《韦氏新世界词典》把"批判性"定义为"以仔细的分析和判断为特征的""试图进行客观的判断，以确定正反两面"。"批判性思维"的英文名称是"critical thinking"。总的来说，批判性思维从根本上就是要通过对外界所给予我们的信息进行批判性考察，然后分清是非，同时也确定是非的标准，提高思维的技能。非形式逻辑（informal logic）这个名称意味着批判性思维不构造形式系统、不使用形式语言，而是使用自然语言，讨论非形式论证。论证逻辑（argument logic）这个名称意味着批判性思维不仅讨论推理，还需要讨论论证，而且着重是要研究论证的有效性和合理性。也就是说，批判性思维比形式逻辑所研究的问题范围更广泛。批判性思维是一种应用逻辑，它不仅要考察一个论证中所运用的逻辑形式和逻辑结构的有效性，还要着重考察论证的方式和方法的有效性、论据和论点的有效性、论证过程中所用到的概念的有效性等问题。

批判性思维和形式逻辑之间类似对象理论和元理论的关系。形式逻辑是对批判性思维或非形式逻辑的更高一级抽象，形式逻辑理论是关于应用逻辑的逻辑。墨家学派既有关于形式逻辑理论的讨论，更多地是关于非形式逻辑即批判性思维的理论和方法的阐述和总结。沈有鼎先生曾经正确地指出："和古代希腊、印度一样，古代中国的逻辑学是首先作为辩论术而发展起来的。"① 墨家逻辑首先是作为一种批判性思维或者论证逻辑建立起来的。《耕柱》篇说："为义犹是也：能谈辩者谈辩，能说书者说书，能从事者从事。"墨子将"谈辩"作为"为义"的三件大事之一。《小取》篇说："夫辩者，将…"，该篇可以说就是为了建立一门论证逻辑或者批判性思维，从而作为墨家弟子在"谈辩"活动中的方法、准则和要求。台湾东吴大学的李贤中教授曾经将《墨经》的基本内容分为名辩、自然科学、伦理三个方面，并认为在《墨经》中，"名辩思想是工具，科学思想是应用，伦理思想是价值方向。"② 我认为这个看法是比较合理的，而且我认为，墨家的名辩思想实际上就是墨家的论证逻辑或者批判性思维，是墨家学者进行论证活动和批判性思维活动的重要工具。

分清是非是批判性思维的根本所在。墨子《小取》说："夫辩者，将以明

① 《沈有鼎文集》，人民出版社 1992 年版，第 311 页。

② 《墨子研究论丛》（六），北京图书馆出版社 2004 年版，第 501 页。

是非之分，审治乱之纪，明同异之处，察名实之理，处利害，决嫌疑。”将"明辨是非"作为辩学的首要任务。"'辩'的目标就是要判明两边究竟谁是谁非，谁的话'当'，谁的话不'当'。"① 要分清是非，就需要提出一定的原则、标准。《非命上》说："然则明辨此之说，将奈何哉？子墨子言曰：必立仪。……故言必有三表。何谓三表？子墨子言曰：有本之者，有原之者，有用之者。"墨子在这里所说的"仪"、"三表"，就是用来确定区分国家刑政方面的真假是非的标准。

批判性思维这种应用逻辑比形式逻辑的适用范围更广，它不仅要求用形式逻辑做基础，也要求用归纳逻辑、常识推理、非形式论证做基础。墨家在论辩活动中不仅涉及了全称句和充分条件命题的推理，而且涉及概称句或总称命题的推理。不仅涉及了形式逻辑的推理，而且涉及了模态逻辑、道义逻辑、语用逻辑、辩证逻辑等方面的推理。所以，《小取》说："故言多方、殊类、异故，则不可偏观也。"批判性思维强调要全方位来考虑一个推理论证的有效性问题。

我们试来分析《公孟》篇中以下两段话的逻辑结构：

有游于墨子之门者，谓子墨子曰："先生以鬼神为明知，能为祸人哉福？为善者福之，为暴者祸之。今吾事先生久矣，而福不至，意者先生之言有不善乎？鬼神不明乎？"子墨子曰："虽子不得福，吾言何遽不善？而鬼神何遽不明？子亦闻乎匿徒之刑之有刑乎？"对曰："未之得闻也。"子墨子曰："今人有于此，什子，子能什誉之，而一子誉乎？"对曰："不能。""有人于此，百子，子能终身誉其善，而子无一乎？"对曰："不能。"子墨子曰："匿一人者犹有罪，今子所匿者若此其多，将有厚罪者也，何福之求？"

子墨子有疾，跌鼻进而问曰："先生以鬼神为明，能为祸福，为善者赏之，为不善者罚之。今先生圣人也，何故有疾？意者先生之言有不善乎？鬼神不明乎？"子墨子曰："虽使我有病，何遽不明？人之所得于病者多方，有得之寒暑，有得之劳苦，百门而闭一门焉，则盗何遽无从入？"

上述两段话中，问者的推理似乎合乎逻辑，而墨子的回答不合乎逻辑。但事实上，问者的推理和墨子的回答在纯逻辑上都没有问题，问题在于问者将"为善者福之"、"为善者赏之"这样的句子当成了全称句，作为充分条件命题看待，而墨子则认为它们是概称句，当作一般命题看待。概称句或一般命题是

---

① 《沈有鼎文集》，人民出版社 1992 年版，第 313 页。

能够容纳反例的。这样，即使问者做了许多善事而不能得福，也不能因此就说墨子所作的概称句不能成立；即使墨子是圣人也得病，也不能因此就说鬼神不明。

如果"为善者福之"、"为善者赏之"这样的句子所表达的是全称句，是充分条件命题，则问者的推理合乎逻辑。令 A 表示"鬼神神明"，B 表示"做善事"，C 表示"得福"，则问者的推理形式可以表达为：（A→（B→C））∧（B∧ᄀC）→ᄀA。

可以证明，该推理是重言式。证明过程如下：

(1) ＊（A→（B→C））∧（B∧ᄀC）　　　（假设）
(2) ＊A→（B→C）　　　　　　　　　（（1）∧销去）
(3) ＊B∧ᄀC　　　　　　　　　　　（（1）∧销去）
(4) ＊＊A　　　　　　　　　　　　（假设）
(5) ＊＊B→C　　　　　　　　　　（（4）＋（2）→销去）
(6) ＊＊B　　　　　　　　　　　　（（3）∧销去）
(7) ＊＊ᄀC　　　　　　　　　　　（（3）∧销去）
(8) ＊＊C　　　　　　　　　　　　（（6）＋（5）→销去）
(9) ＊ᄀA　　　　　（（7）和（8）矛盾，所以假设不成立）
(10)（A→（B→C））∧（B∧ᄀC）→ᄀA　（→引入）证毕。

墨子认为，问者做了善事却没有得福，并不能因此就说鬼神不神明，因为做善事和得福之间很可能不具有条件关系，而仅仅是因果关系。这样，"为善者福之"仅仅是一个概称命题而不是全称命题，即 A 不是假的，而 B→C 却不是真的。这就是说，"为善者福之，为暴者祸之"、"为善者赏之，为不善者罚之"这样的句子仅仅是一个一般的说法、一般的情况，总的说法、总的情况，具体情况不一定就是这样。墨子在哲学上具有浓厚的经验主义色彩。"为善者福之，为暴者祸之"是墨子根据大量的经验事实以及自己的切身体会总结出来的"真理"，这种"真理"具有一般性、总体性。墨家学派对于推理有效性的要求是十分严格的，《经上》第一条说："故，所得而后成也。"这里的"故"是"大故"。《经说上》说："大故：有之必然，无之必不然。若见之成见也。"要保证推出正确结论，必须具备足够的条件，就像眼睛要见物的话，必须具备足够的距离、足够的亮度等各种条件。也就是说，要保证必然能够得到福，除了要做善事以外，还需要各种情况都具备；同样，要保证自己不生病，除了要做善事以外，还需要其他各个方面如气候条件等，也要得到保障。《经上》第二条讨论的是"体"和"兼"的关系，即部分和整体的关系，很可能是为了说

明推理的前提对于结论来说是一种整体性关系，或者论证论点的得出是一个非常复杂的过程。

《小取》篇所总结的"譬"、"侔"、"援"、"推"等推理和论证的方法实际上都是墨家所总结出来的批判性思维的根本性方法。《小取》说："推也者，以其所不取之，同于其所取者，予之也。""推"是以对方所不赞同的论点，跟对方所赞同的论点是属于同类这一点为根据，来反驳对方的一种反驳方式。沈有鼎认为，"推"是归谬式的类比推论（归谬法的一种情形）。即为了反驳对方的某一句话，就用这句话作为类比推论的前提，得出一个荒谬得连对方也不可能接受的结论。这样就把对方原来的主张驳倒了①。墨家在实际的推理论证中大量运用了"推"这种论证方法。《经下》说："以言为尽悖，悖，说在其言。"认为"所有的话都是假的"是不能成立的，因为这句话本身也是一句话。"所有的话都是假的"，这句话是"是"还是"非"呢？，如果是"是"，就会出现矛盾、冲突和不协调，所以，应该为"非"。墨家还运用归谬法，反驳了"非诽"（"圣人有非而不诽"）、"学无益"、"知不知"等谬论。墨子在《止楚攻宋》一文中，曾经要公输盘帮助去杀一个坏人，公输盘说杀人是不正义的，但是公输盘却又给楚王建造攻城器械去攻打宋国，杀更多的人，如果前者为不义，那么后者更为不义，两者都是"非"。这是墨子关于"推"式论证方法最精彩的运用。

总之，墨家逻辑的对象逻辑是批判性思维。墨家的批判性思维是以分清真假是非为核心，以"类"为根本原则，以名、辞、说、辩为基本范畴，以"譬"、"侔"、"援"、"推"、"止"等论式为根本思维方法的一种应用逻辑。这种应用逻辑已经不是逻辑的应用，即不是在实际的语言和思维中包含着逻辑思想，而是在讨论和建立一门规范人们思维实际的逻辑学科。但这门逻辑学科又不是远离人们日常生活实际的高度抽象的形式逻辑，而是和人们日常生活，尤其是与人们日常思维密切联系在一起的实用逻辑学。

二、墨家逻辑从根本上没有研究推理形式

许多学者以为，墨家逻辑的特长在于制定规则，而对于推论方式的研究比较贫乏。如梁启超说："《墨经》论理学的特长，在于发明原理及法则，若论到方式，自不能如西洋和印度的精密。"② 詹剑峰说："墨子形式逻辑关于论式方

---

① 《沈有鼎文集》，人民出版社 1992 年版，第 347 页。

② 梁启超：《墨子学案》，载《饮冰室合集》第八卷，中华书局 1988 年版，第 48 页。

面，不免简略。"① 但实际上，墨家对推论方式的研究比较细致，也比较深入。如前所述，《小取》篇总结出了"譬"、"侔"、"援"、"推"等具体的推论方式，《经》和《说》中还总结出了"止"这样一种非常重要的反驳方式。对于各种推论方式，墨家给出了具体的定义，并且使用具体的事例来进行阐述和说明。但是，这种推论方式即推理和论证的方式并不是推理形式。墨家逻辑的根本缺陷在于，没有能够透过这些推论方式来研究背后所隐藏的推理形式，即墨家逻辑的主要缺陷不是对论式研究过少，而是没有研究这些论式背后所隐藏的逻辑形式。正由于此，墨家最终没能建立逻辑形式系统，因而其元逻辑研究不可能以形式化的逻辑为对象逻辑，而只能以批判性思维为对象逻辑。

就"止"这样一种推论方式来说，它是专门用于反驳的论式。"止"在物理学上有"停止"、"静止"等意思，在逻辑学上指反驳，即"止住、不许那样说"的意思。《经上》给出了"止"的定义，说："止，因以别道。"即"止"这种反驳方式是用来区别和限制一个一般性道理的。《经说上》说："彼举然者，以为此其然也，则举不然者而问之。若圣人有非而不非。"这墨家是关于"止"这种具体反驳方式的一种操作定义，即如果对方列举一个正面事例，得出这类事物都是这样的一个全称命题，这时我就可以列举反面事例来加以反驳。例如，如果对方举出某个圣人不批评别人，就推出圣人都不批评别人，那么我就可以列举某人批评别人来加以驳斥。具体用公式来表示，就是：

对方：　　S_i 是 P（S_i 为 S 类中的某一分子）

　　　　　……

　　　　　所有 S 是 P

我方：　　S_j 不是 P（S_j 为 S 类中的某一分子）

　　　　　……

　　　　　并非所有 S 是 P

显然，对方是在进行归纳，即根据某一个别事物对象具有某种属性，推出这类事物对象都具有某种属性。这里的关键在于，P 是一种什么样的属性，如果是 S 类对象所具有的本质属性，则归纳可以是完全正确的，这时的结论"所有 S 是 P"是一个分析命题。但是，如果 P 仅仅是 S 类对象所具有的非本质属性，则归纳就是不正确的，这时的结论"所有 S 是 P"是一个综合命题。一般来说，归纳推理仅仅是一种或然性推理。对方通过归纳得出的全称命题是否正确，可以通过找出反例来加以驳难。如果能够找出反例，则对方所归纳出来的

① 詹剑峰：《墨家的形式逻辑》，湖北人民出版社 1979 年版，第 167 页。

结论就是不能成立的。这一点很符合波普尔的证伪主义精神，即对归纳推理的结论进行证明不具有必然性，但是对归纳推理的结论进行反驳却是必然的。对归纳推理的结论进行反驳具有必然性，说明客观事物的情况不一定所有的 S 是 P，也不一定所有的 S 不是 P，而是有些 S 是 P，并且有些 S 不是 P。客观事物情况充满了概率性。

对归纳推理的结论进行反驳之所以具有必然性，主要原因是其中包含着一个严格的三段论形式。这个三段论形式可以表示如下：

S$_i$ 不是 P

S$_i$ 是 S（S$_i$ 为 S 类中的某一分子）

有些 S 不是 P

这是一个第三格的三段论式，又称为反驳格。沈有鼎先生曾经说，墨家上述关于"止"这种反驳方式的阐述是对"第三格三段论的运用"[①]。举例来说，对方通过列举"某甲是自私的"得出"所有人都是自私的"这一全称命题，这时我就可以列举"某乙不是自私的"和"某乙是人"这两个命题做前提，通过第三格三段论即可得出"有人不是自私的"结论，这一结论就构成了对方全称命题"所有人都是自私的"的驳难，它们是互相矛盾的命题，必然有一个是假的。不过墨家并没有研究这个"为什么"，更没有从中总结出第三格的三段论形式，只是应用了第三格的三段论而已。

墨家还给出了"止"这种反驳方式的另一种操作性定义。《经说下》："彼以此其然也，说是其然也，我以此其不然也，疑是其然也。"即对方从这类事物都是这样，推出这类事物之某物是这样，这时我只要举出这类事物并非都是这样，从而怀疑这类事物中某物未必是这样，即可动摇对方的结论。例如，对方推论说："所有人是黑的，甲是人，所以，甲是黑的。"那么我就可以用"并非所有人都是黑的"，即"有些人不是黑的"来怀疑"甲是黑的"。用公式来表示，就是：

对方：　　所有 S 是 P

　　　　　……

　　　　　S$_i$ 是 P（S$_i$ 为 S 类中的某一分子）

我方：　　并非所有 S 是 P（有些 S 不是 P）

① 中国社会科学院哲学研究所逻辑室编：《摹物求比——沈有鼎及其治学之路》，社会科学文献出版社 2000 年版，第 28 页。

这种反驳方式与前一种反驳方式不同。前一种反驳方式的论战对方是使用归纳推理得出来的结论，我方可以直接反驳对方的论点即结论；但后一种反驳方式的论战对方则使用了演绎推理，即三段论推理，我方这时的反驳只能通过指向对方的大前提有问题来间接反驳对方的论点。对方的三段论用公式来表示，就是：

所有 S 是 P
S_i 是 S（S_i 为 S 类中的某一分子）
S_i 是 P

该三段论形式为第一格形式的三段论，为有效式。既然这是一个形式有效的三段论，是一个演绎上有效的推理，如果前提真则结论一定是真实的，所以直接反驳结论是不恰当的，所以，我方正确的反驳方式应该是从否定对方的前提入手来怀疑对方的结论。从这个论式的分析来看，墨家应该是能够感受到了演绎有效性的特征，不过，演绎为什么就具有如此的有效性，显然墨家没有能够分析其中的推理形式，没有能够通过揭示演绎推理形式来揭示演绎推理的逻辑规律，而仅仅是停留在一种论证逻辑的上面，即进一步从论证的前提即论据的真实性来考虑推理的正确性。

这就是说，墨家对论式的研究是非常具体的，不过并没有能够透过这些论式进一步研究背后所隐藏的推理形式，从而也没有能够研究由这些推理形式所构成的逻辑系统，所以，墨家逻辑不可能以形式化的逻辑为对象逻辑，当然基本上也就没有语形学或语法学的研究。

清华大学哲学系王路教授曾经说："没有语形，语义和语用就无从谈起。"[①] 认为语法学研究是语义学研究和语用学研究的必要前提，这种观点如果严格从现代逻辑的观点来看，具有一定的合理性，但是整个地看却具有极大的片面性。比如，林铭钧教授和曾祥云教授就认为，"中国古代逻辑缺乏语形的研究，但是有语义和语用的研究"。[②] 当然，有了语法学的研究，才能更好地进行语义学和语用学的研究，但绝对不是说，没有语法学的研究就不能进行语义学的研究和语用学的研究。在现代逻辑研究中，不进行语法学的研究，单独进行语义学研究和语用学的研究是很少的，但是没有进行语法学研究之前，

---

① 王路：《走进分析哲学》，三联书店 1999 年版，第 331—332 页。

② 林铭钧、曾祥云：《中国逻辑史研究的两个理论误区》，《中山大学学报》（社科版）1994 年第 2期。

先进行一些语义学方面的讨论和语用学方面的思考也是很有意义的。比如，澳大利亚逻辑学家普里斯特（Priest）在 1979 年发表的论文 "Logic of paradox" 中，建立了一个悖论逻辑系统，该系统就是一个语义系统。在这一点上，我完全赞同林铭钧教授和曾祥云教授的观点。我认为，墨家逻辑中虽然缺乏语法学的研究，但是在语义学和语用学方面却有非常深入的研究，这些研究成果大量地表现元逻辑理论和逻辑规律，也是墨家逻辑进入形式逻辑阶段的重要标志。

三、墨家逻辑在元理论层次上开始进入形式逻辑阶段

周礼全先生曾经指出："《墨经》中没有应用对象语言来表示的命题形式和推理形式，而只有应用典型的具体推理来体现的推理方式。但《墨经》中却有不少应用元语言来表述的逻辑规律，虽然这些是不够精确的，但表明《墨经》中的逻辑已开始进入形式逻辑的阶段。"[①] 前已指出，墨家逻辑以批判性思维为对象逻辑，区分是非和确定是非标准是批判性思维的根本问题。墨家也非常重视关于推理论证的是非区分和区分标准的讨论，这其实已经涉及了元逻辑理论层次的问题。关于推理正确性的标准，墨家提出了"故、理、类"这"三物"作为根据。《大取》篇说："三物必具，然后（辞）足以生。夫辞以故生，以理长，以类行者也。立辞而不明于其所生，妄也。今人非道无所行，虽有强股肱，而不明于其道，其困也，可立而待也。夫辞以类行者也，立辞而不明于其类，则必困矣。"墨家强调要论证一个命题成立，必须同时具备"故、理、类"三物，即三种条件，缺了哪一个条件，论证或推理都会陷入困境。"故、理、类"这三个概念也是墨家逻辑最基本的范畴。沈有鼎曾经指出：《墨经》（《墨子》一书中的《经上》、《经下》、《经说上》、《经说下》、《大取》、《小取》六篇的合称）"'辞以故生，以理长，以类行'十个字替逻辑学原理作了经典性的总括。"[②] "故、理、类"是一个论证要能成立所必须具备的三个必要条件，是从元理论层次上提出来的关于推理论证成立的必然要求。下面我们具体来考虑墨家对这些条件到底说了些什么。

首先看"辞以故生"。它是指一个结论或论题要成立必须具备充足的理由。建立一个结论或论题，如果说不出充足的理由，就是虚妄不实的，缺乏论证性和说服力的，"立辞而不明于其所生，妄也"说的就是这个意思。明确一个论证的"故"（前提，论据）对于"辞"（结论，论点）的成立来说是至关重要的。《经上》说："故，所得而后成也。""故"就是有了它就一定能够得出结论

---

① 《中国大百科全书》（哲学卷），中国大百科全书出版社 1987 年版，第 537 页。
② 《沈有鼎文集》，人民出版社 1992 年版，第 336 页。

的那种理由。这里的"故"显然是指"大故",即一个论证成立的充要条件。《经说上》说:"小故:无之必不然,有之不必然。体也,若有端。大故:有之必然,无之必不然。若见之成见也。"作为必要条件的"故"具有"无之必不然"的必然性质。"体"即部分,"小故"对于论点来说,就像点(端)和线的关系那样。作为充要条件的"故"更具有"有之必然,无之必不然"的必然性。比如说:"我们能够看到外界的物体,是因为我们具备了所应该具备的各种条件;如果我们不具备看见外界物体的某一个条件,那么我们就不能看见外界的物体。"整个来看,论据和论点之间的关系是一种充要条件关系,墨家对推理或论证成立的理由的要求是比较严格的,这种严格性用现代逻辑的公式来表示就是:A ↔ B。这样一来,推理的前提和结论之间的关系既是充分的也是必要的,于是有推理式:(A↔B)∧A→B,(A ↔ B)∧ ¬A→¬ B,等等。墨家对论证的理由的要求为什么如此严格呢?我认为原因主要是,墨家逻辑最主要的应用领域是论证或论辩,在这样的领域中,论证不符合推理的要求肯定是无效的,但是即使遵守了推理的要求,我们的论证未必就是成功的。

再来看"辞以理长"。它是指结论或论题的得出,其推论形式必须符合已经证明为真的一般规律或标准的法式(即推理形式有效)。《大取》用"道"(人走的路)来比喻"理",认为人走路,如果不了解道在哪里,不知途经哪里可达到目的地,那么即使腿脚强劲,也会立刻遭到困难。在《墨子》一书中,"道"、"理"、"方"、"法"等字可以互相解释。《经上》说:"法,所若而然也。"法则就是遵循它即可得一确定结果的东西。如以"圆,一中同长也"的法则,以"规写交"的方式可以画出标准的圆形。《小取》说:"效者,为之法也。所效者,所以为之法也。故中效则是也,不中效则非也。此效也。""效"就是提供标准的法式,这标准法式是供人们效法或模仿的对象。这里,效法、模仿即通常所说的套公式。如果据以套用的公式正确,能够得出正确的结果,则所用的推理就是有效的,即"中效"。如果据以套用的公式本身有错误,则所得的结果就是可疑的,那么所用推理就是非有效的,即"不中效"。这里,墨家强调,在有了充足的理由以后,推理论证还必须根据一定的方式、形式才能顺利进行。前已指出,墨家已经研究了许多推论形式,不过未能透过这些推论形式研究背后所隐藏的推理形式,墨家所发现的推论方式主要是一些用来进行推理和论证的方式、方法。同时,墨家的"理"可能更多地是指推论所必须遵守的逻辑规律或逻辑理论,即墨家所提出来的元逻辑理论和规律。

墨家认为,互相矛盾的命题具有不能同真也不能同假的性质,因此人们在思维中不能对互相矛盾的命题同时加以肯定或否定。这相当于逻辑学中通常所讲的矛盾律和排中律。《经说上》说,针对同一个动物,有人说"这是牛",有人说"这不是牛",这两个命题是矛盾命题,它们之间的真假关系是"不俱当,必或不当"，即不能同真，必有一假。这是关于矛盾律的基本规定。人们在思维活动中如果违反这一规定，就要犯"自相矛盾"（两可）的逻辑错误。《经说下》说："辩也者，或谓之是，或谓之非，当者胜也。"两个互相矛盾的命题必有一个是真的。这是关于排中律的基本规定。人们在思维活动中如果违反了这一规定，就要犯"模棱两可"（两不可）的逻辑错误。例如，《经说下》指出，说"牛马非牛也可"和"牛马牛也可"，这就是自相矛盾的逻辑错误。而说"牛马非牛也未可，牛马牛也未可"就犯了"模棱两可"的逻辑错误。所以《墨经》说："而曰牛马非牛也未可，牛马牛也未可亦不可。"因为"牛马非牛"即"并非所有牛马都是牛"，与"牛马牛也"即"所有牛马都是牛"，两者为具有矛盾关系的命题。不能同时加以肯定，也不能同时加以否定。在此，墨家成功地运用了他们所阐述的矛盾律和排中律来分析问题。

其实，墨家的推论形式相当于一种论证方法，其中隐藏着各种论证推理形式和逻辑规律。比如，《小取》说："推也者，以其所不取之同于所取者，予之也。"为了反驳对方的主张，选择一个与对方的观点是同类的，却又是荒谬的、连对方也不可能接受的命题，进而证明对方的主张是不成立的。该推论可以用公式表达如下：

被反驳的对方命题：A
证明：（1）令 A 真
　　　（2）如果 A 真，则 B 真
　　　（3）B 不真
　　　（4）所以，A 不真。（隐藏着公式（A→B∧￢B→￢A）
　　　（5）所以，A 假。（隐藏着矛盾律）

如前所述，墨家对于推论形式中所隐含的逻辑规律已经有了比较深入的研究，而对于其中所隐含的推理形式却没有能够发现出来。

最后来看"辞以类行"。它是指一个结论或论题的推出，要符合同类相推的要求。《经说上》说："有以同，类同也。""不有同，不类也。""类"是由事物性质所决定的同异界限与范围。所以，墨家认为，建立一个论断，如果混淆事物类别，就会立即遭到困难（"立辞而不明于其类，则必困矣"）。《小取》提出"以类取，以类予"，就是要求搜求例证进行证明和反驳必须符合事物同异的类别。为此，墨家规定"异类不比"的原则。《经下》说："异类不比，说在量。"《经说下》说："木与夜孰长？智与粟孰多？爵、亲、行、价四者孰贵？"对于本质不同的事物，是不能根据它们在表面上的某种相同或相似来进行比较的。例如，如果要问"木头与夜晚哪一个更长？""智慧和粮食哪一个更多？"

"爵位、亲属、德行、价格哪一个更贵？"这都是非常荒谬的。在进行"止"式推论过程中，墨家规定了"类以行之"的规则，这正好是同类相推原则在"止"式推论中的运用。实际上，关于推论中"类"的要求与"理"的要求是一致的，"同类相推"本身就是"理"的一个具体表现。墨家将"类"特别提出来作为一个推论的原则要求，可能主要是为了提醒在推论及论证中最根本地需要注意些什么样的问题。同时，墨家所讲的"类"，不仅仅是必然性的演绎推理，也不仅仅是模拟和归纳，应该两者都是。从这里来看，在墨家逻辑中，演绎和归纳，包括我们今天所说的类比推理，都还没有从中分离出来，周礼全先生所说墨家逻辑还处于形式逻辑的初始阶段是完全正确的。

如前所述，从对象语言层次上看，墨家逻辑在本质上属于非形式逻辑或者批判性思维，是一种应用逻辑，主要体现为一种基于证明或论证的逻辑体系，它所要考虑的是证明或论证怎样才具有说服力，它要求用来证明或论证的论据必须是真实的。比较起来，墨家逻辑与亚里士多德逻辑中所强调的前提必须真实的"证明的推理"是一致的，不过，墨家逻辑与亚里士多德逻辑相比还存在着巨大差距，主要表现在亚里士多德逻辑着重研究了推理形式和三段论系统，墨家逻辑虽然研究了推理，并且研究了通过典型的具体推理来体现的推论方式，但是这种推论方式即推理或论证的方式并不是推理形式，墨家在根本上还没有能够透过推论方式来研究推理形式。墨家在实际思维中应用到了大量的推理形式，不过并没有能够把这些推理形式总结出来。

但是从元语言层次看，墨家运用元语言表达了许多逻辑理论和逻辑规律，从而表明墨家逻辑在理论层面上已经进入形式逻辑阶段[①]。元语言分为语法语言和语义语言，前者如"肯定"、"否定"、"可证"、"定理"、"证明"等，后者如"真"、"假"、"重言式"等。《墨经》中说："或谓之牛，或谓之非牛，是不俱当。不俱当必或不当。不若当犬。""当"即"真"，"不当"即"假"。《墨经》在这里用语义学概念来表达了矛盾律理论。即"这是牛"和"这不是牛"两个命题不能都真，其中必有一假。《墨经》所说的"所得而后成也"、"有之必然"等，都是在用语法学概念来表达充足理由律的逻辑要求。"所得而后成"的"故"也就是"有之必然"的"大故"。即有原因就一定有结果，有前提就一定有结论，肯定前提就一定能肯定结论。矛盾律、排中律和充足理由律都是具有根本性的逻辑规律，属于元逻辑规律。它们具有比作为推理形式的对象理论还普遍的真理性。《墨经》在用元语言来表达逻辑规律时，使用了"是"、"非"、"之"、"然"、"彼"、"此"等相当于变项的东西。这里，一方面，我们要看到，这些东西不是字母，而是代词，与西方逻辑的表达有别。另一方面，

---

① 杨武金：《墨经逻辑研究》，中国社会科学出版社 2004 年版，第 182 页。

墨家逻辑中的"变项"属于元语言层次的语法变项或语义变项，而不是对象语言层次的变项。墨家逻辑从对象语言的角度看没有着重研究各种论证形式所内涵的命题形式和推理形式，因而主要体现为一种非形式逻辑或者论证逻辑，而从元语言的角度看则已经总结出了各种论证形式所应该遵循的元逻辑规律，已经属于形式逻辑的范围。如果说逻辑主要是形式逻辑，逻辑在根本上是形式的，那么墨家逻辑在本质上主要体现为用元语言来表达的逻辑理论和逻辑规律。

【政治哲学】

论道德与利益

龚 群

内容提要：道德与利益关系是一个复杂的关系，但从根本上看，道德与利益是一致的。对于道德与利益关系理解的理论误区在于对于个人利益在道德中的地位的理解。我们应当充分肯定个人利益在道德中的地位，同时也应看到超出个人利益考虑的道德追求的合理性。但即使是对于那些行为高尚者的超责任的道德行为，社会也应当给予某种应有的利益奖赏，从而使得高尚的道德行为得到应有的社会尊重和回报。

关键词：道德、利益、个人利益

道德与利益、道德与幸福是否有着内在的关联性？或者说，德得相通是现实的可能还是具有内在的必然性，或仅仅是机会意义上的偶然？人们指望有道德是为了什么？道德与利益、道德与幸福，或道德与好生活是手段与目的的关系吗？或者还是别的关系？如果有德者得不到幸福，或因道德而没有好生活，那现实生活中的人会怎样看待道德？换言之，人们可不可以把道德放在一边，来追求自己的幸福？如果高尚成为高尚者的墓志铭，而卑鄙成为卑鄙者的通行证，那道德的存在还有它的价值吗？我们所说的正常的道德还值得人们信奉吗？

———

道德是否与人们的利益、幸福或好生活相关联，涉及道德存在的价值与意义的问题。长期以来，有一种把道德理解为脱离现实利益追求的高尚精神或理想目标的倾向。有道德的人所追求的，不是自我的利益，也不是现实的社会的利益，不是自己群体的利益，而是社会的利益，甚至不是自己社会的利益，而更多的是世界上 1/3 受苦受难人的利益；甚至不是现实这个世界上的利益，而是未来全人类的未来社会的利益。应当看到，道德与利益的关系，确实是相当复杂的关系。在个人利益、他人利益与群体利益和社会利益的关系上，相当多的思想家都认为，道德是以或多或少的自我牺牲为前提的。纵观人类历史中的不同的社会形态，几乎所有文明时代的社会都把那些为他人、为社会作出自我牺牲的行为看做是高尚的行为，把那些自愿为他人利益和社会利益作出自我牺牲的人称作是高尚的人，或英雄。并且，历史永远承认那些为国捐躯的人是英雄或伟人。

但问题在于，这是不是揭示了道德与利益相联结的唯一方式？或这仅仅是道德与利益联结的方式？或者我们应当怎样理解这种道德英雄？是不是如康德所认为的那样，有德者的幸福并不在此岸，而是在彼岸世界里才能实现？我们不否认社会中有人有着高尚的道德情操，这些人永远是那个社会中的道德规范体系运行的中坚力量。但我们需要作一种推论性的假设，假如这个社会中的所有人都是这样的人，即符合这样的道德定义的人：有道德的人或道德高尚的人都是在把他人利益和社会利益放在首位的同时，而不追求自己的利益的人，是一个真正无私的人。那么，是否可以说，人人都可以不要自己的现实利益？或者说，他们都不追求自己的利益，而只是追求他人利益或社会利益？如果对道德与利益的关系仅仅只有这一种理解，那么可以这么看待这个问题。我们又可进一步假定，假如这些人都处在社会最底层，他们是社会最弱势的群体，其利益根本得不到保障，但因为他们有着这样高尚的道德情操，因而他们都能够从高尚精神的意义上为自己的处境进行辩护，即认为因此而为他人利益、或为了未来社会的未来人的利益作出了贡献，因此而感到满足。甚至有人借口为了未来社会的利益而夺走他们现有的微薄的收益，他们同样也会认为这是他们应当做的，而且感到以这样做了而自豪。但是，我们从另一个角度来看，社会或他人这样来对待他们，是不是在以某种高尚的借口剥夺他们，而使他们处于一种贫困的状态之中？难道这是合理的吗？有道德就意味着应当不要自己的利益吗？或者说，他们没有他们的自身利益需要保护吗？

我们明显地感到这里的思路有问题。但这问题在哪里？难道我们要因此而否认那些高尚精神的合理性吗？或者说，我们是否可以既承认高尚精神的合理性，同时也能够为人们维护自我的利益进行合理辩护？

我认为，存在着这样的可能。实际上，那种认为真正高尚者完全不要自己的利益是一种理论的误区，或者说，是一个假命题。首先，任何现实的人的存在都不只是一种精神的存在，不只是一种不食人间烟火的神的存在，而是一个有着躯体的存在。马克思说："我们首先应当确定一切人类生存的第一个前提，也就是一切历史的第一个前提，这个前提是：人们为了能够'创造历史'，必须能够生活。但是为了生活，首先就需要衣、食、住以及其他一些东西。"①作为一个现实的人，你必须首先吃、穿、住以及其他一些东西，然后才能开展历史活动。因此，马克思主义认为，人们的物质利益以及物质利益需要，仍是

① 《马克思恩格斯选集》第 1 卷，人民出版社 1995 年版，第 78—79 页。

第一位的需要，它是人的生存或存在的前提，离开了这个前提，一切都无从谈起。一个高尚的人可以完全不要自己的利益吗？很清楚，马克思主义认为，任何人的存在都需要物质前提，一个高尚的人也不例外。

在把道德高尚者看做是一个普通生存者而言，他是一个必须依赖一定的物质利益才能生存下去的人。因此，在这个意义上，他必须拥有他的最基本的利益，或者说，他至少应当享有社会给他提供的最基本的物质生活条件。换言之，他必须得到最起码的生存权利的保障。个人自己不可能把他维持生计的条件奉送给他人，即使他有这种自愿想法，否则，那意味着自杀；一个社会也不能任意剥夺任何一个正常人的生存条件，如果他没有触犯法律的话，否则，那意味着强制。那么，我们如何理解道德高尚者的舍己精神呢？只有在社会的危急关头，如外敌入侵，大敌当前，如果不牺牲一些社会成员的生命，那就不可能使得整个民族、国家得到拯救；或者是那种需要随时献出自己生命的革命事业，即为了推翻一个旧制度，需要有人（一大批人）为此英勇牺牲奋斗；或者从功利主义原则出发，认为少数的牺牲可以使得多数人的生命得救；或者是道义论原则所要求的可能有的牺牲；如舍己救人本身存在着生命的危险，但人们不应在他人生命存在危急的情况下见死不救（道德的命令），虽然这也可能使救人者陷于危急之中；但是，一个社会，一个组织不可能以社会或理想的名义，让人们作出无谓的道德的牺牲。只要这种牺牲是可要可不要的，那就必须以不牺牲为手段。换言之，只要可以不通过牺牲生命来达到某种社会的目的，社会就应采取对人的生命可能危害最小的手段，而不是用那种使人有可能作出牺牲的手段。这是因为，人的生命价值高于一切。同时，即使是非要作出牺牲才有可能实现某种社会的目标，那也必须是得到个人的自愿同意，一个社会不可能以强制的手段来让人作出牺牲。我们还要看到，社会要求人们作出牺牲，人们也自愿服从，即同意作出这种牺牲——即使是在这样的前提下，也需要看到，道德牺牲或者是所带来的价值一定比牺牲者本人的价值具有更大的价值，或者是因此而维持了道德普遍原则所要求的价值（如舍己救人的道德命令的要求）。

我们看到，把自己的全部利益、甚至生命都牺牲的情况往往是在危急关头，而不是在日常生活的平凡事件中发生的。日常生活中大量进行的是这种平凡事件，而不是危急事件。在大量的日常事件中，并不需要作出这种集体利益、国家利益与个人利益甚至个人生命之间的存否的选择的。一般而言，在正常的日常生活中，各种层次的利益处于一种相互维持的状态之中。社会的生产劳动就是这样一种实践活动。人们通过正常的有报酬的劳动，得到了自己所应得的那份利益，同时，也对于集体利益和国家利益作出了自己的贡献。在正常的社会秩序之下的各种利益，应当说是一个利益的有机整体，它们之间存在着不可分割的联系。并且，在正常的社会条件下，它们之间并不是一种冲突对抗的关系，而是一种相互维持和相互促进的关系。因此，体现牺牲精神的道德高尚，仅仅是体现在那些关键时刻、危急时刻，而不是体现在人们维持日常生活的努力中。在日常生活中，道德英雄同样有正常的个人利益需要维护，需要力争。只要在危急关头，他可能更能显出其自觉主动的道德精神。

这里的问题还在于如何理解正当的个人利益。从伦理思想史上看，个人利益是一个具有极大争议的话题。人们看到，个人主义、利己主义都是以个人利益为中心，尽管个人主义与利己主义有区别。并且，还有自私，也是以个人利益为中心。同时，按照前面所论述过的那种理解，道德高尚的人是一个无私的人，一个不考虑个人利益的人。无论是个人主义、利己主义还是自私，都是在道德观念上受到贬抑的概念。而这些概念之所以在道德上受到人们的否定，就在于它们把个人利益置于中心地位。因此，两相对照，个人利益在道德上就没有合理存在的余地了。

认为个人利益在道德上没有存在的合法性，是由于这些概念所致，因为这些概念本身是表达道德上受到谴责的行为，所以使得个人利益在道德上受到伤害？还是由于个人利益使得这些概念名声不好（因为个人利益本身就是应在道德上受谴责的）？从而认为，既然这些概念把个人利益置于中心位置，那么，这些概念本身就败坏了？对于这些问题，现在需要我们进行一个比较清晰的梳理。

二

对于像个人主义、利己主义这样的概念，有从理论上进行梳理的必要。但对这些方面的过多考察可能会偏离我们的主题，并且我们认为，既然这些概念把个人主义置于中心位置，首先应当对于个人利益有一个梳理。

在一般意义上，所谓个人利益，是个人一切需求、个人合法应得以及个人合法拥有的总和。个人的需求不仅包括经济上的需求，也包括政治、文化、精神等多方面的需求，同时，个人合法应得和个人合法拥有的一切，都在个人利益的范畴内涵之内。然而，长期以来，我们只是把经济上的利益，而且是需要或需求看成是个人利益，这种看法本身是片面的。同时，就这个定义而言，是把个人的生命放在个人利益的概念之外的，或者说，个人的需求是后于生命才有的，是先有生命才有需求。从物质利益的意义上看，物质需求是维持生命存在的基本手段，生命的继续存在离不开最基本的物质条件。因此，保障人的物质需求，也就是保障人的生命权。同时，人的生命的存在并不是动物性的存在，不是一种任人宰割的存在，而是一种有着自由需求、尊严需求的存在。在这个意义上，生命权、自由权以及财产权应当看着是个人利益的最基本内涵。

不过，我们看到个人利益概念与生命权、自由权和财产权这些概念本身是有区别的。权利概念是一个法权概念，是应得到法律保障的制度化的权利。个人利益概念则是一个哲学伦理学的概念，它标明了可从道德上进行辩护或反对的理由。法律保障财产权，也就是法律不应强制人们失去自己合法拥有的财产，但法权并没有反对人们在道德上自觉自愿地把在自己享用之外还足够有余的财产捐赠给他人。

同时，以需求来界定个人利益，还有另一个必然产生的问题，即需求是以欲望为前提的，而欲望是可以区分的。即可区分为合理的欲望和不合理的欲望。同时，依据欲望的合理性，来确定个人利益的正当性。即个人利益有正当或不正当之分，这种区分的内在依据，就是欲望是否有合理性。而欲望是否合理，其依据在哪里呢？既在个人生命本身又不在生命本身。说在生命本身，是说合理的需求或欲望必然是反映人的生存或存在需要的欲望。但人的需求又不仅仅以生存需求为限，人的需求是多方面的，因为人的欲望是多方面的，有来自于自身生命有机体的欲望，也有来自于社会需求的欲望，还有来自于自己对多方面的想望而来的欲求，如希望自己拥有更多的财富、更多的知识，或更多的权力等。同时，即使是来自于生命本身的欲望，社会本身也有允许或不允许它实现的标准。人们一般说，食、色，性也。作为食色之性，就有一个正当合理与否的区分，尤其是男女之欲，不同的历史时期，不同的社会对于它的实现都有着相当鲜明的不同的标准。这种标准来自于它的特定社会的结构，以及相应的历史文化。在传统社会，对于女子的婚前贞操看得比女子的生命还要重要，而在现代社会，无疑是把生命权看得更为重要，同时，现代社会正在日益淡化对女子贞操的要求，越来越多的年轻人把婚前同居视为正常合理的。在传统社会，女子的婚姻是媒妁之言，女子为自己找理想中的男子会被认为是失去礼节，甚至女子改嫁也被认为是失节，而在现代社会，这些都已经成为人们的正当权益，如果要说这是个人利益，毫无疑问这些都是正当的个人利益。

由于欲望的合理与不合理的标准来自于社会，因而个人利益的正当合理性的标准就在于社会本身。或者说，对于个人利益而言，任何一个社会、任何一个社会的任何一个历史时期，都有它的正当合理性的标准，即使是同一个社会，如中国社会，在其相当不同的历史时期，都有不同的正当性标准，那这是否意味着，对于个人利益的正当性问题是一个相对性问题，而不是具有普遍性标准的问题？

个人利益的正当性问题，既有着相对于某个历史时期的标准，因而具有某种相对性问题；同时也有着超越一定历史发展阶段、超越一定历史的普遍性标准的存在，从而具有某种普遍性的意义。如果说特定的标准来自于特定的社会结构，一般来说，对于普遍性的道德标准，有着这样两种理解：一是以那种超越特定历史时期或阶段的人类历史的长远利益、进步利益为标准，凡符合这种标准的对个人利益的追求，就是正当的合理的追求。换言之，在这种对人类进步、人类的长远利益的追求中获得的自我利益、个人利益，都是正当合理的利益。二是出于对人性的一般事实的理解。即在任何历史条件下，那些能够维持个体生存的最低需求的个人利益，或者以那个历史时代的经济水平来衡量的可提供给个人的、以那个历史时代的经济水平相适应的个人利益，都可看做是正当合理的个人利益。从这样一种超越性的视野来看，某个历史时代的正当性行为也就失去了它的正当性，如对奴隶的深重剥削和把奴隶只当工具而不当人看，在这种社会背景条件下，奴隶作为人应具有的正当需求不具有正当合法性，而从社会进步或对人性的一般理解来看，这种不正当的需求恰恰具有正当性，而且这种正当性最终必然否定那种特定的反历史进步的正当性。

对于个人利益正当性，还有把它置于个人利益、他人利益、集体利益或社会利益的关系中去理解，从而得出正当与否的判断。在社会主义条件下，在个人利益与集体利益、社会利益根本一致的前提下，即在消灭了社会基本利益对立的社会条件下，个人利益与集体利益、社会利益不存在着根本性冲突，个人利益与集体利益和社会利益存在着一种相互促进的辩证关系，集体利益或社会利益是个人利益的社会保障，而个人利益则是集体利益或社会利益得以存在或维系的个体保障。在这个意义上，这种集体一般称为"共同体"，即有着共同追求的社会成员的共同体。在这种前提下，集体利益或社会利益的实现是个人利益实现的机制或前提，因而个人在集体中实现他们对个人利益的追求。另一方面，个人利益的实现又进一步激发了人们对于共同体的忠诚，对于集体利益或社会利益的维护。因此，在个人利益与集体利益、社会利益没有根本冲突的社会条件下，个人利益的正当性就是它们的一致性，或从一致性上去理解这种正当性。

从上面我们的考察可以看到，任何一个社会的道德原则或道德合理性要求，不可能不考虑个人利益，即使是标上"正当"二字。任何一个社会的道德原则或道德合理性要求，如果忽视了人们的个人利益，或者抹杀了人们的个人利益，那就意味着那个社会所提倡的道德本身具有一定的虚假性。因为即使是抹杀者本人也有他的个人利益需要维持。因此，并非只是个人主义、利己主义讲个人利益，而其他主义的道德原则都不讲个人利益。实际上，其他高尚主义的道德原则即使是不以个人利益为中心，也必然要把个人利益作为基本的利益追求部分纳入原则体系之中。

三

　　个人主义者、利己主义者等对待个人利益的态度与集体主义者对待个人利益的态度，我们认为其基本的分歧不在于他们的理论是否内在包括个人利益，而在于两者之间怎么对待集体利益、社会利益与个人利益的冲突问题。我们前面指出，在社会利益遭受危害的情形下，如在大敌当前，祖国遭受到生存危机时，必须牺牲个人利益才可保全国家的利益、民族的利益时，个人不能以自己的利益为重，而应以社会利益、国家利益为重。而从利己主义或极端个人主义的原则出发，就得不出把社会利益置于个人之上的结论。因此，真正的分野在于怎样对待个人利益与集体利益和社会利益的冲突问题，而不在于是否包含了个人利益。道德高尚的行为在于发生冲突时，能够自觉的为了集体利益、社会利益作出自己的牺牲。我们也看到，即使是在像美国这样的崇尚个人主义的国家，人民对于自己的国家同样有着崇高的情感，在国家需要的时候，人们一般也能把国家的利益置于个人利益之上。因此，除了个人主义与集体主义在利益问题上的对立的理解模式外，也可能有另一种理解模式，即在日常生活中看重个人利益，而在关键时刻，把社会利益置于个人利益之上。因此，这两者是有可能结合起来的。

　　我们也不排除在日常生活中，也可看出人们的道德高尚。日常生活中同样大量存在着个人利益与他人利益或社会利益发生冲突的可能，人们在多重利益面前，也存在着选择的必要。这种选择也体现了人们的道德精神。同时，在日常生活中，也有着那种主动为他人排忧解难的人，如像雷锋、上海厨卫维修工徐虎那样的人。这种人都在一定意义上，为了他人利益而放弃了一定的自我利益。如雷锋利用休息日去火车站做义工，徐虎在春节假期也为人维修卫生间下水道，等等。但这并不意味着他们没有自我利益，没有正常的个人利益需要维护。如雷锋的战士津贴，徐虎的工资，如果有人克扣他们的，都是不合理的，这是他们都不得不维护的。不能因为他们道德高尚而不让他们有应得的合理的个人利益。如果这样做，无论用什么理由都是很荒谬的。同时我们也要看到，像他们所做的这一类道德行为，是超责任的道德行为，即超出个人的道德责任之外的行为。就道德对人的行为要求而言，可分为责任要求和超责任要求两类。责任要求的道德行为，包括日常工作职责以及个人角色伦理的要求，以及个人的多重关系对于个人的道德要求。比如一个青年人，他有着作为一个学生的责任或岗位责任、朋友的责任以及作为一个家庭成员的责任等。这里需要强调指出的是，这些责任内的道德要求尤其是职责责任要求，与个人的利益是息息相关的。在岗位责任上，你不履行相应的责任，你的所得利益就必然受损。

多重关系责任如朋友关系、同事关系以及亲属关系等都涉及利益、涉及个人与他人关系的利益。在这里，这种利益都具有相互性特性，即回报与利益期望的正当性要求。如果我友待朋友，而朋友则不把我当一回事，这种友谊就可能无法维持下去，因为朋友之间有一种相互性的期待，这种期待是对等的或平等的，一旦得不到这种对等性回报（如果超出，则是更深的友谊的体现），就需要解释，如果得不到合理解释，就会产生怨恨，怨恨产生了，友谊也渐渐远他而去了。

类似于徐虎在休息日为他人排忧解难，一般而言，是在他的岗位时间之外——如果不是他值班的话，雷锋在休息日助人为乐，都可看做是超责任的道德行为，这种行为，我们可以把它看做是一种美德的行为，而区别于一般的德性行为。或者说，我们可以把德性行为分为两类：一类是责任内的行为；另一类是责任外的行为，而责任外的行为，一般可称之为美德的行为。① 这两类行为都可称之为德性行为。一般而言，对人的日常生活的道德要求，责任内的道德要求是应当的要求，因为按照一般的理解，应当包含了可能。而超责任的伦理要求，则不是对一般人而言，甚至不是对一般人构成一种要求的东西，因为让所有人都放弃休息日去为他人服务，这对于多数人而言，肯定是不可能的，而且社会也不应提倡。这里不仅是作为个人不可能，就社会而言，也不可能。因为如果所有人都在休息日出动去为他人服务，服务的对象和场所无疑超饱和了。对于我们的论题而言，即使是超责任的美德行为，其行为者也应有他的利益，而且他为了生存，必须维护这种个人的利益。至少在这个意义上，道德与利益并不是相悖的。利益恰恰是道德行为者的行为前提。

上述我们的讨论很清楚了，道德与利益并非是不相关的，而是内在相关的。导致人们认为道德与利益相分离，或有德者不讲自我的利益的缘由是对道德高尚者的错误理解。或通过对道德高尚与利益关系的错误解读，而推行一种对道德和利益的有害分割。应当看到，这种错误的分离对于道德运行是十分有害的，当我们把道德一般看成是与利益追求无关，甚至是以牺牲为前提的时候，人们就把道德的特殊要求（美德要求）当成普通要求，而认为道德的普遍性特性在于利益与道德的分离，这无疑对道德与利益的关系做了十分有害的理解。这种有害的割裂，造成了我国历史上的假大空盛行，高调空言假话盛行，造就了一批又一批的伪君子、伪道学。在这样的道德风气下，道德的天空无比

---

① 现在有些国内学者把我们称之为"德性"的都称之为美德。应当看到，如果从中国伦理学看，这两个概念应当是有区别的。前者可把一切符合道德的品质行为称之为德性行为，而后者则是道德要求相对较高的行为。因此，"美德"概念的应用范围相对比较窄，但前者可以涵括后者。我们所说的"中华传统美德"，无疑是指传统德性中那些比较优秀的德性。如我们说的爱国精神、大公无私精神等。

壮观，而道德的大地则布满了语言的巨人、行动的侏儒。这样的道德规范体系的运行，表面上看确实很好，但实际上则是一种社会的假象，道德的假象。因此，要使得道德真正能够健康地、良性地运行，就必须正确理解道德与利益的关系，尤其正确理解道德理想、道德崇高与利益之间到底是一种怎么的关系。否则，我们将仍然陷入迷茫之中。

从中国字源学的意义上，我们发现，先秦文字的"德"与"得"字是可以互训的。"德"、"得"相通是中国古代的"德"这一概念的内在规定。"德"、"得"相通，也就是得字即为德之字，反过来说也一样。"德"有获得、占有之意。在商代卜辞中已有此义。当时的获得和占有与征伐和掠夺有关。卜辞中多次出现"德伐"连用，表明德与伐的内在关系。不过，在迄今所发现的商代卜辞中，德字作"行"的左一半和"直"字结合，没有底心字，与"直"字相通，没有完全具备后来的道德意义。而古代的"直"字是直立行走之意，引申为正直之意。至西周，则在字形上有所改变，从直从心，且为上下结构，说明德与心有必然联系。郭沫若认为其意思是把心思放正。若有所得看其是否用心正当。"德"字的这种转变一般认为是在西周。即从西周开始，对于"德"，开始从获得和占有转向人的获取方式或获取行为的意义。许慎在《说文解字》解释中说："外得于人，内得于己"。换言之，"德"是两种得，得于他人和得于自己。那么，怎么理解这个"外得于人，内得于己"呢？段玉裁注为："内得于己，谓身心所自得也；外得于人，谓惠泽使人得之也。"内得于己，指的是所得无愧于内心，或由于内心修养而有所得。不过，段玉裁的注解与"德"的原义有一定距离，得应是自得，而不使他人得之。那么，如何看待外得于人呢？应当看到，这里的外得于人，在于获得他人的肯定、信任或者赞许，或者是因惠泽于人，使人感到高兴，因而自己从他人的状况中得到一种道德的满足。

这种对"德"、"得"相通的一般道德意义的解释，应当看做是后来发展的产物。这是因为，"德"得到西周统治者的高度重视，主要是统治者自身的需要。所谓"外得于人"，有争得民心之意，所谓"皇天无亲，惟德是辅"。进一步说，也有惠民和教导开化民众之意。周代统治者意识到民心或人心的向背对于维持统治的重要性。对于民众施惠保护，以教化他们，要他们心悦诚服地接受统治，同时，慎用刑罚，《尚书·康诰》说："文王克明德慎罚"，量刑适中，得当，这样，"民"也就不会怨恨。因此，外得于人，主要是讲得民。最后，重视"德"，也就是重视统治者自身的修养，周公提出，应当效法周文王的德行，严以律己，以天下为己任，以周文王的行事标准来作为自己的标准。这也就是所谓内得于己也。这两个方面的内容合在一起，也就是，周代重"德"，也就是重德治。这种对德治的重视，对于后世影响深远。

　　中国伦理思想中的"德"、"得"相通虽然比对伦理意义上的道德与利益的一般关系的认识更为丰富，但包括了对这种一般关系的认识。可以说。中国传统伦理思想在源头上即意识到了德与得的内在一致或内在相通，意识到了道德与利益的内在必然关系，这是十分合理的。就现实意义而言，把有德者的利益放在重要位置上来，重新确立"德"即"得"也，有"德"即应当有"得"的社会氛围。而所谓"得"，也应当是道德之得，即通过正当合法的手段所得，即反对一切以不道德的手段来谋取自己的利益的行为。因而在道德上确立一个坚持什么、反对什么的界限。也就是说，不仅取之要合道德，有德也应有得。这种双向互通机制，把道德与利益内在关联起来，是道德建设的重要方面。

　　同时，我们看到，"德"、"得"相通机制对于道德高尚者来说，也应当要有相应的利益机制。即那些为了他人、为了社会利益而自愿作出了牺牲的人，或自愿牺牲了自己的一定利益的人，应当得到社会和人们的应有尊重，得到相应的社会回报，而不能使得英雄既流血又流泪。我们常常听到，有人救了他人，因而落下了终生残疾，使得他自己处于生活穷困潦倒之中而无人救助的处境，如果这种现象成为普遍现象，有德而无所得，甚至比无如此高尚者的处境更糟，那么，就必然影响到人们见义勇为的自觉态度，这种道德的高尚将在人们的日常生活中消失。想想如果处在一个只是人人自保，而对他人的困境不伸援救之手的社会，这是一个多么自私自利而又缺乏道德的社会！在这样的社会中生活，人们会有怎样的感受！然而，要维持一种道德生活的正常环境，就必须使得高尚者能够得到应有的尊重。我们应当深刻地意识到，道德高尚者并非没有自我的利益，而是他们自觉主动地放弃他们的某些利益、甚至全部利益，但是，一个社会必须有着相应的制度机制来使得他们的利益得到保障，他们的崇高人格得到这个社会的普遍尊敬。否则，这个社会的团结、社会的凝聚力就会消解，健康道德的运行也将成为一句空话。

现代公共政策理论与古典公共性观念

张　旭

内容提要： 本文从阿伦特的政治哲学的视角分析了"哲学与公共政策"的主题，揭示了哈贝马斯和罗尔斯等现代公共领域学说以及诸如公共政策这类社会科学的现代政治哲学的前提，即在现代社会中国家垄断政治，政治与行政的分离并为现代行政权的扩张所吞没。只有重建公共性的古典政治概念，才能看到从古典政治的公共性到现代社会的公共性的古今之变的内涵，即人的本质不再是沉思和行动的自由，而被技术、制造、生产架空，经济、技术和权力的原则成了政治的法则；现代大众的抽象社会使人从根本上丧失了行动的能力，变成了不关心政治只拼命追求物质满足和私人生活的消费社会机器上的螺丝钉，沦为"逃避自由"和"平庸的恶"的"大众的暴政"。只有重返古典政治哲学作为人的本质的公共性的政治概念，或许才有从根本上克服现代社会的技术政治的总体性危机的可能性。

关键词： 公共政策、公共领域、公共性、城邦、积极公民、自由行动

一、公共政策理论是以现代政治哲学为前提的

西方很多大学设有"哲学与公共政策"学院，这一制度设置其背后的理念是，视哲学对于民主社会的公共政策之意义为不言而喻。在民主社会中，哲学不仅发挥着公共领域的启蒙的作用，是民主社会中公共舆论的重要场域，而且，也直接或间接地为公共政策的科学方法和实证研究提供论证和建议。我们这届"世界哲学日"哲学论坛的主题"哲学与公共政策"无疑包含了人们期望"将哲学拉向公共领域"甚至是服务于公共领域的美好愿望，但是，我在此所做的乃是"将公共领域拉向哲学"的努力，试图思考和批判现代各种公共领域的思想以及诸如公共政策这类社会科学的哲学根基。那些要哲学为公共政策提供直接的、实用的解决方案和思路，是来自公共领域通常的合情合理的诉求；然而，一个有着发育良好的公共理性的公共领域更应该要求哲学能超出一时一地的限制，超出急功近利的目的，甚至是超出狭隘的族群党派立场、意识形态的偏见或公众意见的压力，转移一时之思维方式，开拓理解和反思公共领域行

為的新思路和新領域。從這一訴求來看，古典政治哲學相對于公共政策及其現代政治哲學的前提而言，反而能提供一種反潮流的、因而也可能是"新"的視野和思考方式。

"公共政策"（Public Policy）是現代政治科學的一個分支，主要研究的是政府為管理社會公共事務、實現公共利益，運用公共權力而制定和實施的公共行為規範、行動準則和活動策略。由于國家行政改革的實際需要，公共政策理論成為公共領域關注的一個焦點。然而，無論是強調國家這只"看得見的手"對市場經濟、教育、公共衛生等各個社會領域的積極介入，還是要求打破國家管制、約束政府行政擴張以及國家行政的治理化，現代公共政策理論實際上都是以各種國家學說和社會理論為前提的。① 首先，作為公共政策理論的核心概念，公共利益、公意或公共福利的概念首先是建立在個人權利至上的現代自由主義學說以及權利優先于善好的現代正義論之上，而不是建立在古典政治正義和公共善好的基礎之上；② 其次，公共政策所追求的目標是"善政善治"的問題，而不是"善好的政制"的問題；再次，現代公共政策理論的行政或政策的科學化、民主化、公開化、決策多元化、治理化的訴求，不僅依賴于現代政治科學如公共選擇理論、制度經濟學、管理科學、公共行政理論等對政府行為和公共權力運作運用統計量化的方法進行實證研究，而且更在本質上依賴于政治作為技術或政治作為治理術的現代政治概念。③ 而這種現代政治理念的結果必將是伍德羅·威爾遜提出的"政治與行政的分離"及其由中央集權、官僚化或精英政治而加劇"以行政吸納政治"。④ 所謂的"公共行政"不過是掩蓋了現代社會政治行政集權化的結果，然後又將行政打扮成具有政治的公共性的樣子。從古典哲學的視角就可以重新看到古典政治在現代社會中逐漸與行政分離，並被現代行政權的擴張所吞沒。

---

① 比如，公共選擇理論的中心命題就是"政府的失敗"，即國家或政府的活動並不總是像應該的那樣有效或像理論上所說的能夠做到的那樣有效。顯然，它基于自由主義的社會理論。

② 關于古典自然法學說，參見施特勞斯：《自然權利與歷史》，彭剛譯，三聯書店 2003 年版。John Finnis, *Natural Law and Natural Rights*, Oxford: Clarendon Press, 1980.

③ 施米特說："將來會有那麼一天，通過一些精巧的發明，每個人足不出戶，就可以利用一台機器不斷地對政治問題發表意見，所有的意見都由一個中樞系統自動記錄下來，人們只需從上面讀就可以了。這絕不是一種格外強化的民主制，而是提供了一個證據，說明國家和公共領域已經徹底私人化了。這種意見也不是什麼民意，因為千百萬私人的意見不管多麼協調一致，也不能產生出民意，其結果只能是私人意見的總和。"參見施米特：《憲法學說》，劉鋒譯，上海人民出版社 2005 年版，第 263 頁。

④ 金耀基：《行政吸納政治：香港的政治模式》，載《中國政治與文化》，牛津大學出版社 1997 年版，第 21—45 頁。康曉光：《再論"行政吸納政治"：90 年代中國大陸政治發展與政治穩定研究》，（香港）《二十一世紀》2002 年 8 月號。吳增定：《行政的歸行政，政治的歸政治》，（香港）《二十一世紀》2002 年 12 月號。

的
哲

學

家

2006

Philosopher 2006

302

对于希腊古典哲学来说，政治本是"公共事物"（Res publica）；对于现代社会来说，国家垄断政治被视为基本的社会—历史事实，现代人必须向国家乞讨一点公共参与的机会和空间。国家垄断所有政治的可能性领域和含义被现代人接受为历史的宿命，由此出发，现代社会发展出一套关于人的本质的界定以及对于自由、权力、行动、革命等的现代理解。显然，"公共政策"的哲学前提都是各种现代政治哲学和社会理论学说，如果从古典哲学来看，公共政策是无根基的，因为在它那里根本遗忘并剥夺了古典政治哲学的"公共性"概念，即基于希腊城邦原型的"公共性"概念，它是古典政治哲学关于作为人的本质的政治的概念，它不同于现代作为技术的政治的概念。作为政治科学的"公共政策"，其哲学前提是以作为技术的政治概念为前提的。作为技术的政治的概念与古典哲学的作为人的本质和人的条件的政治的概念之间有着根本性的断裂。作为人的本质的政治的概念起源于亚里士多德，阿伦特对复兴亚里士多德的政治的概念居功至伟。若以阿伦特的古典共和思想与哈贝马斯的交往行动理论和罗尔斯的政治自由主义思想对质，就可以看到阿伦特的"公共性"概念基于希腊城邦的原型，而哈贝马斯和罗尔斯都基于现代民主社会的原型；古典政治哲学将公共性思考为人在言语和行动中实现其本质，而现代自由主义的技术政治以及现代公共政策所依赖的市民社会学说、公民理论、行政扩张批判等实际上是将人的本质视为非政治的。① 不论哈贝马斯和罗尔斯的公共领域概念和公共理性学说谈论了多少正义问题或政治问题，其实质内容仍然不外是落实各种政治权利的现代政治技术而已。

哈贝马斯所论的介于国家于公民之间的市民社会之公共领域，实际上主要指的是自由主义者密尔和托克维尔所论述的"公共舆论"。② 它是一个在议会之外的非政治性的、中立化的、公共"讨论"的空间，比如文学和新闻媒体。现代公共领域最突出的特征是在阅读日报或周刊、月刊评论的私人当中，形成一个松散但开放和弹性的交往网络。通过私人社团和常常是学术协会、阅读小组、共济会、宗教社团这种机构的核心，他们自发聚集在一起。剧院、博物馆、音乐厅，以及咖啡馆、茶室、沙龙等为娱乐和对话提供了一种公共空间。这些早期的公共逐渐向社会的维度延伸，并且在话题方面也越来越无所不包：聚焦点由艺术和文学转到了政治。然而，经过国家与社会的分离、公共领域与私人领域的融合趋势、社会领域与内心领域的两极分化、从文化批判的公众到文化消费的公众、从私人的新闻写作到作为公共性功能的宣传广告大众传媒

---

① 泰勒：《吁求市民社会》、《公民与国家之间的距离》、《承认的政治》，载汪晖、陈燕谷主编：《文化与公共性》，三联书店 2005 年版，第 171—198、199—220、290—337 页。

② 参见哈贝马斯：《公共领域的结构转型》，曹卫东等译，学林出版社 1999 年版。

等，资产阶级的公共领域的根基已经遭到破坏，并发生了结构性的转型。如果人们寄希望于市民社会的公共领域能像市场经济一样或者和市场经济一道，能遏制国家权力的扩张，起着某种监督和批判的消极功能，甚至在最好的情况下，它能建立起国家与公民之间的权力沟通管道，那么，就必须考虑它在最坏的情况下沦为马克思、葛兰西所批判的资产阶级利用国家机器掩盖其阶级利益捍卫其文化霸权的统治工具的情况。哈贝马斯看到了19世纪晚期资产阶级公共领域根基的崩溃，但是却没有深究资产阶级公共领域充分实现了现代政治的技术化的本质。

罗尔斯所推出的公共理性的政治自由主义实际上依赖一种宪政自由主义的公民理论，但很显然，公民德性的培养和宪法爱国主义的公民教育依赖于公共领域。公共理性观念是公共政治文化的产物，是良序宪政民主社会的规范结果，是一个由各种合理而完备的宗教论说、哲学论说和道德论说相互冲突构成的复合体。罗尔斯的公共理性概念源自16—17世纪宗教宽容思想，它试图使尖锐分裂的宗教都拥有基本平等的政治权力，以免挑起宗教冲突和教派对抗，推而广之，现代民主社会的各种论说在表达自己主张的分野与敌意时不应该导致怨恨、不满、分裂和动荡。罗尔斯的"政治自由主义"的核心就是，自由与平等的公民同时坚信完备性学说和政治概念，彼此之间达成合理的重叠共识。在此，宪政民主概念中的宽容原则和思想自由原则依赖于公民对于其政治概念的忠诚源自他们各自的完备性学说。公共理性观念缘起于宪政民主制当中民主公民资格的概念，如果没有公民对于公共理性的忠诚及其对于公民性责任的恪守，就不会从彼此都能合理接受的前提出发推导到彼此都能合理接受的结论。因此，罗尔斯的公共理性是伴随着公民（citizenship）理论的，公共理性会要求面对宪政核心争议与基本正义问题时，应以公民的角度来思考问题，而非基于性别、种族、宗教的特殊立场进行审议，若只着眼于特殊群体的利益，审议式民主很可能成为"私民"议价的场域。公共理性有助于强化所有理性公民的公民意识，把自己想象为遵从公共理性的立法者。所有公民都遵从公共理性，就承担了他们的公民责任，实现了公民友谊。可见，罗尔斯的公共理性试图以一套规范社会基本结构的政治性正义观解决多元文化社会中的宪政核心争议与基本正义问题，它与一种"宪政爱国主义公民"的政治理想是密不可分的。所谓"公共理性"即民主社会中的"公民"的理性。然而，罗尔斯的公民在本质上并不是一个政治的动物，一个忠诚于共同体的"积极公民"，而是一个投票的公民，一个捍卫自己消极自由的"消极公民"而已。①

　　因此，不论是在哈贝马斯那里，还是在罗尔斯（以及查尔斯·泰勒）那里，积极公民和积极自由的古典公共性概念已经不再被视为现代公共领域和市民社会理论的基础了，其根本原因就在于现代社会的庞大的国家机器从根本上改变了基于城邦的政治的概念。庞大的国家机器必然要求来自经济、技术和私人领域的治理的支持，否则就无法维持现代社会的正常、稳定甚至是加速的运作。由于国家机器支配着整个现代公共领域，古典政治概念在今天早已经衰落和消亡了，现代社会也不再有可能追求政治共同体的善好目的。哈贝马斯、罗尔斯和泰勒的政治哲学急迫面对全球化时代中民族国家和民主国家中的多元自由主义或社群的冲突的问题，试图通过落实宪法所保障的基本人权和消极自由来维系现代社会的正当性与稳定性。然而，根本的问题乃是，如果没有建立在古典公共性的概念（包括公共空间、积极公民和叙事传统等）之上的"积极自由"和"积极公民"，那么，消极自由和权利的主体也必将逐渐萎缩，岌岌可危，无力抵御国家权力在整个社会－经济－私人生活领域中的渗透，②而所谓的公共政策也必将沦为被公共舆论包装上公意的行政扩张而已。因此，古典政治哲学的公共性概念是不仅仅建立了作为人的本质和条件的政治的本体论，而且，也是批判性审视现代民主社会中权利优先的技术性政治之限度的一个视角。

二、公共性的古典政治概念是
现代社会公共领域学说的哲学根基

　　我们现在思考公共领域问题的古典政治哲学的基础是由阿伦特在《人的条件》第二章"公共领域与私人领域"中的论述重新奠定的。阿伦特的公共性的概念来源于亚里士多德的《政治学》。古典政治的公共性的观念根植于其希腊政治共同体即亚里士多德和伯里克利所论述的"城邦"的概念之中。对于亚里士多德来说，城邦，或者说政治，就是人的条件。人的生存不仅在于维持生

---

① 罗尔斯：《公共理性观念再探》，载《公共理性与现代学术》（第一辑），时合兴译，三联书店2000年版。古德曼（Amy Gutmann）与汤普森（Dennis Thompson）认为，罗尔斯的理论是一种强调正义原则的优先性的宪政主义，实际上不过是投票核心的民主理论（vote - centric theories of democracy），而哈贝马斯的公共审议民主论者更充分地依赖于政治自主性和公民的公共审议，强调公共决策。罗尔斯只是发展了"反思的均衡"的方法论，而对公共审议的政治实践重视不够。参见 Amy Gutmann and Dennis Thompson, *Democracy and Disagreement*, Cambridge：Harvard University Press, 1996。

② 关于积极自由与消极自由这两种自由概念，参见以赛亚·伯林：《自由论》，胡传胜译，译林出版社2003年版。

命，而且还要生活得更好。为了这个目的人们生活在城邦之中而不是离群索居，也是为了这个目的城邦被建立和维持。按照人的自然来说，人是一个城邦的动物，也就是说，人是一个政治的动物。只有在政治的空间中，人才能言说和行动，因而才会获得人的卓越与自由。这是古典政治哲学的核心思想。

然而，随着希腊古典著作被翻译成拉丁语而引入罗马的世界，希腊古典思想就逐渐被扭曲了，以至于最终失去了其原有的含义，像"公共性"这类古典政治观念就遭遇了这个命运。阿伦特说："将亚里士多德的'政治的动物（Zoon Politikon）'译成'社会的动物（animal socialis）'是正确的，人们在塞内加的著作中已发现了这一译法，这一译法后来通过托马斯·阿奎那成了一种标准的译文：'人是天生的政治动物，也就是说，是社会动物'。把'政治的'变成'社会的'，这一无意识的替换，使希腊人对政治的原有理解荡然无存，这是任何一种深思熟虑的理论无法企及的。"① "只有将亚里士多德第二个著名的定义'人是说话的动物'（Zoon logon ekhon）加上去，人们才能完全理解他的意思。拉丁语将这一词译成'理性的动物'（animal rationale），这一译法基于的误解并不亚于对'社会动物'（social animal）一词的误解。"② "在他两个最著名的定义中，亚里士多德仅仅形成了城邦关于人类及政治生活方式的一个当下观点，根据这一观点，城邦之外的每一个人即奴隶和野蛮人是不说话的（aneu logou），他们被剥夺的当然不是说话的本能，而是一种生活方式，在这种生活方式中，说话而且也只有说话才是有意义的，所有公民关注的中心就是彼此间互相进行交谈。"③ 可见，亚里士多德是从城邦的公共生活方式来定义人的本质的。④

亚里士多德对人的双重定义指出人只有在城邦中才能自由地行动（Praxis）和言说（lexis），实现人的全部潜能，因此，人在本质上就是城邦的动物。人作为说话的动物本身就包含了要在公共空间中进行交往与论辩的公共生活的目的。没有其他哪一种人类的活动像政治行动一样需要语言。最典型的政治行动是人与人之间的平等论辩，也就是在公共领域中对意见的检验。因此，在城邦中言语是最基本的也是最高级的政治行动，以此人的行动才区分于单纯的劳动、工作和生产技术。城邦依靠人们之间的交谈、论辩和叙事而塑造公共生活及其传统，并在公共生活中实现人的卓越和不朽。人们在言行中表明自己

---

① Hannah Arendt, *The Human Condition*, The University of Chicago Press，1958. 阿伦特：《人的条件》，竺乾威等译，上海人民出版社 1999 年版，第 19 页。

② 同上书，第 21 页。

③ 同上。

④ 亚里士多德：《政治学》，吴寿彭译，商务印书馆 1965 年版，第 7—9 页。

是谁，使自己出现在公共的世界之中。没有言语的行动是机械的、奴隶的，而没有名字（即"谁"）的行动是被孤立的、无意义的。人与人之间能通过"讲故事"而将自己融入到共同的生活领域之中，通过对行动者的叙述克服了孤独的言说者和行动者的孤立，并在世代传诵之中获得不朽。因此，没有人能离开城邦而获得不朽，只有在公共性的空间中才能赢得"不朽"和荣誉，只有城邦才能为每个人提供展示自我的机会，使每个人的日常生活的平凡琐事变得伟大，使得个人通过追求卓越而实现人的本质。可以说，正是人的公共的言语与行动建构了人类生存、卓越甚至是不朽的领域。因此，亚里士多德的"城邦"并不是地理意义上的城邦国家，而是随着言语与行动而出现的公共空间，使得参与者无论何时何地都能展现自己的空间。当然，由于城邦的公共生活依赖于言语和行动，所以它永远不会丧失其潜在的特征。它不是从来就有的，也不是永远存在的；它是脆弱的，它暴露于风险之中，却也是自由的领域。对于亚里士多德来说，公共领域是人们获得并显示出个人的卓越最适当的场所和空间，德性和自由都只有在公共空间中才是可能的。① 而权力如果不在人们积极参与的公共领域中产生，权力就会沦为暴力，权威的力量和合法性也就失去了根基。因此，人的言语、行动和相互之间的权力建构了公共空间的自由和政治，这个关涉公共利益、公共幸福和公共自由的空间是不可能在家庭和私人的领域中并靠经济管理的疯狂扩张建构起来的。

可见，希腊对于人的本质的理解是从城邦的公共性出发的，离开了公共性的空间，非神即兽。② 在古典政治哲学中，"公共性"概念既是人性的本体论条件，也是政治的本体论，因为政治就是人的条件。"公共性"首先意味着"公开性"。"公开性"就是事物从被掩盖的存在的阴影中走出，并展示其形貌（eidos），而处于遮蔽状态中的事物则无法显示其存在的意义和价值，它们被囚禁于自身的个体的存在之中，被困于黑暗和虚无的威胁之中，被束缚于广袤的无限的死寂之中。只有当事物进入世界之中展示自己的存在，其存在才能被感知，其存在才被看到、被理解，因而才有意义。我们的存在感完全依赖于公开性的在场，依赖于在公共世界中的在场。用海德格尔的话来说，这种公开性

---

① 城邦的"空间"（Chora）本就是"公共"（koinon）的。它是有限的、封闭的，而不是一个"世界城邦"、"开放社会"或"天下"。然而，这个封闭的空间却通过逻各斯而敞开，并将天地神人这四重性聚拢在一起。"逻各斯（真正的言说）就是真正的希腊政治，言作为至少在团体中政治的基本道路，是希腊政治的特点。"见洪涛：《逻各斯与空间：古希腊政治哲学研究》，上海人民出版社1998年版，第60页。

② 最典型的城邦中的公共空间就是"广场"（agora），希腊人不是家庭的动物。卢梭说："在希腊人那里，凡是人民所需要做的事情，都由人民自己来做；他们不断地在广场上集会。"见卢梭：《社会契约论》，何兆武译，商务印书馆1982年版，第128页。

就是"让事物存在"。其次，就我们的个人空间而言，"公共性"一词意味着世界本身。这不是一个自然的世界，而是一个共在的世界，人们共同生活的生活世界。当海德格尔将城邦（polis）解释为"空间"的时候，他所思考的正是这一点。这个共在的世界作为公共空间不仅只为一代人而建立，而且它还要通过世代之间以讲故事传承传统而获得某种不朽。① 亚里士多德说："考虑人间事务时，不能把人当作原本意义上的人来加以考虑，也不能在凡尘俗世中去探寻什么是会泯灭的，而只能在他们具备永恒的可能性这个程度上来考虑他们。"② 而能使得凡人获得不朽的可能性就在于"城郊"，这就是希腊人的思想。③ 家庭或家族的"世界"根本无法代替城邦这一公共的世界。

在亚里士多德的《政治学》的第一卷中，他区分了城邦的政治与家政。④ 对于柏拉图和亚里士多德来说，城邦（Polis）与家庭（Oikos），也就是公共领域与私人领域以及公共世界的政治行为和与维持生活的前政治行为之间的区分是不言自明的。首先，柏拉图和亚里士多德都认为，人的德性与自由只能存于政治领域，而家庭之中根本没有平等人之间的自由关系。城邦与家庭的不同在于它是平等人之间的关系，而家庭（夫妻、主奴、父子）则是不平等的关系。自由意味着从不平等状态下解放出来，进入一个既不存在统治、也不存在被统治的领域。其次，家庭存在的目的是维持生命和生活，而城邦则是为了更好的生活目的。为了摆脱生活必需品的困扰而进入自由世界，就需要财产，贫困或生病则意味着受物质必需品的困扰，而沦为奴隶则意味着还要屈从于人为的暴力。不掌握家庭生活中的必需品，生活和得体的生活便无从谈起。然而，获取生活必需品从属于家政管理，政治从不以维持生活为其目的，获取、拥有和管理财产只是前政治的行为。因为劳动和工作限制了人每天做自己想做的事情的自由，因而被认为是一种奴役（douleia）状态。在柏拉图那里，第三等级是被剥夺参与政治的。再次，任何进入政治领域的人最初都必须准备好冒生命的危险，对生命、财产和个人幸福的过分关爱和畏惧暴死阻碍了自由，这不是勇敢的德性，而是奴性的一个明确的标志。公共空间意味着自由的空间和风险的空间。为了安全或自我保全而退隐到家庭生活之中则失去了人最根本的自由。相对于公共性的"隐私"其字面意思就意味着一种"被剥夺"的状态，甚至是被剥夺了人类能力中最高级、最具人性的部分。一个人如果仅仅过着完全

---

① 关于城邦与悲剧之间的关系，参见皮埃尔-让·韦尔南：《在神话与政治之间》，三联书店 2001年版。

② 亚里士多德：《尼可马可伦理学》，苗力田译，中国人民大学出版社 1994 年版，1177b31。

③ 关于希腊城邦制度，参见古朗士：《希腊罗马古代社会研究》，李玄伯译，上海文艺出版社 1990 年版。

④ 亚里士多德：《政治学》，吴寿彭译，商务印书馆 1965 年版，第 3—42 页。

独处的个人生活，那么，他就被剥夺了真正人类生活所必不可少的东西，他就不是一个完整的人。一个被囚禁在自我和私人生活中的个体，既没有来自他人的公共世界，也不可能独自完成那些不朽的功业。他是一个被流放到公共空间边缘的存在，一个被剥夺了自由的权力的存在，一个无法过上完美的公共生活的存在。

　　然而，今天我们使用"私人"或"隐私"（Private/privatus）一词时，首先不会想到它的"被剥夺"的含义，这是因为随着"家庭"的兴起，随着财产私有权利的神圣化，随着经济行为日益主宰公共领域，家政以及与家庭私有领域有关的私人问题都成了一种"公共"关心的问题。公共领域和私人领域之间的分界线变得十分模糊了，现代个人主义将私人领域变得极为丰富，将捍卫私人空间视为生命的基本权利。现代人对于私人和隐私的前所未有的兴趣和激情使现代人不再关注公共性生活和政治参与的自由。① 随着社会的兴起，现代性开始以一种大家庭的形象来看待公民个人和政治共同体，整个社会由一个巨大的全国性的家务管理机关照管它的日常生活。与此相应的，现代社会不再需要亚里士多德的政治科学了，"国民经济学"或"政治经济学"取而代之，这就是福柯所讲的"治理社会"的兴起。现代社会占有性个人主义的兴起的同时就意味着公共领域的衰落以及古典德性（如勇敢、热爱荣誉、公正、公民友爱等）的无用。西方的"古今之变"就在于从"政治"蜕变到"社会"，从公共领域衰变到公共领域与私人领域的混杂，人的本质从政治的动物变成非政治的动物，即社会的、经济的动物。

　　从政治到社会的古今之变意味着古典政治的公共性被新的社会的公共性所取代，在这个公共空间中人的本质不再是行动的自由以及沉思，技术、制造、生产极大程度地扭曲了作为人的本质和人的条件的公共性概念。人的行动的领域和方式由于手段和目的关系的颠倒而被彻底移位了。技术的进步和生产力成为现代最伟大的神话，科学家和劳动者成为力量和权力的主要的象征，于是，经济、技术和权力的原则成了政治的法则和规则。阶级社会的崩溃、占有性个人主义以及捍卫个人权利的自由主义的意识形态造成了纯粹由原子化的个人组成的现代大众和抽象社会，公共空间被技术彻底地扭曲成非政治的、非人的

【政治哲学】 现代公共政策理论与古典公共性观念

----

　　① 贡斯当认为，第一，国家规模的扩大导致每一个人分享的政治重要性相应降低。第二，奴隶制的废除剥夺了自由民因奴隶从事大部分劳动而造成的所有闲暇。如果没有雅典的奴隶人口，2 万雅典人绝不可能每日在公共广场议事。第三，商业不同于战争，它不给人们的生活留下一段无所事事的间歇。在现代民族，每一位个人都专注于自己的思考、自己的事业、自己得到的或希望得到的快乐。他不希望其他事情分散自己的专注，除非这种分散是短暂的，是尽可能少的。最后，商业激发了人们对个人独立的挚爱。见贡斯当：《古代人的自由与现代人的自由》，阎克文、刘满贵译，上海世纪出版集团、上海人民出版社 2005 年版，第 37—38 页。

哲学家
•2006
Philosopher 2006

了，权力变成了暴力，沉思变成了精心编织的政治谎言。① 现代人从根本上失去了自由行动和言说的空间和公共性，因而，从根本上丧失了行动的能力。这些不关心政治只拼命追求物质满足和私人生活的消费社会机器上的螺丝钉，只有被异化了的孤独、恐惧、绝望、无力，而根本没有行动能力，也丧失了真假善恶的判断力，沦为"逃避自由"（Escape from freedom）和"平庸的恶"（the Banality of Evil）的"大众的暴政"（Tyranny of the Majority）。

从古典政治哲学来看，自由行动的公共领域的衰落以及积极公民的消失，这就是现代性政治总体性危机之起源。这一情况在纳粹的极权主义政制和犹太人的现代政治处境中得到集中的体现。阿伦特在《极权主义起源》中认为，纳粹极权主义与历史上任何专制或暴政的不同：传统的专制或暴政并不关心臣民之间非政治的共同生活，而极权主义则彻底摧毁了任何自由行动的公共空间，所有的日常生活和行动都服从无休止的组织、纪律和运动的逻辑。极权主义在根本上剥夺了每个人在这个世界上言论产生意义、行动产生效果的空间，而剥夺了公共领域中的自由表达和自由行动，就剥夺了每个人最重要的公民权。从根本上说来，极权主义对公民权的蔑视和摧毁乃是现代世界公共领域衰败的结果。如果说纳粹极权主义体制是对公民自由行动和言说的公共空间的摧毁，那么，被迫害的犹太人本身成为反犹主义的攻击对象则部分是因为这个民族从未培养起政治意识和对现实的责任感。这个民族的历史虽然有强烈的救赎历史的观念，但是两千年来却由于特选民族的隔离意识而一直自愿隔离于公共世界，避开一切政治行动，不参与现代民族国家政治事务，其后果是"犹太人踌躇于不同的角色之间，对任何事情都不负责任。"② 因此，犹太人自身这种对政治现实的冷漠态度也应该为反犹主义的命运负有不可推卸的责任。阿伦特在《耶路撒冷的艾希曼》中认为，犹太人艾希曼是一个官僚机器中机械地执行杀害五

---

① 阿伦特认为，卢梭的思想是资产阶级私人领域兴起的开端，而哈贝马斯则描述了 19 世纪晚期的资本主义公共领域是如何走向衰落的。为了迎合教育水平较低的消费集体的娱乐和消闲需要，大众报刊逐渐取代了具有批判意识的文学家庭杂志，文化批判公众变成了文化消费的被操纵的公众。文化消费的伪公共领域取代了理性的、批判的公共领域。参见哈贝马斯：《公共领域的结构转型》，曹卫东等译，学林出版社 1999 年版。在大众文化工业时代，20 世纪的电影、广播和电视是比 19 世纪晚期的报刊更为强大的商业化大众传媒，它们强大的力量已经彻底消解了任何实践理性和判断力的公共领域。到了鲍德里亚所描绘的"消费文化"的后现代，整个资产阶级的公共领域已经彻底淹没在"超现实"的空间了。在这个空间中只有"拟象"，而不存在着任何有意义的个人的自由行动，甚至也不存在着反抗。剩下的只有内爆和死寂。参见鲍德里亚：《消费社会》，刘成富、全志刚译，南京大学出版社 2000 年版。与鲍德里亚的悲观主义末世论的寓言以及极权主义相反，西方左派的激进民主和革命理想则反映了现代人不可根除的公共性参与的政治诉求。

② Hannah Arendt, *The Origins of Totalitarianism*, New York：Harcourt, 1951. 阿伦特：《极权主义的起源》，林骧华译，（台湾）时报出版公司 1995 年版，第 51 页。

百万人的杀人部件，更是一个毫无独立思想能力和判断力、毫无自由行动能力的普通人。"在罪恶的极权统治下，人不去思考所造成的灾难可以远胜于人作恶本能的危害的总和。这就是我们应当从耶路撒冷得到的教训。"① 正如她在《康德政治哲学讲座》中所言，这种"平庸的恶"源于对意见的判断力的丧失，而这种个人独立思考和判断的政治能力只有在公共领域及其平等论辩中才能被培养出来。② 纳粹极权主义制度和犹太人自身的民族特性从两个不同的方面显示了公共领域和公民权对于现代社会中抵抗政治的谎言和暴力的重要意义。只有重返古典政治哲学作为人的本质的公共性的政治概念，或许才有从根本上克服现代社会的技术政治的总体性危机的可能性。

① Hannah Arendt，*Eichman in Jerusalem*：*A Report on the Banality of Evil*，New York：Viking，1965. p. 287. 参见阿伦特：《耶路撒冷的艾希曼》，吉林人民出版社 2003 年版。

② Hannah Arendt，*Lectures on Kant's Political Philosophy*，ed. by Ronald Beiner，Chicago：University of Chicago Press，1982.

【政治哲学】现代公共政策理论与古典公共性观念

【学人专访】

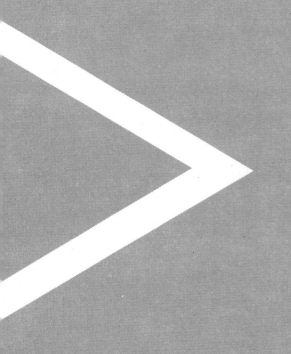

迎接挑战，重铸辉煌

——访中国人民大学副校长、哲学院院长冯俊教授

冯　俊、楚艳红

记者（楚艳红，以下简称记者）：冯老师，您好！很高兴您能接受我们的采访。作为校领导，哲学系属于您的主管范围，并在学校 2005 年 5 月学校组建哲学院之时，您又受命兼任学院院长，可以说，您不但对人大哲学系有着深厚的感情，更是对哲学系的传统和历史十分了解。下面我想就人大哲学院（系）的历史传统、学科特色和发展目标等方面对您进行采访。

冯俊：确实，我自从 1984 年考取人民大学哲学系博士研究生来到人大哲学系，除出国做访问学者外，一直学习和生活在这里。20 多年了，我对哲学院有着深厚的感情，也希望哲学院能发展得更好。谢谢你对我的访谈。

记者：冯老师，有人说人民大学哲学院（系）对于马克思主义在中国的传播和发展作出了重要贡献，在新中国哲学教育中具有不可替代的作用，您对此有何看法？

冯俊：在我看来，人大哲学在全国哲学教育中起到了一个"工作母机"式的示范性作用，就马克思主义哲学的教育而言，这种示范作用集中体现在师资培养和教材建设两个方面：

从师资培养方面看，新中国建国之初，中国人民大学肩负着为全国高校培养马克思主义理论教师和让文科教师接受马克思主义教育的任务。当时苏联专家来人民大学讲授马克思主义哲学、政治经济学、科学社会主义和联共（布）党史，后来人民大学相应地成立了四大理论系，为新中国培养了大量的马克思主义理论研究、教育和宣传的骨干人才。人民大学的马克思主义哲学专业是新中国马克思主义哲学教育和研究的重镇，是人民大学的四大理论系之一。许多知名教授都到人大来听过课，例如贺麟先生、张岱年先生等就在人民大学听过马克思主义哲学的课。在全国高校马克思主义哲学的教师中有很大一部分是在人民大学培训过的，可以说人民大学在这一方面的影响超过了国内任何一个高校。从 20 世纪 50 年代直到 80 年代末，我们每年都接受大量的进修教师和访问学者，成为中国马克思主义哲学教育的"工作母机"。

从教材建设方面看，在苏联专家离开中国以后，我们自己的一批学者开始建设我们中国自己的马克思主义教材体系，艾思奇组织一批人编写辩证唯物主

义和历史唯物主义教科书，萧前老师就是其中的重要成员。改革开放以后，萧前老师自己亲自挂帅，建设适应时代需要的马克思主义哲学教材体系，20 世纪 80 年代初期，萧前、李秀林、汪永祥主编的《辩证唯物主义原理》、《历史唯物主义原理》成为全国高校哲学专业使用的教科书，李秀林、王于、李淮春主编的《辩证唯物主义和历史唯物主义》成为全国文科共同课通用教材，肖明编写的电视大学和成人高考使用的《辩证唯物主义和历史唯物主义》教材等，都产生了极大的社会影响。90 年代初，以萧前为主编、黄楠森和陈晏清为副主编的《马克思主义哲学原理》，集全国当时各个博士点的力量，对哲学体系改革进行了有效的尝试，至今仍为许多院校使用。陈先达主编的公共课教材《马克思主义哲学原理》则是教育部推荐的全国高校马克思主义哲学共同课通用教材。这些教科书有的发行几十万册，而有的则发行了几百万册甚至上千万册，创世界之最。国内后来有近两百种马克思主义哲学教材，大部分都是从人民大学的这些教材演变而来的。

应该说人民大学哲学系的这种"工作母机"式的示范性作用，不单单是体现在马克思主义哲学这一学科中，在伦理学、自然辩证法、中国哲学、西方哲学等学科也是如此。罗国杰先生主编的伦理学教材也是最早的最通用的全国高校伦理学的教材。我的导师、已故的苗力田先生主编的《西方哲学史》也是全国高校的推荐教材，而苗先生更是桃李满天下。在这一方面，可以说，人民大学哲学系所起到的作用是独一无二的、不可替代的。

记者：冯老师，您对人大哲学的传统和特色是如何理解的？

冯俊：我个人觉得人大哲学院的传统和特色可以从以下四个方面来看。

第一，我们十分重视对原文原著的解读和翻译。在马克思主义哲学方面，我们重视对原著文本的解读。我记得马克思主义哲学的基本原著例如《反杜林论》、《唯物主义和经验批判主义》、《费尔巴哈论》、《哲学笔记》等，人民大学哲学系的张慕泽、乐燕平和杨焕章等老师都提供了当时最全面、最深入的解说，以至于后来人们认为在这方面的工作已经被人做到顶了，所以没人愿意再做文本解读方面的工作。抠原著成为人民大学的一种风格，在今天看来这应该是一种很好的风格，而在 20 世纪 80－90 年代则被有些人看作是保守僵化的表现。对于文本解读传统，我认为需要重新认识。不能把对马恩列斯等人的哲学原著的文本解读看作是翻故纸堆、死啃书本、保守僵化。如果不弄懂马克思主义经典作家原著就不能准确地理解马克思主义的基本原理，就不能懂得真正的马克思主义。但是我们要认识到，原著解读与中国古代的"我注六经"不同，也不是要回到马克思或还原马克思，回到和还原都是不可能的，读原著的目的还是要发展马克思主义，只有准确弄清基本原理才能去发展马克思主义，而不是拘泥于马克思主义的理论教条。

在中西哲学方面，我们也十分重视原文原著。苗力田先生组织翻译的《古希腊哲学》原著选读、《亚里士多德全集》都是从希腊文原文翻译过来的；庞景仁先生从法文、德文和英文翻译了笛卡尔、康德和实用主义的原著，给我们这一代学者树立了榜样，我们也是沿着这个路子走。石峻先生对于中国哲学史原著的熟悉程度令许多中青年学者感到惊讶，我们这一代人可以说难以望其项背。

第二，对于中国传统文化的继承和发扬。从石峻先生、杨宪邦先生他们这一辈开始就注重对于中国哲学典籍的整理和编纂，对于中国哲学发展线索和规律的梳理和总结。他们编写的多卷本《中国哲学通史》，另外还有罗国杰先生主编的《中国伦理思想史》在国内有很大的影响。近十年来张立文先生组织编写了六大卷的《中国学术通史》、方立天先生的《中国佛教哲学要义》、葛荣晋先生的《中国实学史》等都是国内学术界的扛鼎之作。特别是人大成立了"佛教和宗教学理论研究中心"、孔子研究院，又为继承和发扬中国的传统文化作出了新的贡献。张立文先生组织编纂的《海外儒藏》也将陆续出版。

第三，勇于创新，敢于提出反映时代精神的新观点、新思想。在改革开放的初期，我们的系友胡福明教授就提出了"实践是检验真理的唯一标准"的观点，在全国掀起了解放思想的大讨论。20 世纪 80 年代中后期，在反思马克思主义哲学变革的实质的过程中，我们率先提出了马克思主义哲学是实践唯物主义的观念，引发了关于马克思主义哲学体系改革的全国性的大讨论。人民大学的学者们认为，实践性是马克思主义哲学的一个突出特征，实践思维方式、实践批判精神是马克思主义哲学的内在的核心的构成部分。发展中国化的马克思主义哲学，根本的着力点还是在坚持马克思主义哲学的基本立场和方法，对现代科学发展和现代人类实践提出的重大问题，特别是中国特色社会主义实践所面临的重大问题进行深层次的反思和分门别类的艰苦细致的研究。如果缺乏这种基础性的工作，哲学体系的改革，构建马克思主义哲学的新形态，恐怕都难以取得实质性的推进，对各种反马克思主义的势力提出的尖锐挑战也难以作出有分量的回应。无论是萧前先生本人，还是他的同事和学生们都在这方面作出了努力，力图结合中国革命的经验和当代中国的现实发展马克思主义哲学。陈先达先生的《走向历史的深处》、夏甄陶先生的《思维世界导论》、李德顺教授的《价值论》都是很有深度的学术专著，从不同的侧面发展了马克思主义的基本理论，曾获得过重要的国家奖项。像郭湛教授、陈志良教授、马俊峰教授都从不同的侧面深化实践唯物主义的研究。

另外，张立文教授在 20 世纪 90 年代中期就提出了"和合哲学论"，把"和谐思想"作为中国传统哲学中的精髓，这对于和谐社会和科学发展观的提出提供了思想材料。前不久，我们组织召开了"马克思主义哲学和和谐社会的建设"学术研讨会，就"和谐社会"理念的哲学依据、思维方式和价值观念等进行研讨。近几年来，我们又率先在国内开展了"中国哲学的合法性"问题的讨论，对于中国哲学的内涵和方法论建构又有了新的思考。在宗教学研究方面，我们也率先开展了"宗教社会科学的研究"，召开了多次国际学术研讨会，开设了几期讲习班。

第四，关注现实，让哲学成为大众的精神食粮。人民大学哲学院（系），一直积极参与我们国家的理论建设工程和理论宣传教育，为主流意识形态的建设作贡献。萧前教授、罗国杰教授、陈先达教授为中宣部、教育部的理论建设、思想道德教育提供的咨询和指导，是理论界和教育界公认的。前不久，我们的教师还参与了李瑞环同志的《学哲学用哲学》一书的编辑整理工作，这些都在理论界和社会大众中产生了良好的社会影响。

记者：冯老师，您在 2005 年哲学院成立大会上曾发表过令广大哲学院师生十分振奋的讲话，当时您既提到"挑战"、"危机"等词汇，同时也表达了对人大哲学院重振昨日辉煌的信心。请您谈谈您眼中人大哲学面临的严峻形势和哲学院对此制定的发展目标和具体措施。

冯俊：中国人民大学要建设成为以人文社会科学为主的世界知名的一流大学，离不开深厚的人文学科的基础和底蕴，而哲学又是人文科学、社会科学和自然科学的灵魂，因此没有一个强大的哲学学科，就不可能成为世界知名的一流大学。中国人民大学在制定未来的发展规划时，已经明确把原来具有传统优势的三大学科经济学、法学和哲学作为今后人民大学建设一流大学进程中发展的重点。在这样的大背景下学校决定成立哲学院。哲学院的正式成立是人大哲学学科发展历史上的一件大事，为人大哲学学科的发展创造了宝贵的条件和难得的机遇，同时也是对我们工作的一场挑战和考验。

如果从我们具有的优势来讲，中国人民大学哲学院是国内学科设置最全面的哲学院（系），为学科建设提供了优质的发展平台。下设哲学系与宗教学系两个系。现有哲学、伦理学和宗教学三个本科专业，马克思主义哲学、中国哲学、外国哲学、伦理学、科学技术哲学、逻辑学、美学、宗教学和管理哲学等九个硕士点和博士点。迄今为止，虽然具有一级学科博士授予权的高校有所增加，但学科配备齐全，在哲学所有二级学科都招收硕士生和博士生的高校哲学系，只有人大哲学院和北大哲学系。

中国人民大学哲学院的学科布局比较合理。马克思主义哲学和伦理学是传统的重点学科。宗教学近年来发展迅速，居于国内领先地位；中国哲学有声有色，引领国内学术界主流；这两个学科是学校重点建设的学科。哲学学科的主干力量即马克思主义哲学、中国哲学和西方哲学基础雄厚，其他学科均衡发展，各有特色。

哲学院是全国高校哲学院系中最大的哲学院（系），在职教师 68 人。高级职称比例也是全国最高的。哲学院形成了以名教授为主导、以高级职称教师为主体、以中青年教师为中坚、老中青相结合、结构合理、发展趋势良好的高质量的师资队伍和学术梯队。正在建设中的"哲学在线"网站，是教育部科技司指定的全国哲学一级学科中唯一的标志性网站（每个一级学科指定一个网站），在相关学术网站中排名第一。

但是，人大哲学学科的发展也存在着危机。尽管我们学科配备齐全，师资力量雄厚，但是在这个竞争和创新的时代，不进则退，缓进也是退步。我们可以看到，1998 年人大哲学系、北大哲学系和社科院哲学所率先获得了一级学科博士授予权，奠定北大、人大的领先地位。近年来具有哲学一级学科授予权的高校增加到了十几所。因此，我们在学科建设方面曾经具有的"垄断"地位已经不复存在。在某种意义上，我们与其他兄弟院校重新站在了同一条起跑线上。因此，我们必须树立自觉的竞争和创新的意识，始终保持清醒的头脑，始终保持危机感，始终保持竞争和创新的意识。

为此，我们从 2005 年开始，每年召开一次哲学院学科建设工作会，分析形势，总结经验，确定目标，制订措施。锁定解决问题的关键：一是从全局上整合与凝练学科资源；二是培养和引进拔尖人才，加强国际化的程度，形成创新团队；三是增强凝聚力，调动教师参与学科建设的积极性。

记者：那么人大哲学院在学科建设方面的具体思路是什么？

冯俊：鉴于人大哲学院在全国哲学系中的地位，我们的学科建设目标是在确保重点突出的基础上均衡发展，保持和加强人大哲学院在全国的领先地位。加强主干学科（马、中、西），夯实基础。发挥马克思主义哲学和伦理学两个重点学科、伦理学与宗教学两个重点研究基地的作用，尤其为宗教学成为一级学科做好准备。具体说来：1. 保持马克思主义哲学和伦理学这两个原有的重点学科，争取宗教学和中国哲学成为国家重点学科，在重点突出的基础上均衡发展，争取所有的二级学科都能够在全国哲学院（系）评估中处于前列。2. 整合力量，加强学科交叉和跨学科合作。树立"大哲学"的理念，打破学科界限，集中相关学科对一些重大现实和理论问题进行跨学科的交叉研究，在学科建设上继续坚持"入主流"的战略指导思想，并且提出更高的要求：要"引领主流"。在科研工作上要加强两点：一点是要加强科研的组织工作、整合工作，根据院内学科建设的需要，组织一些集体攻关的项目，形成一些标志性成果，形成一些整体风格，逐渐形成人大学派。另一点是要关注社会现实问题，从实际中提出重大的理论课题。我们研究马哲、伦理学和宗教学的教授应该参加人大教授考察团深入实际多做调研或者下去挂职锻炼，做好理论和实践的互动。为此，哲学院准备以研究社会现实和理论的重大问题为核心，建设马克思主义哲学、中国哲学、西方哲学、伦理学、宗教学和管理哲学等几个跨学科的科研平台，以此来凝练和整合学科，聚集力量，形成合力。

人大哲学院的原有学科布局已经趋于饱和状态，在这方面需要开拓新的生长点。我们准备加强管理哲学、政治哲学和东方哲学等跨学科、边缘交叉学科的建设，以及宗教学下属学科的建设。

记者：学科建设不仅包括科研，也应包括教学，在教学方面你们有些什么打算？

冯俊：是的，我们应该充分认识教学的重要地位，以质量为中心，确保教学工作水平的提高。我们是大学不是研究所，教学是日常工作。我们不要把学科建设与教学工作对立起来。首先，我们必须保证足够的而且是高质量的教学。过去的4年，我们解决了教学的数量问题，今后要抓教学质量。其次，教学是学科建设的重要内容，人才培养在学科评估中是一个非常重要的指标。另外，教学也是哲学院能否在人大占据重要地位并发挥重要影响的关键之一。我们的编制和岗位都与学生人数有关。我们的设想是，哲学院将来承担的课程不仅仅是专业课程，而且还有面向全校的学生开设的素质课或者通识课。国家教育部的本科教学评估指标中已经提出了这样的要求。这一点可能关系到我们未来的生存环境。再次，加强教研室建设。教研室是实施教学、科研和学科建设等工作的基层单位，教研室建设极其重要。哲学院的凝聚力首先就体现在教研室的凝聚力上。开展教学、科研和学科建设的学术研究，必须定期开展学术活动，研究教学方法，提高教学质量。

记者：要加强学科建设就离不开高质量的师资，在师资队伍建设方面，你们将有什么举措？

冯俊：在队伍建设方面，我们将坚持"培养"与"引进"并重，以责任教授为核心，以创新团队为载体，加强师资队伍建设。首先，我们要充分发挥责任教授的作用。责任教授需要提出本学科发展建设规划的意见，提出本学科重点发展方向与发展目标，努力保持并提高本学科的学术地位和整体实力。要协助单位组织教师开展学术活动，积极组织力量申报课题，为青年教师开展教学和科研提供咨询和指导。要努力为本学科及其学术团队扩大学术影响，争取学术资源，增加国内外学术交流的机会。要在责任教授的带领下，形成各个学科的创新团队。其次，要加强对青年教师的培养，特别是加强教师队伍的国际性培养。加紧培训现有的青年教师，使他们出国深造，尽快成为学术骨干。要求40岁以下青年教师都有出国进修的经历。加速教师队伍的国际化，有计划、有目的地与世界上一些国家的知名大学建立学术联系，主动开拓，而不是等客上门。每年举行一两次大型国际学术会议，邀请著名专家学者到人大哲学院讲学，加强国际合作，与国外大学联合培养学生，等等。再次，要加大人才引进的力度。有计划、有目的地引进一批在国内有影响的中青年学者，如有可能，尽量引进几个在国外著名大学特别是欧美一流大学获得博士学位的优秀留学归国人员；选留一批有培养前途的博士后和博士。要重点培养 30—40 岁之间的这一批人，他们决定着人大哲学院 10 年以后的竞争力。

记者：听说您正在推进民主治院，以哲学院发展的事业状态激发每位老师，营造和谐，增强凝聚力。不知效果如何？

冯俊：我反复重申，办好哲学院是大家的事。这要求学院的全体师生都应该有参与意识和主人意识。教师不仅要完成教学和科研工作量，而且每一个教师都要完成一定量的、不同形式的行政工作。哲学院的工作是要由所有教师参与完成的，哲学院的工作就是每个教师的工作，每个教师都不能置身于事外。为了体现民主治院，我们在学院原有的学术委员会、学位委员会的基础上，新成立了教学指导委员会、国际交流委员会、财务监督委员会。同时，还有全院教授大会，重大问题由教授大会讨论。加强制度建设，决策过程透明，财务公开，重大问题公开。我们要将哲学院建设成为一个有机的、有活力的整体。从哲学院的角度，考虑的是我们能够给教师提供什么样的条件。从教师的角度，应该考虑的是我能够为哲学院做些什么。这是双方面的，希望获得双赢的局面：一方面，学院给教师们一种归属感和家园感；另一方面，教师为了学院的发展尽心尽力，献计献策，一切以学院发展的事业为重，从而形成"心往一处想，劲往一处使"的和谐、奋进的理想氛围。

记者：大家知道您既是一位忙碌的校领导，又是一位忙碌的院长，同时也是一位中青年学术带头人，一直活跃在教学科研第一线，不曾间断带研究生、给学生上课，主持了很多国家重大科研项目。作为一位西方哲学专家、请您谈一谈在您在学术上正在忙些什么？

冯俊：确实很忙，有些力不从心。目前正在主持翻译两套教材：一套是十卷本的《劳特利奇哲学史》，预计到 2006 年年底出到第五卷，很多高校把它作为教材或参考书。另外一套是《布莱克韦尔哲学指导丛书》，十多本，涉及哲学的所有分支学科，2006 年要出两三本。目前正在编写教育部"十一五"教材规划的《西方哲学史》教材，还参加马克思理论研究和建设工程中《现代西方哲学思潮评析》教材的编写。我个人对于法国哲学的研究和翻译工作仍在断断续续地进行着。同时，近几年来由于从事高等教育的行政管理工作，我也研究一些高等教育的问题，发表了一些这方面的文章。

【院史专栏】

此情可待成追忆

陈先达

在我们哲学系成立五十周年大喜的日子里，我想起了那些为哲学系建立和发展作出过贡献现已离世的老师和同事。其中特别是李秀林教授。

秀林是我们系最优秀的教员之一，更是我们马克思主义哲学原理教研究室的学科带头人。他对哲学教研究室学科领先地位的确立功劳很大。20世纪60年代他曾参加艾思奇主编的全国通用的哲学教材的编写。人大复校以后，他又陆续参与主编适用于专业和文科的两种《辩证唯物主义和历史唯物主义》教材。这两种教材，不断加印，一版再版。不仅我们系用，全国许多学校都用。印数之多，影响之大，在同类教材中是绝无仅有的，确实是"洛阳纸贵"。

一提到秀林，我们就会想到他参与主编的教材；一提到哲学原理教材，我们就会想到秀林。这种联想是很自然的。不仅是因为秀林对这两部教材的编写贡献极大，而且是因为教材的影响大。一本好的教材，不仅对学生学习十分重要，而且代表的是系的总体水平，表现的是这个教研究室全体教员的凝聚力和学术造诣。可以说，一本好的教材就是这个系的标志物。我就亲耳听见有的外校青年教师对秀林说："您的教材是我的领路人。"这不是客气话，在很大程度上反映了这两本教材的巨大作用。

要办好哲学系，一定要重视教材建设。我们当然要重视科研，一本好的教材必须以科研成果为支撑；我们更应重视教学实践，一本好的教材必须以总结教学实践经验为基础。但是科研成果如果不能被吸收到教材中，它的作用和影响是有限的；教学经验如果不能被编写教材时作为学生接受水平和需要的依据，这种经验只属于教员个人而不能成为"公共财富"。可以说，秀林主编的教材，这两方面都注意到了。既有深度又适于教学。

我们党非常重视教材编写工作。当年毛泽东编写的《辩证唯物主义提纲》就是为讲课用的教材。他的《矛盾论》和《实践论》也可以说是教材，因为都作过在抗日军政大学的讲演稿。当然，这都是高水平的教材。全国解放以后，20世纪50年代全国曾编写过六本哲学教材。其中一本就有秀林参加的人民大学哲学系的教材。60年代，中央曾成立教材编写领导小组，在全国组织人员有领导地开展各学科教材编写。这次马克思主义理论建设工程，教材编写是其中最重要的组成部分。不仅包括政治理论课的教材，还包括各学科的专业教材。充分吸收马克思主义中国化的重大成果，继承中国传统文化精华和西方新成就，把编写具有中国特色、中国风格的教材列为马克思主义理论建设工程的项目，足见中央对教材建设的重视。可惜秀林英年早逝，如果他活着一定能在此次教材编写中再显身手。斯人已乘黄鹤去。这不仅是我们哲学系、哲学教研室的巨大损失，也是中国哲学界同行的一个损失。

秀林和我是同班同学、同事，又是最好的朋友。我们都是 1953 年大学毕业后分配到人民大学马克思主义研究班哲学分班学习的。他来自山西大学，我来自复旦大学。都不是科班出身。他读的是教育，我学的是历史。在研究班学习期间，每当学期考试结束，我们总是要自我慰劳一下，下小馆子撮一顿。他自斟自饮，我吃菜相陪。1955 年他提前留哲学教研究室。我 1956 年毕业留系，哲学系就是那年建系，我们成为同事，相知相交三十多年。

秀林刻苦好学，忠诚党的教育事业。他的生活很贫困。一个人工作，妻子当时是家庭妇女。经常是窝窝头就素菜。即使这样，还要不断借债。可这并没有影响他的学术研究和教学工作。这种不为贫困而"困"的精神很值得我们现今年轻人学习。

秀林为人厚道，对朋友很信任。在我人生最困难的时期，秀林正走红。两种处境，可他没有嫌弃我。我有机会总是偷偷到他家坐一坐，虽然相对无言，但从眼神可以看出感情上并不疏远。天道不公，秀林好日子开始不多久就死于癌症。

同事们无不悲痛，我更是如此。我曾写过一首诗寄托我对他的哀思：

　　　　生也艰难死亦难，幽明路隔两茫茫。
　　　　上天忌才欺人老，摧尽羽毛骨肉残。
　　　　风雨坎坷识马力，涸鲋濡沫见肝肠。
　　　　托体山阿君已去，我与何人论文章。

哲学系在风风雨雨中走过了五十年。它的命运与祖国的命运相连。在经历了停办和复校复系以后，现在变得更加成熟。哲学系已建为哲学院，哲学也成为一级学科，成为由多学科相互配合、相互促进的学科群。新人辈出，中青年学者在教学和科研第一线唱主角，我们为他们欢呼，但我们永远怀念像秀林这样为哲学事业鞠躬尽瘁，死而后已的学者。

繁荣哲学，昌盛国运

方立天

　　1956 年，周恩来总理向全国发出"向科学进军"的号召，顿时全国兴起了学习科学的热潮。在这种历史背景下，中国人民大学哲学系成立了，我个人也考取了北京大学哲学系，并于 1961 年被分配到人大哲学系工作。1956 年，无论对国家、对人大哲学系，还是对我个人来说都是有着特殊意义的一年。

　　流年似水，回眸个人走过的征程，自 1961 年以来，就一直生活在人大校园里。水流云在情谊长，如果说在北大 5 年的学习，增长了知识和智慧，我对母校和老师怀有一种感恩之情的话，那么在人大工作的 45 年，长期与系友朝夕相处，同甘共苦，与同仁切磋琢磨，与同学教学相长，使我对人大哲学系怀有一种真切深厚的感情。

　　记得 1961 年填写工作志愿时，我一连写了四个青海省的单位。大概是家乡浙江永康人吃苦精神的熏陶吧，当时真想在西北地区磨炼一番。考虑到可能被分配到远离故乡的西北，当年暑假我特意回家看看，探望年迈的老父老母。当我返校快到住处 32 斋时，有同学对我喊，说我被分配到人大哲学系了。当时人大哲学系由于成立后发展迅猛，学术活跃，成为爱好哲学专业青年人的神圣学术殿堂，我压根没有分配到人大哲学系工作的奢望。我还以为同学在开玩笑。后来很快证实了这个信息是真实的，不久我被分配到人大哲学系中哲史教研室工作了。

　　到一个新单位，首先看人家的优点，是我的一贯态度。我逐步体察出人大哲学系的一些优点、特点，比如重视队伍组建，以我所在的中哲史教研室来说，除了年长的石峻、杨宪邦等老先生外，年轻的就有王俊义、方克立、孙长江、张立文、葛荣晋和我，都是 20 世纪 30 年代出生的，虎虎有生气，有的且已崭露头角。

　　由于姓氏名字相同，一时而有"二方"、"三立"之说。一次学术会上，复旦大学严北溟老教授还以"三立"的姓名为上联，求对下联，此事也一时传为中哲史界的佳话。又如学风方面，在我看来，相对而言，人大哲学系比较重视理论、现实，而北大哲学系则较重视史料、历史。当时有位老师提出人大、北大两个哲学系不妨做个分工：一个偏于中外哲学史，另一个偏于哲学原理。我想自己在北大念书，在人大工作，最好把两者的特点结合起来，在教学和研究中力求体现观点与资料、历史与现实的统一，但后来的实践表明，我自己实际上没做好，一度教条主义倾向也比较严重。再如强调学术研究，也是人大哲学系的一个鲜明优点。记得中哲史教研室曾专门开会讨论，确定每位教师都要逐步做到能够讲授中国哲学通史，科研工作则要有重点，每人有主攻方向，各个大的历史时段都要有人研究。我当时确定的研究重点是南北朝隋唐哲学，此事决定了我的学术研究的范围、重心，影响了我后来的学术方向、生涯。记得有一次系主任张腾霄同志来中哲史教研室参加会议，在会上说，来哲学系三年拿不出科研成果，走人。当时感到压力很大，但压力也转化为一种动力，在我到人大将近三年之际，自 1964 年春始，至文化大革命前，我在《新建设》和《哲学研究》上发表了 4 篇关于佛教的学术论文，在《人民日报》等发表了 2 篇书评。回想我的一点点科研成果的取得，真要感谢人大哲学系领导的关切和督促。

在哲学的教学和科研的实践中，哲学系的同道都深感开展宗教学和研究的必要性和重要性，认识到这是关乎我国国运昌盛的大事，用现在的话语来说，就是涉及构建和谐社会的大事。我在佛教研究工作中，也逐步明白佛教在中国历史、文化史、哲学史上的作用，逐步了解佛教的哲学内涵之丰富多彩。印度佛教哲学与中国哲学是世界哲学论坛上的东方两大体系，中国化的佛教哲学则是中国传统哲学的组成部分，是很值得研究的，也是很需要研究的。当时石峻教授非常重视佛教研究，他无微不至地关怀我的工作。大家在对宗教认识提高的基础上，于 1987 年成立了宗教教研室，这是哲学系开创独立的宗教学教学和研究的重要举措。1991 年由石峻教授和我联名上书学校，申请成立宗教研究所，袁宝华校长很快批准了申请，后来见面时他还嘱咐我们要把宗教研究所的事情办好。宗教研究所由哲学、历史、文学等系有关老师组成，集全校之相关师资力量，联合展开学术讲座、交流，这是中国人民大学开展宗教学术研究的标志性的重要步伐。

随着宗教教学和研究的展开，我们逐渐取得了相应的成绩。1999 年教育部决定在全国高校成立百所人文社会科学重点研究基地。我们申请成立佛教与宗教学理论研究所，2000 年 7 月经过教育部组织评审、专家组实地考察，最后教育部正式批准了我们的申请。同时获得批准的还有四川大学道教与宗教文化研究所。这是中国人民大学、四川大学乃至全国高校宗教学研究历程中的里程碑事件，标志着宗教学研究重要地位的被确认，预示了宗教研究光明前景的到来。

随后中国人民大学又于 2005 年 5 月成立了哲学院，下设哲学系和宗教学系，更是从建制上为宗教学的教学和研究提供了有力的组织保证，从而也为宗教学的教学与研究开辟了更加美好的前景。

人才是学术部门的关键性因素。学校、哲学院、宗教学系都高度重视引进宗教研究专家。学校先后聘请了何光沪、温金玉、何建明、孙毅、魏德东、张文良诸位先生加盟系、所的工作。学校和哲学院表示今后还将适当扩充队伍，聘任优秀的年轻学者共同工作。

作为研究型的大学、系、所，学术研究无疑处于首要的地位，也可以说有着决定性的意义。我们从事宗教学研究的同仁共同奉行和谐团结、共赢共荣的团队精神，提倡好学深思，潜心研究，常勤精进，埋头苦干，独立思考，力求创新，不图虚名，多做贡献的学风，鼓励在个人专心研究基础上的良性合作，推进课题研究。当前我们从事的研究侧重于"宗教与社会主义社会相适应的理论与实践"、"宗教与当代中国社会"、"儒佛道三教关系"、"汉语基督教神学"、"佛教与宗教学理论译丛"等，这些研究的完成，会对繁荣宗教学、宗教哲学乃至哲学产生了积极影响，并有助于宗教工作的实践与和谐社会的建设。

在人大哲学系（院）将近半个世纪的岁月里，同仁们为繁荣哲学而孜孜以求的精神，为昌盛国运而奋斗的历史使命感，深深地感染了我，同仁们热爱祖国、感恩祖国、效力祖国的拳拳报国之心，也有力地激励了我。今后我将进一步把个人的学术活动同社会的发展和进步联系起来，为繁荣中国哲学，发展宗教学术，振兴民族文化，推动国家建设而尽心尽力、尽职尽责，争取作出新的贡献。

编写教科书的日子

郭 湛

　　人的一生中有些经历和感受不但不会淡忘，反而会随着岁月的流逝日渐凸显出来，像一幅幅浮雕刻在自己脑海中。20多年前，我第一次跟随萧前教授编写哲学教科书，留下的就是这种永远难忘的记忆。

　　20世纪70年代末80年代初，适应中国改革开放和现代化建设的需要，教育部组织中国人民大学、北京大学、吉林大学等高校教师，分别编写几部供哲学专业学生用的马克思主义哲学教科书。1981年上半年，在萧前教授带领下，人民大学哲学系首先完成并由人民出版社出版了萧前、李秀林、汪永祥主编的《辩证唯物主义原理》，在学界和社会上颇受瞩目。当时我正在人民大学哲学系读研究生，在撰写硕士论文之前，导师组确定李秀林教授为我的导师。而萧前教授作为整个导师组的带头人，当然也是我们所有学生共同的导师。还未毕业，我们就读到了自己老师编写的哲学教科书，那种欣喜和自豪可想而知。

　　1981年下半年，人民大学复校后第一届硕士研究生毕业，我和李德顺一起留在哲学系马克思主义哲学教研室任教。那时，萧前教授正在着手编写《辩证唯物主义原理》的姊妹篇《历史唯物主义原理》，我和李德顺被吸收到教科书编写组中，开始了与人大版哲学教科书的不解之缘。编教科书，我们都没有经验，萧前等老师带着我们干中学、学中干。除了根据需要读书或查资料，参加编写组的研究和听取校内外专家的意见，我们的主要办法是进入专业课教学的课堂。记得当时李德顺跟着萧前老师去上课，而我则跟着李秀林老师去上课。主讲老师在课堂上按照初步拟订的教科书提纲讲课，我们当堂记录老师讲的内容，理解、体会其中的奥妙，了解学生的反响和问题。课后，再根据教师讲稿和讲课记录整理出各个章节叙述的初稿，作为进一步研究、修改的基础。当时参与主讲和整理讲稿的还有汪永祥、杨彦钧、董永俊等老师。这个办法确实见效，一个学期的"历史唯物主义原理"课讲下来，教科书的初稿也陆续形成了。

　　初稿经过反复修改，1982年春天完成了《历史唯物主义原理》（哲学专业试用教材）书稿。5月3日到14日，以教育部名义在武汉华中工学院（今华中科技大学）召开了该书稿的审稿会。教育部高教一司、中宣部理论局、中共中央党校、《红旗》杂志社、人民出版社、《中国社会科学》编辑部、《教学与研究》编辑部、中国社会科学院哲学研究所、华中工学院哲学研究所和来自全国十几所高校哲学系及湖北省、武汉市的专家学者 40 多人参加了这次会议。会议围绕书稿进行了全面而又深入的讨论，萧前、李秀林等老师自然成为会议的中心人物。他们一方面要向与会专家学者介绍这部书稿的基本设想、框架结构、思想观点、叙述方式，同时又要仔细倾听和理解与会专家学者提出的批评和建议。教科书编写组的其他成员则努力做好会议的有关工作，特别是记录和整理与会专家学者对修改书稿提出的具体意见。当时，我协助杨彦钧老师整理了一份篇幅很长的材料，其中的主要部分在《教学与研究》杂志上发表了，全文后来发表中国历史唯物主义研究会的会刊上。

开完《历史唯物主义原理》书稿审稿会，萧前、李秀林等老师对于如何进一步修改已成竹在胸，因而会后教科书编写组成员在武汉的观光就显得颇为轻松，面对理论难题时的沉重气氛顷刻间化为江城和煦的春风。我在 20 世纪 60 年代末曾和一位同学到过武汉，在长江边望着东去的流水，深为大武汉气势之雄浑所震撼。这次和老师们一起游览长江大桥和归元禅寺等地，在又一次感受这里天地之广阔和历史之悠远的同时，还亲身感受了萧前、李秀林等老师的博学、睿智和亲切。萧前教授出生于长江岸边的沙市，湖北是他的故乡，至今乡音不改。回到故乡，并且是在紧张的工作过后，他谈笑风生，幽默风趣，令人满怀尊敬而又没有距离感。

回北京后不久，1982 年暑期，教科书编写组成员来到京西房山一处叫"黄土坡"的地方，住在军队系统的一个招待所里。那是一个培训干部的基地，当时叫做"读书班"。由于暂时没有正式的学员，住房大多空着，我们编写组每人一个房间，环境十分清静。但我们没有多少时间读书，现在的任务是修改书稿。萧前教授和李秀林、汪永祥老师三位主编研究确定了修改方案，给每个人布置具体任务，提供或指出该用的资料，然后我们就回到自己房间里去工作。"差事"办完了，再到主编那里去"交差"。如果需要进一步加工，他们会提出明确的要求，让我们修改。如果质量合格，通过了，就再给新的任务。除了工作，就是到时间去食堂吃饭，午饭后午睡，晚饭后散步，节奏分明，忙而有序。

记得有一天，萧前老师让我修改"社会意识"一章的第一节"社会意识的构成"，并给我一些相关的资料，包括当时最新翻译的苏联版马克思主义哲学教科书。我根据这些资料和自己对这个问题的思考，明确了社会意识分类和分层的尺度，使对社会意识整体结构的表述更清晰了。修改稿交给三位主编看过后，得到充分肯定，使我更有信心了。接着，萧前老师又让我修改"社会意识"一章第四节中的"二、精神文明在当代的发展"。我怀着对社会主义未来的信念，对当代资本主义和社会主义两种精神文明的关系作了"超水平"的阐发。我在修改稿中写道："这两种精神文明，一个是存在于过去和现在的，另一个是存在于现在和未来的；尽管二者并存于现在，但本质上是一个属于过去而另一个属于未来的。社会主义精神文明的现实形态是未充分发展的、不完善的，在资本主义精神文明的珠光宝气的现实形态面前，显得像个朴素无华、甚至带点寒酸的'灰姑娘'。然而从发展的观点看，社会主义精神文明是高于资本主义精神文明的新的精神文明形态，其前途未可限量。"萧前老师对这些修改表示赞赏，给了我极大的精神鼓励。

我们在"黄土坡"住了十多天的时间，工作之外，最多的集体活动就是散步。晚饭后，我们同萧前、李秀林等老师走出"读书班"大院，沿着乡间小路漫步走去，一直走到通向山西的铁路边上再返回来。一路上，听着老师们天南海北地交谈，看着晚霞余晖中的自然景物，真是双倍的精神享受。周围是崇山峻岭、茂林芳草，一条不大不小的河从山间狭长的谷地中流过。这里位于北京城区以西几十公里，虽处盛夏，却湿润凉爽，毫无燥热之感，在这样的时间、这样的地点做这样的工作再合适不过了。

散步是每天的功课，偶尔我们也在下午去河里游泳，印象尤深。编写组成员大多数都会游泳，其中李秀林、杨彦钧两位老师水性最佳。李秀林老师是山西汾河边上一位船工的儿子，杨彦钧老师的家乡是四川三江汇合处的乐山。我也喜欢游泳，因为"我的家在东北松花江上"。萧前老师游得很好，他生在沙市，长在苏州，都是水城。我们在清澈的河水中顺流而去，游得很远，尽兴方止。这一群年纪相差二十余岁的老师和学生，光着身子坐在卵石滩上闲聊和观赏两岸风光，天地人融为一体，人与人坦然相对，令人流连忘返。

在萧前教授带领下，教科书编写组修改完成了书稿。1983年7月，人民出版社出版了《历史唯物主义原理》一书。在出版过程中，我在萧前、李秀林等老师指导下，与人民出版社的编辑多次打交道，做了一些校对等方面的工作，直到拿到样书。通过这一本书，使我第一次完整地经历了一部教科书的编写、修改和出版的全过程，它对我的锻炼和提高是无法估量的。

1990年，萧前教授和汪永祥教授在山西大同主持了《辩证唯物主义原理》和《历史唯物主义原理》两本教科书的修订，我和李德顺、陈志良参加了《历史唯物主义原理》（修订本）的统稿。遗憾的是，这本书三主编之一李秀林教授已于1986年3月16日逝世，但他对这套教材编写的宝贵贡献将永远保留在这部书中。1991年2月，《历史唯物主义原理》（修订本）出版。1995年，这部书获第三届普通高等学校优秀教材国家教委一等奖。1997年，《历史唯物主义原理》又获普通高等学校国家级教学成果二等奖。这是一本分量很重的书，它凝结着萧前老师和他的学生们丰富的思想和感情，如山之高，如水之长。

Main Abstacts

The Values of "He – he"

Zhang Liwen

" He – he" is the primary value and quintessence of Chinese culture, which still has realistic value in spirit nowadays. The Value of "He – he" mainly manifests itself in the following five aspects: the value of changing; the value of pluralism; the value of valuing harmony; the value of daily reforming; the value of diligent practice. In today's world, the theory of the Value of "He – he" is beneficial to coordinate and eliminate the crisis and conflicts the world's people confront together; is beneficial to all the nations' long – lasting development in philosophy specificity; is beneficial to the exchanges, learning and prosperity in social politics, economy, science and culture between different peoples and countries; is beneficial to all the world's need and constructions in value, theoretic thinking, virtue and ultimate concern; is beneficial to construct and promote the human being's spirit and their common ideals. We should adopt the above five "beneficials" as our standard for building a harmoniously united world which is harmony in nature and in human, which is happy in nature and in human, a world which the nature and the human enjoy harmony and happiness together.

Humanistic Concern in the Course of Modernization

Liu Dachun

Modernization relates closely with humanistic concern, whose theoretical essence is humanism. There are different aspects of humanistic concern absent in the contemparary times, which is rooted in the strengthening instrumental rationality. Thus this paper has probered into the relationship between value rationality and instrumental rationality so as to find how we could properly foster humansitic concern.

哲学家

●2006

Philosopher 2006

On Culture and Non – Culture

Guo Zhan

This article mainly considers the sunk of taste with social culture in many fields, and realizes the seriousness of the phenomenon and the urgency to recognize and to solve the matter. The author proposes the following views: "The human beings have created the culture and culture is the non – natural way of existence (being). " "The word 'culture' is a verb but also a noun. " "The proceeding of culture isn't bound to make progress or optimize. " "The culture is a methodical being of human survival and activities, a social methodical being which takes the natural methodical being as its presupposition and means the methodical being of men's living conditions. " "Culture is a non – natural being, which in reverse we can also declare that the nature is a non – culture being. " "The natural world has transited or developed into the man's cultural being through the social combining of living organisms. " "Life transcends the inorganic natural beings and culture transcends the pure naturally existential way of life. "

The "End" of Philosophy: form Theory to Practice

Zhang Zhiwei

In the modern society, philosophy, as a kind of discipline, becomes more and more specialized as well as occupational to such an extent that man cannot think of it without specially training. Thus, a crucial question is following: how does philosophy affect society, or, in other words, how does philosophy play a role? This question leads to the so—called the "end" of philosophy in our article, that's to say, like any specialized discipline, philosophy turns out to be a very specialized subject in which only a few scholars are engaged so that its influence and effect on the social life are increasingly powerless. It seems easy for this problem to be solved, but dealing with it is not an easy task. In my opinion, only returning to the real life and to the practice can essentially solve this problem.

The Study of Civic virtues: Its Status Quo and Subject Orientation

Li Ping

The study of civil virtues will involve how we comprehend the concept "citizen" and what levels its nation's has developed in the fields of economics and politics. We can more deepen the knowledge of it by reviewing the history of western civil virtues' theories and practice. And more, we may widely analyze the conditions of modern Chinese civil virtue and its success and failure. So we have to locate a rational position to the study of modern Chinese civil virtue.

Philosophy and Thought Therapy: The Contemporary "Philosophical Consultation" and Its Applications

Ouyang Qian

What's actually the use of philosophy? It is the best answer to this question that we should apply philosophy to everyday life, and close philosophy with "the man's problem", and give full play to philosophical effect of curing thought. Since "Philosophical Counseling" rose in the early 1980s in Western countries, it is a revival of the old tradition of practicing philosophy, and its goal is to help individuals or groups sort through problems in everyday lives. This paper contains a total view of philosophical counseling, its practical orientation, its methods of curing thought, and its exploring the traditional philosophies. I conclude that Chinese traditional philosophies could give play to its important affect in developing philosophical counseling.

An Easy on Translations of Buddhist Sutras

Shi Jun

The manuscript below completed by professor Shi Jun in Aug 25th, 1951 made a profound conclusion and an enlightening discussion on translation matters of voluminous Buddhist Scriptures by thousands years' time of China. Reading carefully, it still has great significance for reference in our today's translation work.

Between Radical and Conservative: The Ided of Conciliation in Modern Culture

Gan Chunsong

With the challenge from the western culture in modern times, the transformation of traditional Chinese society turned out to be confusion in which the old values had withdrawn and the new kernel ones couldn't give birth. Such a kind of phenomenon has made the cultural problems to be issues of utmost im-

[Main Abstacts]

portance during the transition from the time 1848 A. D. to modern China, and
has also made the Cultural Debate in the 20th century to be a social event close-
ly associated with political and economical changes. In the variation between
conservatism and radicalism, the idea of Eclecticism and the Theory of Media-
ting should especially be paid attention to. Strictly speaking, the Theory of
Mediating can't develop into a school of thought, but a camouflage adopted
both by conservatives and radicals, through which the two sides hid their real
stands. This article present makes a concentrated discussion on the Theory of
Mediating Theory between conservation and radicalism in the modern culture
by the New Culture Movement, Du Yaquan, Liang Qichao, Liang Shuming,
the School of Xueheng and etc.

The Comparison of the Viewpoints of Freedom between Jean – Paul Satre and Isaiah Berlin

Feng Jun

Jean – Paul Satre (1905—1980) and Isaiah Berlin (1909—1997) are two
great thinkers who are commonly concerned about the issue of "freedom". The
viewpoints of freedom are centres of their philosophy. However, their view-
points of freedom have different philosophical backgrounds, different theoreti-
cal starting points and different style. Berlin's viewpoints seems a mirror of
analyzing Satre's viewpoints of freedom. Berlin divides freedom into two, one
is positive freedom i. e. "free to do sth."; another one is negative freedom
i. e. "free from doing sth.", he advocates the later and discards the former.
Berlin thinks the positive freedom would lead to the complete loss of freedom.
Satre's self – selection and self – making happen to be opposed by Berlin. The
comparison of these two theories will help us know more about their respective
advantages and disadvantages, and deepen our knowledge of the achievement
we had in exploring freedom in 20th century.

What is Heraclitus' Logos?

Nie Minli

Heraclitus' concept of Logos has so far been warmly discussed by schol-
ars. This paper attempts to interpret this concept from a new viewpoint. Dif-
ferent from the usual view that what Heraclitus emphasizes is flux of cosmos,
the thesis of this paper is that what Heraclitus emphasizes more intensively is a

subtler, more immanent and adjustive thing in flux, which is Logos. This paper interprets some concerning fragments of Heraclitus in detail, thinking that the Logos is imperceptibility which controls the changes, makes them maintain an ingenious balance, and display them as the real picture of the world of life. This paper especially emphasizes the relationship between Heraclitus' Logos and the Oracle of Ancient Greece, and further discusses these views in reference to all kinds of meaning of the word Logos.

On the Background and Characteristics of Epistemology of Anamunesis in *Meno*

Lin Meimao

Anamunesis is an important component of the epistemology of Plato's philosophy. Plato thought that learning is to recall things had been forgotten. This theory's purpose is to oppose the argument of denying the possibility of human exploring, which was very prevalent at the time; it is also a theoretical conclusion on questioning the essence of Socrates. Anamunesis in *Meno* has proved its rationality in epistemology via experiments of memories so as to prove each individual's psyke contains correct thoughts, through cleverly practicing the method of dialektike, human's inherent orthe doksa can be re-mastered. However, the source of this inherent orthe doksa has decided the priori and athanasia of psyke are the preconditions of Anamunesis. Nevertheless, when Plato initially pointed out Anamunesis in *Meno*, he had avoided the logic argumentation on the issue of athanasia of the psyke. But this dialogue has fully revealed the basic characteristics and the nature of Anamunesis as an issue of epistemology; it has become one of important documents of Plato philosophy.

The Essence of Individual: On Saul Kripke's Conception of "Origin"

Zhou Lian

In *Naming and Necessity*, Saul Kripke claims that the objects and persons have essences, and among their essences are their origins. The purpose of this essay is to show that Kripke's conception of "origin" is ambiguous, and furthermore, while explaining different individuals in terms of their origins might be a solution to the theory of Essences, I will argue that, as a theoretical interpretation, its force is still too limited to treat the issues of personal identity.

[Main Abstacts]

哲学家
● 2006
Philosopher 2006

Some Concerns on The System of Dialectical Materialism and Historical Material-ism

An Qinian

The system of dialectical materialism and historical materialism was established as a result of the battle of Soviet social theories and the reconstruction of socialism after the October Revolution. Mitin and Stalin played a critical role during the course of the establishment. The basic spirit of the system was to enhance technical rationality. Now, it seems that its basic ideology has not been out of date, but many important philosophical ideas of Marx and Engels' have not been included in the system. To build a harmonious society which gives primary consideration to the people, thus meeting the need of the whole era, the reconstruction of Marxism philosophical system is an urgent affair.

The Contemprary significance of Marx's View on Individual

Chen Shizhen

Marx's view on individual is different from the view of Marxism. It is theory resources for us to contribute current Marxism view on individual. In Marx's opinion, "practical individual" is the premise, starting point and core. It looked forward the ideal future of individual and is off dialectical and practical. Marx's view on individual paved the way for us to theoretically study and practically exploration.

The Aesthetical System of Li Yu's *On Pleasure of Daily - life*

Zhang Fa

This paper presents a system of Xianqingouji (*On Pleasure of Daily - life*) by Li Yu and points out the book contains a meaning for concocting the two aesthetics between mass and classic, so it is a new type of aesthetics in that times. In Li Yu's thought the subject gets an important post at aesthetic activities in daily life and meanwhile the objective structure in every aspects of daily life is given a same care. This book is representative of daily - life - aesthetics in Qing dynasty.

Time Consciousness and Chinese – Western Cultures

Niu Hongbao

Time perceptional patterns of one culture are very important for making the culture's world model, enduing one nation and persons living in the culture with meaningful forms. Since the end of 19th century, the western calendar and time view of evolutionism has influenced the time consciousness of Chinese, caused confliction of the time consciousness between the Western culture and Chinese culture. The western time view had gone through three patterns: Pre – Greek's changeability world, Ancient Greek and Middle Age's dualism between forever world without time and secular world in time, and modern linear and evolutional time view. But Chinese traditional time perceptional pattern, which was been made during Zhou dynasty to Qin dynasty, had not changed before the end of 19th century. Chinese traditional time perceptional pattern has been made of three aspects: the circulate time view of ancient Chinese calendar, the mutual exchange of yin – yang from The Book of Changes, and the feeling of that time is elapsing. During the long history, Chinese culture hadn't developed the concept of forever which resists the secular world in time, also never developed linear and evolutional time view. On the one hand, this model of the time perception made Chinese people very sensitive for time, but on the other hand, this pattern of time view made Chinese people lived with the fragile life forms, and couldn't give the horizon of the future vision to the people.

The Informal Veer of Logic

Chen Muze

The concept of the veer of logic is to emphasize the application value of logic to other subjects as well as to its own development. The Informal Veer of Logic means the movement of "critical thinking" called as "the new wave" in the west. The goal of this veer is to bring into play the role of logic in the ability education, which also brings a good chance to benefit the logic education development in China.

On Object – logic and Metalogic of Mohist Logic

Yang Wujin

The metalogic is about logical logic. Logic may be a formal, also may the

informal. Through establishing formal system, may study logical well a meta-logic nature. Although the Mohist school logic has not established the formal system, but has its object – logic. This kind of object – logic is similar to at present the non – formal logic or critical thinking which emerges in the West. The main flaw of Mohist school logic is not to discusses the type research too few, but has not studied the inference form which behind the type hides. As a result of this, the Mohist school has not finally been able to establish logic formal system, thus its metalogic research not impossible take formalization logic as object logic, but only can take the critical thinking as object logic.

Morality and Interests

Gong Qun

The relationship of morality and interesting is complicate one, though from the standpoint of the essential, the relation of morality and interesting is consist and not conflict one. The misunderstanding of relation of morality and interesting lies in how we understand individual interesting. We shall fully recognize the important status of individual interesting in morality, and also to respect the behavior which is beyond the consideration of agent's duty. However, even if such good conduction, it shall be replied it by society so that the agent will be respected by society.

Contemporary Theory of Public Policy and Classical Conception of Publicity

Zhang Xu

The thesis analysis the theme "philosophy and public policy" in Arendt's perspective of political philosophy and reveal the presupposition of modern political philosophy in social science and the doctrine of public sphere in Habermas and Rawls, that is to say, the state monopolize politics and the separation of politics and administration is devoured by the expansion of modern administration power. Only if we reconstruct the public concept of classical politics can we discern the change of the connotation of publicity from classical politics to the modern mass society. And again, only if we return to the classical political philosophy of the concept of publicity as the essence of human being can we get hold of the possibility to overcome the crisis of the total predominance of technical politics in the society fundamentally.

编后记

20世纪80年代，人民大学哲学系一群年轻博士，创办《青年哲学论坛》，为师生切磋砥砺，颇有助益。90年代，哲学系编辑出版了《慧泉》，郭湛教授创之，年轻教师韩东晖博士继之，培养人才，交流心得，坚持多年，成效显著实在。

多年以来，人民大学哲学同仁一直有个心愿，希望能够创办《哲学家》，作为展示最新研究成果和学术交流的平台，同时也为凝聚哲学人气，寄托我们对哲学学科和人民大学哲学院（系）情感，提供一块田地。然而，以前由于经费困难等原因一直未能如愿。冯俊、张志伟两位主持学院事务以来，尤重创办《哲学家》之事，留意联络出版，筹措经费。幸得北京佳瑞环境保护有限公司汤苏云女士慷慨资助，又得人民出版社鼎力支持，出版《哲学家》一事终于可以落实了，在此，谨向他们表示感谢！

本书以《哲学家》名之，也有用意，意在推动当下哲学研究范式，由描述转向创造。我们今天的时代，是一个需要创新哲学理论的时代，是一个需要出现新的哲学家的时代。哲学自身的使命，哲学学科的范式，哲学与现实生活，这些与哲学学科和哲学人最休戚相关的问题，是值得从理论上彻底反思的。当然，我们也支持哲学史研究。实际上，哲学研究很难脱离开哲学史研究。但在取向上，我们更强调哲学基础理论研究，更强调哲学理论的创新。为此，我们每辑都将设立"哲学家论坛"这一固定栏目。在这里，"哲学家"不是一个固定的身份，不是一个学术上的头衔，只是指明学术成果表现出的哲学研究取向。

2006年是人民大学哲学院（系）成立五十周年，为了在院庆前推出，约稿和编辑时间短促，因而本书主要是本院同仁的稿件。《哲学家》由中国人民大学哲学院主办，但她并不是围墙之物，而是面向整个学术界的，欢迎学界同仁赐稿。

《哲学家》得以顺利按时出版，得益于各位同仁的大力支持。众所周知，在当今这个以学术成果评估指标体系引导学术研究的时代，大家把自己的心血之作，放弃投给"核心期刊"，而甘心损失成果评估"分值"，不能不说是一种自觉地奉献，精神可贵。本书的出版，得到了人民出版社副总编辑张小平先生的支持和帮助。我们的系友人民出版社哲学编辑室方国根先生、洪琼先生，为

本书出力颇多，保证了本书的按时出版。周濂博士承担了将中文目录译成英文的工作。研究生朱璐同学帮忙，将几篇论文的摘要译成英文。还有一些同事帮助联系或推荐稿件。我谨代表本书编辑小组，向以上各位衷心地表示感谢！

　　由于水平有限，时间仓促，不足之处难免。我们诚挚地欢迎哲学同道，不吝批评指正，共同把《哲学家》办好，最大限度地实现其应有的使命。

彭永捷

2006 年 10 月 13 日

责任编辑：洪　琼
版式设计：书林瀚海

图书在版编目（CIP）数据

哲学家·2006/冯　俊主编.
-北京：人民出版社，2006.11（2007.1重印）
ISBN 7 - 01 - 005904 - 7

Ⅰ. 哲…　Ⅱ. 冯…　Ⅲ. 哲学-文集　Ⅳ. B - 53

中国版本图书馆 CIP 数据核字（2006）第 126202 号

哲学家·2006

ZHE XUE JIA · 2006

冯　俊　主编

人 民 出 版 社出版发行

（100706　北京朝阳门内大街 166 号）

北京市双桥印刷厂印刷　新华书店经销

2006 年 11 月第 1 版　2007 年 1 月北京第 2 次印刷
开本：710 毫米×1000 毫米 1/16　印张：22
字数：418 千字　印数：4,001 - 6,000 册
ISBN 7 - 01 - 005904 - 7　定价：37.00 元

邮购地址 100706　北京朝阳门内大街 166 号
人民东方图书销售中心　电话（010）65250042　65289539